LEE CH
è ur
Maestro dell'

D1586904

Lee Child, nato a Coventry, in Inghilterra, nel 1954, si è trasferito negli Stati Uniti nel 1998. Ha esordito nella narrativa nel 1997, con *Zona pericolosa*, ottenendo subito un vasto e crescente successo di critica e di pubblico. Jack Reacher, il suo formidabile protagonista – «un vero duro, un ex militare addestrato a pensare e ad agire con assoluta rapidità e determinazione, ma anche dotato di un profondo senso dell'onore e della giustizia» –, è diventato uno dei personaggi più amati dagli appassionati della narrativa di suspense. Dai romanzi *La prova decisiva* e *Punto di non ritorno* sono stati tratti due film di successo, con Tom Cruise nei panni di Jack Reacher. leechild.com

Dello stesso autore in edizione TEA:

Lee Child

La vittima designata

Romanzo

Traduzione di
Adria Tissoni

Per informazioni sulle novità
del Gruppo editoriale Mauri Spagnol visita:
www.illibraio.it

Ti piace l'avventura?
Scopri i migliori scrittori e i romanzi più appassionanti,
contenuti esclusivi e anteprime gratuite su
www.maestridellavventura.it

TEA – Tascabili degli Editori Associati S.r.l., Milano
Gruppo editoriale Mauri Spagnol
www.tealibri.it

Titolo originale
Persuader

Prima edizione TEADUE aprile 2009
Terza ristampa TEADUE marzo 2013
Prima edizione Best TEA settembre 2014
Prima ristampa Best TEA gennaio 2015
Prima edizione TEA Più febbraio 2018
Seconda ristampa TEA Più novembre 2018

LA VITTIMA DESIGNATA

Per Jane e gli uccelli marini

1

L'agente scese dalla macchina esattamente quattro minuti prima di beccarsi una pallottola. Si muoveva come se conoscesse il suo destino. Aprì la portiera facendo forza per vincere la resistenza di un cardine duro, si girò lentamente sul sedile logoro di vinile e posò entrambi i piedi sulla strada. Si afferrò al telaio della portiera con entrambe le mani e si sollevò. Rimase in piedi nell'aria fredda e tersa per un istante, si girò, chiuse la portiera con una spinta e restò fermo ancora per un secondo. Poi avanzò e si appoggiò al cofano di lato, vicino al faro.

L'auto era una Chevrolet Caprice vecchia di sette anni. Era nera, senza insegne della polizia, ma aveva tre antenne radio e mozzi cromati standard. Gran parte degli agenti sostengono che la Caprice sia il migliore veicolo della polizia che sia mai stato costruito. Quell'uomo sembrava della stessa idea. Ricordava un detective in borghese, un veterano che aveva a disposizione l'intero parco macchine e guidava la storica Chevy per passione, come se non gli interessassero le nuove Ford. Nel suo portamento notai quell'inflessibilità tipica dei poliziotti della vecchia guardia. Era grosso e corpulento, indossava un vestito scuro tinta unita di lana pesante. Era alto, ma curvo. Un uomo anziano. Girò la testa, guardò a nord e a sud lungo la strada, poi allungò il collo robusto per guardare il cancello del college alle sue spalle. Si trovava a una trentina di metri da me.

Il cancello del college era una struttura puramente simbolica: due alti pilastri di mattoni si ergevano su una distesa d'erba ben curata al di là del marciapiede. In mezzo vi era un'inferriata alta a due battenti, composta da sbarre ritorte, piegate e curvate in fogge strane, di color nero lucido. Sembrava ridipinto da poco. Probabilmente lo dipingevano dopo ogni inverno. Non aveva alcuna funzione di sicurezza: chiunque avesse voluto evitarlo, avrebbe potuto passare con l'auto sul prato. In ogni modo, era spalancato. Dietro si apriva un viale d'accesso con due paletti di ferro alti fino al ginocchio, collocati a una distanza di due metri e mezzo e dotati di un meccanismo di blocco. I battenti del cancello erano fissati a essi, in modo da restare spalancati. Il viale conduceva a un gruppetto di edifici di mattoni dai colori caldi, un centinaio di metri più in là, con i tetti spioventi ricoperti di muschio, sovrastati da alberi. Altri alberi fiancheggiavano il viale e il marciapiede. C'erano alberi dappertutto e stavano appena mettendo le foglie: piccole, arricciate, di un verde brillante. Di lì a sei mesi sarebbero state grandi, rosse e dorate, e i fotografi sarebbero accorsi a scattare le foto per il dépliant del college.

Venti metri più indietro, alle spalle dell'agente e della sua macchina, un pick-up era parcheggiato sull'altro lato della strada, accanto al cordolo. Era rivolto nella mia direzione, una cinquantina di metri più in là, e sembrava vagamente fuori posto. Era di un rosso sbiadito e davanti aveva un grosso bull bar nero opaco, che pareva essere stato piegato e raddrizzato un paio di volte. Nell'abitacolo c'erano due uomini: giovani, alti, capelli chiari, un'aria da persone per bene. Se ne stavano seduti lì perfettamente immobili, a guardare davanti a loro senza fissare niente di preciso. Non stavano guardando né l'agente né me.

Io mi trovavo a sud. Avevo un furgoncino anonimo marrone, posteggiato all'esterno di un negozio di dischi. Era il tipico negozio che trovavi nei paraggi di un college, con gli espositori di CD usati sul marciapiede e i poster appesi alle vetrine che pubblicizzavano gruppi mai sentiti. Il portellone posteriore del furgoncino era aperto. Dentro, c'erano varie scatole impilate. In mano tenevo un fascio di carte. Portavo il cappotto perché era una fredda mattinata di aprile, e i guanti perché dalle scatole del furgone che erano state aperte sporgevano i punti metallici. Portavo anche una pistola perché lo faccio spesso. La tenevo infilata nei pantaloni, sulla schiena, sotto il cappotto. Era una Colt Anaconda, un grosso revolver di acciaio inossidabile predisposto per cartucce 44 Magnum. Era lunga trentaquattro centimetri e pesava un chilo e ottocento grammi. Non era certo la mia arma preferita: era dura, pesante e fredda, e ne avvertivo costantemente la presenza.

Mi fermai nel centro del marciapiede, sollevai lo sguardo dalle carte e in lontananza udii accendersi il motore del pickup che però non si mosse. Rimase dov'era, col motore che girava al minimo. Il fumo di scarico bianco si raccoglieva attorno alle ruote posteriori. L'aria era fredda. Era presto e la strada era deserta. Mi spostai dietro il furgoncino e guardai verso il lato del negozio di dischi, in direzione degli edifici del college. All'esterno di uno di essi vidi una Lincoln Town Car nera in attesa. In piedi accanto all'auto c'erano due uomini. Mi trovavo a un centinaio di metri, ma nessuno dei due assomigliava a un autista di limousine. Gli autisti di limousine non girano in coppia, non hanno l'aria giovane e robusta, né si comportano in modo teso, sospettoso. Quei due sembravano proprio guardie del corpo.

L'edificio all'esterno del quale la Lincoln attendeva era una specie di piccola casa dello studente. Sopra il grande portone di legno c'erano alcuni caratteri greci. Rimasi a osservare e il grande portone di legno si aprì per lasciare uscire un uomo giovane e magro. Aveva l'aria di uno studente e i capelli lunghi tutti arruffati; era vestito come un barbone, ma portava una borsa che sembrava di pelle lucida costosa. Una guardia del corpo rimase di vedetta mentre l'altra apriva la portiera. Il giovane gettò la borsa sul sedile posteriore e s'infilò in macchina, chiudendo la portiera. La udii sbattere: fu un suono debole, attutito, proveniente da un centinaio di metri di distanza. I due uomini si guardarono attorno per qualche istante, si sistemarono sui sedili anteriori e un attimo dopo l'auto partì. Trenta metri più indietro un mezzo della security del college si avviò lentamente nella stessa direzione, non come se intendesse fare da scorta, ma come se si trovasse lì per caso. Dentro c'erano due addetti alla sicurezza accasciati sui sedili, con l'espressione annoiata di chi non aveva uno scopo.

Mi tolsi i guanti e li gettai nel retro del furgoncino. Scesi in strada dove la visuale era migliore e vidi la Lincoln percorrere il viale a velocità moderata. Era nera, lucida, immacolata, tutta piena di cromature e di cera. Gli addetti alla sicurezza del college erano molto indietro. Si fermò al cancello, svoltò a sinistra e si diresse a sud, verso la Caprice nera della polizia. Verso di me.

Quello che accadde dopo si svolse nell'arco di otto secondi, anche se mi sembrò un batter d'occhio.

Venti metri più indietro il pick-up rosso sbiadito si scostò dal marciapiede e accelerò bruscamente. Raggiunse la Lincoln, sterzò e la superò proprio all'altezza della Caprice dell'agente. Passò a trenta centimetri dalle ginocchia di quest'ultimo, poi accelerò di nuovo per un breve tratto e infine il guidatore sterzò di colpo, in modo che il paraurti colpisse in pieno il parafango anteriore della Lincoln. L'uomo tenne il volante sterzato e il piede premuto con forza sull'acceleratore buttando la Lincoln fuori strada. L'auto creò profondi solchi nell'erba e rallentò di colpo per finire dritta contro un albero. Si udì il clangore del metallo che si deformava e si lacerava, e il frantumarsi dei fari; poi una grossa nube di vapore si levò in cielo, e le foglioline verdi dell'albero tremarono e frusciarono rumorosamente nell'aria immobile del mattino.

Allora i due uomini del pick-up scesero sparando. Avevano pistole mitragliatrici nere e sparavano alla Lincoln. Il rumore era assordante. Vedevo le traiettorie arcuate dei bossoli che cadevano a pioggia sull'asfalto. Gli uomini afferrarono le portiere della Lincoln e le spalancarono. Uno dei due si chinò sul sedile posteriore e tirò fuori il ragazzo. L'altro stava ancora sparando verso la parte anteriore dell'abitacolo. Un istante dopo infilò la mano sinistra in tasca e ne estrasse una specie di bomba a mano. La gettò nella Lincoln, chiuse le portiere, afferrò il compagno e il ragazzo per le spalle, li fece voltare e li buttò a terra. Nell'auto ci fu una forte esplosione. Tutti i sei finestrini si ruppero. Io ero a più di venti metri e sentii in pieno l'onda d'urto. Le schegge di vetro volarono dappertutto creando riflessi iridescenti nella luce del sole. Poi l'uomo che aveva tirato la bomba si rimise in piedi e corse verso il lato del passeggero del pick-up, mentre l'altro spingeva col braccio teso il ragazzo nell'abitacolo e si sedeva al suo fianco. Le portiere si richiusero sbattendo e io vidi il ragazzo bloccato in mezzo, sul sedile. Lessi il terrore sul suo volto. Era pallido per lo shock; oltre il parabrezza sporco scorsi la sua bocca aprirsi ed emettere un urlo silenzioso. Il guidatore inserì la marcia, il motore rombò e gli pneumatici sgommarono. Un attimo dopo il pick-up partì esattamente nella mia direzione.

Era un Toyota. Vidi la scritta TOYOTA sul radiatore dietro il bull bar. Era alto sulle sospensioni e davanti notai un enorme differenziale nero, grande quanto un pallone da calcio. Un quattro ruote motrici con pneumatici grossi e larghi. La carrozzeria, sbiadita e tutta ammaccata, non veniva lavata da quando il pick-up era uscito dalla fabbrica. Si stava dirigendo dritto verso di me.

Avevo meno di un secondo per decidere.

Scostai il lembo del cappotto ed estrassi la Colt. Presi con cura la mira e sparai un colpo al radiatore del Toyota. La pesante semiautomatica emise un lampo e un boato, scuotendomi la mano per il rinculo. Il grosso proiettile calibro 44 mandò in pezzi il radiatore. Sparai quindi allo pneumatico anteriore sinistro che, con un'esplosione spettacolare, si trasformò in una pioggia di brandelli di gomma nera. Metri di battistrada lacerato piroettarono in aria. Il pick-up sbandò e si fermò col lato del guidatore rivolto verso di me, a una decina di metri di distanza. Mi riparai dietro la parte posteriore del furgoncino, chiusi con un colpo il portello posteriore, uscii sul marciapiede e sparai allo pneumatico posteriore sinistro con lo stesso risultato: pezzi di gomma volarono dappertutto. Il pick-up si inclinò sui cerchioni sinistri e lì rimase, tutto sbilenco. Il guidatore aprì la portiera e si buttò sull'asfalto, dopodiché si sollevò a fatica su un ginocchio. Aveva la pistola nella mano sbagliata. La passò nell'altra e io attesi finché non fui più che sicuro che me l'avrebbe puntata contro. Con la mano sinistra tenni fermo l'avambraccio destro per reggere i quasi due chili della Colt, mirai con attenzione al centro del bersaglio come tanto tempo prima mi avevano insegnato e premetti il grilletto. Il petto dell'uomo esplose in un'enorme nube di sangue. All'interno dell'auto il giovane tutto pelle e ossa sembrava irrigidito: si limitava a fissare davanti a sé in preda allo shock e all'orrore. Il secondo uomo, tuttavia, era già uscito dall'auto e stava raggiungendo il cofano per avvicinarsi di più a me. Mi stava puntando contro la pistola. Mi girai a sinistra, mi fermai un attimo e tenni fermo l'avambraccio destro, mirando al petto. Sparai, con lo stesso risultato: l'uomo cadde riverso dietro il parafango in una nube di vapore rosso.

Adesso il ragazzo tutto pelle e ossa si stava muovendo nell'abitacolo. Mi precipitai da lui, lo tirai fuori passando sopra il corpo del primo uomo e lo portai di corsa al mio furgoncino. Era inerte per lo spavento e in stato confusionale. Lo buttai sul sedile del passeggero, chiusi la portiera con un colpo secco, mi girai e mi diressi al posto di guida. Con la coda dell'occhio vidi un terzo uomo venirmi incontro e frugarsi nella giacca. Era alto e corpulento, vestito di scuro. Impugnai l'arma, sparai e vidi il suo petto disintegrarsi in un'enorme esplosione rossa proprio nello stesso istante in cui capii che era il vecchio agente della Caprice e che aveva infilato la mano in tasca per prendere il distintivo: uno scudo dorato in un portadocumenti di pelle logora che volò in aria per ricadere capovolto sul cordolo davanti al mio furgoncino.

Il tempo si fermò.

Fissai il poliziotto. Era steso di schiena nel canalino di scolo col petto ridotto a una poltiglia rossa. Era ricoperto di sangue. Non zampillava né usciva a fiotti. Non c'era segno di battito cardiaco. Nella camicia l'uomo aveva un grosso strappo ed era completamente immobile. Aveva la testa girata e la guancia premuta sull'asfalto. Le braccia erano aperte e gli vedevo le vene pallide delle mani. Vidi il nero della strada, il verde brillante dell'erba e l'azzurro vivo del cielo. Sentivo il fremito della brezza tra le foglie nuove al di sopra del rumore degli spari che ancora mi riecheggiava nelle orecchie. Vidi il ragazzo tutto pelle e ossa fissare dal parabrezza del furgoncino prima il poliziotto a terra, poi me. Vidi l'auto degli addetti alla sicurezza del college uscire dal cancello e svoltare a sinistra. Si muoveva più lentamente del dovuto. Erano state sparate decine di proiettili. Forse non sapevano dove iniziasse e finisse la loro giurisdizione, forse erano solo spaventati. Vidi le loro facce rosee, pallide, dietro il parabrezza. Erano voltati nella mia direzione. Andavano a circa venticinque chilometri all'ora. Guardai lo scudo dorato nel canalino di scolo: il metallo era liscio, usurato da una vita di lavoro. Guardai il furgoncino e restai perfettamente immobile. Una cosa che ho imparato molto tempo fa è che è abbastanza facile sparare a un uomo, ma dopo non hai modo di invertire il processo.

Udii la macchina del college avvicinarsi lenta e le sue gomme scricchiolare sul ghiaino dell'asfalto. Tutto il resto era silenzio. Poi il tempo riprese a scorrere. Una voce in testa mi urlò *vai, vai, vai,* e io scattai. Mi precipitai nel furgone, gettai la pistola sul sedile centrale, accesi il motore e feci inversione a U tanto bruscamente da inclinarmi su due ruote. Il ragazzo tutto pelle e ossa fu sballottato di qua e di là.

Raddrizzai il volante, premetti l'acceleratore e puntai a sud. Nel retrovisore avevo una visuale limitata, ma vidi lo stesso gli agenti del college accendere le luci sul tetto e partire all'inseguimento. Il ragazzo al mio fianco sedeva assolutamente muto con la bocca aperta, impegnato a mantenersi in equilibrio sul sedile. Io invece lo ero ad accelerare il più possibile. Il traffico per fortuna era scarso. Ci trovavamo in una cittadina sonnolenta del New England, il mattino presto. Riuscii a spingere il furgoncino fino ai centodieci. Stringevo il volante a tal punto che le nocche erano bianche e fissavo la strada davanti a me come se non volessi guardarmi alle spalle.

«A che distanza sono?» chiesi al ragazzo.

Lui non rispose. Era inerte per lo shock, raggomitolato nell'angolo del sedile, il più lontano possibile da me. Fissava il tetto e con la mano destra si teneva alla portiera. Pelle chiara, dita lunghe.

«A che distanza sono?» chiesi di nuovo. Il motore rombava.

«Hai ucciso un poliziotto», rispose lui. «Quel vecchio, era un poliziotto, sai.»

«Sì.»

«Gli hai sparato.»

«È stato un incidente», osservai. «A che distanza sono gli altri?»

«Ti stava mostrando il distintivo.»

«*A che distanza sono gli altri?*»

Il ragazzo si mosse, si girò e abbassò la testa in modo da poter guardare dal piccolo lunotto posteriore.

«A circa trenta metri», rispose. Aveva un tono vago, spaventato. «Sono davvero vicini. Uno di loro si è sporto dal finestrino e ha una pistola in mano.»

In quel momento esatto udii il *pop* lontano di una pistola sovrastare il rumore del motore e il gemito degli pneumatici. Presi la Colt dal sedile accanto, ma subito dopo la lasciai. Era scarica. Avevo già sparato sei colpi. Uno al radiatore, due alle gomme, due agli uomini. E uno al poliziotto.

«Il vano del cruscotto», dissi.

«Dovresti fermarti», replicò lui. «Spiegare, dire che mi stavi aiutando, che è stato un errore.» Non mi stava guardando, stava fissando fuori del lunotto posteriore.

«Ho sparato a un poliziotto», affermai mantenendo un tono del tutto indifferente. «Questo è quello che sanno ed è tutto quello che vogliono sapere. A loro non interessa come o perché.»

Il ragazzo non disse nulla.

«Il vano del cruscotto», ripetei.

Si voltò di nuovo e armeggiò per aprire il vano. Dentro c'era un'altra Anaconda. Identica, di acciaio inossidabile lucido, carica. La presi dalle mani del ragazzo, aprii il finestrino e l'aria fresca si riversò dentro impetuosa. Colsi il rumore di una pistola che sparava alle nostre spalle, rapida e costante.

«Merda», esclamai.

Il ragazzo non aprì bocca. Gli spari continuavano, forti, sordi, martellanti. *Com'è che mancano il bersaglio?*

«Stenditi giù sul fondo», dissi.

Mi spostai di lato fino a bloccare la spalla sinistra contro il telaio della portiera, allungai completamente il braccio destro per poter tenere la pistola fuori del finestrino, puntata in direzione posteriore. Sparai una volta e il ragazzo mi fissò inorridito, poi scivolò in avanti e si accucciò nello spazio tra il sedile e il cruscotto con le braccia sulla testa. Un secondo dopo il lunotto posteriore, a tre metri dal punto in cui un attimo prima si trovava la sua testa, esplose.

«Merda», esclamai di nuovo e sterzai per avvicinarmi al lato della strada e migliorare l'angolo di tiro. Sparai di nuovo alle nostre spalle.

«Ho bisogno che controlli», dissi. «Sta' giù più che puoi.»

Il ragazzo non si mosse.

«Alzati», ordinai. «*Ora.* Ho bisogno che controlli.»

Si sollevò lievemente e si girò quel tanto da alzare la testa per poter dare un'occhiata dietro. Lo vidi osservare il lunotto posteriore in frantumi e concludere che un attimo prima la sua testa si trovava proprio su quella traiettoria.

«Rallenterò un po'», dissi. «Andrò più piano in modo che accelerino per superarmi.»

«Non farlo», replicò lui. «Puoi ancora sistemare le cose.»

Lo ignorai. Ridussi la velocità a circa ottanta chilometri e mi portai sulla destra. L'auto del college si spostò automaticamente a sinistra per affiancarmi. Sparai gli ultimi tre proiettili e il parabrezza andò in frantumi. La macchina sbandò per l'intera larghezza della strada, come se il guidatore fosse stato colpito o se fosse scoppiata una gomma. Si diresse di muso verso il ciglio opposto, si schiantò contro una fila di arbusti ornamentali e sparì alla vista. Lasciai cadere la pistola scarica sul sedile accanto, chiusi il finestrino e accelerai forte. Il ragazzo non disse nulla, si limitò a fissare il retro del furgoncino. Il lunotto a pezzi emetteva uno strano gemito, come se l'aria vi venisse risucchiata.

«Bene», dissi. Ero senza fiato. «Adesso possiamo andare.»

Il ragazzo si voltò a guardarmi in faccia.

«Sei impazzito?»

«Sai cosa capita a chi spara a un poliziotto?»

A quello non seppe cosa rispondere. Continuammo in silenzio per una trentina di secondi; percorremmo quasi un chilometro battendo le palpebre, ansimando e fissando dritto davanti a noi oltre il parabrezza, quasi fossimo stregati. L'abitacolo del furgoncino puzzava di polvere da sparo.

«È stato un incidente», ripetei. «Non lo posso resuscitare, perciò fattene una ragione.»

«Chi *sei*?» domandò.

«Chi sei *tu*, piuttosto?» replicai.

Lui tacque. Respirava in modo affannoso. Controllai nel retrovisore: la strada alle nostre spalle era completamente deserta, come del resto quella davanti a noi. Eravamo in mezzo alla campagna, forse a una decina di minuti da un raccordo a quadrifoglio.

« Sono il bersaglio », rispose. « Di un sequestro. »

Aveva usato il termine più tecnico.

« Volevano rapirmi. »

« Davvero? »

« Sì. È già successo. »

« Perché? »

« Per soldi », disse il ragazzo. « Per cosa se no? »

« Sei ricco? »

« Mio padre lo è. »

« Chi è? »

« Uno come tanti », rispose.

« Uno ricco però. »

« È un importatore di stuoie. »

« Stuoie? » chiesi. « In che senso? Vuoi dire di tappeti? »

« Di stuoie orientali. »

« E ci si può arricchire importando stuoie orientali? »

« Molto », affermò il ragazzo.

« Come ti chiami? »

« Richard », disse. « Richard Beck. »

Guardai di nuovo nel retrovisore. La strada era sempre deserta alle nostre spalle e anche davanti a noi. Rallentai un po' e tenni il furgone nel centro della corsia, cercando di guidare normalmente.

« Allora, chi erano quegli uomini? » domandai.

Richard Beck scosse la testa. « Non ne ho idea. »

« Sapevano dove andavi. E quando. »

« Stavo andando a casa per il compleanno di mia madre. È domani. »

« Chi ne era al corrente? »

« Non saprei. Chiunque conosca la mia famiglia. Chiunque appartenga alla comunità degli importatori di stuoie orientali, suppongo. Siamo molto noti. »

« Esiste una comunità di importatori di stuoie? » chiesi.

« Ci facciamo concorrenza », rispose. « Stesse fonti, stesso mercato. Ci conosciamo tutti. »

Tacqui, continuando semplicemente a guidare a novantacinque chilometri all'ora.

« Hai un nome? » mi domandò il ragazzo.

« No », risposi.

Lui annuì, come se avesse capito. *In gamba, il ragazzo.*

« Che hai intenzione di fare? »

« Di lasciarti in prossimità dell'autostrada », affermai. « Potrai fare autostop o chiamare un taxi e dimenticarti completamente di me. »

Il ragazzo tacque.

« Non ti posso portare alla polizia », proseguii. « Non è proprio possibile. Lo capisci, vero? Ho ucciso uno di loro. Forse anche tre. Tu mi hai visto. »

Lui rimase zitto. *Era il momento della decisione.* L'autostrada era a sei minuti di distanza.

« Getterebbero via la chiave », aggiunsi. « Ho combinato un casino, è stato un incidente, ma non mi ascolterebbero. Non lo fanno mai. Perciò non mi chiedere di andare in qualche posto o da *qualcuno.* Non come testimone, né in altra veste. Me ne tiro fuori, come se non fossi mai esistito. È chiaro? »

Lui non aprì bocca.

« E non dare loro descrizioni », aggiunsi. « Di' che non ti ricordi che aspetto avessi. Di' che eri sotto shock, altrimenti ti ritrovo e ti ammazzo. »

Ancora silenzio.

« Ti lascerò da qualche parte », continuai. « Come se non mi avessi mai visto. »

Il ragazzo si mosse. Si voltò di lato sul sedile e mi guardò dritto in faccia.

« Portami a casa », disse. « Portami fin lì. Ti pagheremo. Ti daremo una mano. Ti nasconderemo, se vuoi. I miei ti saranno grati. Voglio dire, *io* ti sono grato. Credimi. Mi hai salvato il culo. La storia del poliziotto... è stato un incidente, giusto? Solo un incidente. Ti è andata male. Eri sotto pressione, lo posso capire. Terremo la bocca chiusa.»

«Non mi serve il vostro aiuto», risposi. «Mi devo solo sbarazzare di te.»

«Ma io devo tornare a casa», replicò lui. «Ci aiuteremo a vicenda.»

L'autostrada era a quattro minuti.

«Dov'è casa tua?»

«A Abbot», rispose.

«Abbot, dove?»

«Abbot, nel Maine», disse. «Sulla costa. Tra Kennebunkport e Portland.»

«Stiamo andando nella direzione sbagliata.»

«Sull'autostrada puoi andare a nord.»

«Saranno almeno trecento chilometri.»

«Ti pagheremo. Faremo in modo che ne sia valsa la pena.»

«Potrei lasciarti dalle parti di Boston», osservai. «Lì ci sarà un pullman per Portland.»

Lui scosse la testa con violenza, come in preda a un attacco epilettico.

«No», disse. «Non posso prendere il pullman. Non posso restare solo, non ora. Ho bisogno di protezione. Quelli potrebbero essere ancora in giro.»

«Quelli sono morti», replicai. «Come quel dannato poliziotto.»

«Potrebbero avere dei soci.»

Ancora una volta aveva usato un termine strano. Sembrava piccolo, magro, spaventato. Un'arteria gli pulsava sul collo. Con entrambe le mani si sollevò i capelli e si voltò verso il parabrezza per farmi vedere l'orecchio sinistro. Non c'era. Al suo posto c'era solo un ammasso duro di tessuto cicatriziale. Sembrava un pezzetto di pasta cruda. Un tortellino.

«Me lo hanno tagliato e lo hanno spedito per posta», spiegò. «La prima volta.»

«Quando?»

«Avevo quindici anni.»

«Tuo papà non ha pagato?»

«Non abbastanza presto.»

Non dissi nulla. Richard Beck rimase seduto e continuò a mostrarmi la cicatrice, traumatizzato, spaventato, col respiro affannoso che ricordava lo sbuffare di una macchina.

«Stai bene?» chiesi.

«Portami a casa», disse quasi con tono di supplica. «Adesso non posso restare solo.»

L'autostrada era a due minuti.

«Per favore», insistette. «Aiutami.»

«Merda», esclamai per la terza volta.

«Per favore. Possiamo aiutarci a vicenda. Ti devi nascondere.»

«Non possiamo tenere il furgone», osservai. «Avranno diffuso la descrizione in tutto lo Stato.»

Lui mi fissò, pieno di speranza. L'autostrada era a un minuto.

«Dobbiamo trovare una macchina», continuai.

«Dove?»

«In qualsiasi posto. Ci sono macchine dappertutto.»

A sud-ovest dello svincolo sorgeva un grosso centro commerciale extraurbano. Lo vedevo già da lontano: enormi edifici marrone chiaro senza finestre, pieni di insegne colorate al neon, con vasti parcheggi occupati quasi per metà. Mi diressi lì e feci un giro intorno al complesso. Era grande quanto una cittadina e pullulava di gente, il che mi rese nervoso. Feci un altro giro e, superata una fila di cassonetti delle immondizie, entrai nello spiazzo posteriore di un grande magazzino.

«Dove stiamo andando?» domandò Richard.

«Al parcheggio del personale», risposi. «I clienti vanno e

vengono tutto il giorno. Sono imprevedibili, ma il personale del negozio si ferma per l'intera apertura. È più sicuro.»

Lui mi guardò come se non avesse capito. Mi diressi verso una fila di otto macchine parcheggiate di muso contro un muro spoglio. Accanto a una Nissan Maxima di colore smorto di circa tre anni c'era un posto libero. Avrebbe fatto al caso nostro: era un'auto piuttosto anonima. Il parcheggio era isolato, tranquillo, riservato. Mi fermai accanto al posto libero e vi entrai in retromarcia in modo che il portello posteriore del furgone fosse molto vicino al muro.

«Bisogna nascondere il finestrino rotto», spiegai.

Il ragazzo non disse nulla. Misi entrambe le Colt scariche nelle tasche del cappotto e scesi. Provai le portiere della Maxima.

«Trovami un pezzo di filo di ferro», affermai. «Un cavo elettrico spesso o un appendiabiti.»

«Hai intenzione di rubarla?»

Annuii senza dire nulla.

«È una mossa furba?»

«La penseresti così se fossi stato tu a uccidere per sbaglio un poliziotto.»

Il ragazzo mi guardò inespressivo per qualche istante, poi si riprese e si diede da fare. Io svuotai le Anaconda e gettai i dodici bossoli nel contenitore della spazzatura. Il ragazzo tornò con un pezzo di filo elettrico lungo poco meno di un metro, recuperato da una pila di rifiuti. Tolsi lo strato isolante con i denti, piegai un'estremità a uncino e lo infilai sotto la guarnizione di gomma del finestrino della Maxima.

«Tu fai il palo», dissi.

Richard si allontanò e si mise a scrutare il parcheggio mentre io infilavo il filo più in profondità e lo manovravo finché la maniglia della portiera non scattò. Gettai il filo nuovamente nei rifiuti e mi chinai sotto il volante per togliere la copertura di plastica. Frugai tra i cavi sino a trovare i due che mi servivano e creai il contatto. Il motorino di avviamento emise un gemito, poi il motore si accese, cominciò a girare e assunse un ritmo costante. Il ragazzo parve molto colpito.

«Gioventù bruciata», commentai.

«È una mossa furba?» chiese lui di nuovo.

Assentii. «È la mossa più furba che possiamo fare. Il furto non verrà denunciato prima delle sei, forse anche delle otto di sera, insomma non prima dell'orario di chiusura del negozio. A quell'ora tu sarai più che arrivato a casa.»

Lui rimase fermo con la mano sulla portiera del passeggero, dopodiché sembrò scuotersi e s'infilò in macchina. Spinsi indietro il sedile, regolai lo specchietto e uscii in retromarcia dal posteggio. Quando si trattò di attraversare il parcheggio del centro commerciale, feci con calma. A un centinaio di metri di distanza vidi un'auto della polizia in perlustrazione. Parcheggiai di nuovo nel primo posto che trovai e rimasi lì col motore acceso finché la polizia non se ne fu andata. Poi mi affrettai verso l'uscita, imboccai il raccordo e due minuti dopo eravamo diretti a nord su un'autostrada ampia e liscia, alla rispettabile velocità di novantacinque chilometri all'ora. Nell'auto aleggiava un forte profumo e c'erano due scatole di fazzolettini. Attaccato al lunotto posteriore c'era una specie di orsacchiotto di peluche dotato di ventose al posto delle zampe. Sul sedile posteriore c'era un guanto della Little League e nel bagagliaio sentivo sbatacchiare una mazza di alluminio.

«L'auto di una mamma», dissi.

Il ragazzo non rispose.

«Non ti preoccupare», aggiunsi. «Probabilmente è assicurata. Una brava cittadina.»

«Non stai male?» domandò lui. «Per il poliziotto?»

Gli lanciai un'occhiata. Era pallido e magro, tutto rattrappito in modo da starmi il più possibile lontano. Teneva la mano sulla portiera. Le lunghe dita ricordavano quelle di un musicista. Penso si sforzasse di apprezzarmi, ma a me non serviva che lo facesse.

«Sono cose che succedono», risposi. «Non ha senso prendersela tanto.»

«Che razza di risposta è?»

«L'unica possibile. È stato un danno collaterale di lieve importanza. Non ha alcun peso, a meno che non diventi fonte di tormento. In conclusione: non possiamo cambiare le cose, perciò guarderemo avanti.»

Lui non disse nulla.

«Comunque, è stata colpa di tuo padre», affermai.

«Perché è ricco e ha un figlio?»

«Per aver assunto delle guardie del corpo incapaci.»

Il ragazzo distolse lo sguardo e non aprì bocca.

«*Erano* guardie del corpo, vero?»

Lui fece un cenno affermativo senza parlare.

«E *tu* non stai male?» domandai. «Per loro?»

«Un po'», rispose. «Almeno credo. Non li conoscevo bene.»

«Erano inutili», osservai.

«È accaduto così in fretta.»

«I criminali ti stavano aspettando lì davanti», dissi. «Un pick-up vecchio e scassato come quello in un'elegante cittadina universitaria? Quale guardia del corpo non lo avrebbe notato? Non avevano mai sentito parlare di valutazione dei pericoli?»

«Vuoi dire che tu l'avevi notato?»

Annuii. «Certo.»

«Niente male per un guidatore di furgone.»

«Ero nell'Esercito. Ero un poliziotto militare. Conosco il mestiere delle guardie del corpo e conosco i danni collaterali.»

«Adesso hai un nome?» chiese esitante.

«Dipende», risposi. «Devo conoscere il tuo punto di vista. Potrei trovarmi in grossi guai. Almeno un poliziotto è morto e ho appena rubato un'auto.»

Il ragazzo tacque e io lo imitai, chilometro dopo chilometro. Gli diedi tempo di pensare. Eravamo quasi fuori del Massachusetts.

«I miei apprezzano la lealtà», disse. «Tu hai reso un servizio al loro figlio. E anche a *loro*. Se non altro, hai fatto in modo che risparmiassero un po' di soldi. Ti saranno grati e sono certo che l'ultima cosa che farebbero è denunciarti.»

«Li devi chiamare?»

Scosse la testa. «Mi stanno aspettando. Se arrivo a casa, non c'è bisogno che li chiami.»

«Lo farà la polizia. Penseranno che tu sia in grave pericolo.»

«Non hanno il numero. Nessuno ce l'ha.»

«Il college avrà il tuo indirizzo. Possono risalire al numero.»

Scosse di nuovo la testa. «Il college non ha l'indirizzo. Nessuno ce l'ha. Stiamo molto attenti quando si tratta di cose del genere.»

Scrollai le spalle e, restando in silenzio, continuai a guidare per un altro paio di chilometri.

«E tu?» domandai. «Hai intenzione di denunciarmi?»

Lo vidi toccarsi l'orecchio destro, quello ancora presente. Era chiaramente un gesto inconscio.

«Mi hai salvato il culo», rispose. «Non ho intenzione di denunciarti.»

«Bene», dissi. «Mi chiamo Reacher.»

Attraversammo brevemente un angolo del Vermont, quindi ci dirigemmo rapidi a nord-est nel New Hampshire, preparandoci a un viaggio molto, molto lungo. L'adrenalina era svanita, il ragazzo si era ripreso dallo shock e finimmo entrambi per sentirci un po' scarichi e assonnati. Abbassai il finestrino per fare entrare aria fresca e uscire il profumo: l'abitacolo divenne rumoroso, ma almeno restavo sveglio. Scambiammo due parole. Richard Beck mi disse che aveva vent'anni. Era al primo anno e aveva scelto come specializzazione una forma d'arte contemporanea che a me pareva molto simile alla pittura con le dita. Non era un grande esperto di relazioni umane, era soltanto un bambino. Nei confronti della famiglia provava una notevole ambivalenza. Formavano un clan molto unito e lui da un lato voleva evadere, dall'altro aveva bisogno di restare al suo interno. Era rimasto molto traumatizzato dal rapimento precedente, tanto che mi chiesi se non gli avessero fatto qualcos'altro oltre a tagliargli l'orecchio. Qualcosa di peggio.

Gli raccontai dell'Esercito esagerando sulle mie qualifiche di guardia del corpo. Volevo si sentisse in buone mani, almeno per un po'. Guidai a velocità sostenuta e costante. La Maxima aveva il serbatoio pieno e non dovemmo fermarci a fare benzina. Il ragazzo preferì non mangiare. Mi fermai una volta per andare alla toilette e lasciai il motore acceso per non armeggiare di nuovo con i cavi dell'accensione. Tornai all'auto e lo trovai inerte all'interno. Riprendemmo il viaggio, passammo Concord nel New Hampshire e ci dirigemmo verso Portland nel Maine. Il tempo passò. A mano a mano che ci avvicinavamo a casa, Richard era sempre più rilassato, ma anche più taciturno. Di nuovo, l'ambivalenza.

Attraversammo il confine di Stato. A una trentina di chilometri da Portland si girò nervoso per guardarsi alle spalle e mi disse di prendere l'uscita seguente. Svoltammo in una strada stretta che puntava a est, verso l'Atlantico. Passava sotto l'Interstatale 95 e attraversava per venticinque chilometri i promontori granitici che si protendevano verso il mare. Era un paesaggio che d'estate doveva essere splendido, ma che adesso era ancora freddo e selvaggio, con i suoi alberi piegati dai venti salati e gli affioramenti rocciosi creati dalle burrasche e dalle forti maree che avevano eroso la terra. La strada curvava e serpeggiava come se si volesse spingere il più possibile a est. Davanti a me scorsi l'oceano, grigio come il ferro. Superammo insenature a destra e a sinistra. Vidi piccole spiagge di sassolini, poi la strada piegò a sinistra e subito a destra risalendo un promontorio a forma di palmo della mano, che si restringeva bruscamente fino a formare un unico dito puntato verso il mare. Era una penisola rocciosa larga un centinaio di metri e lunga circa ottocento. Sentivo il vento che scuoteva la macchina. Continuai a percorrerla e vidi una fila di sempreverdi curvi e rachitici: tentavano di mimetizzare un muro di granito, ma non erano alti né spessi a sufficienza per riuscirvi. Il muro era alto circa due metri e mezzo, sovrastato da grosse volute di filo spinato e da luci di sicurezza posizionate a distanza le une dalle altre. Correva lateralmente per tutta la larghezza del dito di terra; alle estremità s'inclinava all'improvviso e arrivava fino al mare, dove le sue massicce fondamenta posavano su grossi blocchi di pietra tutti ricoperti di alghe. Nel muro, esattamente nel centro, c'era un cancello di ferro. Chiuso.

« Eccoci », disse Richard Beck. « Io vivo qui. »

La strada conduceva direttamente al cancello, oltre il quale si trasformava in un viale d'accesso lungo e dritto. In fondo sorgeva una casa di pietra grigia. La vedevo sulla punta del dito di terra, proprio sull'oceano. Al di là del cancello c'era una casetta a un piano, della stessa forma e della stessa pietra della villa, ma molto più piccola e bassa. Aveva le fondamenta in comune con il muro. Rallentai e mi fermai davanti al cancello.

« Suona il clacson », disse Richard Beck.

La Maxima aveva un minuscolo simbolo di tromba sul coperchio dell'airbag. Lo premetti con un dito e la tromba emise un educato *bip*. Vidi la telecamera di sorveglianza sul pilastro del cancello inclinarsi e ruotare per una panoramica. Era come un piccolo occhio di vetro che mi fissava. Ci fu una lunga attesa, poi la porta della guardiola si aprì. Ne uscì un uomo con un abito scuro, evidentemente acquistato in un negozio per taglie forti: con molta probabilità era della misura più grande che esistesse, eppure a quell'uomo andava stretto di spalle ed era corto di maniche. Era ben più grosso di me, il che lo collocava nella categoria dei mostri. Un vero gigante. Si avvicinò al cancello e guardò fuori. Si soffermò a lungo a osservare me, lanciando solo un'occhiata al ragazzo. Poi fece scattare la serratura e aprì il cancello.

«Va' dritto a casa», disse Richard. «Non fermarti qui. Quel tizio non mi piace molto.»

Passai il cancello senza fermarmi, ma guidai lentamente e mi guardai attorno. La prima cosa che fai quando arrivi in un posto è individuare una via d'uscita. Il muro correva fin dentro l'acqua agitata del mare, da entrambi i lati. Era troppo alto per essere scavalcato e il filo spinato in cima rendeva impossibile scalarlo. Dietro c'era un tratto scoperto di una trentina di metri, una sorta di terra di nessuno o di campo minato. Le luci di sicurezza erano state istallate in modo da illuminarlo interamente. Non c'erano vie d'uscita tranne il cancello e il gigante lo stava richiudendo alle nostre spalle: lo vidi nel retrovisore.

Il tragitto fino a casa fu lungo. Eravamo circondati dall'oceano grigio da tre lati. La casa era una villa enorme, grandiosa, forse l'antica residenza di un capitano vissuto quando andare a caccia di balene ti consentiva di fare fortuna. Era interamente di pietra con tondini, cornicioni e spire. Tutte le superfici rivolte a nord erano ricoperte da licheni grigi, le altre erano maculate di verde. Aveva tre piani e una decina di camini. La linea del tetto era complessa: c'erano spioventi dappertutto, con grondaie corte e una miriade di grossi tubi di ferro per far defluire l'acqua piovana. Il portone d'ingresso era di quercia, con lamine e borchie di ferro. Il viale si allargava a formare una rotonda che imboccai in senso antiorario, fermandomi di fronte all'ingresso. La porta si aprì e ne uscì un altro uomo in abito scuro. Era circa della mia corporatura, il che significava molto più piccolo di quello della guardiola, ma non per questo mi piaceva di più. Aveva un volto impassibile e occhi impenetrabili. Aprì la portiera del passeggero della Maxima come se si aspettasse di vedere proprio quella macchina. Così probabilmente era, il gigante della guardiola doveva averlo avvertito.

« Puoi aspettare qui? » mi chiese Richard.

Uscì rapido dall'auto e si allontanò scomparendo nel buio della casa. L'uomo con il vestito scuro chiuse la porta di quercia dall'esterno e si piazzò di guardia davanti a essa. Non mi stava guardando, ma sapevo di rientrare nella sua visione periferica. Scollegai i cavi sotto il volante, spensi il motore e attesi.

Fu un'attesa ragionevolmente lunga, forse di una quarantina di minuti. Col motore spento l'auto diventò gelida. La brezza marina che soffiava attorno alla casa la scuoteva lievemente. Fissavo dritto davanti a me, oltre il parabrezza. Ero rivolto a nord-est e l'aria era tersa, pungente. Vedevo la linea di costa formare un'insenatura a sinistra e una vaga chiazza marrone in cielo, a circa trenta chilometri di distanza: probabilmente lo smog di Portland. La città era nascosta da un promontorio.

Poi la porta di quercia si riaprì, la guardia del corpo si fece prontamente da parte e comparve una donna, la madre di Richard Beck, non c'erano dubbi. Aveva la stessa corporatura esile e lo stesso volto pallido, le stesse dita lunghe. Indossava jeans e un maglione pesante da pescatore. Aveva i capelli mossi dal vento e una cinquantina d'anni. Sembrava tesa e stanca. Si fermò a un paio di metri dall'auto, come per farmi capire che sarebbe stato educato da parte mia scendere e andarle incontro. Aprii quindi la portiera e uscii. Ero irrigidito e intorpidito. Mi avvicinai e lei mi tese la mano. Gliela strinsi. Era gelida come ghiaccio, tutta ossa e tendini.

« Mio figlio mi ha detto quello che è successo », disse. Aveva una voce bassa e un po' roca, come se fumasse molto o se avesse urlato a squarciagola. « Non ho parole per esprimerle la mia gratitudine per l'aiuto che gli ha dato. »

«Sta bene?»

Lei fece una smorfia, come se non ne fosse sicura. «Adesso sta riposando.»

Annuii e le lasciai la mano, che le ricadde lungo il fianco. Ci fu un breve e imbarazzante silenzio.

«Sono Elizabeth Beck», disse.

«Jack Reacher», risposi.

«Mio figlio mi ha spiegato la sua situazione», proseguì.

Un termine neutro, garbato per definirla. Non risposi nulla.

«Mio marito rientrerà stasera», aggiunse. «Lui saprà cosa fare.»

Annuii. Ci fu un altro silenzio imbarazzante. Restai in attesa.

«Si vuole accomodare?» chiese.

Si girò e tornò nell'atrio. Io la seguii. Varcai la soglia e la porta emise un *bip*. Guardai meglio e vidi un metal detector istallato con gran discrezione sullo stipite interno.

«Le spiace?» domandò Elizabeth Beck facendomi una sorta di timido gesto di scusa e rivolgendosi quindi all'omone in giacca e cravatta. Questi si avvicinò e si accinse a perquisirmi.

«Due pistole», dissi. «Scariche. Nelle tasche del cappotto.»

L'uomo le estrasse con la disinvoltura e l'esperienza di chi ha perquisito molte persone nella sua vita. Le posò su un tavolino, si chinò, mi tastò le gambe, poi si alzò e fece lo stesso con le braccia, la vita, il petto e la schiena. Fu molto accurato e non molto delicato.

«Mi spiace», si scusò Elizabeth Beck.

L'uomo in giacca e cravatta arretrò e ci fu un altro imbarazzante silenzio.

«Le serve qualcosa?» chiese Elizabeth Beck.

Mi vennero in mente un sacco di cose, ma mi limitai a scuotere la testa.

«Sono un po' stanco», risposi. «È stata una giornata lunga. Vorrei tanto dormire.»

Lei sorrise come se fosse contenta, come se il fatto che il suo ammazza-sbirri dormisse la liberasse da qualsiasi obbligo sociale.

«Ma certo», rispose. «Duke l'accompagnerà in una stanza.»

Mi guardò per qualche secondo ancora. Al di là della tensione e del pallore, era una bella donna. Aveva ossa sottili e una pelle perfetta. Trent'anni prima doveva avere avuto uno stuolo di corteggiatori. Poi si voltò e scomparve nei meandri della casa. Mi girai verso l'uomo in giacca e cravatta, supponendo fosse Duke.

«Quando riavrò le pistole?» domandai.

Lui non rispose, mi indicò solo la scala e mi seguì quando la salii. Mi indicò quindi un'altra scala e arrivammo al secondo piano. Mi condusse a una porta e la spalancò. Entrai e trovai una stanza quadrata spoglia, pannellata di quercia, arredata con mobili vecchi, pesanti: un letto, un armadio, un tavolo, una sedia. Sul pavimento c'era un tappeto orientale liso e sottile. Forse era un vecchio tappeto privo di valore. Duke mi superò e mi mostrò il bagno. Sembrava un cameriere d'albergo. Mi passò di nuovo accanto e si diresse alla porta.

«La cena è alle otto», disse senza aggiungere altro.

Uscì e richiuse la porta. Non udii alcun rumore, ma quando controllai la trovai chiusa a chiave dall'esterno. All'interno non c'era il buco della serratura. Mi avvicinai alla finestra e guardai fuori: ero sul retro della casa e vedevo l'oceano. Ero rivolto esattamente a est e tra me e l'Europa non c'era niente. Guardai giù. Quindici metri più in basso c'erano scogli e onde piene di schiuma che s'infrangevano tutt'intorno. Sembrava che la marea stesse salendo.

Tornai alla porta, vi appoggiai l'orecchio e mi misi attentamente in ascolto. Non sentii niente. Esaminai soffitto, mantovane e mobili con gran cura, centimetro per centimetro. Niente. Nessuna telecamera. Dei microfoni non mi preoccupavo: non avrei fatto rumore. Mi sedetti sul letto e mi tolsi la scarpa destra. La capovolsi e con le unghie estrassi un perno dal tacco di gomma, lo ruotai, girai la scarpa e la scossi. Un piccolo rettangolo di plastica nera cadde sul letto rimbalzando una volta. Era un apparecchio e-mail senza fili: niente di sofisticato, un prodotto commerciale come tanti programmato però per inviare messaggi a un solo indirizzo. Era grande circa quanto un cercapersone e dotato di una tastiera piccola e scomoda, con tasti minuscoli. Lo accesi e scrissi un breve messaggio, poi premetti *Invia*.

Il messaggio diceva: *Sono dentro.*

2

In verità ero *dentro* da ben undici giorni, da un sabato sera umido a Boston in cui vidi un uomo morto attraversare il marciapiede e salire in macchina. Non si trattava di una strana somiglianza, di un sosia, di un gemello, di un fratello o di un cugino. Era un uomo morto dieci anni prima, su questo non c'erano dubbi. Non era neanche un abbaglio. Sembrava più vecchio, il che del resto era logico, e recava le cicatrici delle ferite che lo avevano ucciso.

Stavo camminando lungo Huntington Avenue e dovevo percorrere ancora un chilometro e mezzo per raggiungere un bar di cui avevo sentito parlare. Era tardi. Proprio in quell'istante la gente stava uscendo dalla Symphony Hall. Ero troppo testardo per attraversare la strada ed evitare la folla, perciò m'infilai in mezzo a essa. C'era una calca di persone profumate ed eleganti, perlopiù anziane. C'erano macchine parcheggiate in doppia fila e taxi accanto al marciapiede. I motori erano accesi e i tergicristalli si muovevano ritmicamente avanti e indietro, a intervalli irregolari. Vidi quell'uomo uscire dalle porte del foyer alla mia sinistra. Indossava un cappotto pesante di cachemere, guanti e sciarpa. Era a capo scoperto e aveva una cinquantina d'anni. Per poco non ci scontrammo. Mi fermai e lui fece altrettanto. Mi guardò in faccia. Restammo coinvolti in una di quelle tipiche situazioni da marciapiede affollato: esitammo, tentammo di muoverci contemporaneamente e ci bloccammo di nuovo. All'inizio pensai che non mi avesse riconosciuto, poi colsi un'ombra sul suo volto, ma niente di certo. Mi scostai e lui mi passò davanti per salire su una Cadillac DeVille nera in attesa accanto al marciapiede. Io rimasi lì a guardare mentre l'autista si destreggiava nel traffico e si allontanava. Udii il sibilo degli pneumatici sull'asfalto bagnato.

Presi il numero di targa. Non ero in preda al panico, non stavo mettendo in dubbio nulla. Ero pronto a credere alle prove che avevo sotto gli occhi. Dieci anni di storia si erano ribaltati in un istante. *Quell'uomo era vivo*, il che mi creava un enorme problema.

Quello fu il primo giorno. Mi scordai del bar. Tornai dritto all'albergo e presi a telefonare a numeri quasi dimenticati dei tempi in cui ero nella Polizia militare. Dovevo parlare con qualcuno che conoscessi e di cui mi fidassi, ma me n'ero andato ormai da sei anni ed era un sabato sera tardi, perciò avevo scarse probabilità di riuscita. Alla fine mi accontentai di qualcuno che sostenne di aver sentito parlare di me, il che avrebbe potuto – ma anche no – fare la differenza in ordine al possibile esito della questione. Era un sottufficiale di nome Powell.

«Mi servirebbe che rintracciasse una targa civile», gli dissi. «Esclusivamente come favore.»

Lui sapeva chi fossi, perciò non mi irritò dicendomi che non era in grado di farlo. Gli fornii i dettagli e gli dissi che ero piuttosto sicuro che si trattasse di un'auto privata, non a noleggio. Annotò il mio numero e promise di richiamarmi il mattino, che sarebbe stato il secondo giorno.

Invece non mi richiamò: mi vendette. Date le circostanze, penso che chiunque l'avrebbe fatto. Il secondo giorno era domenica e mi alzai presto. Ordinai la colazione in camera e attesi la telefonata, ma invece di uno squillo udii bussare alla porta, poco dopo le dieci. Avvicinai l'occhio allo spioncino e vidi due persone in piedi, tanto vicine da rientrare entrambe nella lente. Un uomo e una donna. Giacche scure, senza cappotto. L'uomo aveva una valigetta. Ciascuno teneva una sorta di documento identificativo in alto, inclinato in modo che fosse illuminato dalla luce del corridoio.

«Agenti federali», esclamò l'uomo con voce sufficientemente alta da farsi sentire oltre la porta.

In una situazione come quella non ha senso fingere di non essere in camera: più volte mi ero trovato nei loro panni. Uno dei due si ferma in corridoio, l'altro scende a cercare un responsabile con un passe-partout. Perciò, aprii la porta e mi spostai per farli entrare.

All'inizio erano sospettosi, ma si rilassarono non appena videro che non ero armato e non avevo l'aria di un pazzo. Mi porsero i documenti e ispezionarono con garbo la stanza mentre li decifravo. In alto si leggeva *United States Department of Justice*, in fondo, *Drug Enforcement Administration*. In mezzo c'era ogni sorta di sigilli, firme e filigrane. C'erano anche le fotografie e i nomi battuti a macchina. L'uomo si chiamava Steven Eliot, con una *l* come il poeta. *Aprile è il mese più crudele*, quello era maledettamente certo. Nella fotografia era molto somigliante. Steven Eliot poteva avere fra i trenta e i quarant'anni, era di corporatura robusta, scuro, con un principio di calvizie e aveva un sorriso che in foto sembrava cordiale e di persona ancora di più. La donna si chiamava Susan Duffy: era un po' più giovane di Steven Eliot e anche un po' più alta. Era pallida, snella e molto attraente. Rispetto alla foto aveva cambiato pettinatura.

«Fate pure», dissi. «Perquisite la stanza. È passato molto tempo da quando avevo qualcosa d'importante da nascondervi.»

Restituii i documenti e loro li riposero nelle tasche interne, facendo in modo di scostare la giacca quel tanto da far sì che notassi le armi. Le portavano alla spalla. Sotto il braccio di Eliot riconobbi l'impugnatura zigrinata di una Glock 17. Duffy aveva una 19, che è esattamente uguale, solo un po' più piccola. La teneva contro il seno destro. Doveva essere mancina.

« Non vogliamo perquisire la stanza », rispose lei.

« Vogliamo parlare di una targa », spiegò Eliot.

« Non ho la macchina », replicai.

Eravamo ancora in piedi, in perfetta formazione a triangolo poco oltre la soglia. Eliot teneva ancora la valigetta in mano. Stavo cercando di capire chi fosse il capo. Forse nessuno dei due. Forse erano pari grado. A ogni modo, erano entrambi veterani. Erano ben vestiti, ma avevano l'aria un po' stanca. Forse avevano lavorato gran parte della notte ed erano arrivati in aereo da Washington DC.

« Possiamo sederci? » chiese Duffy.

« Certo », risposi. Ma nella stanza di un albergo modesto la cosa era complessa. C'era soltanto una sedia, infilata sotto un piccolo tavolo incassato tra il muro e il mobile del televisore. Duffy la prese e la girò in modo che fosse rivolta verso il letto. Io mi sedetti sul letto, in alto, vicino ai cuscini, Eliot si appollaiò ai piedi e vi posò sopra la valigetta. Mi stava ancora sorridendo in modo cordiale e in quell'atteggiamento non notai nulla di falso. Duffy era splendida sulla sedia. L'altezza del sedile era proprio giusta per lei. Portava una gonna corta e un paio di collant scuri che, con le gambe flesse, lasciavano intravedere la pelle delle ginocchia.

« Lei è Reacher, giusto? » chiese Eliot.

Distolsi lo sguardo dalle gambe di Duffy e annuii. Presumevo già lo sapessero.

« La stanza è registrata a nome di un certo Calhoun », continuò Eliot. « Pagata in contanti, per una notte sola. »

« Abitudine », risposi.

« Parte oggi? »

« Vivo giorno per giorno. »

« Chi è Calhoun? »

« Il vicepresidente di John Quincy Adams », dissi. « Mi sembrava adatto al luogo. Ho esaurito da tempo i presidenti e sono passato ai vice. Calhoun era un tipo insolito: si è dimesso per candidarsi al Senato. »

« Ci è riuscito? »

« Non lo so. »

« Perché un nome falso? »

« Abitudine. »

Susan Duffy mi stava guardando dritto negli occhi, non come se fossi pazzo, ma come se la interessassi. Probabilmente la riteneva una valida tecnica di interrogatorio. Quand'ero io a fare gli interrogatori, usavo lo stesso metodo. Saper fare le domande significa nel novantanove per cento dei casi saper ascoltare le risposte.

« Abbiamo parlato con un poliziotto militare di nome Powell », disse. « Lei gli ha chiesto di rintracciare una targa. »

Aveva una voce bassa, calda e un po' roca. Non risposi nulla.

« Nei computer quella targa fa scattare una miriade di allarmi », spiegò. « Non appena ha inviato la richiesta, lo abbiamo saputo. Lo abbiamo chiamato per sapere perché gli interessasse e ci ha detto che in realtà la cosa interessava a lei. »

« Con riluttanza, spero », commentai.

Lei sorrise. « Si è ripreso abbastanza rapidamente da darci un numero falso di telefono, perciò non tema questioni di slealtà da parte della sua vecchia unità. »

« Ma alla fine vi ha dato il numero giusto. »

« Lo abbiamo minacciato. »

« Allora, dai miei tempi i poliziotti militari sono cambiati. »

« Per noi è importante », affermò Eliot. « Lui lo ha capito. »

« Quindi ora anche lei è importante per noi », concluse Duffy.

Distolsi lo sguardo. Ho avuto tante storie da non riuscire nemmeno più a contarle, ma il suono della sua voce mi dà ancora un vago brivido. Iniziai a pensare che forse era lei il capo, oltre che molto abile nell'arte dell'interrogatorio.

« Un cittadino comune chiede una verifica su una targa »,

disse Eliot. «Perché lo fa? Forse ha avuto un piccolo incidente con l'auto che ha quella targa. Forse si è trattato di un atto di pirateria della strada. Ma se così fosse, non andrebbe alla polizia? E lei poi ci ha appena detto di non avere la macchina.»

«Quindi potrebbe aver visto qualcuno *nell'*auto», suggerì Duffy.

Lasciò il resto della frase in sospeso. Non avevo alternativa: se la persona in macchina era mia amica, io ero probabilmente un nemico. Se era mia nemica, lei era disposta a essermi amica.

«Avete fatto colazione?» chiesi.

«Sì», rispose lei.

«Anch'io», dissi.

«Lo sappiamo», proseguì Duffy. «Servizio in camera, una piccola porzione di pancake con uova, più una grossa caffettiera di caffè nero. È stata ordinata per le 7.45 e servita alle 7.44. Ha pagato in contanti e dato tre dollari di mancia al cameriere.»

«Mi è piaciuta?»

«L'ha mangiata.»

Eliot fece scattare le chiusure della valigetta e sollevò il coperchio. Ne estrasse un fascio di carte tenute insieme da un elastico. Sembravano nuove, ma la calligrafia era sbiadita. Fotocopie di fax, probabilmente scattate nella notte.

«Il suo curriculum», disse.

Nella valigetta vidi alcune foto: in bianco e nero, 20×25, stampate su carta lucida. Sembrava un'operazione di sorveglianza.

«È stato maggiore nella Polizia militare per tredici anni», esordì Eliot. «Promosso rapidamente da sottotenente a maggiore. Encomi e medaglie. Era apprezzato, un tipo in gamba. Molto in gamba.»

«Grazie.»

«Anzi, più che in gamba. In numerose occasioni è stato il loro uomo di riferimento.»

«Immagino di sì.»

«Ma l'hanno lasciata andare.»

«Procedura RF», dissi.

«RF?» ripeté Duffy.

«RF, riduzione della forza. Adorano inventare acronimi. La guerra fredda era terminata, le spese militari erano state tagliate e l'Esercito è stato ridotto, perciò non avevano più bisogno di tanti uomini di riferimento.»

«L'Esercito esiste ancora», osservò Eliot. «Non hanno mandato via tutti.»

«No.»

«Allora perché lei in particolare?»

«Non capireste.»

Eliot non mi provocò.

«C'era droga nell'Esercito?» chiese.

Sorrisi.

«Gli eserciti adorano la droga», risposi. «Da sempre. Morfina, benzedrina. L'esercito tedesco ha inventato l'ecstasy: sopprimeva l'appetito. La CIA ha inventato l'LSD e l'ha testato sull'esercito statunitense. Tutti gli eserciti marciano con qualche droga nelle vene.»

«La usano a scopo ricreativo?»

«L'età media di una recluta è diciotto anni. Lei cosa pensa?»

«Era un problema?»

«Non lo avevamo fatto diventare tale. Un soldato semplice va in licenza e si fuma un paio di spinelli nella camera della ragazza: a noi non interessa. Pensavamo fosse meglio si facesse due spinelli che due confezioni da sei di birra. Quand'erano al di fuori del nostro controllo, preferivamo fossero docili piuttosto che aggressivi.»

Duffy lanciò un'occhiata a Eliot che raccolse le foto dalla valigetta e me le porse. Ce n'erano quattro, tutte sgranate e lievemente sfocate, tutte della Cadillac DeVille che avevo visto la sera prima. La riconobbi dal numero di targa. Era in una specie di garage. Accanto al bagagliaio c'erano due uomini in piedi: in due immagini il bagagliaio era chiuso, nelle altre due, aperto. Gli uomini stavano guardando qualcosa all'interno, ma non c'era modo di capire di che cosa si trattasse. Uno dei due era un latino, membro di una banda. L'altro era un uomo più vecchio in giacca e cravatta. Non lo conoscevo.

Duffy mi stava probabilmente scrutando in volto.

«Non è l'uomo che ha visto?» chiese.

«Non ho detto di aver visto qualcuno.»

«Il latino è un grosso spacciatore», spiegò Eliot. «Anzi, è il principale spacciatore in gran parte della contea di Los Angeles. Non lo possiamo provare, ovviamente, ma sappiamo tutto di lui. I suoi profitti si aggirano su qualche milione di dollari alla settimana. Vive come un imperatore, ma si è fatto tutto il viaggio fino a Portland, nel Maine, per incontrare quell'altro.»

Toccai una foto. «Questa è Portland, nel Maine?»

Duffy annuì. «Un garage in centro città. Circa nove settimane fa. Ho scattato io stessa le fotografie.»

«Allora chi è quell'altro?»

«Non ne siamo del tutto certi. Abbiamo rintracciato la targa della Cadillac, naturalmente: è intestata a una società chiamata Bizarre Bazaar con sede centrale a Portland, nel Maine. Da quel che siamo riusciti a sapere, all'inizio era un import-export di merce strana, vagamente hippy, che commerciava con il Medio Oriente. Adesso è specializzata in importazione di stuoie orientali. Da quel che ci risulta il proprietario è un certo Zachary Beck. Presumiamo sia lui nella foto.»

«Il che significa che è davvero un pezzo grosso», continuò Eliot. «Se quel tizio di Los Angeles attraversa tutto il Paese per incontrarlo, deve per forza essere più importante di lui. E chiunque sia più importante del latino di Los Angeles sta nella stratosfera, mi creda. Quindi Zachary Beck è un uomo di punta e ci sta prendendo in giro: importatore di roba, importatore di droga. Gli piace scherzare.»

«Mi spiace», dissi. «Non l'ho mai visto prima.»

«Non se ne dispiaccia», commentò Duffy protendendosi di scatto sulla sedia. «Per noi è meglio se non è Beck l'uomo che ha visto. Di lui sappiamo già. Per noi sarebbe meglio se avesse visto uno dei suoi soci. Potremmo cercare di arrivare a lui in quel modo.»

«Non potete prenderlo direttamente?»

Ci fu un breve silenzio, in cui mi parve di cogliere una nota di imbarazzo.

«Abbiamo qualche problema», rispose Eliot.

«Mi sembra abbiate prove a sufficienza per arrestare lo spacciatore di Los Angeles e avete queste foto, che lo ritraggono a fianco di Beck.»

«Le fotografie non valgono niente», spiegò Duffy. «Ho commesso un errore.»

Un altro silenzio.

«Il garage è proprietà privata», aggiunse. «Si trova sotto un palazzo di uffici. Non avevo un mandato. Il Quarto emendamento rende le fotografie inammissibili.»

«Non potete mentire? Dire che eravate all'esterno dell'edificio?»

«Impossibile per via della struttura stessa del palazzo. La difesa lo capirebbe all'istante e il caso si smonterebbe.»

«Dobbiamo sapere chi ha visto», disse Eliot.

Non risposi.

«Dobbiamo proprio saperlo», insistette Duffy. Parlò con quella voce dolce che fa perdere la testa a un uomo, ma in lei non c'era niente di finto, di artefatto. Non si rendeva conto di quanto fosse affascinante il suo tono. Doveva proprio saperlo.

«Perché?» chiesi.

« Perché dobbiamo sistemare le cose.»

« Tutti fanno errori.»

« Abbiamo mandato un agente a sorvegliare Beck», aggiunse. « Sotto copertura. Una donna. È scomparsa.»

Silenzio.

« Quando?»

« Sette settimane fa.»

« L'avete cercata?»

« Non sappiamo dove. Non sappiamo dove vada Beck. Non sappiamo nemmeno dove viva. Non ha alcun immobile intestato a suo nome. La casa deve essere intestata a qualche società fantasma. È un ago in un pagliaio.»

« Non lo avete pedinato?»

« Ci abbiamo provato. Ha guardie del corpo e autisti. Sono troppo in gamba.»

« Per la DEA?»

« Per noi. Siamo solo in due. Il dipartimento di Giustizia ha chiuso l'operazione quando ho combinato il casino.»

« Anche se un'agente è scomparsa?»

« Non lo sanno. L'abbiamo coinvolta dopo che hanno chiuso il caso. Non era autorizzata.»

« Perciò come ci state lavorando?»

« Sono capo della mia squadra. Nessuno controlla quel che faccio quotidianamente. Fingo di lavorare a un altro caso, ma non è così. Lavoro su questo.»

« Quindi nessuno sa che l'agente è scomparsa?»

« Solo la mia squadra», rispose. « Siamo in sette. E ora lo sa anche lei.»

Non dissi nulla.

« Siamo venuti direttamente qui. Altrimenti perché farsi un viaggio aereo la domenica?»

Nella stanza calò il silenzio. Guardai lei, poi Eliot poi ancora lei. Avevano bisogno di me e io di loro. Inoltre, mi piacevano. Mi piacevano molto. Erano onesti, gradevoli. Mi ricordavano le persone migliori con cui avevo lavorato.

«Patteggerò», risposi. «Informazione per informazione. Vediamo se andiamo d'accordo, poi decideremo.»

«Che cosa le serve?»

Le dissi che mi serviva una cartella clinica di dieci anni prima, rintracciabile in un posto chiamato Eureka, in California, e anche che cosa cercare. Le dissi che sarei rimasto a Boston finché non fosse tornata e di non mettere niente per iscritto. Dopodiché se ne andarono e quello fu il secondo giorno. Il terzo giorno non accadde nulla e nemmeno il quarto. Nell'attesa andai un po' in giro. Trovai Boston accettabile per un paio di giorni: è quella che chiamo una città da quarantotto ore. Superato quel termine, inizia a diventare estenuante. Naturalmente, per me molti posti sono così. Sono una persona inquieta, perciò all'inizio del quinto giorno stavo già impazzendo. Ero quasi convinto che si fossero dimenticati di me, che fosse il caso di dire basta e di mettersi di nuovo in movimento. Stavo pensando a Miami. Laggiù faceva molto più caldo. Ma in tarda mattinata il telefono squillò. Era lei. Fu un piacere sentirla.

«Siamo per strada», disse. «Vediamoci sotto quella grossa statua di chiunque sia a cavallo, a metà del Freedom Trail, alle tre.»

Non era un appuntamento molto preciso, ma sapevo a che cosa si riferisse. Era un luogo nel North End, vicino a una chiesa. Era primavera e faceva troppo freddo per andarci senza uno scopo, eppure arrivai lo stesso in anticipo. Mi sedetti su una panchina accanto a una vecchia che dava da mangiare croste di pane sbriciolate ai passeri e ai colombi terraioli. Mi guardò e si spostò su un'altra panchina. Gli uccelli le sciamarono attorno ai piedi becchettando nella ghiaia. Un sole acquoso stava lottando per fare capolino tra le nubi cariche di pioggia. Era Paul Revere quello a cavallo.

Duffy ed Eliot arrivarono puntuali. Indossavano imper-

meabili neri tutti pieni di asole, fibbie e cinghie. Tanto valeva mettersi al collo un cartello con su scritto AGENTI FEDERA-
LI DI WASHINGTON DC. Si sedettero, Duffy alla mia sinistra,
Eliot alla mia destra. Io mi appoggiai allo schienale e loro si
protesero in avanti, con i gomiti sulle ginocchia.

«I paramedici hanno ripescato un uomo sotto costa, nel
Pacifico», spiegò Duffy. «Dieci anni fa, poco a sud di Eureka, in California. Un maschio bianco di circa quarant'anni. Aveva due fori di proiettile in testa e uno nel petto. Di
piccolo calibro, probabilmente 22. Ritengono sia stato gettato nell'oceano dagli scogli.»

«Era vivo quando l'hanno ripescato?» chiesi pur sapendo
già la risposta.

«A malapena», rispose lei. «Aveva un proiettile vicino al
cuore e il cranio fratturato, oltre a fratture a entrambe le
gambe e al bacino dovute alla caduta. Ed era semiannegato.
Lo hanno sottoposto a un intervento di quindici ore di fila.
È rimasto in terapia intensiva per un mese e in ospedale per
altri sei, per la convalescenza.»

«Identificazione?»

«Sul suo conto non c'è niente. Nei documenti compare
come John Doe.»

«Hanno cercato di identificarlo?»

«Non hanno trovato alcuna corrispondenza con le impronte», rispose Duffy. «Niente negli elenchi delle persone
scomparse. Nessuno ne ha denunciato la sparizione.»

Annuii. *I computer con le impronte ti dicono quello che sono
programmati per dirti.*

«E poi?»

«Poi si è ripreso», continuò lei. «Dopo sei mesi. Stavano
cercando di decidere che farsene quando all'improvviso ha
chiesto di essere dimesso. Non lo hanno più rivisto.»

«Ha detto qualcosa al personale sulla sua identità?»

«Gli hanno diagnosticato una forma di amnesia, di certo
causata dal trauma: è quasi inevitabile. Hanno ritenuto che

potesse essersi sinceramente dimenticato dell'episodio e dei giorni precedenti a esso, ma concluso che fosse in grado di ricordare eventi più remoti e avuto la netta impressione che fingesse di non farlo. La cartella clinica è piuttosto spessa: valutazioni psichiatriche e tutto il resto. È stato molto risoluto. Non ha mai detto una parola su di sé. »

« In che condizioni fisiche era quando se n'è andato? »

« In condizioni piuttosto buone. Certo, aveva evidenti cicatrici di proiettile. »

« Bene », dissi reclinando la testa e guardando il cielo.

« Chi era? »

« Voi che ne dite? »

« Proiettili di piccolo calibro alla testa e al petto? » disse Eliot. « Buttato nell'oceano? Crimine organizzato. Un assassinio. Un killer prezzolato ha tentato di farlo fuori. »

Non dissi nulla, guardando il cielo.

« Chi era? » insistette Duffy.

Continuai a guardare il cielo e lentamente tornai indietro nel tempo di dieci anni, a un mondo del tutto diverso.

« Vi intendete di carri armati? »

« Di carri armati militari? Cingoli e cannoni? Non molto. »

« Non c'è niente di particolare al riguardo », risposi. « Vuoi che vadano veloci, che siano abbastanza affidabili e non obietti se ti fanno risparmiare un po' di carburante. Ma se io ho un carro armato e anche voi ne avete uno, qual è l'unica cosa che v'interessa veramente sapere? »

« Quale? »

« Io sono in grado di spararvi prima che spariate a me? Questo vi interessa sapere. Se ci troviamo a un chilometro e mezzo di distanza, il mio cannone vi può raggiungere? E il vostro può raggiungere me? »

« Quindi? »

« Naturalmente, visto che di fisica si tratta, la risposta probabile è che se io vi posso colpire a un chilometro e mezzo di distanza anche voi potete farlo. Perciò tutto si riduce alle munizioni. Se mi allontano di altri duecento metri in modo che il vostro proiettile rimbalzi senza colpirmi, posso creare un proiettile che non rimbalzi e vi colpisca? Questo è il punto con i carri armati. L'uomo nell'oceano era un ufficiale dell'intelligence dell'Esercito che ricattava uno specialista d'armi dell'Esercito.»

«Perché è finito nell'oceano?»

«Avete seguito la guerra del Golfo in televisione?» chiesi.

«Io sì», rispose Eliot.

«Lasci perdere le bombe intelligenti», dissi. «La vera star dello spettacolo era il carro da battaglia Abrams M1A1. Ha stracciato gli iracheni che usavano il meglio che avessero trovato sulla piazza. Ma il fatto che la guerra fosse seguita in televisione ha significato che avevamo mostrato il nostro asso nella manica al mondo intero, perciò abbiamo dovuto escogitare qualcosa di nuovo per il futuro. E abbiamo fatto progressi.»

«Quindi?»

«Se vuoi che un proiettile arrivi più lontano e colpisca con più violenza, devi aumentarne la carica esplosiva o renderlo più leggero, o entrambe le cose. Ovviamente, se ne aumenti la carica esplosiva, devi adottare qualche misura radicale d'altro tipo per renderlo più leggero, il che è proprio quello che hanno fatto. Hanno tolto la carica esplosiva. Sembra assurdo, vero? Viene da chiedersi: cosa fa, allora? Rimbalza da qualche parte con un bel *clang*? Ne hanno modificato la forma e hanno inventato un aggeggio che assomiglia a un dardo gigante, con tanto di alette e cose del genere. È una fusione di tungsteno e uranio impoverito, i metalli più densi che esistano. Va molto veloce e molto lontano. L'hanno chiamato 'penetratore long-rod'.»

Duffy mi guardò con le palpebre semichiuse, sorrise e nel contempo abbassò lo sguardo. Contraccambiai il sorriso.

«Hanno cambiato nome», aggiunsi. «Adesso si chiama APFSDS. Vi ho già detto che amano gli acronimi. Armour

Piercing Fin Stabilized Discarding Sabot. Sostanzialmente, viene alimentato dal suo piccolo motore a razzo. Colpisce il carro armato nemico con un'energia cinetica spaventosa che, proprio come ti insegnano alle superiori, si trasforma in energia termica. In una frazione di secondo penetra nel metallo fondendolo, lo proietta all'interno del carro uccidendone gli occupanti e facendo scoppiare qualsiasi materiale esplosivo o infiammabile. È davvero una bella trovata. E in qualsiasi caso, spari e fai centro perché se la corazzatura del nemico è troppo spessa o se il tiro è partito da troppo lontano, il proiettile resta conficcato a metà come una freccia e frammenta lo strato interno della corazzatura, gettando scaglie di metallo rovente nell'abitacolo come una bomba a mano. La squadra nemica viene fatta a brandelli, come rane in un frullatore. Era un'arma nuova, geniale.»

«E che mi dice del tizio nell'oceano?»

«Ha ottenuto i progetti dall'uomo che ricattava», dissi. «Pezzo per pezzo, in un lungo periodo di tempo. Lo tenevamo sotto controllo e sapevamo esattamente che cosa facesse. Aveva intenzione di venderli all'intelligence irachena. Gli iracheni volevano pareggiare i conti alla prima occasione e l'Esercito degli Stati Uniti non voleva che ciò accadesse.»

Eliot mi fissò. «Così lo hanno fatto ammazzare?»

Scossi la testa. «Abbiamo mandato un paio di poliziotti militari ad arrestarlo. Procedura operativa standard, tutto legale e ufficiale, credetemi. Ma le cose sono andate storte. Lui è fuggito con l'intenzione di scomparire per sempre e l'Esercito degli Stati Uniti non voleva *assolutamente* che ciò accadesse.»

«E *a quel punto* lo hanno ucciso?»

Sollevai di nuovo lo sguardo al cielo senza rispondere.

«Quella non era una procedura standard», commentò Eliot. «Vero?»

Non risposi.

«Non era autorizzata», proseguì. «Giusto?»

Non risposi.

«Ma quell'uomo non è morto», osservò Duffy. «Come si chiamava?»

«Quinn», risposi. «La persona peggiore che abbia mai conosciuto.»

«E lo ha visto sabato nell'auto di Beck?»

Annuii. «L'autista era venuto a prenderlo alla Symphony Hall.»

Riferii loro i particolari che conoscevo, ma mentre parlavo sapevamo tutti che si trattava di informazioni inutili. Non era pensabile che Quinn usasse la sua vecchia identità, perciò tutto quello che potei fornire fu la descrizione fisica di un uomo bianco sulla cinquantina dall'aspetto anonimo, con due cicatrici da proiettile sulla fronte. Era meglio di niente, ma non li avrebbe portati da nessuna parte.

«Perché non si è trovata nessuna corrispondenza con le sue impronte?» chiese Eliot.

«È stato cancellato», risposi. «Come se non fosse mai esistito.»

«Perché non è morto?»

«Una calibro 22 silenziata», dissi. «La nostra arma standard per le operazioni ravvicinate sotto copertura. Ma non è molto potente.»

«È ancora pericoloso?»

«Non per l'Esercito», risposi. «È acqua passata. Tutto questo è accaduto dieci anni fa. Tra poco l'APFSDS finirà in un museo insieme all'Abrams.»

«Allora perché rintracciarlo?»

«Perché in base a quello che ricorda potrebbe essere pericoloso per l'uomo che era stato incaricato di eliminarlo.»

Eliot annuì senza proferire parola.

«Aveva un'aria importante?» chiese Duffy. «Sabato? Nell'auto di Beck?»

«Aveva l'aria di una persona ricca», dissi. «Cappotto costoso di cachemere, guanti di pelle, sciarpa di seta. Aveva l'aria di chi è abituato a farsi portare in giro dall'autista. È salito in macchina come se lo facesse da sempre.»

«Ha salutato l'autista?»

«Non lo so.»

«Dobbiamo inquadrarlo», affermò Duffy. «Ci serve un contesto. Come si comportava? Usava l'auto di Beck e sembrava avere l'autorità per farlo? O sembrava qualcuno a cui era stato fatto un favore?»

«Sembrava averne l'autorità», risposi. «Come se la usasse tutti i giorni della settimana.»

«Quindi è allo stesso livello di Beck?»

Mi strinsi nelle spalle. «Potrebbe essere il capo di Beck.»

«Il socio, nella migliore delle ipotesi», osservò Eliot. «Il nostro uomo di Los Angeles non avrebbe fatto quel viaggio per incontrare un tirapiedi.»

«Non penso che Quinn possa essere socio di qualcuno», replicai.

«Che tipo era?»

«Un tipo normale», dissi. «Per essere un ufficiale dell'intelligence. Sotto quasi ogni aspetto.»

«Tranne per lo spionaggio», affermò Eliot.

«Sì», ammisi. «Tranne per quello.»

«E per quello che ha decretato la sua eliminazione non autorizzata.»

«Anche.»

Duffy taceva. Stava riflettendo con attenzione. Ero più che certo che stesse pensando in che modo utilizzarmi e a me la cosa non turbava affatto. «Resterà a Boston?» mi chiese. «Dove la possiamo trovare?»

Risposi di sì. Poi se ne andarono e così terminò il quinto giorno.

Trovai un bagarino in un bar di sportivi e passai gran parte del sesto e del settimo giorno a Fenway Park, a guardare i Red Sox faticare in un homestand di inizio stagione. La partita del venerdì arrivò a diciassette inning e finì molto tardi, perciò dormii per gran parte dell'ottavo giorno e la sera tornai alla Symphony Hall per osservare la folla. Forse Quinn era abbonato alla stagione di concerti. Lui però non si fece vedere. Ripensai al modo in cui mi aveva guardato: poteva essersi trattato solo del fastidio per la ressa sul marciapiede, ma poteva essere anche qualcosa di più.

Susan Duffy mi chiamò il mattino del nono giorno, domenica. Aveva un tono diverso. Sembrava una persona che aveva riflettuto molto a lungo. Una persona con un piano.

«A mezzogiorno, nell'atrio dell'albergo», disse.

Arrivò in macchina. Sola. L'auto era una Taurus modello base, sudicia all'interno. Un'auto governativa. Lei indossava un paio di jeans sbiaditi, delle scarpe buone e un giubbotto di pelle logora. Si era da poco lavata i capelli e li aveva pettinati all'indietro. Salii dal lato del passeggero. Duffy attraversò sei corsie e puntò verso l'imboccatura di un tunnel che conduceva alla Mass Pike.

«Zachary Beck ha un figlio», disse.

Prese una curva in galleria a gran velocità, poi il tunnel finì e uscimmo nella debole luce di aprile, poco oltre Fenway.

«È matricola al college», continuò. «Un piccolo istituto di secondaria importanza dove si insegnano belle arti, guarda caso non molto lontano da qui. Abbiamo parlato con un compagno di classe: in cambio gli abbiamo detto che chiuderemo un occhio su un problema di cannabis. Il ragazzo si chiama Richard Beck. Non gode di grande popolarità, è un tipo un po' strano. Sembra molto traumatizzato da una cosa accaduta cinque anni fa.»

«Che genere di cosa?»

«È stato rapito.»

Non commentai.

«Capisce?» continuò Duffy. «Sa con che frequenza oggi viene rapita una persona normale?»

«No», risposi.

«Con frequenza zero», rispose. «È un crimine scomparso. Perciò dev'essersi trattato di una guerra per il territorio. È praticamente la prova che suo padre è nel racket.»

«È un po' tirata come ipotesi».

«D'accordo, ma è molto convincente. E il crimine non è mai stato denunciato. L'FBI non ne ha documentazione. Qualsiasi cosa sia accaduta, è stata gestita privatamente e in modo non molto brillante. Richard Beck è senza un orecchio.»

«Quindi?»

Lei non rispose, continuando a guidare verso ovest. Mi allungai sul sedile del passeggero e la guardai con la coda dell'occhio. Era bella. Corpo lungo, magra e graziosa, e aveva la vita negli occhi. Non usava trucco. Era una di quelle donne che non ne avevano assolutamente bisogno. Mi piaceva che mi portasse in giro, anche se non stavamo andando a zonzo: Duffy mi stava portando in un posto preciso, era chiaro. Era venuta da me con un piano.

«Ho studiato il suo curriculum», disse. «Da cima a fondo. Lei è una persona sorprendente.»

«Non proprio», risposi.

«E ha piedi grandi», aggiunse. «E anche questo è un bene.»

«Perché?»

«Lo vedrà», rispose.

«Mi spieghi.»

«Noi siamo molto simili», disse. «Lei e io. Abbiamo qualcosa in comune. Io voglio avvicinarmi a Zachary Beck per ritrovare la mia agente, lei per scovare Quinn.»

«La sua agente è morta. Otto settimane, sarebbe un miracolo. Dovrebbe accettarlo.»

Duffy rimase in silenzio.

«E di Quinn non m'importa.»
Lei guardò a destra e scosse il capo.
«Invece sì», replicò. «E anche molto, lo vedo da qui. È una cosa che le rode, un lavoro non concluso e lei sembra proprio il tipo d'uomo che detesta i lavori non conclusi.» Tacque per un istante, poi aggiunse: «Continuerò a pensare che la mia agente sia viva, per lo meno finché lei non mi dimostrerà con certezza il contrario».
«Io?»
«Non posso usare uno dei miei», disse. «Questo lo capisce, vero? Tutta questa faccenda è illegale per il dipartimento di Giustizia, perciò qualsiasi cosa io faccia d'ora in poi non deve risultare. E lei sembra proprio il tipo d'uomo che capisce le operazioni non autorizzate. Magari le preferisce anche.»
«Quindi?»
«Devo infiltrare qualcuno in casa di Beck e ho deciso che quel qualcuno sarà lei. Lei sarà il mio 'penetratore longrod'.»
«Come?»
«Sarà Richard Beck ad aiutarla.»

Uscì dall'autostrada a circa sessantacinque chilometri da Boston e svoltò a nord, nella campagna del Massachusetts. Passammo alcuni paesi del New England da cartolina, con i vigili del fuoco intenti a pulire le autopompe e gli uccellini che cantavano. Gli abitanti lavoravano sui prati e potavano le siepi. Nell'aria si sentiva odore di fumo di legna.
Ci fermammo a un motel in mezzo al nulla. Con i sobri rivestimenti di mattoni e le finiture di un bianco accecante aveva proprio un'aria immacolata. Nel parcheggio c'erano cinque auto che bloccavano l'accesso alle ultime cinque stanze. Erano tutte auto governative. Steven Eliot ci attendeva nella stanza centrale insieme a cinque uomini. Avevano por-

tato tavoli e sedie dalle altre camere e sedevano ordinati in semicerchio. Duffy mi condusse all'interno e fece un cenno a Eliot. Pensai fosse un segnale per comunicargli: *Gliel'ho proposto e non ha risposto di no. Non ancora.* Si avvicinò alla finestra e si voltò in modo da rivolgersi alla stanza. La luce del giorno brillava intensa alle sue spalle e rendeva difficile vederla in volto. Si schiarì la gola e nella stanza calò il silenzio.

«Bene, ascoltatemi, ragazzi», disse. «Ancora una volta è un'operazione non autorizzata, priva di un'approvazione ufficiale: verrà svolta nel nostro tempo libero e a nostro rischio. Chi vuole tirarsene fuori, lo faccia ora.»

Nessuno si mosse. Nessuno se ne andò. Era una tattica intelligente e mi dimostrò che Eliot e lei avevano almeno cinque uomini che li avrebbero seguiti fino all'inferno e ritorno.

«Abbiamo meno di quarantotto ore», affermò. «Dopodomani Richard Beck andrà a casa per il compleanno della madre. La nostra fonte dice che lo fa ogni anno: salta le lezioni e tutto il resto. Il padre gli manda un'auto con due guardie del corpo, due professionisti, perché il ragazzo è terrorizzato di essere rapito di nuovo. Noi elimineremo le guardie e lo rapiremo.»

Tacque per un istante. Nessuno parlò.

«Il nostro scopo è entrare nella casa di Zachary Beck», continuò. «È chiaro che i presunti rapitori non sono i benvenuti là dentro, perciò è opportuno che Reacher salvi immediatamente il ragazzo *da* loro. Sarà una sequenza rapida: rapimento, salvataggio, una cosa del genere. Il ragazzo sarà molto grato e Reacher verrà accolto come un eroe tra le mura domestiche.»

All'inizio tutti rimasero zitti, poi si mossero sulle sedie. Era un piano così pieno di buchi da far sembrare compatto il groviera. Fissai Duffy direttamente negli occhi, poi mi ritrovai a guardare fuori della finestra. *C'era modo di riempire i buchi.* Sentii il cervello mettersi in moto e mi chiesi quanti ne avesse già individuati, quante risposte avesse già trovato e se sapesse quanto mi piacevano situazioni del genere.

«Il nostro pubblico sarà formato da una sola persona», disse. «Tutto ciò che conta è quello che penserà Richard Beck. L'intera faccenda sarà finta dall'inizio alla fine, ma lui deve assolutamente credere che sia vera.»

Eliot mi guardò. «Punti deboli?»

«Due», risposi. «Primo, come eliminare le guardie del corpo senza ferirle? Presumo che un'operazione non autorizzata non arrivi a *tanto*.»

«Velocità, shock, sorpresa», rispose lui. «La squadra di rapitori avrà pistole mitragliatrici dotate di parecchie cartucce a salve. Più una granata stordente. Non appena il ragazzo sarà uscito dall'auto, gettiamo la granata: creerà gran baccano e gran scompiglio. Resteranno storditi, niente di più, ma il ragazzo penserà che siano stati ridotti in polpette.»

«Bene», dissi. «Ma, secondo punto debole, tutta questa faccenda è un po' come recitare secondo il metodo Stanislavksij, giusto? Io sono una sorta di passante e guarda caso sono anche un passante in grado di salvarlo, il che mi fa apparire un tipo abile, in gamba. Perché allora non lo porto al posto di polizia più vicino? O non aspetto che arrivino gli agenti? Perché non mi fermo per fornire delle prove, per dare la mia testimonianza? Perché dovrei accompagnarlo immediatamente a casa?»

Eliot si girò verso Duffy.

«Sarà terrorizzato», rispose. «Vorrà che lo accompagni a casa.»

«Ma perché dovrei accettare? Non importa quello che vuole lui. Importa quello che per me è logico fare. Perché il nostro pubblico non è formato da una sola persona, ma da *due*: Richard Beck e Zachary Beck. Richard Beck lì, in quel momento, Zachary Beck, dopo. Il padre valuterà la situazione in retrospettiva. Dobbiamo convincere anche lui.»

«Il ragazzo potrebbe non voler contattare la polizia. Come la prima volta.»

«Ma perché dovrei ascoltarlo? Se fossi il signor Qualunque, per prima cosa penserei di rivolgermi alla polizia. Farei tutto come da regola.»

«Richard si metterebbe a discutere.»

«E io lo ignorerei. Perché un adulto abile, in gamba, dovrebbe ascoltare un ragazzino squilibrato? È un punto debole. Sembrerebbe troppo facile, troppo pilotato, troppo finto. Troppo *palese*. Zachary Beck se ne accorgerebbe subito.»

«Potrebbe caricarlo su una macchina ed essere inseguito.»

«Andrei dritto a una stazione di polizia.»

«Merda», esclamò Duffy.

«È un piano», dissi. «Ma dobbiamo essere realistici.»

Guardai di nuovo dalla finestra. Fuori era chiaro. Vidi un sacco di verde: alberi, cespugli, pendii collinosi ricoperti di boschi con le foglie nuove. Con la coda dell'occhio vidi Eliot e Duffy guardare il pavimento della stanza e i cinque uomini seduti immobili. Sembravano una squadra capace. Due erano più giovani di me, alti e biondi, due circa della mia età, anonimi, comuni. Uno era molto più vecchio, curvo e grigio. Pensai a lungo, con attenzione. Rapimento, salvataggio. *La casa di Beck. Devo entrare nella casa di Beck. Devo proprio. Perché devo trovare Quinn. Concentrati sul gioco lungo.* Esaminai l'intera questione dal punto di vista del ragazzo.

«È un piano», ripetei. «Ma va perfezionato. Perciò io devo essere il tipo d'uomo che non va alla polizia.» Tacqui per un istante. «No, meglio ancora, proprio davanti agli occhi di Richard Beck, *diventerò* il tipo d'uomo che *non può* andare alla polizia.»

«Come?» chiese Duffy.

La guardai dritto negli occhi. «Devo ferire qualcuno per sbaglio, nella confusione. Un altro passante, una persona innocente. In una circostanza ambigua. Magari investo qualcuno: una vecchia che porta a spasso il cane. Magari la uccido. Cado in preda al panico e scappo.» «Troppo difficile da architettare», disse. «E comunque non è una ragione sufficiente per scappare. Voglio dire, in situazioni del genere un incidente può accadere.» Annuii. La stanza rimase in silenzio. Chiusi gli occhi, pensai ancora e nella mente mi si delineò una scena. «Bene», dissi. «Di questo, che ne dite? Ucciderò un poliziotto. Per sbaglio.» Nessuno parlò. Aprii gli occhi. «È un grande slam», esclamai. «Capite? È assolutamente perfetto. Toglierà qualsiasi dubbio a Zachary Beck sul perché non mi sia comportato normalmente e non sia andato alla polizia. Non *vai* alla polizia se hai appena ucciso un agente, anche se per sbaglio. Lui capirà. E questo mi darà una ragione per restare a casa sua, dopo, cosa che devo riuscire a fare. Penserà che mi stia nascondendo. Mi sarà grato per il salvataggio e visto che è un criminale non avrà rimorsi di coscienza.»

Non ci furono obiezioni, solo silenzio, seguito da un lento, indefinibile mormorio di valutazione, assenso, consenso. Avevo sviscerato il problema dall'inizio alla fine. *Concentrati sul gioco lungo.* Sorrisi.

«Meglio ancora», aggiunsi. «Potrebbe persino assoldarmi. Anzi, sarà fortemente tentato di farlo perché avremo creato l'illusione che la sua famiglia sia diventata all'improvviso un bersaglio, perché si ritroverà con due guardie del corpo in meno e avrà capito che io sono migliore perché loro hanno fallito, io no. Sarà contento di assoldarmi perché, fintantoché mi riterrà un ammazza-sbirri e mi darà riparo, crederà che sia una sua proprietà.»

Anche Duffy sorrise.

«Allora mettiamoci all'opera», affermò. «Abbiamo meno di quarantotto ore.»

Ai due agenti più giovani fu assegnata la parte dei rapitori. Decidemmo che avrebbero guidato un pick-up della Toyota preso tra quelli sequestrati dalla DEA. Avrebbero usato Uzi confiscate, caricate con cartucce a salve da nove millimetri e sarebbero state dotate di una granata stordente sottratta dai magazzini della SWAT della DEA. Poi iniziammo a studiare il mio ruolo di soccorritore. Stabilimmo che sarei stato il più verosimile possibile, come insegnano i grandi maestri della truffa: un vagabondo ex militare, capitato nel luogo giusto al momento giusto. Sarei stato armato, il che in quelle circostanze era tecnicamente illegale nel Massachusetts, ma mi avrebbe conferito veridicità e credibilità.

«Mi serve un revolver vecchio stile», dissi. «Devo avere un'arma adatta a un cittadino comune. E il fatto dovrà essere sensazionale, dall'inizio alla fine. Il Toyota mi verrà addosso e io lo toglierò di mezzo. Sparerò contro la macchina, quindi mi serviranno tre proiettili veri e tre a salve, in questa esatta sequenza. I tre proiettili veri sono per il pick-up, i tre a salve per le persone.»

«Possiamo caricare qualsiasi pistola in quel modo», precisò Eliot.

«Ma dovrò poter vedere gli alloggiamenti delle cartucce», affermai. «Poco prima di sparare. Non sparerò proiettili misti senza avere il controllo visivo. Devo essere certo di iniziare col piede giusto, perciò mi serve un revolver, uno grosso, non una cosetta, in modo che possa vedere bene.»

Eliot capì le mie ragioni e prese un appunto. Affidammo all'agente più anziano il ruolo del poliziotto locale. Duffy suggerì che entrasse per sbaglio nel mio campo di fuoco.

«No», risposi. «Dev'essere il giusto tipo di sbaglio, non un semplice errore di tiro. Beck padre deve restare colpito da me, nel modo giusto. Dev'essere un gesto deliberato anche se avventato, come se fossi un pazzo, ma un pazzo capace di sparare.»

Duffy fu d'accordo. Eliot vagliò una lista di veicoli disponibili e mi propose un vecchio furgoncino. Disse che mi sarei potuto spacciare per addetto alle consegne, che in quel modo avrei avuto una ragione fondata per trovarmi lì, in strada. Compilammo degli elenchi, mentalmente e su carta. I due agenti della mia età se ne stavano seduti senza un ruolo e avevano un'aria scontenta.

«Voi sarete i poliziotti di rinforzo», dissi. «Immaginiamo che il ragazzo non mi veda mentre sparo al primo poliziotto: sviene o qualcosa del genere. Voi ci inseguirete in auto e, quando sarò certo che stia guardando, vi eliminerò.»

«Non possiamo avere poliziotti di rinforzo», intervenne il vecchio. «Voglio dire, che succede? All'improvviso l'intero posto pullula di sbirri senza una ragione?»

«Saranno i poliziotti del college», affermò Duffy. «Sai, gli agenti che i college assumono? Si troveranno lì. Voglio dire, dove potrebbero trovarsi se non lì?»

«Splendido», esclamai. «Possono partire proprio dall'interno del campus e controllare l'intera cosa via radio dal retro.»

«Come li farai fuori?» chiese Eliot con un tono da obiezione.

Annuii intuendo il problema. A quel punto avrei già esaurito i sei colpi.

«Non posso ricaricare», dissi. «Non mentre guido. Non con le cartucce a salve. Il ragazzo potrebbe notarle.»

«Non potresti investirli? Costringerli a uscire di strada?»

«Non con un vecchio furgoncino. Mi servirà un secondo revolver. Caricato in anticipo, forse già pronto nel cassetto del cruscotto.»

«Te ne vai in giro con due pistole da sei colpi?» chiese il vecchio. «È un po' strano nel Massachusetts.»

Assentii. «È un punto debole. Dobbiamo rischiare e accettare che il piano ne abbia qualcuno.»

«Quindi io dovrei essere in borghese», continuò il vecchio. «Come un detective. Sparare a un agente in uniforme è più che avventato. Anche questo è un punto debole.»

«Bene», affermai. «Concordo. Ottimo. Tu sarai un detective, estrarrai il distintivo e io penserò che sia una pistola. Sono cose che succedono.»

«Ma come moriamo?» chiese lui. «Ci afferriamo il ventre e cadiamo a terra come nei vecchi western?»

«Non è convincente», disse Eliot. «L'intera faccenda deve sembrare vera a beneficio di Richard Beck.»

«Ci serve qualche trucco da set», affermò Duffy. «Giubbotti di kevlar e profilattici riempiti di sangue finto che esplodono a un segnale radio.»

«Ce li possiamo procurare?»

«Da New York o da Boston, forse.»

«Abbiamo poco tempo.»

«Non me lo dire», rispose lei.

Così terminò il nono giorno. Duffy voleva che mi trasferissi al motel e si offrì di farmi riaccompagnare da qualcuno al mio albergo di Boston per prendere i bagagli. Le dissi che non avevo bagagli e lei mi guardò di traverso senza dire nulla. Mi sistemai in una stanza accanto al vecchio. Qualcuno andò a prendere delle pizze. Tutti si diedero da fare e telefonarono di qua e di là, lasciandomi solo. Mi stesi a letto e ripensai all'intera operazione dall'inizio alla fine, dal mio punto di vista. Feci mentalmente un elenco di tutte le cose che non avevamo considerato. Era un lungo elenco, ma c'era una cosa che più di tutte mi preoccupava e non era propriamente *in* quella lista. Era per così dire parallela. Scesi dal letto e andai a cercare Duffy. Era fuori nel parcheggio e stava tornando in fretta in camera dalla macchina.

«Zachary Beck non è il punto focale», le dissi. «Non può esserlo. Se Quinn è coinvolto, è lui il capo: non avrebbe mai un ruolo di secondo piano. Questo, a meno che Beck non sia peggiore di lui, cosa a cui non voglio nemmeno pensare.» «Forse Quinn è cambiato», osservò lei. «Ha ricevuto due proiettili in testa. Magari l'esperienza gli ha cambiato il cervello, lo ha in qualche modo sminuito.» Non dissi nulla. Lei corse via e io tornai nella mia stanza.

Il decimo giorno iniziò con l'arrivo dei veicoli. Al vecchio fu assegnata una Chevrolet Caprice di sette anni, che sarebbe servita da auto della polizia senza insegne. Era il modello con il motore della Corvette, l'ultimo prima che la General Motors cessasse di produrla. Il pick-up era grande quanto un vagone, di color rosso sbiadito e con un bull bar davanti. Vidi gli agenti più giovani discutere per stabilire come usarlo. Il mio veicolo era un semplice furgoncino marrone, il più anonimo che avessi mai visto. Non aveva finestrini laterali e il lunotto posteriore era diviso in due. Verificai all'interno se ci fosse un cassetto nel cruscotto. C'era.

«Va bene?» chiese Eliot.

Battei sulla fiancata come fanno i proprietari dei furgoni e questa riecheggiò debolmente in risposta.

«Perfetto», commentai. «Come revolver voglio due 44 Magnum. Voglio tre proiettili pesanti a punta molle e nove a salve. Le cartucce a salve devono fare più rumore possibile.»

«Va bene», disse. «Perché a punta molle?»

«Temo il rimbalzo», risposi. «Non voglio ferire nessuno per sbaglio. I proiettili a punta molle si deformano e si fermano nel bersaglio che colpiscono. Ne sparerò uno nel radiatore e due nelle gomme. Voglio che le gonfiate al massimo in modo che esplodano quando le colpirò. Dobbiamo creare un effetto spettacolare.»

Eliot si allontanò di corsa e Duffy mi si avvicinò.

«Ti serviranno», disse. Mi aveva portato un cappotto e un

paio di guanti. «Se li indossi, avrai un aspetto più credibile. Farà freddo. E il cappotto nasconderà la pistola.»

Li presi dalle sue mani e provai il cappotto. Mi andava perfetto. Duffy aveva chiaramente occhio per le taglie.

«Dovrai stare attento all'aspetto psicologico», affermò. «Dovrai essere elastico. Il ragazzo potrebbe essere catatonico. Potresti dover indurre una reazione in lui; in teoria però dovrebbe restare vigile e in grado di parlare, nel qual caso ti dovrai dimostrare un po' restio a farti coinvolgere ulteriormente. Sempre in teoria, dovresti fare in modo che sia *lui* a convincer*ti* a portarlo a casa, ma nello stesso tempo dovrai essere quello che comanda. Dovrai far sì che le cose vadano in modo che lui non si soffermi a pensare a ciò che vede esattamente.»

«Bene», dissi. «Nel qual caso cambierò piano per le munizioni. Il secondo proiettile della seconda pistola sarà vero. Gli dirò di stendersi sul fondo e farò saltare il lunotto posteriore alle sue spalle. Penserà che siano stati gli agenti del college a spararci. Poi gli dirò di alzarsi. In questo modo la sua percezione del pericolo aumenterà, lo abituerà a fare quello che gli dico e lo farà sentire un po' meglio quando guarderà gli agenti del college avere quello che si meritano. Perché non voglio che opponga resistenza, che cerchi di fermarmi. Potrei avere un incidente e potremmo morire entrambi.»

«In effetti, è bene che instauri un legame con lui», affermò Duffy. «Richard dovrà parlare bene di te, dopo. Perché, sono d'accordo, se ti assoldassero sarebbe un bel colpo. Avresti libertà di movimento. Ma sii molto abile. Non c'è bisogno che risulti simpatico al ragazzo. Devi solo fargli capire che sei un duro che sa quello che fa.»

Andai a cercare Eliot, poi i due agenti che avrebbero impersonato gli uomini del college vennero da me. Stabilimmo che all'inizio mi avrebbero sparato a salve, io avrei risposto prima con una cartuccia a salve e quindi avrei rotto il lunotto. Avrei sparato ancora un colpo a salve e infine, a intervalli, le ultime tre cartucce a salve. All'ultimo colpo i due avrebbero fatto saltare il loro parabrezza con un proiettile vero e finto di sbandare finendo fuori strada, come se avessero perso uno pneumatico o se questo fosse stato colpito da uno sparo.

«Non confonderti con le due pistole», disse uno di loro.

«Nemmeno voi», replicai.

A pranzo mangiammo di nuovo pizza e quindi andammo a esplorare la zona. Parcheggiammo a un chilometro e mezzo di distanza ed esaminammo un paio di cartine. Poi azzardammo tre passaggi distinti con due auto diverse davanti al cancello del college. Avrei preferito avere più tempo per studiare la scena, ma temevamo di farci notare. Tornammo al motel in silenzio e ci riunimmo nella stanza di Eliot.

«Mi sembra okay», dissi. «Da che parte svolteranno?»

«Il Maine è a nord», rispose Duffy. «Possiamo presumere che viva dalle parti di Portland.»

Annuii. «Ma secondo me andranno a sud. Guardate le cartine. Da quella parte si arriva prima all'autostrada. E la procedura standard di sicurezza è dirigersi verso strade importanti e trafficate.»

«È un'incognita.»

«Andranno a sud», ripetei.

«C'è altro?» chiese Eliot.

«Sarebbe folle tenere il furgoncino», osservai. «Beck padre penserà che, se ho fatto sul serio, mi sia liberato del furgoncino e abbia rubato un'auto.»

«Dove?»

«La cartina mostra un centro commerciale nei pressi dell'autostrada.»

«Bene, ne piazzeremo una lì.»

«Chiavi di riserva sotto il paraurti?»

Duffy scosse la testa. «Troppo finto. Dobbiamo fare in

modo che tutto sia assolutamente convincente. Dovrai rubarla davvero.»

«Non so come fare», osservai. «Non ho mai rubato una macchina.»

Nella stanza calò il silenzio.

«Tutto quello che so è ciò che ho imparato nell'Esercito», dissi. «I mezzi militari non sono mai chiusi a chiave e non hanno chiavi d'accensione. Partono con un pulsante.»

«D'accordo», affermò Eliot. «Nessun problema è insormontabile. La lasceremo aperta. Ma tu agirai come se fosse chiusa a chiave. Fingerai di scassinare la portiera. Lasceremo un po' di filo di ferro e un mucchio di appendiabiti nei paraggi. Magari potresti chiedere al ragazzo di andare a cercarti qualcosa, per coinvolgerlo. Contribuirà ad aumentare l'illusione. Dopodiché farai finta di armeggiare e, voilà, la portiera si apre. Allenteremo la copertura sotto il volante e toglieremo la protezione ai cavi giusti, *solo* ai cavi giusti. Tu li trovi, li connetti e diventi un perfetto ladro.»

«Geniale», esclamò Duffy.

Eliot sorrise. «Faccio del mio meglio.»

«Prendiamoci una pausa», affermò lei. «Ricominceremo dopo cena.»

Gli ultimi tasselli andarono a posto dopo cena. Due agenti tornarono con quel che mancava dell'attrezzatura: mi avevano procurato una coppia di Colt Anaconda identiche. Erano armi grosse, brutali, dall'aria costosa. Non chiesi dove le avessero recuperate. Insieme a esse c'erano una scatola di 44 Magnum veri e una di 44 a salve. I secondi arrivavano da un negozio ed erano concepite per una pistola pesante sparachiodi, cioè per un'arma che serve a conficcare i chiodi dritti nel calcestruzzo. Aprii il tamburo delle due Anaconda e con la punta di una forbicina per unghie incisi una X su ogni alloggiamento per le cartucce. Il tamburo di un revolver Colt gira in senso orario, diversamente da quelli Smith and Wesson che ruotano in senso antiorario. La x rappresentava il primo proiettile da sparare. L'avrei allineato a ore dieci in modo da poterlo vedere: alla prima pressione del grilletto sarebbe avanzato e sarebbe stato colpito dal cane.

Duffy mi portò un paio di scarpe. Erano della mia misura. La destra aveva un comparto nel tacco. Mi diede un apparecchio e-mail senza fili che si adattava perfettamente alla cavità.

«Per questo sono contenta che abbia piedi grandi», disse. «È più facile adattarlo.»

«È affidabile?»

«Sarà bene che lo sia», rispose. «È un nuovo apparecchio governativo. Tutti i dipartimenti lo usano per comunicare in segreto.»

«Ottimo», esclamai. Nella mia carriera, erano nati più pasticci per tecnologie difettose che per qualsiasi altro motivo.

«È quanto di meglio possiamo fare», continuò lei. «Qualsiasi altra cosa, la troverebbero. Ti perquisiranno e in teoria, se controlleranno eventuali trasmissioni radio, tutto ciò che sentiranno sarà il brevissimo crepitio del modem. Penseranno probabilmente che si tratti di una scarica statica.»

Da un costumista teatrale di New York si erano procurati tre trucchi di scena. Erano grossi, voluminosi, costituiti ognuno da un quadrato di trenta centimetri di kevlar da applicarsi al petto della vittima. Avevano una riserva di sangue finto, ricevitori radio, inneschi e batterie.

«Mettetevi una camicia larga, ragazzi», disse Eliot.

I radiocomandi erano costituiti da tasti separati che mi sarei dovuto applicare all'avambraccio destro. Erano collegati a batterie che avrei dovuto tenere in tasca. I tasti erano abbastanza grandi, tanto che potevo sentirli sotto camicia, giacca e cappotto. Pensai che sarei stato credibile se avessi sostenuto il peso della Colt con la mano sinistra. Prima, il guidatore del pick-up. Quello era il tasto più vicino al polso e lo avrei premuto con l'indice. Poi, il passeggero del pick-up. Il tasto da attivare era nel centro, col medio. Terzo, il vecchio che impersonava il poliziotto. Il tasto era accanto al gomito e avrei usato l'anulare.

«Dopo dovrai disfartene», disse Eliot. «Nella casa di Beck ti perquisiranno sicuramente. Ti dovrai fermare in una toilette o in un posto del genere per buttarlo via.»

Provammo all'infinito l'operazione nel parcheggio del motel. Tracciammo una strada in miniatura. A mezzanotte eravamo pronti. Avevamo calcolato che avremmo avuto bisogno in tutto di otto secondi, dall'inizio alla fine.

«La decisione cruciale spetta a te», mi disse Duffy. «È una tua scelta. Se c'è qualcosa che non va quando il Toyota ti viene contro, qualsiasi cosa, rinuncia, lascialo passare. In qualche modo rimedieremo noi. Sparerai tre proiettili veri in un luogo pubblico e non voglio che pedoni, ciclisti o amanti del jogging vengano colpiti. Avrai meno di un secondo per decidere.»

«Intesi», risposi, anche se una volta arrivati a quel punto non vedevo alcun modo semplice per rimediare alla cosa. Poi Eliot ricevette le ultime telefonate e confermò che avrebbero avuto in prestito un'auto della security del college e piazzato una vecchia e credibile Nissan Maxima dietro il principale grande magazzino del centro commerciale. La Maxima era stata sequestrata a un piccolo coltivatore di marijuana nello stato di New York. Laggiù avevano ancora leggi rigide sulla droga. Le avrebbero messo targhe false del Massachusetts e l'avrebbero riempita di tutto il ciarpame che una tipica commessa di grande magazzino tiene in macchina.

«Adesso a dormire», esclamò Duffy. «Domani è il grande giorno.»

Così terminò il decimo giorno.

Duffy mi portò ciambelle e caffè in camera per colazione, il mattino presto dell'undicesimo giorno. Eravamo lei e io soli. Rivedemmo l'intero piano per l'ultima volta. Mi mostrò le foto dell'agente che aveva inserito cinquantotto giorni prima, una bionda di trent'anni che si era fatta assumere alla Bizarre Bazaar col nome di Teresa Daniel. Era minuta e pareva piena di risorse. Studiai con attenzione le fotografie e ne memorizzai i tratti, anche se quella che vedevo nella mente era un'altra donna.

«Presumo sia ancora viva», affermò Duffy. «Devo presumerlo.»

Non la smentii.

«Cerca di farti assumere in ogni modo», aggiunse. «Abbiamo controllato il tuo passato recente, così come potrebbe fare Beck. Ne emerge un profilo molto vago. Ci sono un sacco di lacune che allarmerebbero me, ma probabilmente non lui.»

Le restituii le fotografie.

«Sono una carta vincente», dissi. «L'illusione si autoalimenta. Lui resta a corto di uomini ed è preso di mira, tutto nello stesso tempo. Ma non ho intenzione di insistere troppo, anzi fingerò d'essere un po' riluttante. Qualsiasi altro atteggiamento sembrerebbe finto.»

«D'accordo», fece lei. «Hai sette obiettivi, dei quali i numeri uno, due e tre sono: stare molto attento. Possiamo presumere che siano persone molto pericolose.»

Annuii. «Possiamo fare di più che presumere. Se Quinn è coinvolto, possiamo starne certi.»

«Perciò agisci di conseguenza», affermò. «Senza mezze misure, fin dall'inizio.»

«Sì», dissi. Incrociai il braccio sul petto e con la mano destra iniziai a massaggiarmi la spalla sinistra poi mi fermai, sorpreso. Uno psichiatra dell'esercito mi aveva detto che quel gesto inconscio denota un senso di vulnerabilità, di difesa. È legato all'istinto di ripararsi, di nascondersi ed è il primo passo sulla strada che alla fine ti porta a raggomitolarti in posizione fetale. Duffy doveva aver letto gli stessi libri perché lo notò e mi guardò in faccia.

«Hai paura di Quinn, non è vero?» chiese.

«Io non ho paura di nessuno», risposi. «Ma preferivo certamente quand'era morto.»

«Possiamo rinunciare», aggiunse.

Scossi la testa. «Mi piace l'idea di poterlo scovare, credimi.»

«Che cos'è andato storto con l'arresto?»

Scossi di nuovo la testa.

«Non intendo parlarne», risposi.

Lei rimase zitta per un istante, ma non insistette. Distolse semplicemente lo sguardo, tacque, mi guardò di nuovo e riprese il briefing in modo calmo e competente.

«L'obiettivo numero quattro è trovare la mia agente», affermò. «E riportarmela.»

Annuii.

«Cinque, portami prove concrete con cui inchiodare Beck.»

«D'accordo.»

Lei tacque di nuovo. «Sei, trova Quinn e fa' quello che devi con lui. E sette, escine vivo.»

Assentii senza dire nulla.

«Non ti seguiremo», proseguì Duffy. «Il ragazzo ci potrebbe individuare. A quel punto sarà già piuttosto paranoico. E non metteremo nessuna cimice sulla Nissan, perché dopo probabilmente la troverebbero. Ci dovrai comunicare per e-mail la posizione, non appena la conoscerai.»

«D'accordo.»

«Punti deboli?» chiese.

Mi sforzai di non pensare a Quinn.

«Tre, che mi risulti», risposi. «Due secondari e uno importante. Il primo dei due secondari è che romperò il lunotto sparando dal furgoncino, ma il ragazzo avrà una decina di minuti per capire che i vetri rotti si trovano nel posto sbagliato e che non c'è un buco corrispondente nel parabrezza.»

«Allora non farlo.»

«Invece devo farlo per forza. È necessario tenere alto il livello di paura.»

«Va bene. Metteremo un po' di scatole nel retro. Se sei un fattorino, dovrai pure avere qualche scatola da consegnare. Forse gli nasconderanno la vista. Se così non fosse, augurati che in dieci minuti non faccia due più due.»

Annuii. «Secondo, prima o poi, in qualche modo, Beck padre contatterà la polizia del posto, forse anche i quotidiani. Cercherà informazioni a riprova del fatto.»

«Daremo alla polizia un copione da seguire e saranno loro a comunicare con la stampa. Reggeranno il gioco finché necessario. Qual è il punto debole più grave?»

«Le guardie del corpo», dissi. «Per quanto potete trattenerle? Non potete lasciarle avvicinare a un telefono, altrimenti chiameranno Beck. Non potete arrestarle ufficialmente, né coinvolgerle nel piano. Dovrete trattenerle e far sì che non parlino con nessuno, in modo del tutto illegale. Per quanto tempo riuscirete a farlo?»

Lei si strinse nelle spalle. «Quattro o cinque giorni al massimo. Dopo non ti potremmo più proteggere. Perciò sii molto svelto.»

«È mia intenzione», dissi. «Quanto durerà la batteria del mio aggeggio e-mail?»

«Circa cinque giorni», rispose. «Per allora ne sarai fuori. Non possiamo darti un caricabatteria, sarebbe troppo sospetto. Ma se ne trovi uno, puoi usare un caricacellulare.»

«Bene», affermai.

Lei si limitò a guardarmi. Non c'era nient'altro da dire. Poi si avvicinò e mi diede un bacio sulla guancia. Fu improvviso. Le sue labbra erano morbide e mi lasciarono una traccia di zucchero delle ciambelle sulla pelle.

«Buona fortuna», esclamò. «Penso che non abbiamo dimenticato nulla.»

Invece avevamo dimenticato molte cose. Il nostro piano era pieno di errori e di lì a poco mi sarebbero balzati tutti agli occhi per angosciarmi.

3

Duke, la guardia del corpo, tornò nella mia stanza cinque minuti prima delle sette, troppo presto per la cena. Sentii i passi all'esterno e un flebile scatto quando girò la chiave. Io ero seduto sul letto. L'apparecchio e-mail era di nuovo nella scarpa e la scarpa di nuovo sul piede.

« Ti sei fatto il tuo sonnellino, coglione? » chiese.

« Perché mi chiudete a chiave? » chiesi in risposta.

« Perché sei un assassino di poliziotti », rispose.

Distolsi lo sguardo. Forse lui stesso era stato poliziotto prima di passare al settore privato. Era possibile: molti ex agenti finiscono nel ramo della sicurezza come consulenti, detective privati o guardie del corpo. Di certo seguiva una sorta di procedura, il che per me sarebbe forse stato un problema, ma ciò significava che aveva bevuto la storia di Richard Beck senza problemi. Mi guardò quasi inespressivo per un istante, poi mi condusse fuori della stanza, giù per due rampe di scale fino al pianterreno e, attraverso una serie di corridoi bui, al lato nord della casa. Sentivo un odore d'aria salmastra e di tappeti umidi. C'erano tappeti dappertutto. In alcune zone del pavimento ce n'erano addirittura due sovrapposti. Avevano colori tenui. Duke si fermò di fronte a una porta, l'aprì e arretrò per lasciarmi passare. Era grande e quadrata, pannellata di quercia scura. Sul pavimento, tappeti dappertutto. C'erano piccole finestre in profonde nicchie, al di là delle quali si vedevano buio, roccia e oceano grigio. C'era un tavolo di quercia. Le mie due Colt Anaconda vi erano appoggiate sopra, scariche, con il tamburo aperto. Alla testa del tavolo c'era un uomo. Sedeva su una sedia di quercia con i braccioli e lo schienale alto. Era l'uomo delle foto scattate da Susan Duffy durante la sorveglianza.

Di persona sembrava abbastanza anonimo. Non era né grande né piccolo. Forse un metro e ottanta per un'ottantina di chili di peso. Capelli grigi, né folti né radi, né corti né lunghi. Aveva circa cinquant'anni e indossava un vestito grigio di stoffa costosa, ma di taglio tutt'altro che elegante. La camicia era bianca e la cravatta incolore come la benzina. Aveva le mani e il viso pallidi, come se il suo habitat naturale fossero i garage sotterranei di notte, dove mostrava i campionari custoditi nel bagagliaio della sua Cadillac.

«Si accomodi», disse. La sua voce era calma e alta, quasi provenisse solo dalla parte superiore della gola. Mi sedetti di fronte a lui, all'altra estremità del tavolo.

«Sono Zachary Beck», aggiunse.

«Jack Reacher», risposi.

Duke chiuse piano la porta e vi si appoggiò contro con la sua mole. Nella stanza cadde il silenzio. Udivo l'oceano. Non era il rumore ritmico delle onde, come quello che si sente in spiaggia. Era un frangersi continuo, casuale, accompagnato dal risucchio della risacca sugli scogli. Udivo il fruscio delle pozze che si svuotavano, l'acciottolio della ghiaia e l'arrivo dei frangenti, forte come un boato. Cercai di contarli. Si dice che la settima onda sia molto grossa.

«Allora», disse Beck. Aveva un drink sul tavolo di fronte a sé, una specie di liquido ambrato in un bicchiere basso e pesante. Era oleoso, ricordava lo scotch o il bourbon. Fece un cenno a Duke che prese un altro bicchiere, già pronto per me su un tavolino. Conteneva lo stesso liquido ambrato e oleoso. Duke lo portò con goffaggine tenendolo tra pollice e indice proprio alla base. Attraversò la stanza e si chinò lievemente per posarlo con cura davanti a me. Sorrisi. Sapevo a che cosa servisse.

«Allora», ripeté Beck.

Attesi.

«Mio figlio mi ha spiegato la sua situazione», disse. Era la stessa espressione usata dalla moglie.

«La legge delle conseguenze impreviste», risposi.

«La cosa mi crea qualche difficoltà», continuò. «Sono solo un comune uomo d'affari che cerca di capire quali siano le sue responsabilità.»

Attesi di nuovo.

«Le siamo grati, naturalmente», affermò. «La prego, non mi fraintenda.»

«Ma?»

«Ci sono problemi legali, giusto?» Lo disse con un vago fastidio nella voce, come se fosse vittima di questioni complesse che sfuggivano al suo controllo.

«Qui non si tratta di scienza missilistica», affermai. «Ho bisogno che chiuda un occhio, almeno temporaneamente. Una mano lava l'altra. Sempreché la sua coscienza accetti una cosa del genere.»

Nella stanza calò di nuovo il silenzio. Ascoltai l'oceano. Là fuori udivo un intero spettro di suoni: le fragili alghe trascinate sul granito e il risucchio prolungato della risacca verso est. Lo sguardo di Zachary Beck si muoveva da una parte all'altra. Guardava il tavolo, il pavimento, poi il vuoto. Aveva un volto esile e la mascella sfuggente. Gli occhi erano piuttosto ravvicinati, le labbra sottili e la bocca increspata. La testa si muoveva lievemente. Nel complesso, era il classico ritratto di un comune uomo d'affari afflitto da un grave problema.

«È stato uno sbaglio?» chiese.

«Il poliziotto?» domandai. «In retrospettiva, ovviamente sì. Al momento stavo solo cercando di terminare il lavoro.»

Beck passò qualche altro istante a riflettere e quindi annuì.

«D'accordo», affermò. «Date le circostanze siamo disposti ad aiutarla. Se possiamo. Lei ha reso un grande favore alla famiglia.»

«Ho bisogno di soldi», dissi.

« Perché? »

« Dovrò viaggiare. »

« Quando? »

« Subito. »

« È saggio? »

Scossi la testa. « Non molto. Preferirei aspettare qui un paio di giorni finché non passa lo scompiglio iniziale, ma non voglio abusare della mia fortuna. »

« Quanto? »

« Cinquemila dollari potrebbero bastare. »

Lui non rispose, ricominciò semplicemente a guardare di qua e di là. Stavolta però aveva lo sguardo più concentrato.

« Ho alcune domande da farle », disse. « Prima che ci lasci. *Sempreché* ci lasci. Due questioni hanno la massima importanza. Primo, chi erano? »

« Non lo sa? »

« Ho molti nemici e rivali. »

« Arriverebbero fino a questo punto? »

« Sono un importatore di tappeti », rispose. « Non intendevo diventarlo, ma così sono andate le cose. Lei penserà forse che abbia a che fare con grandi magazzini e decoratori d'interni, ma in realtà io tratto con ogni sorta di personaggi ributtanti in vari buchi del mondo, dove i bambini sono ridotti in schiavitù e costretti a lavorare diciotto ore al giorno fino ad avere le dita sanguinanti. I loro proprietari sono tutti convinti che li stia derubando, che stia violentando la loro cultura, e la verità è che probabilmente lo faccio, ma non più di loro. Non sono partner piacevoli e per poter avere successo devo usare una certa durezza. Il punto è che i miei concorrenti fanno lo stesso. Questo è un mestiere duro, sotto ogni aspetto. Perciò tra fornitori e concorrenti posso pensare a cinque o sei persone che sarebbero disposte a rapire mio figlio per arrivare a me. Dopotutto, uno di loro l'ha *fatto* cinque anni fa, come sono certo che mio figlio le avrà raccontato. »

Non dissi nulla.

«Devo sapere chi siano», proseguì con l'aria di chi era deciso ad appurarlo. Rimasi in silenzio per qualche istante, quindi ricostruii l'intera vicenda per lui, secondo per secondo, metro dopo metro, chilometro dopo chilometro. Descrissi i due agenti alti e biondi della DEA nel Toyota con attenzione e dovizia di particolari.

«Non mi dicono niente», affermò Beck.

Non replicai.

«Ha preso il numero di targa del Toyota?» chiese.

Riflettei e gli dissi la verità.

«Ho visto solo la parte anteriore», risposi. «Non c'era targa.»

«Bene», disse lui. «Quindi erano di uno Stato che non richiede la targa anteriore, il che restringe un po' il campo, suppongo.»

Tacqui. Dopo un lungo istante Beck scosse la testa.

«Le informazioni scarseggiano», affermò. «Uno dei miei soci ha contattato il dipartimento di polizia del luogo, in modo indiretto. Un poliziotto della città è morto, un agente del college pure, come del resto due sconosciuti in una Lincoln Town Car e due sconosciuti in un pick-up Toyota, la cui presenza sul posto resta inspiegabile. L'unico testimone oculare sopravvissuto è il secondo agente del college, ed è ancora in stato d'incoscienza dopo un incidente avvenuto a circa otto chilometri di distanza. Quindi al momento attuale nessuno sa che cosa sia successo né perché. Nessuno ha fatto connessioni con un tentato rapimento. Tutto quello che si sa è che c'è stato un bagno di sangue senza un motivo apparente. Ipotizzano una guerra tra bande.»

«Che succederà quando controlleranno la targa della Lincoln?» chiesi.

Beck esitò.

«È intestata a una società», rispose. «Non li porterà direttamente qui.»

Annuii. «Bene, ma voglio essere sulla costa occidentale prima che l'altro agente del college si risvegli. Mi ha visto bene in faccia.»

«E io voglio sapere chi ha infranto le regole.»

Lanciai un'occhiata alle Anaconda sul tavolo. Erano state pulite e lievemente oliate. D'un tratto fui molto contento di aver gettato via i bossoli. Presi il bicchiere tenendolo tra il pollice e le altre quattro dita e ne annusai il contenuto. Non avevo idea di che cosa fosse. Avrei preferito un caffè. Lo posai di nuovo sul tavolo.

«Richard sta bene?» domandai.

«Sopravvivrà», rispose Beck. «Mi piacerebbe sapere chi mi ha preso di mira.»

«Le ho detto quello che ho visto», risposi. «Non mi hanno mostrato i documenti. Personalmente, non li conoscevo. Mi trovavo sul posto per caso. Qual è la seconda questione di massima importanza?»

Ci fu un lungo silenzio. Fuori delle finestre i cavalloni s'infrangevano con sordi boati.

«Sono un uomo prudente», rispose Beck. «E non vorrei offenderla.»

«Ma?»

«Ma mi sto chiedendo chi sia lei esattamente.»

«L'uomo che ha salvato l'altro orecchio di suo figlio», risposi.

Beck lanciò un'occhiata a Duke, che avanzò svelto e portò via il bicchiere. Usò lo stesso movimento a pinza per prenderlo, tenendolo alla base tra pollice e indice.

«E ora ha le mie impronte», dissi. «Nitide e chiare.»

Beck annuì di nuovo, come una persona intenta a prendere una decisione assennata. Indicò le pistole, là dove si trovavano sul tavolo.

«Belle armi», commentò.

Non replicai. Mosse la mano e ne toccò una con le nocche, poi la spinse sulla superficie di legno nella mia direzione. Il pesante acciaio produsse un rumore sordo che riecheggiò sul tavolo di quercia.

«Mi spiega perché c'è un segno inciso su uno degli alloggiamenti?»

Ascoltai l'oceano.

«Non lo so», risposi. «Erano già così.»

«Le ha comprate usate?»

«In Arizona», risposi.

«In un negozio?»

«A una fiera d'armi», dissi.

«Perché?»

«Non amo i controlli sulla provenienza», spiegai.

«Non ha chiesto dei graffi?»

«Ho supposto che fossero un riferimento», risposi. «Che qualche fanatico le avesse provate e avesse segnato il foro per la cartuccia più preciso o quello meno preciso.»

«I fori per le cartucce sono diversi?»

«Ogni cosa è diversa dall'altra», replicai. «È implicito nel processo di fabbricazione.»

«Anche nel caso di revolver da ottocento dollari?»

«Dipende dal grado di precisione che desidera», osservai. «Se sente la necessità di spaccare il capello in due, allora ogni cosa è diversa.»

«Questo ha importanza?»

«Non per me», risposi. «Se punto la pistola contro qualcuno, non m'interessa quale cellula sanguigna colpisco.»

Beck rimase seduto in silenzio per qualche istante, poi si frugò in tasca e ne estrasse una cartuccia. Bossolo di ottone lucido, punta di piombo opaco. La posò in piedi davanti a sé. Sembrava un proiettile di artiglieria in miniatura. Poi la rovesciò e la fece rotolare su tavolo, sotto le dita. Infine la posizionò con cura e la spinse con la punta di un dito in modo che rotolasse fino a me. Mi arrivò tracciando una curva aggraziata, emettendo un rumore basso e monotono. Lasciai che cadesse oltre il bordo del tavolo e la presi in mano. Era una Remington 44 Magnum senza camicia. Era pesante, probabilmente superava i trecento grani. Un proiettile brutale. Costava a occhio e croce quasi un dollaro ed era caldo, visto che l'aveva tenuto in tasca.

«Ha mai giocato alla roulette russa?» chiese.

«Devo sbarazzarmi dell'auto che ho rubato», replicai.

«Ce ne siamo già sbarazzati», rispose.

«Dove?»

«In un posto dove non la troveranno.»

Poi tacque. Io non dissi nulla, mi limitai a guardarlo come se pensassi: ma è una cosa che un comune uomo d'affari farebbe? Come del resto intestare le sue limousine a società di copertura? Ricordare all'istante il prezzo di una Colt Anaconda? Prendere le impronte di un ospite con il sotterfugio di offrirgli un bicchierino di whisky?

«Ha mai giocato alla roulette russa?» chiese di nuovo.

«No», risposi. «Non lo faccio mai.»

«Mi hanno preso di mira», disse. «E ho appena perso due uomini. In momenti come questo dovrei assumere uomini, non perderne.»

Attesi cinque secondi, dieci. Finsi di sforzarmi di capire.

«Mi sta chiedendo di passare alle sue dipendenze?» domandai. «Non penso di poter restare nei paraggi.»

«Non le sto chiedendo niente», replicò Beck. «Sto decidendo. Lei sembra un tipo utile. Potrebbe prendere quei cinquemila dollari per restare, non per andarsene. Forse.»

Non dissi nulla.

«Ehi, se lo volessi, non avrebbe scelta», aggiunse. «C'è un poliziotto morto nel Massachusetts, so il suo nome e ho le sue impronte.»

«Ma?»

«Ma non so chi sia.»

«Ci faccia l'abitudine», risposi. «Come fa a sapere chi è davvero una persona?»

«Lo scopro», ribatté. «La metto alla prova. Supponiamo

che le chieda di uccidere un altro poliziotto? Come dimostrazione di buona fede?»

«Direi di no. Ripeto, è stato uno sfortunato incidente di cui mi rammarico molto. E sto cominciando a chiedermi che tipo di uomo d'affari sia lei.»

«I miei affari riguardano solo me, non la debbono interessare.»

Rimasi in silenzio.

«Giochi alla roulette russa con me», propose.

«Che cosa proverebbe?»

«Un agente federale non lo farebbe.»

«Perché ha paura degli agenti federali?»

«Nemmeno questo la deve interessare.»

«Non sono un agente federale», affermai.

«Allora me lo dimostri. Giochi alla roulette russa con me. Io, in un certo senso, lo sto già facendo con lei: l'ho lasciata entrare in casa mia senza sapere esattamente chi sia.»

«Ho salvato suo figlio.»

«E io le sono molto grato per quello. Grato al punto che le sto ancora parlando in tono civile. Grato al punto che potrei anche offrirle un riparo e un lavoro, perché sono un uomo che ama portare a termine le cose.»

«Non sto cercando lavoro», dissi. «Sto cercando un nascondiglio diciamo per quarantotto ore e poi mi rimetterò in marcia.»

«Noi la proteggeremo. Nessuno mai la troverà. Qui sarebbe assolutamente al sicuro. Se passasse il test.»

«La roulette russa è il test?»

«Un test infallibile», rispose. «In base alla mia esperienza.»

Nella stanza calò il silenzio. Beck si protese sulla sedia.

«O è con me o è contro di me», disse. «In qualsiasi caso, me lo dovrà dimostrare. Spero sinceramente che scelga in modo saggio.»

Duke si mosse sulla porta e sotto i suoi piedi il pavimento

di legno scricchiolò. Ascoltai l'oceano. La schiuma delle onde saliva in alto e il vento la investiva frammentandola in grosse gocce che tracciavano lenti archi a mezz'aria e colpivano i vetri delle finestre. La settima onda s'infranse con un boato più forte delle altre. Presi l'Anaconda di fronte a me. Duke estrasse un'arma dalla giacca e me la puntò contro, in caso avessi in mente qualcosa di diverso dalla roulette russa. Aveva una Steyr SPP, che è in sostanza un mitra Steyr TMP trasformato in pistola. È un pezzo raro, austriaco, e nella sua mano appariva brutto e grosso. Distolsi lo sguardo e mi concentrai sulla Colt. Inserii il proiettile in un foro a caso, chiusi il tamburo e lo feci ruotare senza bloccarlo. Il dente di arresto ronzò nel silenzio.

«Giochi», disse Beck.

Feci ruotare di nuovo il tamburo, sollevai il revolver e avvicinai la bocca alla tempia. L'acciaio era freddo. Guardai Beck dritto negli occhi, trattenni il fiato e feci pressione sul grilletto. Il tamburo ruotò e il cane si alzò. Fu un movimento fluido, come seta che scorre su seta. Premetti completamente il grilletto. Il cane si abbassò e si udì un forte *clic*. Sentii il colpo del cane trasmettersi lungo l'acciaio e contro la tempia, ma non avvertii altro. Espirai, abbassai la pistola e la tenni con il dorso della mano appoggiato sul tavolo. Poi girai la mano e tolsi il dito dal ponticello.

«Tocca a lei», dissi.

«Volevo solo vederglielo fare», replicò Beck.

Nella stanza calò il silenzio. Sorrisi.

«Vuole che lo rifaccia?» chiesi.

Beck non disse niente. Presi di nuovo la pistola, ruotai il tamburo, lasciai che rallentasse e si fermasse. Portai quindi la bocca alla tempia. La canna era tanto lunga che dovevo tenere il gomito in alto e in fuori. Premetti il grilletto, rapido e deciso. Ci fu un forte *clic* nel silenzio. Era il rumore di un'arma di precisione da ottocento dollari che funzionava proprio come doveva. Abbassai la pistola e ruotai il tamburo per la terza volta. La sollevai e premetti il grilletto. Niente. Lo feci la quarta volta, rapido, niente. La quinta, più rapido ancora. Niente.

«Va bene», disse Beck.

«Mi dica delle stuoie orientali», affermai.

«Non c'è molto da dire», rispose. «Si stendono sul pavimento. La gente le compera, a volte per molti soldi.»

Sorrisi e sollevai di nuovo la pistola.

«Le chance sono di sei a uno», dissi. Ruotai il tamburo la sesta volta. Nella stanza calò un silenzio assoluto. Portai la pistola alla testa e premetti il grilletto. Sentii il colpo del cane che batteva su un foro vuoto. Nient'altro.

«Basta», disse Beck.

Abbassai la Colt, aprii il tamburo e feci cadere il proiettile sul tavolo. Lo misi con cura in posizione e lo spinsi in modo che rotolasse fino a lui. Emise una sorta di ronzio a contatto con il legno. Beck lo fermò con la parte inferiore del palmo, rimase seduto e per due o tre minuti non disse niente. Mi guardava come se fossi un animale dello zoo, quasi desideroso che tra me e lui ci fossero le sbarre di una gabbia.

«Richard mi ha detto che è stato poliziotto militare», disse.

«Per tredici anni», risposi.

«Era in gamba?»

«Più di quegli idioti che ha mandato a prenderlo.»

«Parla molto bene di lei.»

«Ci mancherebbe», osservai. «Gli ho salvato il culo, pagando un prezzo considerevole.»

«Qualcuno denuncerà la sua scomparsa?»

«No.»

«Ha famiglia?»

«No.»

«Il lavoro?»

«Adesso non ci posso tornare», risposi. «Non crede?»

Beck fece rotolare per un attimo il proiettile con il polpastrello dell'indice, poi lo prese in mano.

«Chi posso chiamare?»

«Per cosa?»

Beck scosse il proiettile nella mano, come se agitasse i dadi.

«Per le referenze», rispose. «Lei aveva un capo, giusto?»

Errori, che balzavano agli occhi per angosciarmi.

«Lavoravo in proprio», dissi.

Beck posò di nuovo il proiettile sul tavolo.

«Autorizzato e assicurato?» chiese.

Tacqui per un istante.

«Non proprio», affermai.

«Perché no?»

«Ho le mie ragioni.»

«Il suo furgoncino è immatricolato?»

«Forse non nel modo giusto.»

Beck fece rotolare il proiettile sotto le dita e mi fissò. Vedevo che stava riflettendo, che stava vagliando diverse questioni, che stava elaborando le informazioni alla ricerca di un compromesso con i suoi pregiudizi. Lo lasciai fare. *Un uomo duro, armato, con un vecchio furgoncino che non gli appartiene. Un ladro d'auto. Un assassino di poliziotti.* Poi sorrise.

«Dischi usati», affermò. «Conosco quel negozio.»

Non replicai, limitandomi a guardarlo negli occhi.

«Mi lasci indovinare», disse. «Stava consegnando CD rubati.»

Il suo tipo d'uomo. Scossi la testa.

«Bootleg», dissi. «Non sono un ladro. Sono un ex militare, cerco di tirare avanti. E credo nella libera espressione.»

«Un corno», replicò. «Lei crede nei soldi.»

Il suo tipo d'uomo.

«Anche», ammisi.

«Le cose andavano bene?»

«Abbastanza.»

Beck prese di nuovo il proiettile nel palmo e lo gettò a Duke. Questi lo afferrò con una mano e lo lasciò cadere nella tasca della giacca.

«Duke è il capo della sicurezza», spiegò Beck. «Lavorerai per lui, con effetto immediato.»

Lanciai un'occhiata a Duke, poi una a Beck.

«E se non volessi lavorare per lui?» chiesi.

«Non hai scelta. Giù, nel Massachusetts, c'è un poliziotto morto e noi abbiamo il tuo nome e le tue impronte. Sarai in prova finché non capiremo con esattezza di che pasta sei fatto. Ma guarda il lato positivo: pensa ai cinquemila dollari. Sono molti bootleg.»

La differenza tra essere un ospite riverito e un dipendente in prova era che cenai in cucina con il resto del personale. Il gigante del cancello non si fece vedere, ma c'erano Duke e un altro tizio che immaginai fosse una sorta di meccanico o di tuttofare. C'erano anche una cameriera e una cuoca. Ci sedemmo tutti e cinque a un tavolo di abete naturale e consumammo un pasto buono come quello che la famiglia si godeva in sala da pranzo, o anche migliore perché forse la cuoca aveva sputato nei loro piatti, cosa che dubitavo avesse fatto nei nostri. Avevo passato abbastanza tempo accanto a soldati semplici e sottufficiali per sapere come andassero le cose.

Non ci fu grande conversazione. La cuoca era una donna acida sulla sessantina, la cameriera, una timida. Ebbi l'impressione che fosse nuova e non sapesse come comportarsi. Indossava un abito dritto di cotone, un cardigan di lana e un paio di scarpe basse orribili. Il meccanico era un uomo di mezza età, magro, grigio, silenzioso. Anche Duke era taciturno perché stava riflettendo. Beck gli aveva scaricato un problema e lui non sapeva bene come gestirlo. Mi poteva usare? Poteva fidarsi di me? Non era uno stupido, quello era chiaro. Aveva tutte le possibilità ed era disposto a dedicare un po' del suo tempo a valutarle con cura. Aveva circa la mia età. Forse era un po' più giovane, forse un po' più vecchio. Aveva uno di quei volti brutti e duri, pasciuti, che mascherano bene gli anni. Era a occhio e croce della mia corporatura. Io avevo probabilmente ossa più pesanti, lui era più massiccio. Per quanto riguardava il peso, avevamo un chilo o poco meno di differenza. Mi sedetti accanto a lui, mangiai e cercai di pensare al genere di domande che una persona comune avrebbe fatto.

«Allora, raccontami del commercio delle stuoie», dissi facendogli capire che immaginavo che Beck si occupasse di tutt'altro.

«Non ora», rispose intendendo *non di fronte agli altri*. Poi mi guardò in un modo che doveva significare: *comunque, non sono sicuro di voler parlare con un pazzo disposto a spararsi in testa sei volte di fila.*

«Il proiettile era finto, vero?» chiesi.

«Cosa?»

«Dentro non c'era polvere da sparo», aggiunsi. «Forse solo ovatta.»

«Perché doveva essere finto?»

«Avrei potuto usarlo per ucciderlo.»

«Per quale motivo?»

«Per nessun motivo, ma Beck è un uomo cauto. Non correrebbe il rischio.»

«Ti tenevo sotto tiro.»

«Avrei potuto uccidere prima te e usare la tua pistola contro di lui.»

Duke s'irrigidì lievemente, ma non aprì bocca. *Combattivo.* Non mi piaceva molto, il che mi andava bene perché immaginavo che di lì a poco sarebbe uscito di scena.

«Tieni», disse.

Prese il proiettile dalla tasca e me lo porse.

«Aspetta qui», aggiunse.

Si alzò e uscì dalla cucina. Io misi il proiettile in piedi davanti a me, proprio come aveva fatto Beck e finii la cena. Non c'erano dessert né caffè. Duke tornò con una delle mie Anaconda, tenendola per l'indice. Mi superò, raggiunse la porta sul retro e mi fece cenno di seguirlo. Presi il proiettile, lo strinsi nel palmo e lo seguii. La porta posteriore emise un *bip* quando passammo. Un altro metal detector, ben integrato nel telaio, ma non c'erano allarmi anti-intrusione. La sicurezza era affidata al mare, al muro e al filo spinato.

Oltre la porta posteriore c'era un portico freddo e umido, poi ancora un'altra controporta sgangherata che conduceva in cortile. Questo altro non era che la punta del promontorio roccioso, larga un centinaio di metri e di forma semicircolare. Era buio e le luci della casa esaltavano il grigiore del granito. Tirava vento e vedevo le creste bianche, luminescenti delle onde nell'oceano. I cavalloni s'infrangevano e creavano gorghi. C'era la luna. Nubi basse e sfilacciate correvano veloci in cielo. L'orizzonte era nero, immenso, e l'aria fredda. Mi girai indietro, guardai in alto e scorsi la finestra della mia stanza sopra di me.

«Il proiettile», disse Duke.

Mi voltai e glielo porsi.

«Guarda», esclamò.

Lo caricò nella Colt e con un movimento rapido della mano chiuse il tamburo. Socchiuse gli occhi nel grigiore illuminato dalla luna e fece ruotare il tamburo finché il foro con la cartuccia si trovò a ore dieci.

«Guarda», ripeté.

Puntò la pistola tenendo il braccio dritto e mirò poco al di sotto dell'orizzonte, al punto in cui le lastre piatte di granito si gettavano in mare. Premette il grilletto. Il tamburo ruotò, il cane si abbassò e la pistola rinculò, emise un lampo e un boato. Simultaneamente ci fu una scintilla sulle rocce e l'inconfondibile rumore metallico del rimbalzo. Il proiettile era probabilmente finito a un centinaio di metri di distanza, nell'Atlantico. Forse aveva ucciso un pesce.

«Non era finto», disse. «E io sono piuttosto veloce.»

«D'accordo», esclamai.

Duke aprì il tamburo e scuotendolo estrasse il bossolo che tintinnò sulle rocce ai suoi piedi.

«Tu sei un coglione», disse. «Un coglione ammazza-sbirri.»

«Eri uno sbirro?»

«Sì, un tempo.»

«Duke è il nome o il cognome?»

«Il cognome.»

«Perché un importatore di stuoie ha bisogno di una sicurezza armata?»

«Come ti ha detto, è un mestiere duro. Girano molti soldi.»

«Vuoi davvero che resti qui?»

Lui si strinse nelle spalle. «Forse. Se qualcuno sta ficcando il naso nei nostri affari, potremmo aver bisogno di carne da cannone. Meglio tocchi a te che a me.»

«Ho salvato il ragazzo.»

«E allora? Afferra bene il concetto: tutti in un'occasione o nell'altra abbiamo salvato il ragazzo. O la signora Beck o il signor Beck stesso.»

«Quanti uomini avete?»

«Non abbastanza», rispose. «Non se veniamo presi di mira.»

«Che cos'è, una guerra?»

Lui non rispose. Mi superò e si diresse verso la casa. Voltai le spalle all'oceano agitato e lo seguii.

In cucina non c'era niente da fare. Il meccanico era scomparso, la cuoca e la cameriera rigovernavano. Stavano caricando i piatti in una lavastoviglie tanto grande da poter essere utilizzata in un ristorante. La cameriera armeggiava di qua e di là: non sapeva dove andassero le cose. Guardai in giro in cerca del caffè: ancora non l'avevano preparato. Duke si risedette al tavolo vuoto. Intorno a me non c'era alacrità, né fretta. Ero consapevole del tempo che scorreva via. Non confidavo nei cinque giorni di tempo stimati da Susan Duffy.

Cinque giorni sono tanti quando tieni illegalmente sotto chiave due individui sani. Sarei stato più contento se mi avesse detto tre giorni. Sarei rimasto più favorevolmente colpito dal suo realismo.

«Va' a letto», affermò Duke. «Prenderai servizio alle 6.30 del mattino.»

«Per fare cosa?»

«Per fare quello che ti dirò.»

«La mia porta verrà chiusa a chiave?»

«Contaci», rispose. «L'aprirò alle 6.15. Scendi qui per le 6.30.»

Attesi sul letto finché lo sentii arrivare e chiudere la porta. Poi attesi un altro po' per essere certo che non tornasse. A quel punto mi tolsi la scarpa e verificai se ci fossero messaggi. Il piccolo apparecchio si accese e il minuscolo schermo verde fu invaso da un allegro messaggio in corsivo: *C'è posta per te!* C'era un solo messaggio. Era di Susan Duffy. Una domanda composta da un'unica parola: *Posizione?* Premetti *Rispondi* e scrissi: *Abbot, Maine, costa, 30 km S di Portland, casa isolata su lungo promontorio roccioso.* Si sarebbe dovuta accontentare. Non avevo un indirizzo postale né coordinate GPS esatte. Ma se avesse dedicato un po' di tempo a studiare una cartina a scala grande della zona sarebbe stata in grado di individuarla. Premetti *Invia.*

Poi fissai lo schermo. Non sapevo bene come funzionasse la posta elettronica. Era una comunicazione istantanea, come una telefonata? O la mia risposta sarebbe rimasta sospesa in una sorta di limbo prima di arrivarle? Presumevo che Duffy controllasse la posta. Presumevo che lei ed Eliot facessero a turno.

Novanta secondi dopo lo schermo annunciò di nuovo: *C'è posta per te!* Sorrisi. Forse il sistema poteva funzionare. Stavolta il messaggio era più lungo. Solo ventisette parole, ma dovetti farlo scorrere per leggerlo tutto sul minuscolo schermo. Diceva: *Studieremo le carte, grazie. Dalle impronte sappiamo che le due guardie del corpo che teniamo in custodia sono ex militari. Qui tutto sotto controllo. E tu? Progressi?* Premetti *Rispondi* e scrissi: *Assoldato, probabilmente.* Poi riflettei per qualche istante, vidi mentalmente Quinn e Teresa Daniel e aggiunsi: *Per il resto ancora nessun progresso.* Riflettei ancora un po' e scrissi: *Per le due guardie del corpo contattate Powell, chiedete specificamente a mio nome «10-29, 10-30, 10-24, 10-36».* Poi premetti *Invia.* Osservai l'apparecchio annunciare: *Il messaggio è stato inviato,* distolsi lo sguardo per fissare il buio oltre la finestra e mi augurai che la generazione di Powell parlasse ancora lo stesso linguaggio della mia. 10-29, 10-30, 10-24 e 10-36 erano quattro codici radio standard della Polizia militare che singolarmente non significavano molto. 10-29 indicava un *segnale debole* e denotava un malfunzionamento di un apparecchio. 10-30 significava *richiedo assistenza non di emergenza,* 10-24 *persona sospetta,* 10-36 *per favore, inoltra i miei messaggi.* La richiesta di assistenza non di emergenza faceva sì che l'intera sequenza non attirasse l'attenzione di nessuno. Sarebbe stata registrata, archiviata da qualche parte per essere ignorata per il resto della storia. Ma considerata nel suo insieme, la sequenza era una sorta di gergo segreto o almeno soleva esserlo tempo addietro, quando portavo l'uniforme. *Segnale debole* significava *tieni questa faccenda segreta, lontana dai radar.* La richiesta di assistenza non di emergenza ribadiva il concetto: *Tienila lontana dai dossier che scottano. Persona sospetta* non aveva bisogno di spiegazioni. *Per favore, inoltra i miei messaggi* significava *tienimi informato.* Perciò, se Powell era sveglio, avrebbe capito che l'intero messaggio significava *fa' un controllo su quei tizi e riferiscimi.* Aveva un grosso debito con me: mi aveva venduto. A mio parere, avrebbe cercato un modo per rimediare.

Guardai di nuovo il minuscolo schermo: *C'è posta per te!*

Era Duffy e diceva: *Okay, fa' presto.* Risposi: *Cercherò,* chiusi l'apparecchio e lo rimisi nel tacco della scarpa. Poi controllai la finestra. Il telaio inferiore si alzava scivolando su quello superiore. Non c'era zanzariera. Sul lato interno la vernice era sottile e stesa con cura, su quello esterno, spessa e irregolare là dove era stata applicata più volte a causa delle intemperie. C'era un fermo di ottone, un modello vecchio. Non c'era nessun dispositivo moderno di sicurezza. Azionai il fermo e sollevai la finestra che si bloccò per lo spessore della vernice. Alla fine tuttavia si mosse. Riuscii ad aprirla di quasi quindici centimetri e l'aria fredda del mare mi investì. Mi chinai in cerca di allarmi. Non ce n'erano. La sollevai completamente ed esaminai l'intero telaio. La finestra si trovava a quindici metri di altezza dagli scogli e dall'oceano. La casa stessa era irraggiungibile a causa dell'alto muro e dell'acqua.

Mi sporsi e guardai di sotto. Vidi il punto in cui mi ero fermato quando Duke aveva sparato. Rimasi mezzo dentro e mezzo fuori per circa cinque minuti, appoggiato sui gomiti a fissare l'oceano nero, a odorare l'aria di mare e a pensare al proiettile. Avevo premuto il grilletto sei volte. Avrebbe combinato un disastro: la mia testa sarebbe esplosa, i tappeti si sarebbero rovinati e la pannellatura di quercia si sarebbe scheggiata. Sbadigliai. I pensieri e l'aria di mare mi avevano fatto venire sonno. Rientrai, chiusi bruscamente la finestra e andai a letto.

Ero già in piedi, lavato e vestito, quando sentii Duke aprire la porta alle 6.15 del mattino dopo, il dodicesimo giorno, mercoledì, il compleanno di Elizabeth Beck. Avevo già controllato la posta elettronica. Non c'erano messaggi. Nemmeno uno. Non ero preoccupato. Passai dieci minuti buoni alla finestra. L'alba era lì, proprio di fronte a me, e il mare era calmo. Era grigio, oleoso, tranquillo. C'era bassa marea e la base della scogliera era emersa. Qua e là si erano formate delle pozze. Vedevo gli uccelli sulla costa. Erano urie nere che stavano mettendo le piume primaverili. Il grigio si stava mutando in nero. Avevano le zampe di un rosso brillante. Vedevo i cormorani e i mugnaiacci volteggiare in lontananza in cielo. I gabbiani reali si gettavano a capofitto in mare, in cerca della colazione.

Attesi finché i passi di Duke non svanirono, scesi dabbasso e andai in cucina dove m'imbattei faccia a faccia nel gigante della guardiola. Era in piedi davanti al lavandino e stava bevendo un bicchier d'acqua. Aveva probabilmente appena preso le sue pillole di steroidi. Era davvero grosso. Io sono alto un metro e novantasei e devo prendere bene le misure per passare attraverso una porta standard di settantacinque centimetri. Quell'uomo era più alto di me di almeno quindici centimetri e aveva le spalle più larghe delle mie di venticinque. Probabilmente pesava una quarantina di chili più di me, forse anche di più. Ebbi quel brivido profondo che provo quando mi trovo accanto a qualcuno abbastanza grosso da farmi sentire piccolo. In quei casi ho l'impressione che il mondo s'inclini un po'.

«Duke è in palestra», disse l'uomo.

«C'è una palestra?» domandai.

«Di sotto», rispose. Aveva una voce delicata, dal tono alto. Doveva aver ingurgitato steroidi per anni, come fossero caramelle. Aveva gli occhi smorti e la pelle rovinata. Era sui trentacinque anni, aveva i capelli biondi unti e indossava una canotta e un paio di pantaloni da ginnastica. Aveva le braccia più grosse delle mie gambe. Sembrava un personaggio dei cartoni animati.

«Ci alleniamo prima di colazione», aggiunse.

«Bene», risposi. «Fate pure.»

«Anche tu.»

«Io non mi alleno mai», obiettai.

«Duke ti sta aspettando. Se lavori qui, ti alleni anche tu.»

Lanciai un'occhiata all'orologio. Le 6.25 del mattino. Il tempo correva.

«Come ti chiami?» domandai.

Lui non rispose. Mi guardò come se gli stessi tendendo una sorta di trappola. Il che è un altro dei problemi causati dagli steroidi: se ne prendi troppi, ti alterano i circuiti mentali. Quel tizio non aveva peraltro l'aria di aver iniziato col piede giusto: sembrava malvagio e stupido. Non c'era modo migliore per definirlo e non si trattava affatto di una buona combinazione. Nel suo volto c'era qualcosa. Non mi piaceva. In tema di socializzazione con i nuovi colleghi non me la stavo cavando molto bene.

«Non è una domanda difficile», affermai.

«Paulie», rispose.

Annuii. «Lieto di conoscerti, Paulie. Io sono Reacher.»

«Lo so», disse. «Eri nell'Esercito.»

«La cosa ti crea problemi?»

«Non mi piacciono gli ufficiali.»

Assentii. Avevano controllato. Sapevano quale fosse stato il mio grado. Avevano qualche entratura.

«Perché no?» domandai. «Non ti hanno accettato alla scuola ufficiali?»

Paulie non rispose.

«Andiamo a cercare Duke», esclamai.

Lui posò il bicchiere e mi condusse dapprima in un corridoio posteriore, poi oltre una porta da cui partiva una scala di legno che portava nello scantinato. Sotto la casa c'era un seminterrato enorme, che doveva essere stato ricavato nella roccia a suon di dinamite. Le pareti, di pietre grezze e calcestruzzo, formavano una superficie uniforme. L'aria era un po' umida e stantia. A poca distanza dal soffitto pendevano alcune lampadine protette da gabbie di filo metallico. C'erano molte stanze, una di considerevoli dimensioni, tutta dipinta di bianco, con il pavimento ricoperto di linoleum bianco. Odorava di sudore acre. C'erano una cyclette, un tapis roulant, una macchina con i pesi e un sacco da boxe pesante appeso a un travetto del soffitto. Su una mensola c'erano dei guanti da pugile, alle rastrelliere a muro erano appesi vari manubri, sul pavimento, vicino a una panca, erano ammassati diversi pesi. Duke era in piedi accanto a essa, con addosso il suo abito scuro. Aveva l'aria molto stanca, come se fosse rimasto in piedi tutta la notte. Non si era fatto la doccia, aveva i capelli in condizioni disastrose e il vestito spiegazzato e stropicciato, la parte posteriore della giacca in particolare.

Paulie si mise subito a fare una complicata routine di stretching. Era così muscoloso che muoveva gambe e braccia con difficoltà. Non riusciva a toccarsi le spalle con le dita: aveva i bicipiti troppo grossi. Guardai la macchina con i pesi: era dotata di ogni sorta di maniglie, barre e impugnature. Robusti cavi neri arrivavano, mediante un sistema di carrucole, a un'alta pila di lastre di piombo. Per alzarle tutte, dovevi essere in grado di sollevare circa duecentotrenta chili.

«Ti alleni?» chiesi a Duke.

«Non sono affari tuoi», rispose.

«Io nemmeno», replicai.

Paulie girò il suo gigantesco collo e mi guardò. Poi si stese supino sulla panca e si sistemò fino ad avere le spalle sotto la barra appoggiata in alto a un supporto, con vari pesi alle estremità. Grugnì lievemente, la cinse con le mani e fece guizzare la lingua come se si preparasse a compiere un grande sforzo. Poi spinse verso l'alto e sollevò la barra, che si piegò e ondeggiò. C'era così tanto peso che si flesse alle estremità come nei vecchi filmati dei sollevatori di pesi russi alle Olimpiadi. Paulie grugnì di nuovo e la sollevò fino a estendere le braccia. La tenne per un secondo e poi la lasciò cadere di peso sul supporto. Voltò quindi la testa e mi guardò dritto negli occhi, come se dovessi esserne colpito. Lo ero e non lo ero. Il peso era notevole e lui era molto muscoloso, ma i muscoli creati con gli steroidi sono fasulli. Sembrano possenti e se li devi usare contro un peso morto vanno bene, ma ti rendono lento, pesante, il solo fatto di portarli in giro ti affatica. «Sai sollevare centottanta chili alla pressa?» gridò. Era lievemente senza fiato.

«Non ho mai provato», dissi.

«Vuoi farlo ora?»

«No», risposi.

«A un frocetto come te farebbe bene tonificarsi un po'.»

«Appartengo al rango degli ufficiali», affermai. «Non ho bisogno di tonificarmi. Se voglio sollevare centottanta chili da una panca, trovo qualche stupido scimmione e gli ordino di farlo al posto mio.»

Mi guardò in cagnesco. Lo ignorai e osservai il sacco pesante. Era un tipico attrezzo da palestra, non nuovo. Lo spinsi con il palmo e lo lasciai dondolare lievemente sulla catena. Duke mi stava scrutando. Poi lanciò un'occhiata a Paulie. Aveva colto una sfumatura che a me era sfuggita. Spinsi di nuovo il sacco. Quando ci addestravamo per il combattimento corpo a corpo, facevamo ampio uso dei sacchi pesanti. Indossavamo l'alta uniforme per simulare gli abiti civili e impiegavamo i sacchi per imparare dove sferrare i calci. Una volta, vari anni fa, ne spaccai uno col bordo del tacco e la sabbia si ammucchiò proprio sotto di esso, sul pavimento. Immaginai che una cosa del genere avrebbe colpito Paulie, ma non avevo intenzione di riprovarci. L'apparecchio e-mail era nascosto nel tacco e non volevo danneggiarlo. Mi ripromisi assurdamente di dire a Duffy che avrebbe dovuto inserirlo nella scarpa sinistra. Lei però era mancina, forse aveva pensato di fare la cosa giusta.

«Tu non mi piaci», esclamò Paulie. Mi stava guardando dritto in faccia, perciò dedussi che si rivolgesse a me. Aveva gli occhi piccoli e la pelle lucida. Era uno squilibrio ormonale vivente, trasudava strane sostanze chimiche da tutti i pori.

«Dovremmo fare a braccio di ferro», disse.

«Cosa?»

«Dovremmo fare a braccio di ferro», ripeté. Mi si avvicinò con passo leggero e silenzioso. Mi sovrastava, anzi, praticamente oscurava la luce. Puzzava di sudore acre. «Non mi va di fare a braccio di ferro», risposi. Vidi Duke che mi osservava, poi guardai le mani di Paulie: erano strette a pugno, ma non erano enormi. Gli steroidi non servono a niente per le mani, a meno che uno non le alleni e credo che gran parte delle persone non lo faccia.

«Frocetto», disse Paulie.

Non risposi nulla.

«Frocetto», ripeté.

«Qual è il premio per il vincitore?» chiesi.

«La soddisfazione», rispose.

«D'accordo.»

«D'accordo, cosa?»

«D'accordo, proviamo.»

Sembrò sorpreso, ma fu abbastanza veloce a tornare alla panca con i pesi. Mi tolsi la giacca e la posai sulla cyclette. Sbottonai il polsino destro e arrotolai la manica fino alla spalla. Accanto al suo braccio, il mio sembrava esile, ma la mano era un po' più grande, con dita più lunghe. E i pochi muscoli che avevo rispetto a lui mi erano stati donati dalla genetica, non da qualche flacone di farmacia.

Ci inginocchiammo davanti alla panca e vi piantammo i gomiti. Paulie aveva un avambraccio lievemente più lungo del mio, cosa che gli avrebbe inclinato il polso e mi avrebbe dato un vantaggio. Unimmo con forza i palmi e stringemmo. Aveva la mano fredda e sudata. Duke si piazzò davanti alla panca a mo' di arbitro.

«Via», disse.

Barai fin dal primo momento. Lo scopo del braccio di ferro è usare la forza dell'arto e della spalla per ruotare la mano verso il basso e spingere nel contempo quella dell'avversario verso il tappeto. Io non avevo possibilità di vincere, non con quell'uomo. Nessuna possibilità. Barare era tutto ciò che potevo fare per mantenere la mano al suo posto, perciò non tentai nemmeno di vincere, strinsi soltanto. Un milione d'anni di evoluzione ci ha dotati di un pollice opponibile, in grado cioè di agire come una specie di pinza rispetto alle altre quattro dita. Avevo le sue nocche perfettamente allineate al mio pollice e strinsi senza pietà. Ho mani molto forti. Mi concentrai sull'obiettivo di tenere il braccio dritto. Lo fissai negli occhi e strinsi finché sentii le sue nocche iniziare a cedere. Allora strinsi più forte. Paulie non mollò; era incredibilmente robusto e resisteva. Sudavo e respiravo affannosamente, concentrato solo sull'idea di non perdere. Restammo così per un minuto intero, facendo forza, con i muscoli tremanti, in silenzio. Strinsi di più lasciando che il dolore s'intensificasse nella sua mano. Poi glielo vidi dipinto sul volto e strinsi ancora. Questo è quello che li mette nel sacco: pensano che la situazione sia già abbastanza brutta e invece le cose peggiorano ancora. E continuano a peggiorare, passo dopo passo, come se fossero stretti lentamente in una morsa, come se piombassero in un universo infinito di dolore. La sofferenza *sale, sale, sale,* implacabile, come i giri di un motore. A quel punto si focalizzano su di essa e nei loro occhi la fermezza vacilla. Sanno che sto barando, ma sanno anche che non possono farci niente. Non possono sollevare lo sguardo e dire: «Mi stai facendo male! Non è giusto!» Così sarebbero loro i frocetti, non io, ed è una cosa che non sopporterebbero, perciò ingoiano il rospo. Lo ingoiano e iniziano a chiedersi se la situazione non peggiorerà ancora. Il che avviene puntualmente. Peggiora di molto, sempre. Fissai Paulie negli occhi e strinsi più forte. Il sudore gli rendeva la pelle scivolosa, perciò la mia mano si muoveva facilmente contro la sua, schiacciandola con sempre maggiore intensità. Non c'erano ustioni da attrito a distrarlo. Il dolore era tutto lì, nelle nocche.

«Basta», esclamò Duke. «Siete pari.»

Non mollai la presa e Paulie non allentò la pressione. Il suo braccio era immobile come un tronco.

«Ho detto basta», ripeté Duke. «Voi due coglioni avete del lavoro da fare.»

Sollevai il gomito quel tanto da impedirgli di cogliermi di sorpresa all'ultimo minuto. Lui distolse lo sguardo e spostò il braccio dalla panca. Allontanammo le mani. La sua era a chiazze intense, rosse e bianche. A me sembrava di avere il polpastrello del pollice in fiamme. Paulie si alzò in piedi e uscì subito dalla stanza. Udii i suoi passi pesanti sulla scala di legno.

«È stata una cosa molto stupida», affermò Duke. «Ti sei appena fatto un altro nemico.»

Ero senza fiato. «Cosa avrei dovuto fare, perdere?»

«Sarebbe stato meglio.»

«Non è mia abitudine.»

«Allora sei stupido», replicò.

«Sei il capo della sicurezza», osservai. «Dovresti dirgli di comportarsi in modo consono alla sua età.»

«Non è così semplice.»

«Allora sbarazzatene.»

«Anche questo non è così semplice.»

Mi alzai lentamente, srotolai la manica e abbottonai il polsino. Diedi un'occhiata all'orologio: erano quasi le sette del mattino. Il tempo correva.

«Che devo fare oggi?» chiesi.

«Guiderai un furgone», rispose Duke. «Sai guidare un furgone, vero?»

Annuii perché non potevo dire di no. Avevo un furgone quando avevo soccorso Richard Beck.

«Devo farmi un'altra doccia», feci notare. «E mi servono abiti puliti.»

«Dillo alla cameriera», rispose. Era spazientito. «Cosa sono io, il tuo fottuto valletto?»

Mi osservò per qualche secondo, poi si diresse verso le scale lasciandomi tutto solo nel seminterrato. Mi alzai in piedi, mi allungai e, respirando affannosamente, scrollai la mano per allentare la tensione. Poi recuperai la giacca e andai in cerca di Teresa Daniel. In teoria poteva essere chiusa da qualche parte, là sotto, ma non la trovai. Il seminterrato sembrava una tana piena di spazi ricavati nella roccia con il piccone o l'esplosivo. Nella maggior parte dei casi la loro funzione era chiara: c'erano il vano caldaia con un boiler che brontolava rumoroso e un fascio di tubi, la lavanderia con una grossa lavatrice posta in alto, su un tavolo di legno, in modo che scaricasse per gravità in un tubo che usciva dal muro all'altezza delle ginocchia, vari magazzini e due stanze chiuse a chiave con una porta robusta. Tesi l'orecchio, ma dall'interno non provenivano rumori. Bussai piano, ma non ebbi risposta.

Tornai di sopra e incontrai Richard Beck con la madre nel corridoio del piano terra. Richard si era lavato i capelli e si era fatto una riga bassa a destra in modo da gettarli tutti di lato, a sinistra, per coprire l'orecchio mancante, un po' come facevano i vecchi per nascondere la calvizie sulla sommità del capo. Sul suo volto c'era ancora quel sentimento di ambivalenza: la cupa sicurezza della sua casa gli dava conforto, ma lo faceva anche sentire un po' in trappola. Fu abbastanza contento di vedermi, non perché gli avessi salvato il culo, forse perché ero una personificazione accidentale del mondo esterno.

«Buon compleanno, signora Beck», dissi.

Lei mi sorrise, quasi adulata dal fatto che me ne fossi ricordato. Aveva un'aria migliore del giorno prima. Aveva sicuramente una decina d'anni più di me, ma se ci fossimo incontrati da qualche altra parte per caso, in un bar, in un club o durante un lungo viaggio in treno, l'avrei degnata di una certa attenzione.

«Resterà con noi per un po'», disse. Poi sembrò ricordare la ragione della mia permanenza: mi stavo nascondendo perché avevo ucciso un poliziotto. Allora apparve disorientata, distolse lo sguardo e proseguì. Richard la seguì e si voltò a guardarmi una volta, da sopra la spalla. Ritrovai la cucina. Paulie non era lì, ma ad aspettarmi c'era Zachary Beck.

« Che armi avevano i due del Toyota? » mi chiese.

« Due Uzi », risposi. *Attieniti alla verità, come gli abili truffatori.* « E una bomba a mano. »

« Quali Uzi? »

« Le Micro », dissi. « Quelle piccole. »

« Caricatori? »

« Corti. Da venti. »

« Ne sei assolutamente certo? »

Annuii.

« Sei un esperto? »

« Sono state progettate da un tenente dell'Esercito israeliano », risposi. « Si chiamava Uziel Gal. Era uno che amava sperimentare. Fece ogni sorta di miglioria sui vecchi modelli cechi 23 e 25 fino a ottenere qualcosa di completamente nuovo. Questo accadeva nel 1949. L'Uzi originaria andò in produzione nel 1953. È venduta su licenza in Belgio e Germania. Ne ho viste alcune qua e là. »

« E sei assolutamente certo che fosse la versione Micro con caricatore corto? »

« Sì. »

« Bene », disse come se quell'informazione avesse un'importanza particolare per lui. Poi uscì dalla cucina e scomparve. Io rimasi lì e pensai all'ansia con cui aveva posto le domande e al vestito di Duke, tutto stropicciato. Messe insieme, le due cose mi preoccuparono.

Trovai la cameriera e le dissi che mi servivano dei vestiti. Lei mi mostrò una lunga lista e rispose che stava uscendo per andare a fare la spesa. Replicai che non le stavo chiedendo che mi comprasse degli abiti, solo che li prendesse in prestito da qualcuno. Lei arrossì, fece un cenno affermativo e non disse nulla. A quel punto ricomparve dal nulla la cuoca che guardandomi s'impietosì e mi preparò un paio di uova col bacon e un caffè, il che mi permise di vedere tutto in una luce più rosea. Feci colazione e risalii quindi le due rampe di scale per tornare in camera. La cameriera mi aveva lasciato alcuni vestiti in corridoio, accuratamente piegati sul pavimento: un paio di jeans neri e una camicia di denim, anch'essa nera. Calze nere e biancheria bianca. Il tutto lavato e ben stirato. Immaginai fossero di Duke. Gli abiti di Beck o di Richard sarebbero stati troppo piccoli e in quelli di Paulie ci sarei stato due volte. Li raccolsi e li portai dentro. Mi chiusi a chiave in bagno, mi tolsi la scarpa e verificai se ci fossero mail. C'era un messaggio di Susan Duffy. *Località individuata sulla carta. Ci porteremo 40 km a SO di te, al motel accanto alla I-95. Risposta di Powell, cito, messaggio riservato, entrambi CD dopo 5, 10-2, 10-28. Progressi?*

Sorrisi. Powell parlava ancora la vecchia lingua. *Entrambi CD dopo 5* significava che avevano servito per cinque anni nell'Esercito e che erano stati congedati con disonore. Cinque anni sono troppi perché il congedo fosse dovuto a incapacità o a qualche casino in fase di addestramento. Quelle sono cose che succedono quasi subito. L'unico modo per farsi cacciare dopo cinque anni è comportarsi male. E *10-2, 10-28* non lasciavano dubbi al riguardo. 10-28 era una risposta standard del codice radio che significava «forte e chiaro», 10-2 era la richiesta standard via radio di «un'ambulanza urgente». Insieme però, nel gergo segreto della Polizia militare, *ambulanza urgente* e *forte e chiaro* significavano: «quei due devono morire, non fare errori». Powell aveva sfogliato i dossier e quello che aveva visto non gli era piaciuto.

Trovai l'icona *Rispondi* e scrissi *ancora nessun progresso, resta in contatto*, poi premetti *Invia* e rimisi l'unità nella scarpa. Non persi molto tempo sotto la doccia. Mi sciacquai solo il sudore della palestra e indossai gli abiti che mi avevano prestato. Presi le mie scarpe, la giacca e il cappotto che mi aveva dato Susan Duffy. Scesi di sotto e trovai Zachary Beck e Duke in piedi in corridoio. Avevano entrambi il cappotto e Duke teneva in mano un paio di chiavi. Non si era ancora fatto la doccia. Aveva sempre l'aria stanca ed era accigliato. Forse non gli andava che indossassi i suoi vestiti. La porta d'ingresso era aperta e vidi la cameriera passare in una vecchia SAAB impolverata, diretta a fare la spesa. Forse avrebbe comprato una torta di compleanno.

«Andiamo», disse Beck come se ci fosse un lavoro da sbrigare e poco tempo a disposizione. Mi condussero oltre la porta e il metal detector bippò due volte al loro passaggio, ma non al mio. Fuori l'aria era fredda e pungente. Il cielo era terso. La Cadillac nera di Beck aspettava alla rotonda. Duke aprì la portiera posteriore e Beck si sedette dietro. Io mi sistemai davanti e Duke al volante. Sembrava una soluzione adeguata. Nessuno parlò.

Duke avviò il motore, innestò la marcia e accelerò lungo il vialetto. Vidi Paulie molto più avanti, in lontananza, aprire il cancello alla cameriera con la SAAB. Indossava di nuovo il vestito. Rimase in piedi e ci attese. Lo superammo e puntammo verso ovest, lontano dal mare. Mi girai e lo vidi chiudere il cancello.

Percorremmo venticinque chilometri nell'entroterra, poi svoltammo a nord sulla strada che conduceva a Portland. Fissai davanti a me oltre il parabrezza e mi chiesi dove mi stessero portando con esattezza e come mi avrebbero usato una volta a destinazione.

Mi condussero agli ultimi edifici portuali, fuori città. Vedevo la sovrastruttura delle navi in acqua e gru dappertutto. C'erano container abbandonati negli spiazzi ricoperti di erbacce, costruzioni lunghe e basse, camion che andavano e venivano. In cielo volteggiavano dappertutto i gabbiani. Duke superò un cancello ed entrò in un piccolo lotto di calcestruzzo crepato e di asfalto rattoppato. Dentro non c'era niente tranne un furgonato, tutto solo nel centro. Era un veicolo di dimensioni medie, ricavato dal telaio di un pick-up, con una carrozzeria squadrata tanto grande da inglobare l'abitacolo. Era il genere di mezzo che trovavi a noleggio, non il modello più piccolo, ma nemmeno il più grande. Non aveva scritte, era di colore blu, con tracce di ruggine qua e là, dovute all'aria salmastra.

«Le chiavi sono nella tasca della portiera», comunicò Duke. Beck si protese sul sedile posteriore e mi porse un pezzetto di carta. C'erano alcune indicazioni, l'indirizzo di un posto a New London, nel Connecticut.

«Porta il furgone a questo indirizzo», disse. «È un parcheggio molto simile a questo. Lì troverai un furgone identico con le chiavi nella tasca della portiera. Lascia questo lì e riporta l'altro qui.»

«E non guardare dentro in nessuno dei due», fece Duke.

«Guida piano», aggiunse Beck. «Rispetta il codice. Non attirare l'attenzione.»

«Perché?» chiesi. «Cosa c'è dentro?»

«Tappeti», rispose Beck alle mie spalle. «Lo dicevo per te, ecco tutto. Sei ricercato, è meglio che voli basso. Perciò fa' con calma. Fermati a bere un caffè. Comportati normalmente.»

Non aggiunsero altro. Scesi dalla Cadillac. L'aria odorava di sale, di olio, di scarichi diesel e di pesce. C'era vento. Tutt'intorno si udivano il vago rumore delle industrie, le grida e gli stridii dei gabbiani. Mi avvicinai al furgone blu. Passai dietro e notai che la maniglia della serranda era bloccata da un piccolo sigillo di piombo. Continuai a camminare e aprii la portiera del guidatore. Nella tasca trovai le chiavi. Entrai e avviai il motore. Allacciai la cintura, mi misi comodo, innestai la marcia e uscii dal posteggio. Vidi Beck e Duke nella Cadillac: mi osservarono partire, impassibili in volto. Mi fermai al primo incrocio, girai a sinistra e mi diressi a sud.

4

Il tempo correva, ne ero consapevole. Era una specie di prova, o di esame, e mi ci sarebbero volute almeno dieci ore preziose per completarla. Dieci ore che non potevo sprecare. E il furgone era uno strazio: vecchio e pesante, emetteva un rombo costante dal motore e un gemito lancinante dalla trasmissione. Le sospensioni erano logore, usurate e l'intero veicolo dondolava di qua e di là. I retrovisori però erano belli grandi, rettangolari e robusti, e mi offrivano una buona visuale di qualsiasi cosa si trovasse dieci metri più indietro. Ero sull'Interstatale 95, diretto a sud, e tutto era tranquillo. Ero piuttosto sicuro che nessuno mi seguisse. Piuttosto sicuro, ma non del tutto certo.

Rallentai il più possibile e con varie manovre misi il piede sinistro sull'acceleratore, poi mi chinai e mi tolsi la scarpa destra. Con un'abile mossa riuscii a mettermela sulle ginocchia ed estrassi l'apparecchio e-mail con una mano sola. Tenendolo contro il bordo del volante, scrissi: *Urgente incontrarsi alla 1ª stazione di servizio I-95 direzione S, uscita di Kennebunk ora subito. Comperate saldatore a stilo e piombo per saldatura da Radio Shack o da un ferramenta.* Poi premetti *Invia* e gettai l'apparecchio sul sedile accanto. Infilai il piede nella scarpa e lo rimisi sul pedale, dopodiché mi raddrizzai e controllai di nuovo nel retrovisore. Niente. A quel punto feci un paio di calcoli. Da Kennebunk a New London c'erano trecentoventi chilometri, forse un po' di più. Quasi quattro ore a novanta chilometri all'ora, tre a centodieci, e centodieci all'ora era probabilmente il massimo che avrei fatto con quel furgone. Perciò avevo un margine massimo di un'ora e dieci per fare qualsiasi cosa andasse fatta.

Continuai a guidare alla velocità costante di novanta chilometri all'ora, nella corsia di destra. Mi superavano tutti, nessuno mi restava dietro. Non ero seguito e non sapevo se fosse un bene o un male. L'alternativa poteva essere peggio. Dopo ventinove minuti superai l'uscita di Kennebunk, un chilometro e mezzo dopo vidi il cartello di una stazione di servizio: a un decina di chilometri avrei trovato cibo, benzina e toilette. Per coprirli impiegai otto minuti e mezzo. C'era uno svincolo in piano che curvava a destra e risaliva un pendio fino a raggiungere un boschetto. La vista non era buona. Le foglie erano piccole, nuove, ma ce n'erano tante che non vedevo gran che. L'area di servizio stessa era nascosta. Lasciai che il furgone continuasse sull'abbrivio e risalisse il pendio, per scendere poi in una tipica area di sosta da interstatale. Era un semplice spiazzo con parcheggi a pettine su entrambi i lati e un gruppetto di edifici bassi di mattoni sulla destra. Al di là di essi sorgeva la stazione di servizio. C'erano forse una decina di macchine posteggiate vicino ai bagni. Una era la Taurus di Susan Duffy. Era l'ultima della fila a sinistra. Lei era in piedi lì accanto con Eliot a fianco.

La superai lentamente, con la mano le feci cenno di aspettare e parcheggiai quattro posti più in là. Spensi il motore e per un istante rimasi seduto, grato dell'improvviso silenzio. Rimisi l'apparecchio e-mail nel tacco e mi allacciai la scarpa, poi cercai di comportarmi come una persona qualsiasi. Allungai le braccia e aprii la portiera, scivolai fuori e camminai per qualche istante sul posto come per sgranchirmi le gambe e assaporare l'aria fresca del bosco. Feci un paio di giri completi su me stesso, mi fermai e tenni gli occhi puntati sullo svincolo. Non arrivava nessuno. Sentivo il rumore del traffico scarso sull'interstatale. Era vicino e piuttosto forte, ma il fatto che provenisse da dietro gli alberi mi faceva sentire nascosto, isolato. Contai settantadue secondi, il tempo necessario a coprire un chilometro e mezzo alla velocità di novanta all'ora. Dallo svincolo non arrivò nessuno, e nessuno segue un'auto a più di un chilometro e mezzo di distanza. Perciò mi avvicinai in fretta al punto in cui Duffy ed Eliot mi stavano aspettando. Lui era vestito casual e sembrava un po' impacciato, lei indossava un paio di vecchi jeans e lo stesso giubbotto consumato di pelle che le avevo visto in precedenza. Era splendida. Nessuno dei due perse tempo in convenevoli, cosa di cui fui lieto.

« Dove sei diretto? » chiese Eliot.

« A New London, nel Connecticut », risposi.

« Che c'è nel furgone? »

« Non lo so. »

« Non ti hanno seguito », osservò Duffy. La sua era un'affermazione, non una domanda.

« Forse c'è un congegno elettronico », replicai.

« E dove sarebbe? »

« Nel retro, se hanno un po' di buonsenso. Avete il saldatore a stilo? »

« Non ancora », rispose. « Sta arrivando. Perché ci serve? »

« C'è un sigillo di piombo », spiegai. « Dobbiamo essere in grado di rifarlo. »

Lei guardò lo svincolo, in ansia. « Non è una cosa facile da recuperare in poco tempo. »

« Controlliamo le parti accessibili », propose Eliot. « Mentre aspettiamo. »

Tornammo al furgone blu. Mi abbassai e guardai sotto: era tutto incrostato di fango grigiastro secco e schizzato di olio e di altri liquidi.

« Non è qui », dissi. « Dovrebbero usare uno scalpello per arrivare al metallo. »

Eliot lo trovò nell'abitacolo, circa quindici secondi dopo aver iniziato l'ispezione. Era attaccato alla gommapiuma sul fondo del sedile del passeggero con un pezzetto di velcro. Era un piccolo cilindro di metallo liscio, un po' più grande di un quarto di dollaro e spesso poco più di un centimetro. Da esso fuoriusciva un cavetto di venti centimetri, presumibilmente l'antenna. Eliot chiuse l'apparecchio nel palmo della mano, uscì rapido dal furgone e fissò l'imbocco dello svincolo.

«Che c'è?» chiese Duffy.

«È strano», disse. «Un aggeggio del genere ha una batteria da apparecchio acustico, nient'altro. Bassa energia, raggio corto. A più di tre chilometri non lo si capta. Dov'è l'uomo che ti segue?»

L'imbocco dello svincolo era deserto. Io ero stato l'ultimo a risalirlo. Restammo lì con gli occhi che ci lacrimavano per il vento freddo, a fissare il nulla. Il sibilo del traffico arrivava oltre gli alberi, ma nessun veicolo risalì lo svincolo.

«Da quanto sei qui?» domandò Eliot.

«Da circa quattro minuti», risposi. «Forse cinque.»

«Non ha senso», osservò. «Questo significherebbe che ti seguono a sei, otto chilometri di distanza, ma così lontani non ti possono sentire.»

«Forse non c'è nessuno», dissi. «Forse si fidano.»

«Allora perché mettere quell'aggeggio?»

«Forse non l'hanno messo, forse è lì da anni. Forse se ne sono scordati.»

«Troppi forse», replicò lui.

Duffy si girò a destra e fissò gli alberi.

«Potrebbero essersi fermati sul ciglio della strada», affermò. «Esattamente alla stessa altezza a cui ci troviamo noi.»

Io ed Eliot ci girammo nella stessa direzione e guardammo. Aveva senso. In un pedinamento non era molto furbo fermarsi a una stazione di servizio accanto al bersaglio.

«Diamo un'occhiata», suggerii.

C'era una sottile striscia d'erba ben tagliata e un'altra zona altrettanto stretta in cui gli addetti alla manutenzione stradale avevano cercato di disciplinare la vegetazione, piantando cespugli e pacciamando il suolo con pezzi di corteccia di quercia. Poi c'erano solo alberi. La strada ne aveva ridotto l'estensione a est e l'area di servizio a ovest, ma in mezzo c'era un boschetto di una decina di metri che pareva esistere dall'inizio dei tempi. Non fu semplice attraversarlo tra rampicanti, rovi puntuti e rami bassi, ed eravamo in aprile: in luglio o agosto sarebbe stato impossibile.

Ci fermammo poco prima che gli alberi cedessero il posto ad arbusti più bassi, oltre i quali si estendeva il bordo piatto ed erboso della strada. Avanzammo fin dov'era prudente e allungando il collo guardammo a destra e a sinistra. Non c'erano veicoli parcheggiati. Da quanto riuscivamo a vedere il margine era libero in entrambe le direzioni e il traffico era molto scarso. Passavano anche cinque secondi senza che si vedesse un mezzo. Eliot si strinse nelle spalle come per esprimere la sua perplessità, al che ci voltammo e tornammo faticosamente indietro.

«Non ha senso», affermò cupo.

«Hanno pochi uomini», dissi.

«No, sono sulla Uno», replicò Duffy. «Dev'essere per forza così. Corre parallela all'Interstatale 95 per tutta la sua lunghezza, fino alla costa. Da Portland a sud. Probabilmente per gran parte del tragitto corre a non più di tre chilometri di distanza.»

Ci voltammo di nuovo verso est, come se potessimo vedere tra gli alberi e individuare una macchina ferma sul bordo di una strada parallela, lontana da noi.

«Ecco come fanno», aggiunse Duffy.

Annuii. Era un quadro plausibile, ma ci sarebbero stati degli inconvenienti tecnici: con uno spostamento laterale di tre chilometri qualsiasi lieve anomalia in direzione longitudinale dovuta al traffico avrebbe reso instabile il segnale. Ma in fondo tutto ciò che volevano sapere era la mia direzione generica.

«È possibile», affermai.

«No, è probabile», replicò Eliot. «Duffy ha ragione. È semplice buonsenso. Finché possono, cercano di non farsi vedere.»

Assentii di nuovo. «Comunque, da qualche parte devono

pur essere. Fino a dove la Uno corre parallela all'Interstatale 95?»

«Fino all'infinito», rispose Duffy. «Ben oltre New London, nel Connecticut. Si allontanano dalle parti di Boston, ma poi si riavvicinano.»

«Bene», esclamai e controllai l'ora. «Sono qui da quasi nove minuti. Sono più che sufficienti per un salto al bagno e un caffè. È ora di rimettere in moto il dispositivo elettronico.»

Dissi a Eliot di infilarsi il trasmettitore in tasca e di dirigersi verso sud con la Taurus di Duffy alla velocità costante di novanta all'ora. Spiegai che lo avrei raggiunto col furgone da qualche parte prima di New London. Dopo avrei pensato a rimettere l'apparecchio al suo posto. Eliot partì e io rimasi solo con Duffy. Guardammo l'auto scomparire a sud, poi ci voltammo verso nord e guardammo lo svincolo di accesso. Avevo un'ora e un minuto e mi serviva il saldatore a stilo. *Il tempo correva.*

«Com'è lassù?» chiese Duffy.

«Un incubo», risposi. Le raccontai del muro di granito di due metri e mezzo, del filo spinato, del cancello e dei metal detector alle porte e della stanza senza la toppa sul lato interno della porta. Le raccontai di Paulie.

«Nessuna traccia della mia agente?» chiese.

«Sono lì da poco», risposi.

«È in quella casa», affermò. «Voglio credere che sia così.»

Non replicai.

«Devi fare qualche progresso», aggiunse. «Ogni ora che passi lì dentro il rischio aumenta, per te e anche per lei.»

«Lo so», risposi.

«Che tipo è Beck?» chiese Duffy.

«Un tipo piuttosto strano», dissi. Le raccontai delle impronte sul bicchiere e del modo in cui si era sbarazzato della Maxima. Poi le raccontai anche della roulette russa.

«Hai giocato?»

«Sei volte», risposi guardando la rampa.

Lei mi fissò. «Pazzo. Sei a uno, dovresti essere morto.»

Sorrisi. «Tu hai mai giocato?»

«Non lo farei mai. Non amo correre rischi del genere.»

«Sei come la maggior parte delle persone. Anche Beck è così. Ha creduto che le probabilità fossero di sei a uno, ma in realtà erano di quasi seicento a uno, o seimila. Metti un solo proiettile pesante in un'arma ben fatta e ben tenuta come quell'Anaconda e sarebbe un miracolo se il tamburo si fermasse con il proiettile in alto. La forza della rotazione lo porta sempre in basso. Il meccanismo di precisione, un po' d'olio e la gravità ti aiutano a uscirne vivo. Non sono un idiota. La roulette russa è molto più sicura di quanto non si creda. E valeva la pena correre il rischio pur di essere ingaggiato.»

Lei rimase in silenzio per un po'.

«Impressioni?»

«Sembra un importatore di tappeti», dissi. «La casa ne è piena.»

«Ma?»

«Ma non lo è», risposi. «Ci scommetto la pensione. Gli ho chiesto dei tappeti e non mi ha detto molto, come se non fosse molto interessato alla cosa. Gran parte delle persone ama parlare del proprio lavoro, a volte non riesci a farle smettere.»

«Tu hai una pensione?»

«No», risposi.

In quel momento una Taurus grigia, identica a quella di Duffy tranne per il colore, spuntò veloce dallo svincolo. Rallentò per un istante mentre il guidatore scrutava la zona e accelerò rapida nella nostra direzione. Al volante c'era il vecchio, quello che avevo lasciato nel canale di scolo sotto il marciapiede, vicino al cancello della scuola. Inchiodò accanto al furgone blu, aprì la portiera e issandosi su uscì nello stesso modo in cui era uscito dalla Caprice presa in prestito dalla polizia. Aveva un grosso sacchetto rosso e nero di Radio Shack in mano, pieno di scatole. Lo sollevò sorridendo e si avvicinò per stringermi la mano. Indossava una camicia pulita, ma il vestito era lo stesso. Vedevo alcune macchie là dove aveva tentato di togliersi il sangue finto. Lo immaginai in piedi davanti al lavandino del motel, mentre si ripuliva con l'asciugamano. Non aveva ottenuto un grande risultato: sembrava si fosse sporcato sbadatamente di ketchup la sera precedente a cena.

«Ti mandano già in giro a sbrigare commissioni?» chiese. «Non so che cosa mi stiano facendo fare», dissi. «Abbiamo problemi con un sigillo.»

Lui annuì. «Lo supponevo. Con una lista della spesa del genere, di che altro si poteva trattare?»

«Sei esperto?»

«Sono della vecchia guardia», rispose. «Ai nostri tempi ne facevamo una decina al giorno. I camion si fermavano di qua e di là: noi ci entravamo e ne uscivamo prima ancora che l'autista avesse ordinato la zuppa.»

Si chinò e svuotò il sacchetto di Radio Shack sull'asfalto. Aveva un saldatore a stilo e un rotolo di lega opaca per saldatura. Aveva anche un invertitore che gli avrebbe permesso di collegare il saldatore all'accendisigari dell'auto. Ciò significava che avrebbe dovuto tenere acceso il motore, perciò lo avviò e fece lievemente marcia indietro perché il cavo arrivasse.

Il sigillo era in sostanza un filo di piombo con due grandi piastrine fuse all'estremità. Queste erano state schiacciate con uno strumento rovente e si erano fuse creando un grosso sigillo in rilievo. Il vecchio le evitò con cura: era chiaro che aveva già fatto lavori del genere. Inserì il saldatore a stilo e lasciò che si scaldasse; verificò quindi la temperatura sputando sulla punta. Quando la giudicò adeguata, sfiorò la manica del vestito con la punta e quindi l'avvicinò al filo in un punto in cui era sottile. Questo si sciolse e si staccò. L'agente allargò l'apertura come se aprisse un paio di minuscole manette ed estrasse il sigillo dall'occhiello. S'infilò in macchina e lo posò sul cruscotto. Io afferrai la maniglia della serranda e la girai.

«Bene», esclamò Duffy. «Cos'abbiamo?»

Avevamo un carico di tappeti. La serranda si aprì sferragliando e la luce del sole inondò il piano di carico: vedemmo circa duecento tappeti, tutti ordinatamente arrotolati e legati con spago, disposti in piedi. Erano di dimensioni varie, i più alti accanto all'abitacolo, i più bassi vicino alla serranda. Digradavano nella nostra direzione come una sorta di antica formazione basaltica. Erano arrotolati con la parte dritta all'interno, perciò potevamo vederne solo il rovescio ruvido, dai colori smorti. Lo spago che li legava era di sisal, vecchio e ingiallito. Si sentiva un forte odore di lana grezza e uno più lieve di tintura vegetale.

«Dovremmo controllarli», affermò Duffy con una nota di delusione nella voce.

«Quanto tempo abbiamo?» chiese il vecchio.

Controllai l'orologio.

«Quaranta minuti», risposi.

«Meglio farlo a campione», suggerì.

Ne tirammo fuori un paio dalle file anteriori. Erano arrotolati stretti, senza tubi di cartone: erano semplicemente avvolti e legati con lo spago. Uno di loro aveva una frangia. Odorava di vecchio e di muffa. I nodi erano vecchi e appiattiti: cercammo di scioglierli con le unghie senza riuscirci.

«Taglieranno lo spago per svolgerli», commentò Duffy.

«Non possiamo fare niente.»

«No», convenne il vecchio.

Lo spago era grezzo e sembrava di provenienza straniera. Non ne vedevo uno simile da tempo: sembrava di fibra naturale, di iuta, forse, o di canapa.

«Allora che si fa?» chiese il vecchio.

Estrassi un altro tappeto e ne valutai il peso. Pesava proprio come un tappeto. Lo strinsi: cedette lievemente. Lo po-

sai in piedi per terra e lo colpii al centro con un pugno. Si
piegò un po', proprio come un tappeto.
«Sono solo tappeti», dissi.
«Sotto c'è qualcosa?» chiese Duffy. «Forse quelli più alti
in fondo non sono affatto alti. Forse appoggiano su qualcos'altro.»
Li tirammo fuori, a uno a uno e li posammo per terra in
ordine, per poterli in seguito risistemare. Ci creammo così
un passaggio a zigzag sul piano di carico. I tappeti alti erano
proprio quello che sembravano: tappeti alti, arrotolati stretti,
legati con spago e collocati in piedi. Sotto non vi era nascosto niente. Uscimmo dal furgone e restammo lì al freddo, a
guardarci in faccia, circondati da una distesa assurda di tappeti.
«È un carico fittizio», commentò Duffy. «Beck immaginava avresti trovato modo di guardar dentro.»
«Forse», dissi.
«Oppure ti voleva fuori dei piedi.»
«Per fare cosa?»
«Indagini sul tuo conto», rispose. «Per essere sicuro.»
Guardai l'orologio. «È tempo di risistemare i tappeti. Già
così dovrò guidare come un pazzo.»
«Verrò con te», disse lei. «Fino al punto di incontro con
Eliot, intendo.»
Annuii. «Volevo proprio chiedertelo. Dobbiamo parlare.»
Caricammo i tappeti sul furgone, spingendoli a calci e
con le mani finché non ebbero ripreso la posizione originaria. Dopodiché abbassai la serranda e il vecchio si mise all'opera con il saldatore. Infilò il sigillo rotto nell'occhiello e ne
avvicinò le estremità. Scaldò il saldatore e con la punta chiuse l'apertura, poi toccò l'estremità del filo di lega per fonderla. L'apertura si riempì formando una grossa chiazza argentea. Era del colore sbagliato e troppo grande: ora il filo ricordava un serpente dei cartoni animati che aveva appena ingoiato un coniglio.

«Non ti preoccupare», disse l'agente.

Usò la punta del saldatore a mo' di minuscolo pennello e assottigliò via via la chiazza. Di tanto in tanto la scrollava per eliminare il materiale in eccesso. Aveva una mano molto delicata. Impiegò tre lunghi minuti, ma alla fine rese il sigillo quasi identico a quello originario. Lo lasciò raffreddare per un po' e quindi vi soffiò con forza. Il colore argenteo diventò d'un tratto grigio. Era la riparazione invisibile più riuscita che avessi mai visto, di certo migliore di quella che avrei potuto fare io.

«Bene», esclamai. «Molto bene. Ma ne dovrai fare un'altra. Ho l'incarico di portare indietro un altro furgone e sarà meglio dare un'occhiata anche a quello. Ci incontreremo alla prima area di servizio dopo Portsmouth, nel New Hampshire, in direzione nord.»

«Quando?»

«Trovati lì fra cinque ore.»

Io e Duffy lo lasciammo lì in piedi e ci dirigemmo verso sud alla massima velocità che il vecchio furgone consentiva, non di molto superiore ai centodieci. Aveva una forma squadrata e la resistenza del vento frustrò qualsiasi tentativo di correre di più. Ma una velocità di centodieci all'ora poteva andar bene. Avevo ancora alcuni minuti a disposizione.

«Hai visto il suo ufficio?» chiese Duffy.

«Non ancora», risposi. «Dobbiamo controllarlo. Anzi, dobbiamo controllare l'intera ditta che ha al porto.»

«Ci stiamo lavorando», affermò lei. Doveva parlare ad alta voce. Il rumore del motore e il gemito della scatola del cambio erano due volte peggio a centodieci che a novanta all'ora. «Per fortuna, Portland non ferve di attività: è solo il quarantaquattresimo porto degli Stati Uniti per mole di lavoro. Circa quattordici milioni di tonnellate di importazioni all'anno, cioè duecentocinquantamila tonnellate alla settimana. Beck, a quanto pare, ne muove una decina, due o tre container.»

«La Dogana ispeziona la sua merce?»

«Come quella di altri. Il tasso attuale di controlli è circa del due per cento. Se Beck riceve centocinquanta container all'anno, forse tre di loro vengono controllati.»

«Allora come fa?»

«Potrebbe giocare d'azzardo e spedire la merce che scotta, diciamo, solo in un container su dieci. In quel modo il tasso effettivo di controlli si ridurrebbe allo zero virgola due per cento. In questo modo potrebbe andare avanti per anni.»

«Va già avanti da anni. Pagherà qualcuno perché chiuda un occhio.»

Lei annuì al mio fianco senza dire nulla.

«Potete richiedere controlli aggiuntivi?» domandai.

«Non senza prove sufficienti», rispose. «Non te lo scordare, questa missione non è autorizzata. Ci servono prove certe. E comunque, la possibilità che Beck paghi qualcuno trasforma l'intera faccenda in un campo minato. Potremmo imbatterci nel funzionario sbagliato.»

Continuammo il viaggio. Il motore rombava e le sospensioni ondeggiavano. Superavamo qualsiasi veicolo incontrassimo. Adesso guardavo nei retrovisori in cerca della polizia, non di qualcuno che mi pedinasse. Immaginavo che le carte della DEA che Duffy aveva con sé avrebbero risolto qualsiasi problema, ma non volevo perdere tempo, visto che lei avrebbe impiegato un po' a spiegare ogni cosa.

«Come ha reagito Beck?» chiese. «La tua prima impressione?»

«Era perplesso», spiegai. «E un po' risentito. Questa è stata la mia prima impressione. Hai notato che Richard Beck non aveva protezione a scuola?»

«È un posto sicuro.»

«Non proprio. Puoi rapire un ragazzo da un college in men che non si dica. Assenza di protezione significa assenza di pericolo. Probabilmente la storia delle guardie del corpo per il viaggio fino a casa era una specie di contentino perché il ragazzo è paranoico. Una semplice concessione. Non credo che Beck padre la ritenesse davvero necessaria, altrimenti gli avrebbe garantito una protezione anche a scuola. O l'avrebbe allontanato del tutto dal college.»

«Quindi?»

«Quindi penso che in passato abbia stretto un patto, forse in seguito al primo rapimento, che abbia fatto qualcosa per garantirsi una specie di stabilità. Di conseguenza, niente guardie del corpo nell'alloggio del college. Per questo ora Beck si è risentito, come se qualcuno avesse rotto un accordo.»

«Tu pensi?»

Annuii guardando il volante. «È rimasto sorpreso, perplesso e infastidito. La sua prima domanda è stata: chi erano?»

«Una domanda ovvia.»

«Ma il tono era 'come osano?' C'era una sottile implicazione, come se qualcuno non fosse stato in riga. Non era una semplice domanda, era un'espressione di fastidio nei confronti di qualcuno.»

«Che cosa gli hai detto?»

«Gli ho descritto il pick-up e i tuoi uomini.»

Lei sorrise. «Questo va bene.»

Scossi la testa. «Ha un uomo, un certo Duke. Il nome, non lo conosco. È un ex poliziotto. È il capo della sicurezza. L'ho visto stamattina. È stato in piedi tutta la notte. Aveva l'aria stanca e non si era fatto la doccia. Aveva la giacca del vestito tutta spiegazzata, dietro, sul fondo schiena.»

«E allora?»

«Significa che ha guidato tutta la notte. Credo sia andato a dare un'occhiata al Toyota per verificare la targa posteriore. Dove l'avete nascosto?»

«Lo abbiamo lasciato alla polizia statale, per mantenere

una parvenza di credibilità. Non potevamo riportarlo al garage della DEA. Sarà nel loro deposito, da qualche parte.»

«La targa dove conduce?»

«A Hartford, Connecticut», rispose. «Abbiamo sventato un piccolo giro di spacciatori di ecstasy.»

«Quando?»

«La settimana scorsa.»

Continuai a guidare. Il traffico stava aumentando.

«Il nostro primo sbaglio», commentai. «Beck farà un controllo e si chiederà perché dei piccoli spacciatori di ecstasy del Connecticut abbiano cercato di rapirgli il figlio. E *come* possano averlo fatto una settimana dopo essere stati sbattuti in prigione.»

«Merda», esclamò Duffy.

«Temo ci sia dell'altro», proseguii. «Secondo me Duke ha dato un'occhiata anche alla Lincoln. Ha la parte anteriore accartocciata e mancano i vetri dei finestrini, ma non ha fori di proiettile e non sembra essere stata colpita da una vera bomba a mano. Quella Lincoln è la prova concreta che l'intera storia è fasulla.»

«No», replicò Duffy. «La Lincoln è nascosta. Non è insieme al Toyota.»

«Ne sei certa? Perché la prima cosa che Beck mi ha chiesto stamattina è stata una descrizione dettagliata delle Uzi. È come se mi avesse chiesto di autocondannarmi. Due Micro della Uzi, caricatori da venti, quaranta colpi sparati e nessun segno sull'auto?»

«No», ripeté lei. «Non è possibile. La Lincoln è nascosta.»

«Dove?»

«A Boston. Nel nostro garage, ma dalle carte risulta che è nell'obitorio della contea. Risulta essere la scena di un crimine: in tutto l'abitacolo ci sono brandelli dei corpi delle guardie. Abbiamo fatto in modo che ogni aspetto fosse credibile, abbiamo studiato la cosa con cura.»

«Tranne per la targa del Toyota.»

Duffy aveva un'aria afflitta. «Ma la Lincoln è a posto. È a centocinquanta chilometri dal Toyota, quel Duke dovrebbe aver guidato tutta la notte.»

«Io credo proprio che lo abbia fatto. Altrimenti perché Beck sarebbe stato tanto interessato alle Uzi?»

Lei tacque.

«Lasciamo perdere tutto», affermò. «Per via del Toyota, non della Lincoln. La Lincoln è a posto.»

Controllai l'orologio e la strada davanti a me. Il furgone procedeva rombando. Di lì a poco avremmo raggiunto Eliot. Calcolai tempi e distanze.

«Lasciamo perdere tutto», ripeté lei.

«E la tua agente?»

«Se finisci ucciso, la cosa non l'aiuterà.»

Pensai a Quinn.

«Ne parleremo dopo», risposi. «Adesso dobbiamo andare avanti.»

Dopo altri otto minuti superammo Eliot. La sua Taurus procedeva stabile sulla corsia interna, tenendo modestamente i settanta all'ora. Mi misi davanti adottando la stessa velocità e lui mi si accodò. Percorremmo l'intera circonvallazione di Boston e ci fermammo nella prima area di servizio a sud della città. Lì il mondo era molto più vivo. Rimasi seduto immobile con Duffy al mio fianco, osservai lo svincolo per settantadue secondi e vidi quattro macchine imboccarlo dopo di me, un paio con passeggeri. Fecero tutti quello che la gente normalmente fa in un'area di servizio: stare in piedi e sbadigliare accanto alla portiera, guardarsi attorno, andare in bagno o al fast food.

«Dov'è l'altro furgone?» chiese Duffy.

«In un parcheggio a New London», risposi.

«Le chiavi?»

«All'interno.»

«Quindi anche lì ci sarà qualcuno. Nessuno lascia un veicolo con le chiavi all'interno senza sorveglianza. Ti stanno aspettando e non sappiamo che ordini abbiano ricevuto. Dovremmo considerare l'idea di mollare.»

«Non mi caccerò in una trappola», replicai. «Non è nel mio stile. E l'altro furgone potrebbe contenere qualcosa di più interessante.»

«D'accordo», rispose Duffy. «Lo controlleremo nel New Hampshire. Se ci arriverai.»

«Potresti prestarmi la tua Glock.»

La vidi allungare la mano e toccarla sotto il braccio. «Per quanto?»

«Per il tempo necessario.»

«Che fine hanno fatto le Colt?»

«Le hanno prese loro.»

«Non posso», disse. «Non posso fare a meno dell'arma d'ordinanza.»

«Hai già infranto ogni regola.»

Duffy tacque.

«Merda», esclamò. Estrasse la Glock dalla fondina e me la porse. Era calda per il contatto col suo corpo. La tenni nel palmo della mano, assaporando la sensazione. Lei frugò in borsa e ne estrasse due caricatori di riserva. Li misi in una tasca; nell'altra infilai la pistola.

«Grazie», dissi.

«Ci vediamo nel New Hampshire», affermò lei. «Controlleremo il furgone, poi decideremo.»

«D'accordo», risposi anche se io avevo già deciso. Eliot si avvicinò e tolse il trasmettitore dalla tasca. Duffy scese e lui lo sistemò dov'era, sotto il sedile. Quindi si allontanarono insieme verso la Taurus governativa. Io attesi un po', quel tanto da essere credibile, poi ripresi il cammino.

Trovai New London senza problemi. Era una cittadina vecchia e caotica. Non ci ero mai stato prima, non ne avevo avuto motivo. È un centro navale. Costruiscono sottomarini lì o nei paraggi, a Groton forse. Seguendo le indicazioni di Beck, lasciai quasi subito l'interstatale e m'infilai in una zona industriale fatiscente. C'erano un sacco di vecchi edifici di mattoni, umidi, sporchi di fumo, ormai marci. Accostai al ciglio a circa un chilometro e mezzo dal punto in cui avevo calcolato si trovasse il parcheggio, poi svoltai a destra e a sinistra, nel tentativo di girarci attorno. Posteggiai accanto a un parchimetro rotto e controllai la pistola di Duffy. Era una Glock 19, forse di un anno, carica. Anche i caricatori di riserva lo erano. Scesi dal furgone e in lontananza, nello stretto, udii l'urlo sordo delle sirene antinebbia. Stava arrivando un traghetto. Una prostituta fece capolino da una porta e mi sorrise. Quello era un centro navale: non era in grado di riconoscere un poliziotto militare come invece sapevano fare le sue colleghe altrove.

Svoltai l'angolo ed ebbi una vista parziale abbastanza buona del parcheggio a cui ero diretto. Il terreno digradava verso il mare e io mi trovavo in posizione soprelevata. Vidi il furgone che mi attendeva: era identico a quello con cui ero arrivato lì. Stessa età, stesso tipo, stesso colore. Se ne stava tutto solo nel centro esatto del terreno, un lotto squadrato deserto di mattoni rotti e di erbacce. Una ventina d'anni fa avevano probabilmente abbattuto qualche vecchio edificio senza costruire niente al suo posto.

Non vidi nessuno che mi aspettasse, anche se alla giusta distanza c'erano un migliaio di finestre sporche: in teoria, dietro ognuna poteva nascondersi qualcuno. Io però non sentivo nulla. Sentire è molto peggio che sapere, ma a volte è tutto quello che hai. Rimasi immobile finché mi venne freddo, allora tornai al furgone. Girai attorno all'isolato ed entrai nel parcheggio. Posteggiai muso contro muso con l'altro, estrassi la chiave e la lasciai cadere nella tasca della portiera.

Mi guardai attorno per l'ultima volta e scesi. Misi la mano in tasca e afferrai la pistola di Duffy. Rimasi attentamente in ascolto. Niente, tranne l'acciottolio della ghiaia mossa dal vento e i rumori lontani di una cittadina decrepita che cercava di arrivare al termine anche di quella giornata. Ero al sicuro, a meno che qualcuno armato di fucile non avesse in mente di stendermi con un tiro a lunga distanza. Stringere una Glock 19 in tasca non mi avrebbe difeso da quell'eventualità. Il nuovo furgone era freddo, immobile. La portiera era aperta e la chiave messa lì, nella tasca. Sistemai il sedile e gli specchietti retrovisori. Lasciai cadere la chiave sul fondo come se fossi maldestro e controllai sotto i sedili. Nessun trasmettitore. Solo alcune carte di chewing gum e grumi di polvere. Avviai il motore, feci retromarcia allontanandomi dal furgone che avevo appena posteggiato, girai nello spiazzo e mi diressi di nuovo verso la statale. Non vidi nessuno. Nessuno mi seguì.

Il secondo furgone andava un po' meglio del precedente. Era un po' più silenzioso e veloce. Forse lo avevano usato solo un paio di volte. Macinava chilometri su chilometri riportandomi a nord. Fissavo dritto davanti a me, oltre il parabrezza, e mi sembrava di vedere la casa solitaria sul promontorio roccioso che si faceva più grande di minuto in minuto. Mi attirava e nel contempo mi respingeva, perciò me ne restai lì seduto, immobile, con una mano sul volante e gli occhi bene aperti. Superai il Rhode Island senza problemi. Nessuno mi seguì. Il Massachusetts si tradusse più che altro in un lungo giro attorno a Boston e in una corsa lungo la parte nordorientale con posti degradati come Lowell a sinistra e luoghi eleganti come Newburyport, Cape Anne e Gloucester in lontananza sulla destra. Nessuno mi stava pedinando. Poi arrivò il New Hampshire. L'Interstatale 95 lo attraversa per una quarantina di chilometri e ha come ultima tappa Portsmouth. La superai e cercai i cartelli di un'area di servizio. Ne trovai uno poco dopo il confine di stato con il Maine: Duffy, Eliot e il vecchio con il vestito macchiato mi stavano aspettando tredici chilometri più in là.

Ad aspettarmi non c'erano però solo Duffy, Eliot e il vecchio. Con loro c'era un'unità cinofila della DEA. Se dai a un governativo abbastanza tempo per pensare ti si presenta davanti con qualcosa che non ti saresti mai aspettato. Arrivai a un'area pressoché identica a quella di Kennebunk e vidi le due Taurus posteggiate al termine della fila, accanto a un furgone privo di scritte con un ventilatore che girava sul tetto. Parcheggiai a quattro posti di distanza e seguii la solita strategia prudente, attendere e osservare, ma nessuno entrò nell'area di servizio dopo di me. Gli alberi mi rendevano invisibile dalla strada. Ce n'erano dappertutto. Il Maine ne aveva un bel po', questo era certo.

Scesi dal furgone. Il vecchio si avvicinò con la sua auto e si mise subito all'opera con il saldatore. Duffy mi tolse di mezzo tirandomi per un gomito.

«Ho fatto qualche telefonata», annunciò sollevando il suo Nokia come a dimostrarmelo. «Ci sono buone notizie e cattive notizie.»

«Prima le buone», osservai. «Tirami un po' su.»

«Credo che la faccenda del Toyota sia a posto.»

«Credi?»

«È complicato. Abbiamo ricevuto dalla Dogana il dettaglio delle spedizioni di Beck. Tutta la roba arriva da Odessa, in Ucraina, sul mar Nero.»

«So dov'è.»

«Un luogo credibile di provenienza dei tappeti. Arrivano a nord da varie regioni, passando dalla Turchia. Ma Odessa, dal nostro punto di vista, è un porto dell'eroina. Tutta quella che non viene fornita dalla Colombia arriva dall'Afghanistan e dal Turkmenistan passando attraverso il Caspio e il Caucaso. Quindi se Beck usa Odessa significa che è un trafficante di eroina, e se è un trafficante di eroina significa che non conosce nessun trafficante di ecstasy, né nel Connecticut né da nessun'altra parte. Non ci possono essere relazioni. Come potrebbero essercene? Sono rami completamente diversi. Perciò, per scoprire qualcosa, dovrà partire da zero. Voglio dire, la targa del Toyota gli darà un nome e un indirizzo, certo, ma quelle informazioni non significheranno niente per lui. Impiegherà qualche giorno a scoprire chi siano e a seguire quella pista.»

«Questa è la buona notizia?»

«Lo è quanto basta. Fidati, vivono in due mondi diversi. Comunque, qualche giorno è tutto quello che hai. Non possiamo trattenere le guardie del corpo per sempre.»

«Qual è la cattiva notizia?»

Duffy tacque per un attimo. «Non possiamo escludere che qualcuno abbia dato un'occhiata alla Lincoln.»

«Che cos'è successo?»

«Niente di particolare. Solo che forse la sicurezza al garage non è stata efficace come previsto.»

Udimmo la serranda del furgone sollevarsi sferragliando. Batté contro il fermo e un secondo dopo sentimmo Eliot che ci chiamava con urgenza. Ci avvicinammo aspettandoci di trovare qualcosa di buono, invece trovammo un altro trasmettitore. Era lo stesso cilindro metallico con lo stesso cavo da venti centimetri che serviva da antenna. Era incollato alla parte interna della lamiera metallica, vicino alla serranda, quasi all'altezza della testa.

«Ottimo», esclamò Duffy.

Il vano di carico era pieno zeppo di tappeti, proprio come il precedente. Sembrava lo stesso furgone. Erano tutti arrotolati stretti, legati con spago grezzo e impilati dritti in ordine di altezza.

«Li controlliamo?» chiese il vecchio.

«Non c'è tempo», risposi. «Se dall'altra parte del trasmettitore c'è qualcuno, calcolerà che mi fermi qui per una decina di minuti, non di più.»

«Porta il cane», affermò Duffy.

Un uomo che non avevo mai visto aprì il portello posteriore del furgone della DEA e ne fece uscire un beagle al guinzaglio. Era un coso piccolo e grasso, piuttosto basso, con una pettorina da cane da lavoro. Aveva le orecchie lunghe e un'espressione bramosa. Mi piacciono i cani. A volte penso di prendermene uno, mi terrebbe compagnia. Quello mi ignorò completamente: lasciò che l'addestratore lo portasse al furgone blu, poi attese gli ordini. L'uomo lo sollevò e lo posò nel vano di carico, sulla serie di tappeti. Schioccò le dita, pronunciò una specie di comando e gli tolse il guinzaglio. Il cane prese a trotterellare su e giù e da un lato all'altro. Aveva le zampe corte e incontrò qualche difficoltà a salire e scendere i vari gradini di tappeti, ma coprì ogni centimetro e tornò infine al punto di partenza. Lì rimase con gli occhi luminosi, tutto scodinzolante, la bocca aperta in un sorriso assurdo, umido, come se chiedesse: *Allora, dov'è l'azione?*

«Niente», disse l'addestratore.

«Un carico legale», commentò Eliot.

Duffy annuì. «Ma perché torna a nord? Nessuno esporta tappeti a Odessa. Perché farlo?»

«Era una prova», risposi. «Per me. Hanno pensato: vediamo se guarda dentro o no.»

«Sistema il sigillo», affermò Duffy.

Il nuovo agente estrasse il cane mentre Eliot, allungandosi, abbassava la serranda. Il vecchio afferrò il saldatore a stilo e Duffy mi prese di nuovo da parte.

«Cosa decidiamo?» chiese.

«Tu che faresti?»

«Rinuncerei», rispose. «La Lincoln è un rischio. Potresti finire ucciso.»

Guardai oltre la sua spalla e osservai il vecchio al lavoro. Stava già assottigliando il punto di giunzione.

«Hanno bevuto la storia», risposi. «Impossibile non berla: era ben congegnata.»

Il vecchio aveva quasi terminato. Si stava chinando per soffiare sulla giunzione per rendere il filo di color grigio opaco. Duffy mi posò la mano sul braccio.

«Perché allora Beck ti avrebbe chiesto delle Uzi?» domandò.

«Non lo so.»

«Fatto», annunciò l'anziano agente.

«Cosa decidiamo?» chiese Duffy.

Pensai a Quinn, al modo in cui il suo sguardo si era posato sul mio volto, né lento, né veloce. Pensai alle cicatrici della calibro 22, un paio di occhi in più, in alto, sul lato sinistro della fronte.

«Torno alla villa», risposi. «Secondo me è abbastanza sicuro. Se avessero avuto dubbi, mi avrebbero fatto fuori stamattina.»

Duffy non replicò. Non si mise a discutere. Tolse solo la mano dal mio braccio e mi lasciò andare.

5

Mi lasciò andare, ma non mi chiese indietro la pistola. Forse fu un gesto inconscio, forse voleva che la tenessi. La infilai nella cintura, sulla schiena. La sentivo meglio addosso rispetto alla grossa Colt che avevo prima. Nascosi i caricatori di riserva nei calzini, poi ripresi il viaggio ed esattamente dieci ore dopo averlo lasciato arrivai nello spiazzo vicino ai dock di Portland. Non c'era nessuno ad aspettarmi, nessuna Cadillac nera. Entrai direttamente e parcheggiai. Lasciai la chiave nella tasca della portiera e scesi. Ero stanco e un po' sordo dopo un tragitto quasi ininterrotto di ottocento chilometri.

Erano le sei del pomeriggio e il sole era basso dietro la città alla mia sinistra. L'aria era fredda e dal mare il vento portava umidità. Mi abbottonai il cappotto e rimasi fermo per un minuto, in caso mi stessero osservando. Poi me ne andai. Cercai di apparire senza meta, ma in realtà puntai a nord e diedi un'attenta occhiata agli edifici che avevo davanti. Lo spiazzo era circondato da uffici bassi simili a case mobili senza ruote, costruiti in economia e soggetti a poca manutenzione. Avevano piccoli posteggi trascurati pieni di automobili medie. L'intero posto sembrava fervere di attività e aveva un'aria molto semplice. Lì si svolgeva il vero commercio, era chiaro: non c'erano quartier generali eleganti, marmi, sculture, solo persone comuni che lavoravano sodo per guadagnarsi da vivere dietro finestre non lavate con le veneziane rotte.

Alcuni uffici erano stati aggiunti esternamente ai lati dei piccoli magazzini. Questi erano moderne strutture prefabbricate di metallo con una piattaforma di carico di calcestruzzo all'altezza della vita e parcheggi stretti, delimitati da robusti paletti di cemento anch'essi di calcestruzzo, strisciati di vernice d'auto d'ogni colore. Dopo circa cinque minuti trovai la Cadillac nera di Beck. Era parcheggiata su un rettangolo di asfalto pieno di crepe contro il lato di un magazzino, vicino alla porta di un ufficio. Questa sembrava appartenere a una casa di periferia: era di legno duro, in stile coloniale, non era mai stata dipinta ed era grigia e corrosa dall'aria salmastra. Sopra, avvitata, c'era una targa sbiadita: BIZARRE BAZAAR. Era dipinta a mano e sembrava arrivare dritta dagli anni '60, dal quartiere di Haight-Ashbury. Come se dovesse promuovere un concerto a Fillmore West, come se Bizarre Bazaar fosse un gruppo diventato famoso per una sola canzone e incaricato di aprire lo show dei Jefferson Airplane o dei Grateful Dead.

Udii arrivare una macchina. Mi nascosi dietro l'edificio adiacente e attesi. Era una macchina grande e avanzava lenta. Udivo i grossi e silenziosi pneumatici superare le buche piene d'acqua. Era una Lincoln Town Car, nera e lucida, identica a quella che avevamo distrutto all'esterno del cancello del college. Erano probabilmente uscite insieme dalla catena di montaggio, una dopo l'altra. Superò piano la Cadillac di Beck, svoltò l'angolo e parcheggiò sul retro del magazzino. Un uomo che non avevo mai visto scese dal posto di guida, si stirò e sbadigliò come se anche lui avesse appena percorso ottocento chilometri. Era di media altezza e di corporatura pesante, con i capelli neri tagliati a spazzola. Aveva un volto magro e la pelle rovinata. Sembrava accigliato, quasi fosse in preda allo scoraggiamento, e pericoloso, anche se in certo qual modo dava l'idea di un novellino, di qualcuno molto in basso nella gerarchia. Ma proprio per questo poteva essere ancor più pericoloso. Si allungò nell'abitacolo ed estrasse un radio ricevitore scanner portatile. Aveva una lunga antenna cromata e un altoparlante protetto da una rete che strideva e gemeva ogniqualvolta un trasmettitore adeguato si trovava nel raggio di un chilometro e mezzo o due.

Girò l'angolo e varcò la porta grezza. Io rimasi dov'ero e ripercorsi mentalmente le ultime dieci ore: per quanto riguardava la sorveglianza via radio, mi ero fermato tre volte e ogni sosta era stata abbastanza breve da sembrare credibile. La sorveglianza visiva sarebbe stata tutt'altro paio di maniche, ma ero piuttosto certo di non aver mai visto una Lincoln nera nel mio campo visivo. Ero tendenzialmente d'accordo con Duffy: l'uomo con lo scanner era sulla Uno.

Restai immobile per qualche istante, poi uscii in bella vista, mi avvicinai alla porta e la spinsi. L'atrio piegava subito a sinistra ad angolo retto, dove si apriva un piccolo open space con alcune scrivanie e schedari. Non c'erano impiegati, i tavoli non erano occupati anche se lo erano stati fino a poco prima, quello era chiaro. Facevano parte di un ufficio vero. Erano tre ed erano ricoperti di tutto ciò che una persona lascia al termine di una giornata lavorativa: pratiche evase a metà, tazze del caffè sciacquate, memo, tazzoni ricordo pieni di matite, confezioni di fazzoletti di carta. Sulle pareti c'erano un paio di termosifoni elettrici; l'aria era calda e odorava vagamente di profumo.

In fondo all'open space c'era una porta chiusa, oltre la quale si udivano alcune voci basse. Riconobbi quelle di Beck e di Duke. Stavano parlando con un terzo uomo, che intuii fosse quello con lo scanner. Non riuscivo a capire che cosa dicessero né a distinguere il tono. C'era una certa ansia, come se stessero discutendo. Non avevano alzato la voce, ma non stavano di certo discorrendo del picnic aziendale.

Guardai il materiale sui tavoli e le pareti. Appese con puntine a due lavagne, c'erano un paio di cartine, una del mondo con il mar Nero più o meno nel centro. Odessa si trovava lì, annidata a sinistra della penisola di Crimea. Sulla mappa non era segnato nulla, ma riuscivo a immaginare la rotta che una piccola nave da carico avrebbe seguito: il Bosforo, il mare Egeo, il Mediterraneo, Gibilterra, poi con i motori al massimo avrebbe attraversato l'Atlantico fino a Portland, nel

Maine. Un viaggio di due settimane, probabilmente, forse anche di tre. Gran parte delle navi è piuttosto lenta. L'altra carta raffigurava gli Stati Uniti. Portland era stata cancellata dall'usura e dall'unto: supposi vi avessero messo tante volte il dito per calcolare manualmente tempi e distanze. Una mano piccola completamente estesa rappresentava forse una giornata di guida; nel qual caso Portland non era la sede migliore di un centro di distribuzione. Era lontana da tutto.

Le carte sulle scrivanie erano incomprensibili. Il meglio che potei fare fu interpretare i particolari riguardanti date e carichi. Vidi listini prezzi, alcuni alti, altri bassi. Di fronte ai prezzi c'erano i codici di qualcosa, forse dei tappeti. All'apparenza l'intero posto sembrava proprio un normale ufficio di spedizioni marittime. Mi chiesi se Teresa Daniel vi avesse lavorato.

Ascoltai le voci ancora per un po'. Adesso percepivo rabbia e preoccupazione. Tornai in corridoio, estrassi la Glock dalla cintura e la misi in tasca con il dito nel ponticello. Le Glock non hanno la sicura, ma una specie di grilletto sul grilletto: si tratta di una minuscola leva che alla pressione si disinserisce. Esercitai una lieve pressione e la sentii cedere. Volevo essere pronto. Avrei sparato prima a Duke, poi al tizio con la radio, infine a Beck. Questi era probabilmente il più lento e si lascia sempre il più lento per ultimo.

Misi anche l'altra mano in tasca. Un uomo con una sola mano in tasca dà l'impressione d'essere armato e pericoloso, uno con tutte e due le mani in tasca ha l'aria rilassata di chi non ha nulla da fare. Non rappresenta una minaccia. Inspirai e rientrai rumorosamente nella stanza.

«C'è nessuno?» esclamai.

La porta posteriore si aprì all'istante. Uscirono tutti e tre a guardare: Beck, Duke e l'altro uomo. Non avevano armi.

«Come sei arrivato qui?» chiese Duke. Sembrava stanco.

«La porta era aperta», risposi.

«Come sapevi quale fosse la porta giusta?» domandò Beck.

Tenni le mani in tasca. Non potevo dire di aver visto l'insegna dipinta, perché era stata Duffy a rivelarmi il nome della ditta, non lui.

«Fuori c'è la sua auto», risposi.

«D'accordo», fece lui.

Non mi chiese della mia giornata. L'uomo con lo scanner doveva avergliela già descritta. Adesso se ne stava lì a guardarmi in faccia. Era più giovane di Beck, più di Duke e anche di me. Era sui trentacinque anni e aveva sempre un'aria pericolosa. Aveva gli zigomi piatti e gli occhi smorti. Era come i tanti brutti ceffi che avevo cacciato dall'Esercito.

«Ti è piaciuto il giro?» domandai.

Lui non rispose.

«Ti ho visto portare dentro lo scanner», aggiunsi. «Ho trovato la prima cimice, sotto il sedile.»

«Perché hai controllato?» chiese lui.

«Abitudine», risposi. «Dov'era la seconda?»

«Nel retro», disse. «Non ti sei fermato per pranzo.»

«Non avevo soldi», osservai. «Nessuno finora me ne ha dati.»

L'uomo non sorrise.

«Benvenuto nel Maine», affermò. «Qui nessuno ti dà soldi. Te li devi guadagnare.»

«D'accordo», risposi.

«Sono Angel Doll», disse, quasi si aspettasse che restassi colpito dal suo nome, anche se non accadde.

«Jack Reacher», risposi.

«L'ammazza-sbirri», commentò con un tono particolare.

Mi guardò a lungo, poi distolse lo sguardo. Non riuscii a capire il suo ruolo: Beck era il capo, Duke il responsabile della sicurezza, ma quel novellino sembrava prendere la parola con grande disinvoltura davanti a loro.

«Siamo in riunione», disse Beck. «Tu puoi aspettare fuori, alla macchina.»

Fece entrare gli altri due in ufficio e mi chiuse la porta in faccia. Da ciò capii che nella zona segreteria non c'era nulla di interessante da scoprire. Così mi avviai lentamente verso la porta e mentre uscivo diedi un'attenta occhiata ai dispositivi di sicurezza. Sulla porta e su tutte le finestre c'erano piccoli aggeggi rettangolari dotati di fili della dimensione e del colore degli spaghetti. Erano fissati lungo i battiscopa e si riunivano in una scatola metallica applicata al muro accanto a una bacheca piena di comunicazioni scritte su fogli ingialliti: c'era di tutto, dalle assicurazioni per i dipendenti alle istruzioni per gli estintori al piano di evacuazione. L'allarme aveva una tastiera e due lucine: una rossa con la scritta *Inserito* e una verde con la scritta *Disinserito*. Non c'erano zone separate né sensori di movimento. Era un semplice sistema di allarme perimetrale.

Non aspettai alla macchina, me ne andai un po' in giro finché non mi feci un quadro più preciso del posto. L'intera zona era un labirinto di uffici simili. C'era un accesso complicato per gli autocarri che, supposi funzionasse a senso unico: i container venivano trasportati dai moli a nord e scaricati nei magazzini. I camion addetti alle consegne venivano quindi ricaricati e partivano in direzione sud. Il magazzino di Beck non era molto isolato, anzi: si trovava in mezzo a una fila di cinque capannoni. Non aveva però un piano di carico esterno né una piattaforma all'altezza della vita, solo una saracinesca, al momento bloccata dalla Lincoln di Angel Doll. Era, a ogni modo, abbastanza grande da permettere a un autocarro di entrarvi e da garantire così la riservatezza delle operazioni.

L'intera area non aveva dispositivi di sicurezza esterni. Non era come in un cantiere navale: niente recinzioni metalliche, niente cancelli, niente barriere o sorveglianti nelle guardiole. Era semplicemente una zona immensa e caotica di un centinaio di acri, piena di edifici disomogenei, di pozzanghere e di angoli bui. Immaginai ci fosse sempre qualche attività in corso, ventiquattro ore su ventiquattro. Di che entità, non lo sapevo, ma probabilmente bastava a mascherare un traffico illecito.

Ero accanto alla Cadillac e me ne stavo appoggiato al parafango quando i tre ricomparvero. Beck e Duke uscirono, Doll invece rimase sulla soglia. Io avevo sempre le mani in tasca, pronto a colpire Duke per primo. Nel modo in cui si muovevano non c'erano tuttavia aggressività né sospetto. Beck e Duke vennero verso la macchina con un'aria stanca e pensierosa. Doll rimase dov'era, sulla soglia, come se fosse il proprietario del posto.

«Andiamo», disse Beck.

«No, aspettate», esclamò Doll. «Prima devo parlare con Reacher.»

Beck si fermò, ma non si voltò.

«Cinque minuti», aggiunse Doll. «Non di più. Chiudo io l'ufficio.»

Beck non replicò e nemmeno Duke. Sembravano irritati, ma non avevano intenzione di obiettare. Tenendo le mani in tasca, mi avviai verso la porta. Doll si girò e mi condusse oltre la zona delle segretarie fin nell'ufficio posteriore. Superata un'altra porta, entrammo in uno stanzino di vetro che si trovava nel magazzino. Vidi un elevatore a forca sul pavimento del magazzino e vari scaffali di acciaio, alti circa sei metri, carichi di tappeti. Questi erano tutti bene arrotolati e legati con spago. Lo stanzino aveva una porta per il personale che dava all'esterno, una scrivania di metallo e un computer. La sedia era logora: dalle cuciture fuoriusciva gommapiuma ingiallita. Doll vi si sedette, mi guardò e abbozzò una specie di sorriso. Io rimasi di lato, all'estremità del tavolo, e lo guardai dall'alto.

«Che c'è?» chiesi.

«Vedi questo computer?» disse. «Entra in tutti gli uffici della Motorizzazione del Paese.»

«E allora?»

«Allora è possibile controllare le targhe.»

Tacqui. Doll estrasse una pistola dalla tasca con un movimento netto e rapido. Era un'efficace arma da tasca, una PSM di epoca sovietica: una pistola automatica piccola, costruita in modo da risultare liscia e sottile e da non impigliarsi nei vestiti. Utilizza munizioni russe, che sono difficili da trovare, e ha la sicura dietro il carrello. Quella di Doll era posizionata in avanti. Non ricordavo se in quel modo fosse inserita o no.

«Che vuoi?» domandai.

«Avere una conferma da te», rispose. «Prima di dirlo a tutti e di ottenere una piccola promozione.»

Silenzio.

«E in che modo la otterresti?» chiesi.

«Rivelando un piccolo particolare che ancora non sanno», affermò. «Forse otterrò anche una bella ricompensa, per esempio i cinque testoni che hanno destinato a te.»

Premetti la leva del grilletto in tasca e guardai a sinistra. Vedevo tutto fino alla finestra dell'ufficio posteriore. Beck e Duke stavano in piedi vicino alla Cadillac e mi davano le spalle. Erano a circa dodici metri. *Troppo vicini.*

«Sono stato io a far sparire la Maxima», disse.

«Dove?»

«Non ha importanza», replicò, poi sorrise di nuovo.

«Che c'è?» ripetei.

«L'hai rubata, vero? A caso, in un centro commerciale.»

«E allora?»

«Aveva una targa del Massachusetts», osservò. «Fasulla. Quel numero non è mai stato rilasciato.»

Errori, che mi balzavano agli occhi per angosciarmi. Non risposi nulla.

«Così ho verificato l'NI», aggiunse. «Il numero identificativo del veicolo. Tutte le auto lo hanno, su una targhetta metallica, in alto sul cruscotto. »

« Lo so », dissi.

« Corrisponde a una Maxima », proseguì lui. « E fin qui tutto bene. Ma era immatricolata a New York, intestata a un tipo poco raccomandabile arrestato cinque settimane fa dal governo. »

Non dissi nulla.

« Mi vuoi spiegare la cosa? » domandò.

Non risposi.

« Forse lasceranno che sia io a farti fuori », aggiunse. « Potrebbe piacermi. »

« Credi? »

« Ne ho già fatti fuori altri in passato », affermò come per dimostrare qualcosa.

« Quanti? »

« Abbastanza. »

Lanciai un'occhiata alla finestra dell'ufficio posteriore. Lasciai andare la Glock e tolsi le mani di tasca.

« L'elenco della Motorizzazione di New York non sarà aggiornato », affermai. « Era un'auto vecchia. Potrebbe essere stata venduta al di fuori dello Stato un anno fa. Hai verificato il codice di autenticazione? »

« Dove? »

« In alto sullo schermo, a destra. Perché sia aggiornato, ci devono essere i numeri giusti. Ero un poliziotto militare. Sono entrato nel sistema della Motorizzazione di New York più volte di te. »

« Odio i poliziotti militari », esclamò.

Osservai la sua pistola.

« Non mi interessa chi odi », replicai. « Ti sto solo dicendo che so come funzionano quei sistemi. E che ho fatto lo stesso errore, più di una volta. »

Doll rimase zitto per un istante.

« Stronzate », disse infine.

A quel punto sorrisi.

«Allora accomodati», osservai. «Fa' pure la figura dell'idiota. A me non importa.»

Lui rimase a lungo immobile, poi passò la pistola dalla destra alla sinistra e prese ad armeggiare col mouse. Mentre cliccava e faceva scorrere i testi, cercava di tenermi d'occhio. Io mi mossi lievemente, come se fossi interessato allo schermo. Comparve la pagina di ricerca della Motorizzazione dello Stato di New York. Mi mossi ancora un po' portandomi alle sue spalle. Doll inserì quello che doveva essere il numero di targa originario della Maxima, ricordandolo evidentemente a memoria, e premette *Cerca*. Lo schermo si aggiornò e io mi mossi un altro po', come se fossi intenzionato a dimostrargli che si sbagliava.

«Dov'è?» chiese.

«Lì», risposi e indicai il monitor. Lo feci con entrambe le mani e tutte e dieci le dita, che però non arrivarono a toccare lo schermo. La mia destra si fermò all'altezza del suo collo, la sinistra gli prese la pistola, che cadde a terra emettendo proprio il rumore di mezzo chilo di acciaio che colpisce un pavimento di compensato ricoperto di linoleum. Tenni lo sguardo puntato sulla finestra dell'ufficio. Beck e Duke mi davano sempre le spalle. Cinsi con entrambe le mani il collo di Doll e strinsi. Lui prese a dimenarsi violentemente, a resistermi. Cambiai presa. La sedia si rovesciò e io strinsi con più forza sempre osservando la finestra. Beck e Duke se ne stavano semplicemente lì, in piedi, voltati dalla parte opposta. Doll cominciò ad artigliarmi i polsi e io strinsi ancora. La lingua gli uscì dalle labbra. A quel punto fece una mossa intelligente: mollò i polsi e sollevando le mani cercò di colpirmi agli occhi. Io arretrai la testa, poi gli piazzai una mano sotto il mento e l'altra sul lato del capo. Gli girai violentemente la mandibola verso destra e nel contempo gli abbassai la testa a sinistra, spezzandogli il collo.

Raccolsi la sedia e la sistemai con cura accanto al tavolo. Presi la sua pistola ed estrassi il caricatore. Era pieno. Otto proiettili da 5.45 millimetri per pistole sovietiche con bossolo a collo di bottiglia. Hanno quasi le stesse dimensioni dei calibro .22 e sono lenti, ma colpiscono con una violenza considerevole. Le forze di sicurezza sovietiche si erano dovute accontentare. Controllai la camera: c'era un colpo. Controllai il meccanismo: era pronta a sparare. Inserii di nuovo il caricatore, la lasciai armata con la sicura e la misi nella tasca sinistra.

Poi lo perquisii. Aveva le solite cose: portafoglio, cellulare, un portabanconote con pochi soldi, un grosso mazzo di chiavi. Lasciai tutto dov'era. Aprii la porta posteriore del personale che dava all'esterno e guardai fuori. Adesso Beck e Duke erano nascosti dall'angolo della palazzina. Io non li vedevo e loro non vedevano me. Non c'era nessun altro nei paraggi. Mi avvicinai alla Lincoln di Doll, aprii la portiera del guidatore e trovai la leva del bagagliaio che scattò silenziosa, aprendolo di un paio di centimetri. Tornai dentro e trascinai fuori il corpo per il colletto. Aprii completamente il bagagliaio e lo gettai dentro. Lo richiusi con delicatezza e lo stesso feci con la portiera. Guardai l'orologio. I cinque minuti erano scaduti. Avrei dovuto rimandare la pulizia a dopo. Tornai indietro attraverso lo stanzino di vetro, l'ufficio posteriore, la postazione delle segretarie, varcai la porta d'ingresso e uscii fuori. Beck e Duke mi sentirono e si voltarono. Beck appariva infreddolito e seccato per il ritardo. Perché mai restare fermi? pensai. Duke tremava un po', gli lacrimavano gli occhi e sbadigliava. Aveva proprio l'aria di chi non chiudeva occhio da trentasei ore. *In tutto questo c'è un triplice beneficio.*

«Se volete, guido io», affermai.

Lui esitò e non rispose.

«Sapete che ne sono capace», aggiunsi. «Mi avete costretto a guidare per tutto il giorno. Ho fatto quello che volevate. Doll vi ha raccontato tutto.»

Duke continuava a tacere.

«Era un'altra prova?» chiesi.

«Hai trovato la cimice», osservò.

«Credevi che non ne fossi capace?»

«Forse ti saresti comportato diversamente se non l'avessi trovata.»

«Perché mai? Volevo solo tornare qui, rapidamente e senza problemi. Sono rimasto esposto per dieci ore di fila, non è stato divertente. Ho più da perdere io di voi, di qualsiasi cosa vi occupiate.»

A quel commento tacque. Esitò ancora per una frazione di secondo, poi sospirò e mi porse le chiavi. Quello fu il primo beneficio. C'è un non so che di simbolico quando dai a qualcuno un mazzo di chiavi: è una questione di fiducia, di ammissione nel gruppo. Ero un po' più parte della loro cerchia, un po' meno emarginato. Ed era un mazzo piuttosto grosso: conteneva le chiavi di casa, dell'ufficio e dell'auto, una decina in tutto. Una bella quantità di metallo. Un simbolo importante. Beck osservò l'intera transazione senza fare commenti, si voltò e prese posto dietro. Duke sprofondò sul sedile del passeggero; io mi sedetti al volante e avviai il motore. Sistemai il cappotto in modo che entrambe le pistole che avevo in tasca mi stessero in grembo. Se fosse squillato un cellulare, ero pronto a estrarle e ad usarle: c'era il cinquanta per cento di probabilità che la prima chiamata arrivasse da qualcuno che aveva scoperto il corpo di Doll. Quindi, per loro la prima chiamata sarebbe stata anche l'ultima. Mi andava bene una probabilità di seicento o anche di seimila a uno, ma una del cinquanta per cento era un po' troppo per i miei gusti.

Nessun telefono squillò tuttavia durante il viaggio di ritorno. Guidai dolcemente, senza correre, e imboccai tutte le strade giuste. Svoltai a est verso l'Atlantico. Lì era già buio pesto. Raggiunsi il promontorio a forma di palmo, mi diressi verso il dito roccioso e puntai dritto verso la casa. Lungo l'intero muro di cinta le luci splendevano intense e il filo spinato scintillava. Paulie ci stava aspettando per aprirci il cancello. Mi guardò in cagnesco quando passai ma io lo ignorai. Percorsi in fretta il viale e mi fermai alla rotonda davanti al portone. Beck scese subito, Duke si svegliò di soprassalto e lo seguì.

«Dove metto la macchina?» chiesi.

«In garage, coglione», rispose. «È sul lato della casa.»

Ecco il secondo beneficio: avrei avuto cinque minuti per me soltanto. Feci il giro completo della rotonda e mi diressi verso il lato sud della casa. L'edificio del garage era staccato: sorgeva in un piccolo cortile cintato da un muro. Probabilmente, ai tempi in cui era stata costruita la villa, era una stalla. Davanti si estendeva un acciottolato di pezzi di granito e sul tetto c'era una cupola munita di fori per il ricambio d'aria. I box dei cavalli erano stati uniti a creare quattro posti auto e il fienile trasformato in un appartamento. Immaginai ci vivesse il silenzioso meccanico.

Il box a sinistra aveva la porta aperta ed era vuoto. Vi parcheggiai la Cadillac e spensi il motore. Lì dentro era buio. C'erano scaffali pieni di tutte le cianfrusaglie che di solito si accumulano in un garage: latte d'olio, secchi, vecchi flaconi di cera. C'era anche un compressore elettrico per pneumatici e una pila di stracci usati. Misi le chiavi in tasca e scesi. Restai in ascolto per captare eventuali squilli di telefono in casa. Niente. Mi avvicinai lentamente e controllai gli stracci. Ne presi uno grande quanto un asciugamano per le mani: era sporco di grasso, di terra e di olio. Lo usai per far finta di pulire un punto del parafango anteriore della Cadillac mentre mi guardavo attorno. Non c'era nessuno. Avvolsi la PSM di Doll e la Glock di Duffy insieme ai due caricatori di riserva nello straccio e infilai il tutto nel cappotto. Forse avrei potuto portare le armi in casa. Forse. Sarei entrato dalla porta posteriore facendo suonare il metal detector; poi, con aria perplessa, avrei tirato fuori il grosso mazzo di chiavi e lo avrei sollevato in aria come per dire che quella era la spiegazione. Un tipico diversivo. Forse avrebbe funzionato. Forse. Dipendeva da quant'erano sospettosi. In ogni caso, portare le armi fuori dalla casa sarebbe stato molto difficile. Ammesso che di lì a poco non fossero arrivate telefonate d'allarme, era probabile che sarei uscito con Beck o Duke, o con entrambi, nel solito modo e non c'erano garanzie che avrei riavuto le chiavi. Perciò avevo una scelta: rischiare o giocare sicuro? Decisi di giocare sicuro e di tenere le armi all'esterno. Uscii dal cortile del garage e feci due passi verso la parte posteriore della casa, fermandomi all'angolo del muro del cortile. Rimasi immobile per un istante, poi mi voltai di novanta gradi e seguii il muro in direzione degli scogli, come se volessi dare un'occhiata all'oceano. Era ancora calmo. Da sud-est stava arrivando un'onda lunga, oleosa. L'acqua sembrava nera e infinitamente profonda. La guardai per qualche istante, poi mi chinai e infilai il fagotto con le pistole in un buco proprio accanto al muro, dove crescevano alcune erbacce. Bisognava inciamparci per scoprirlo.

Tornai lentamente indietro stringendomi nel cappotto, cercando di sembrare un uomo pensieroso che aveva bisogno di starsene qualche minuto da solo. Era tutto tranquillo. Gli uccelli erano scomparsi. Per loro era troppo buio: probabilmente erano già appollaiati da qualche parte, al sicuro. Mi voltai e mi diressi verso la porta posteriore. Salii sul portico ed entrai in cucina. Il metal detector emise un sibilo acuto: Duke, il meccanico e la cuoca si girarono a guardarmi. Io mi fermai per un attimo ed estrassi le chiavi sollevandole a mezz'aria. A quel punto distolsero lo sguardo. Avanzai e le gettai sul tavolo davanti a Duke, che le lasciò dov'erano.

Il terzo beneficio della stanchezza di Duke si manifestò durante la cena. Non riusciva quasi a stare sveglio e non spiccicò parola. La cucina era calda, piena di vapore, e i piatti che mangiammo avrebbero conciliato il sonno a chiunque: una zuppa densa, bistecca e patate, il tutto in quantità abbondanti. I piatti erano stracolmi. La cuoca lavorava come se fosse alla catena di montaggio. Sul banco era rimasto un piatto con una porzione intera di un po' di tutto, come se qualcuno avesse l'abitudine di mangiare due volte.

Io mangiai in fretta e tenni le orecchie ritte per sentire il telefono. Calcolai che sarei riuscito ad afferrare le chiavi e ad uscire prima che terminasse il primo squillo, a essere nella Cadillac prima del secondo, a metà viale prima del terzo. Avrei potuto sfondare il cancello travolgendo Paulie. Ma il telefono non suonò. In casa non si udiva alcun rumore, tranne quello delle mandibole. Non c'era caffè. La stavo prendendo come una questione personale: io amo il caffè. Al suo posto bevvi acqua. Era del rubinetto e sapeva di cloro. Prima che finissi il secondo bicchiere, arrivò la cameriera dalla sala da pranzo di famiglia. Si avvicinò al mio posto, goffa nelle sue scarpe antiquate. Era timida. Sembrava irlandese, come se fosse arrivata dritta dal Connemara a Boston e non avesse trovato lavoro in città.

«Il signor Beck la vuole vedere», disse.

Era la seconda volta che la sentivo parlare. Anche l'intonazione era irlandese. Indossava un cardigan molto aderente.

«Adesso?»

«Credo di sì», rispose.

Beck mi stava aspettando nella stanza quadrata in cui avevo giocato alla roulette russa.

«Il Toyota era di Hartford, nel Connecticut», esordì. «Angel Doll ha rintracciato la targa stamattina.»

«Nel Connecticut non usano la targa anteriore», osservai, tanto per dire qualcosa.

«Conosciamo i proprietari», aggiunse.

Ci fu silenzio. Lo fissai dritto negli occhi. Impiegai una frazione di secondo solo per assimilare la frase.

«Come fate a conoscerli?» domandai.

«Abbiamo un rapporto d'affari.»

«Nel ramo dei tappeti?»

«La natura del nostro rapporto non ti riguarda.»

«Chi sono?»

«Nemmeno questo ti riguarda», rispose.

Rimasi zitto.

«Ma c'è un problema», continuò. «Gli uomini che hai descritto non sono i proprietari del pick-up.»

«Ne è certo?»

«Sì. Hai detto che erano alti e biondi, mentre i proprietari del pick-up sono spagnoli. Piccoli e scuri.»

«Allora chi erano gli uomini che ho visto?» domandai perché dovevo dire qualcosa.

«Ci sono due possibilità», rispose. «Uno, qualcuno ha rubato il pick-up.»

«Oppure?»

«Due, hanno assunto più personale.»

«Sono entrambe plausibili», commentai.

Lui scosse la testa. «Non la prima. Li ho chiamati. Non ho avuto risposta, così ho chiesto in giro. Sono scomparsi. Non ha senso che siano scomparsi solo perché qualcuno ha rubato il loro pick-up.»

«Allora hanno aumentato il personale.»

Beck assentì. «E deciso di mordere la mano che li nutre.»

Rimasi in silenzio.

«Sei certo che abbiano usato delle Uzi?» domandò.

«Questo è quello che ho visto», risposi.

«Non erano MP5K?»

«No», dissi distogliendo lo sguardo. Non erano assolutamente paragonabili. L'MP5K è un fucile mitragliatore corto della Heckler & Koch progettato all'inizio degli anni '70. Ha due grosse impugnature di plastica costosa e un aspetto molto futuristico, da set cinematografico. Al confronto una Uzi sembra un'arma raffazzonata da un cieco.

«È escluso», ribadii.

«Non è possibile che volessero rapire un ragazzo a caso?»
domandò Beck.

«No», risposi. «Un milione a uno che non è così.»

«Allora hanno dichiarato guerra», concluse. «E si sono
nascosti. Hanno trovato rifugio da qualche parte.»

«Perché fare una cosa del genere?»

«Non ne ho idea.»

Ci fu silenzio. Dal mare non proveniva alcun rumore. Le
onde arrivavano e si allontanavano silenziose.

«Ha intenzione di dar loro la caccia?» domandai.

«Ci puoi scommettere il culo», rispose.

Duke mi stava aspettando in cucina. Era arrabbiato e impaziente: voleva portami di sopra e chiudermi in camera per la
notte. Non protestai. Una porta chiusa a chiave senza la toppa sul lato interno era un alibi più che valido.

«Domani, sei e mezzo», disse. «Pronto a tornare al lavoro.»

Mi misi in ascolto, udii lo scatto della serratura e attesi che
i passi si allontanassero. Poi mi diedi da fare con la scarpa.
C'era un messaggio. Era di Duffy: *Il viaggio di ritorno è andato bene?* Premetti *Rispondi* e scrissi: *Porta una macchina a
un chilometro e mezzo dalla casa. Lasciala lì con la chiave sul
sedile. Avvicinati senza rumore, niente fari.*

Premetti *Invia.* Ci fu una piccola pausa. Immaginai usasse
un laptop: probabilmente era in attesa nella sua stanza di
motel con il computer acceso. E ad un certo punto aveva
sentito: *Ding! C'è posta per te!*

Perché? Dove? rispose.

Non chiedere niente. A mezzanotte.

Ci fu una lunga pausa poi arrivò la risposta: *Okay.*

Recuperala alle sei del mattino, senza dare nell'occhio.

Okay, rispose.

Beck conosce i proprietari del Toyota, scrissi.

Come? mi chiese novanta angoscianti secondi dopo.

Cito: rapporto d'affari, risposi.

Informazioni specifiche?

Non ne ha date.

Lei rispose con una sola parola: *Merda.*

Attesi. Non spedì altri messaggi. Probabilmente stava conferendo con Eliot. Me li immaginai mentre parlavano concitati, senza guardarsi in faccia, cercando di prendere una decisione. Inviai una domanda: *Quanti ne avete arrestati a Hartford? Tutti, cioè tre,* rispose. *Stanno cantando?* chiesi. *Per niente,* scrisse lei. *Avvocati?* domandai. *Niente avvocati,* rispose.

Era un modo molto faticoso per conversare, ma mi dava la possibilità di riflettere. Gli avvocati ci sarebbero stati fatali: Beck ci sarebbe potuto arrivare con facilità. Prima o poi gli sarebbe venuto in mente di controllare se i suoi compari fossero stati arrestati.

Riesci a tenerli in isolamento? scrissi.

Sì, per due o tre giorni.

Fallo.

Ci fu una lunga pausa. Poi mi chiese: *Cosa pensa Beck?*

Che gli abbiano dichiarato guerra e si siano nascosti.

Che hai intenzione di fare?

Non lo so ancora.

Lasceremo la macchina, ti consiglio di usarla per andartene.

Forse, risposi.

Ci fu un'altra lunga pausa. Poi scrisse: *Spegnilo, risparmia la batteria.* Sorrisi tra me e me. Duffy era una donna molto pratica.

Mi stesi sul letto per tre ore, completamente vestito, tendendo le orecchie per sentire il telefono. Non udii niente. Mi alzai prima di mezzanotte, arrotolai il tappeto orientale e mi distesi sul pavimento con la testa a contatto con le assi di quercia: è il modo migliore per captare i più lievi rumori di una casa. Sentii l'impianto di riscaldamento in funzione, il vento che soffiava all'esterno: gemeva piano. L'oceano era tranquillo. La casa era tranquilla. Era una solida costruzione di pietra, senza cigolii né crepitii. Nessun segno di attività: nessuno parlava, nessuno di muoveva. Immaginai che Duke dormisse come un sasso. Il terzo beneficio della sua stanchezza. Era l'unico di cui mi preoccupavo, l'unico professionista.

Strinsi bene i lacci delle scarpe. Indossavo ancora gli abiti neri di denim che mi aveva dato la cameriera. Sollevai completamente la finestra e mi sedetti sul davanzale, rivolto verso la stanza. Fissai la porta. Poi mi girai e guardai fuori. C'erano una sottile falce di luna e alcune stelle. Tirava un po' di vento e nel cielo correvano brandelli argentei di nuvole. L'aria era fredda e salmastra, l'oceano si muoveva lento e costante.

Gettai le gambe fuori, nella notte, e mi spostai di lato. Mi girai sul ventre e sondai con le dita dei piedi finché trovai una tacca nella pietra creata per realizzare un'incisione ornamentale nella facciata. Assicurai i piedi e tenendomi al davanzale con entrambe le mani mi allungai all'esterno. Con una mano abbassai quindi la finestra, lasciandola aperta solo di pochi centimetri. Mi spostai di lato e tastai alla ricerca di una grondaia che scendesse dal tetto. Ne trovai una a circa un metro di distanza: era un grosso tubo di ferro fuso di quindici centimetri di diametro e vi appoggiai il palmo destro. Aveva l'aria robusta, ma era lontano. Non sono un tipo agile: alle Olimpiadi avrei successo come lottatore, pugile o sollevatore di pesi, non come ginnasta.

Tolsi la mano e mi spostai di lato muovendomi sulle dita dei piedi il più possibile verso destra. Con un gesto deciso spostai quindi la mano sinistra lungo il davanzale fino all'angolo della finestra e allungai la destra, con cui mi aggrappai saldamente al lato più lontano della grondaia. Il metallo era dipinto; era freddo al tatto e un po' viscido per la rugiada notturna. Misi il pollice davanti e le quattro dita dietro e valutai la presa. Mi allungai ancora un po'. A quel punto ero a braccia e gambe divaricate contro il muro. Bilanciai la pressione tra le mani e mi avvicinai al muro per darmi una spinta. Tolsi i piedi dalla cornice e li buttai di lato, posizionandoli uno al di qua e l'altro al di là della grondaia. Mi diedi un'altra spinta, lasciai il davanzale e avvicinai la mano sinistra alla destra, sul tubo. Adesso lo stringevo con entrambe le mani e la presa era salda. Avevo i piedi appoggiati al muro e il sedere all'infuori, a quindici metri dagli scogli. Il vento mi arruffava i capelli. Faceva freddo.

Un pugile, non un ginnasta. Sarei potuto restare lì per tutta la notte, non avrei avuto il minimo problema a farlo. Non sapevo invece come scendere. Contrassi le braccia e mi avvicinai al muro, facendo nel contempo scivolare le mani sul tubo di una ventina di centimetri. Poi abbassai i piedi di conseguenza, lasciando che il peso mi trascinasse giù. Sembrò funzionare. Ripetei la procedura. Scendevo a balzi di venti centimetri alla volta e mi asciugavo a turno le mani per via della rugiada. Stavo sudando, anche se faceva freddo. La destra mi doleva per la sfida con Paulie. Ero ancora a tredici metri da terra. Scesi un altro po' e arrivai all'altezza del secondo piano. Avanzavo lento, ma sicuro. L'unico problema era che ogni pochi secondi sottoponevo un vecchio tubo di ferro a una sollecitazione di centodieci chili. Quel tubo aveva probabilmente un centinaio d'anni, e il ferro si arrugginisce e si buca.

Si muoveva un po'. Lo sentivo tremare, vibrare e oscillare. Ed era scivoloso. Dovevo stringerlo bene con le dita per ottenere una buona presa e mi graffiavo le nocche sulla pietra. Scendevo a tratti, venti centimetri alla volta, e alla fine presi il ritmo. Mi avvicinavo bene al muro, mi spingevo indietro e facevo scivolare le mani sul tubo cercando di ammortizzare lo strattone tendendo le braccia, in modo che l'impatto fosse assorbito dalle spalle. A quel punto mi ritrovavo con il busto più piegato di prima; spostavo allora i piedi in basso di venti centimetri e ricominciavo. Raggiunsi le finestre del primo piano, lì il tubo era più robusto, forse era fissato in una base di calcestruzzo. Sentii infine la dura roccia sotto i piedi, emisi un sospiro di sollievo e mi scostai dal muro. Mi pulii le mani sui pantaloni e rimasi fermo ad ascoltare. Era bello essere fuori della casa. L'aria era vellutata, fredda, corroborante. Non udivo rumori. Nessuna finestra era illuminata. Sentii freddo ai denti e mi accorsi che stavo sorridendo. Sollevai lo sguardo alla luna piena, mi scossi dall'immobilità e andai a recuperare le pistole.

Erano sempre lì avvolte nello straccio, nel buco dietro le erbacce. Lasciai la PSM di Doll dov'era: preferivo la Glock. La estrassi e la controllai con cura, come d'abitudine. Diciassette proiettili nella pistola, diciassette in ogni caricatore di riserva. Cinquantuno Parabellum da nove millimetri. Se ne sparavo uno, probabilmente avrei dovuto spararli tutti. A quel punto qualcuno avrebbe vinto e qualcuno perso. Misi i caricatori in tasca e la pistola nella cintura, poi proseguii lungo il lato più lontano del garage per dare una prima occhiata al muro. Era ancora tutto illuminato. Le luci brillavano aspre, azzurre, spietate, come in uno stadio. La guardiola era inondata dal loro bagliore e il filo spinato luccicava. La luce formava una striscia compatta larga una trentina di metri, oltre la quale c'era il buio assoluto. Il cancello era chiuso con catenaccio. L'intera struttura sembrava il perimetro esterno di una prigione del diciannovesimo secolo o di un manicomio.

La fissai finché trovai il modo di uscire, quindi mi diressi verso il cortile acciottolato. L'appartamento sopra il garage era buio e tranquillo. Le porte dei posti macchina erano chiuse, ma nessuna aveva la serratura. Erano di legno, grosse e antiquate, montate tanto tempo prima quando a nessuno veniva in mente di rubare automobili. Quattro doppie porte, quattro posti macchina. Quello a sinistra era della Cadillac. Ci ero già stato perciò controllai gli altri, lento e silenzioso. Nel secondo c'era un'altra Lincoln Town Car nera, identica a quella di Angel Doll e a quella usata dalle guardie del corpo. Era incerata, lucida, con le portiere chiuse. Il terzo posto era vuoto. Era pulito e ben spazzato. Vedevo i segni della scopa nelle chiazze di olio impolverate sul pavimento. Qua e là c'erano alcune fibre di tappeti. Chiunque aveva spazzato il locale, le aveva tralasciate. Erano corte e rigide. Al buio non riuscii a distinguerne il colore; parevano grigie. Sembravano provenire dal rivestimento di tela grezza dei tappeti. Per me non avevano rilevanza perciò proseguii. Trovai quello che volevo nel quarto posto macchina. Spalancai la porta e lasciai entrare quel tanto di luce lunare da poter vedere. Lì c'era la vecchia SAAB impolverata che la cameriera aveva usato per andare a fare la spesa, parcheggiata di muso quasi a contatto con un banco da lavoro. Dietro c'era una finestra sporca, da cui si vedeva l'oceano illuminato dalla luce grigia della luna. Al banco era fissata una morsa e sul suo ripiano c'erano un sacco di attrezzi vecchi col manico di legno annerito per l'età e l'olio. Trovai un punteruolo a punta piatta. Era una semplice barra di acciaio dotata di un manico tornito, a bulbo, di legno di quercia, lunga forse cinque centimetri. Lo inserii nella morsa per circa mezzo centimetro e strinsi forte, poi feci forza sul manico e piegai la punta ad angolo retto. Aprii la morsa, controllai il risultato e infilai l'attrezzo nella tasca della camicia.

Poi trovai uno scalpello. Era uno strumento per lavorare il legno con una lama da poco più di un centimetro e un bel manico di frassino. Aveva forse settant'anni. Cercai ancora in giro e trovai una pietra per affilare di carborundo sopra una latta arrugginita di fluido lubrificante. Ne misi un po' sulla pietra e lo sparsi con la punta dello scalpello, poi sfregai l'acciaio finché divenne lucido. Una delle molte scuole superiori che ho frequentato era una vecchia struttura a Guam, dove la manualità veniva valutata in base a come te la cavavi con i lavori più umili come affilare strumenti. Andavamo tutti benissimo, perché era un campo che ci interessava molto. In quel corso c'erano i coltelli più belli che abbia mai visto. Girai lo scalpello e lavorai l'altro lato. Alla fine il margine era dritto e preciso. Sembrava acciaio di Pittsburgh ad alta gradazione. Lo pulii sui pantaloni, ma non controllai il bordo col pollice: non mi andava molto l'idea di ferirmi. Mi bastò guardarlo per capire che era affilato come una lama di rasoio.

Uscii in cortile e mi accucciai nell'angolo formato dai muri, dove mi riempii le tasche. Avevo lo scalpello per agire in silenzio e la Glock se avessi dovuto fare un po' di rumore. A quel punto valutai le priorità. Primo, la casa, decisi. C'erano forti probabilità che non avrei avuto altre occasioni per ispezionarla.

La porta esterna che dava sul portico di cucina era chiusa a chiave, ma il meccanismo era rozzo, un congegno pro-forma a tre leve. Vi inserii il punteruolo piegato a mo' di chiave e sentii i meccanismi di ritenuta, grossi e rudimentali. Impiegai meno di un minuto ad aprirla. Mi fermai di nuovo ad ascoltare: non volevo imbattermi nella cuoca. Poteva essere in piedi, occupata a preparare una torta speciale, o forse la cameriera irlandese stava facendo qualche lavoro. Invece c'era solo silenzio. Attraversai il portico e mi inginocchiai davanti alla porta interna. Stessa chiusura rozza. Stesso tempo per aprirla. Arretrai di un passo e la spalancai. Annusai gli odori di cucina e mi misi di nuovo in ascolto. Il locale era freddo e deserto. Posai il punteruolo sul pavimento davanti a me, con accanto lo scalpello. Vi misi anche la Glock e i caricatori di riserva. Non volevo far scattare il metal detector: nel silenzio della notte avrebbe avuto l'effetto di una sirena. Feci scivolare il punteruolo sul pavimento, tenendolo aderente alle assi, poi lo spinsi oltre la soglia, in cucina. Ripetei la procedura con lo scalpello: lo feci rotolare tenendolo a contatto col pavimento. Quasi tutti i metal detector commerciali hanno un punto morto proprio in fondo. Questo perché le scarpe eleganti da uomo hanno un puntale di acciaio che conferisce flessibilità e forza. I metal detector sono progettati per ignorarle, il che è logico, altrimenti suonerebbero ogniqualvolta un uomo con un bel paio di scarpe vi passa attraverso.

Feci scivolare la Glock nel punto morto, passando poi a uno a uno i caricatori. Spinsi tutto il più possibile all'interno, quindi mi alzai e varcai la soglia. Chiusi piano la porta alle mie spalle, raccolsi tutti gli attrezzi e li infilai di nuovo in tasca. Valutai se togliermi le scarpe. È più facile muoversi furtivi solo con le calze, ma se ce n'è bisogno le scarpe diventano un'arma favolosa. Se sferri un calcio con le scarpe, metti fuori combattimento il tuo avversario, se lo fai senza, ti rompi un dito. Poi, perdi tempo a rimetterle. Se fossi dovuto scappare in fretta, non avrei voluto correre sugli scogli o scavalcare il muro scalzo. Decisi di tenerle e di camminare con prudenza. Era una casa solida, valeva la pena correre il rischio. Mi misi dunque al lavoro.

Per prima cosa frugai in cucina in cerca di una torcia, ma non la trovai. Gran parte delle case al termine di una lunga linea elettrica va di tanto in tanto incontro a un black-out perciò chi ci abita tiene sempre qualcosa a portata di mano, ma a quanto pareva i Beck non erano dell'idea. La soluzione migliore che riuscii a trovare fu una scatola di fiammiferi da cucina. Me ne misi tre in tasca e ne accesi uno, sfruttandone la luce tremolante per andare in cerca del grosso mazzo di chiavi che avevo lasciato sul tavolo. Mi avrebbe aiutato molto, ma non c'era: né sul tavolo né appeso a qualche gancio vicino alla porta. Sarebbe stato troppo bello.

Spensi il fiammifero e mi feci strada al buio verso le scale del seminterrato. Scesi di sotto, accesi un altro fiammifero con l'unghia del pollice e seguii il groviglio di fili sul soffitto fino alla scatola dei ruttori. Lì, su una mensola, c'era una torcia. Un tipico posto stupido per tenere una torcia: se salta un ruttore, la scatola è la meta, non il punto di partenza.

La torcia era una grossa Maglite nera, lunga come un manganello, con dentro sei batterie. Le usavamo nell'esercito: erano garantite come infrangibili, ma noi avevamo scoperto che dipendeva da quello che colpivi e dalla forza che impiegavi. L'accesi e spensi il fiammifero, sputai sulla parte bruciata e lo misi in tasca. Con la torcia illuminai la scatola dei ruttori. Aveva un'anta metallica grigia e dentro venti ruttori, nessuno dei quali aveva la scritta *guardiola del cancello*. La costruzione doveva avere un'alimentazione a sé, il che era logico: non aveva senso far arrivare l'energia fino alla villa per poi deviarne parte alla guardiola. Era meglio dotare questa di una linea autonoma. Non restai sorpreso, ma vagamente deluso sì: mi sarebbe piaciuto poter spegnere le luci del muro. Con una scrollata di spalle chiusi la scatola, mi girai e andai a dare un'occhiata alle due porte chiuse a chiave che avevo individuato quel mattino.

Adesso non erano più chiuse. La prima cosa che fai quando devi scassinare una serratura è controllare che non sia già aperta: niente ti fa sentire più stupido che scassinare una serratura che non è chiusa. Quelle non lo erano. Tutte e due le porte si aprirono senza difficoltà girando la maniglia.

La prima stanza era completamente vuota, un cubo quasi perfetto di circa due metri e mezzo di lato. La illuminai palmo a palmo con la torcia. Aveva le pareti di roccia e il pavimento di cemento. Non c'erano finestre. Sembrava un magazzino ed era incredibilmente pulita e vuota. Del tutto vuota: non c'erano fibre di tappeti, né rifiuti, né sporcizia. Era stata spazzata e pulita con l'aspirapolvere probabilmente durante il giorno. L'aria era un po' umida e stantia, come ci si aspetta che sia in una cantina. Sentivo il tipico odore del sacchetto dell'aspirapolvere e c'era anche qualcos'altro nell'aria: un odore tenue, stuzzicante, quasi impercettibile. Era vagamente familiare. Intenso, come di carta. Era di qualcosa che conoscevo bene. Mi addentrai nella stanza e spensi la torcia. Chiusi gli occhi e rimasi al buio pesto, tutto concentrato, ma l'odore scomparve, come se col movimento avessi smosso le molecole d'aria e la minuscola parte di esse a cui ero interessato si fosse dispersa nell'umido granito sotterraneo. Mi sforzai di identificarlo, ma non ci riuscii, perciò rinunciai. Era come un ricordo: insistere significava farlo svanire, e poi non avevo tempo da perdere.

Riaccesi la torcia, uscii nel corridoio del seminterrato e chiusi piano la porta alle mie spalle. Rimasi immobile, in ascolto. Sentii la caldaia, nient'altro. Provai con la stanza seguente: anche quella era vuota, ma solo nel senso che al momento non era occupata, perché dentro c'erano dei mobili. Era una camera da letto.

Era un po' più grande del magazzino, forse di tre metri e mezzo per tre. La luce della torcia ne illuminò le pareti di pietra e il pavimento di cemento. Non c'erano finestre. Per terra vidi un materasso sottile con un paio di lenzuola spiegazzate e, gettata sopra, una vecchia coperta. Faceva freddo. Sentii odore di cibo rancido, di profumo acre, di sonno, di sudore e di paura.

La ispezionai con cura. Era sporca, ma non trovai niente d'importante finché non scostai il materasso. Sotto, incisa nel cemento, c'era una sola parola, JUSTICE, scritta in maiuscolo con una grafia sottile. Le lettere erano irregolari, sembravano tracciate col gesso, ma erano chiare e pregne d'empatia. Sotto di esse c'erano dei numeri: sei, divisi in tre gruppi di due. Giorno, mese e anno. Era la data del giorno prima. Lettere e numeri erano più profondi e larghi di quelli che si sarebbero potuti incidere con una forcina, un chiodo o la punta di una forbice. Supposi fossero stati tracciati con il dente di una forchetta. Rimisi a posto il materasso e diedi un'occhiata alla porta: era di quercia robusta, spessa e pesante. All'interno non c'era la toppa. Quella non era una stanza, ma una cella.

Uscii, chiusi la porta e rimasi di nuovo fermo ad ascoltare. Niente. Impiegai quindici minuti a controllare il resto del seminterrato, senza trovare nulla, e del resto me l'aspettavo: quel mattino non mi avrebbero lasciato girare solo là sotto se ci fosse stato qualcosa da scoprire. Spensi pertanto la torcia e risalii cauto le scale al buio, tornai in cucina e frugai finché trovai un grosso sacco nero per le immondizie. Poi mi misi in cerca di un asciugamano, ma la cosa migliore che trovai fu un canovaccio di lino per i piatti. Piegai con cura entrambi e me li cacciai in tasca, quindi uscii in corridoio e andai a esplorare le parti della villa che non avevo mai visto.

Ce n'erano tante fra cui scegliere: quella casa era un labirinto. Iniziai dalla zona anteriore, da cui il giorno prima ero entrato. La grande porta di quercia era ben chiusa. Ci girai al largo perché non sapevo quanto fosse sensibile il metal detector: alcuni suonano anche quando sei a trenta centimetri di distanza. Il pavimento era di grosse assi di quercia, coperte da tappeti. Posavo i piedi con cautela, ma non ero preoccupato per il rumore: tappeti, stoffe, pannellature lo assorbono.

Esplorai l'intero piano terra. Solo un posto attirò la mia attenzione: nell'ala nord, accanto alla stanza dove avevo incontrato Beck, c'era un altro vano chiuso a chiave. Era di fronte alla sala da pranzo, al di là di un ampio corridoio interno. Era l'unico locale chiuso a chiave del pianterreno e quindi l'unico che m'interessasse. La serratura era grossa, di ottone, risaliva ai tempi in cui ogni cosa veniva fabbricata con orgoglio e sicurezza. Nei punti in cui era avvitata nel legno presentava ogni sorta di eleganti filigrane. Le teste delle viti erano lisce dopo cinquant'anni di lucidature. Era probabilmente originale della casa: qualche vecchio artigiano della Portland del diciannovesimo secolo l'aveva fabbricata a mano, tra un'ordinazione e l'altra di articoli per navi. Impiegai circa un secondo e mezzo ad aprirla.

Quella stanza era un nascondiglio privato: non era un ufficio, né uno studio né una stanza per gli hobby. La ispezio-

nai centimetro per centimetro con la torcia. Non c'erano te-
levisori, tavoli o computer. Era soltanto una stanza, arredata
in modo semplice con mobili antiquati. La finestra aveva pesanti tende di velluto tirate. Vidi una grossa poltrona di pelle
rossa con le trapuntature rifinite da bottoni, una vetrina e
tappeti: ce n'erano ben tre strati. Guardai l'orologio. Mancava poco all'una. Ero in giro da quasi un'ora. Entrai nella
stanza e chiusi piano la porta.

La vetrina era alta quasi due metri; in basso aveva due cas-
setti e sopra due ante di vetro chiuse a chiave. Dietro il vetro
c'erano cinque mitra Thompson, le classiche armi da gang-
ster degli anni '30, con il caricatore circolare, che vedi nelle
foto sgranate in bianco e nero degli scagnozzi di Al Capone.
Erano disposti alternatamente uno rivolto a destra e uno a sinistra, appoggiati a normali pioli di legno duro che li mante-
nevano perfettamente allineati. Erano identici e sembravano
tutti nuovi di zecca, come se non fossero mai stati toccati. La
poltrona era rivolta verso la vetrina. Nella stanza non c'era
altro di rilevante. Mi sedetti sulla poltrona e mi chiesi perché
qualcuno dovesse passare il tempo a fissare cinque vecchi mitra.

Poi udii dei passi. Lievi, al primo piano, proprio sopra la
testa. Tre, quattro, cinque. Rapidi e silenziosi, non solo in
considerazione dell'ora tarda: denotavano la chiara volontà
di agire di nascosto. Rimasi immobile. Spensi la torcia e la
presi con la sinistra; con la destra afferrai lo scalpello. Udii
una porta chiudersi piano, poi ci fu silenzio. Tesi le orecchie
e mi concentrai su ogni minimo rumore. Il sibilo di sot-
tofondo dell'impianto di riscaldamento si trasformò in un
rombo nelle mie orecchie e il mio respiro divenne assordante. Sopra era tutto silenzio. Poi i passi ripresero.

Si stavano dirigendo verso le scale. Mi chiusi a chiave nella stanza. Mi inginocchiai dietro la porta e feci scattare il dispositivo di ritenuta, *uno, due,* poi ascoltai il cigolio della
scala. Non era Richard a scendere, non era il passo di un

ventunenne. C'era una sorta di compostezza in quell'andatura, una sorta di rigidità. Qualcuno avanzava sempre più lento e silenzioso a mano a mano che raggiungeva i piedi della scala. Il rumore scomparve del tutto nell'atrio. Immaginai una figura in piedi sugli spessi tappeti, circondata dai tendaggi e dai pannelli, che si guardava attorno e magari restava in ascolto. Forse si sarebbe avviata nella mia direzione. Presi di nuovo la torcia e lo scalpello. La Glock era infilata nella cintura. Non avevo alcun dubbio sul fatto di riuscire a sopraffare l'avversario e a scappare dalla casa, nemmeno il più piccolo, ma affrontare Paulie in un ampio tratto scoperto sotto quelle luci da stadio sarebbe stato difficile. E uno scontro a fuoco ora avrebbe compromesso per sempre la missione. Quinn sarebbe scomparso di nuovo.

Dall'atrio non provenivano rumori, solo un silenzio assordante. Poi udii la porta d'ingresso aprirsi: lo sferragliare di una catenella e lo scatto di una serratura, lo scatto di un chiavistello e infine il risucchio della striscia isolante di rame all'allontanarsi del bordo della porta. Un secondo dopo la porta si richiuse. Percepii un lieve tremolio nella struttura della casa quando il pesante portone di quercia toccò il telaio. *Nessun suono del metal detector.* Chiunque era uscito non portava armi e nemmeno le chiavi della macchina.

Attesi. Duke si era sicuramente addormentato presto e non era di certo un tipo fiducioso: non si sarebbe aggirato di notte senza un'arma, e nemmeno Beck. Ma erano entrambi abbastanza furbi da restare nell'atrio e da aprire e chiudere la porta per farmi credere d'essere usciti quando in realtà non lo avevano fatto. Quando in realtà se ne stavano fermi lì, con la pistola in pugno, a fissare nel buio in attesa che spuntassi.

Mi sedetti di lato sulla poltrona rossa, sfilai la Glock dai pantaloni e la puntai verso la porta impugnandola con la sinistra. Non appena si fosse aperta più di nove millimetri, avrei sparato. Fino a quel momento avrei aspettato. Ero bravo ad aspettare. Se pensavano che cedessi, avevano scelto il tipo sbagliato.

Un'ora dopo, tuttavia, nell'atrio c'era ancora assoluto silenzio. Non si udivano rumori di sorta, né vibrazioni. Là fuori non c'era nessuno, sicuramente non Duke. A quel punto sarebbe già crollato di sonno sul pavimento. E neanche Beck: era un dilettante e ci vuole una grande abilità per stare fermi in silenzio per un'ora intera. Quindi la faccenda della porta non era un trucco. Qualcuno era uscito disarmato nella notte. Mi inginocchiai e usai di nuovo il punteruolo per far scattare il dispositivo di ritenuta. Mi stesi completamente a terra, sollevai la mano e aprii la porta. Era una precauzione: chiunque fosse stato in attesa che l'aprissi, avrebbe tenuto lo sguardo all'altezza della testa e in quel modo io lo avrei visto prima che lui vedesse me. Ma non c'era nessuno ad attendermi. L'atrio era vuoto. Mi alzai in piedi e chiusi a chiave la porta alle mie spalle. Scesi silenzioso le scale del seminterrato e rimisi a posto la torcia, poi risalii a tastoni. Entrai furtivo in cucina, feci scivolare tutti i miei arnesi sul pavimento fin sul portico. Richiusi la porta a chiave alle mie spalle, mi accucciai, li raccolsi e controllai il retro. Non vidi nulla se non un mondo grigio e vuoto di scogli e di oceano illuminati dalla luna.

Chiusi a chiave la porta esterna e mi tenni molto vicino al lato della casa. Nascondendomi nelle ombre più scure, tornai al muro del cortile, trovai la buca nella roccia, avvolsi scalpello e punteruolo nello straccio e li lasciai lì. Avrebbero strappato il sacco per le immondizie. Seguii il muro del cortile in direzione dell'oceano: avevo intenzione di scendere sugli scogli proprio dietro il garage, a sud, in modo da non essere visibile dalla casa.

Percorsi metà strada e mi bloccai.

Elizabeth Beck era seduta sugli scogli. Indossava una camicia da notte bianca e sopra un accappatoio bianco. Sembrava un fantasma o un angelo. Aveva i gomiti sulle ginocchia e fissava il buio a est, come una statua.

Restai perfettamente immobile. Ero a una decina di metri da lei, tutto vestito di nero, ma se avesse guardato a sinistra mi avrebbe notato contro l'orizzonte. E qualsiasi movimento improvviso mi avrebbe tradito, perciò restai fermo. Le onde dell'oceano arrivavano e si allontanavano sciabordando, silenziose e pigre. Era un rumore rasserenante, un movimento ipnotico. Elizabeth Beck fissava l'acqua. Doveva avere freddo. Soffiava una brezza lieve, lo notai osservandole i capelli.

Mi abbassai a poco a poco come per confondermi con gli scogli. Flettei le gambe e allargai le dita in modo da accovacciarmi meglio. Lei si mosse. Fu solo uno scatto della testa, come se fosse perplessa, come se d'un tratto si fosse accorta di qualcosa. Mi guardò direttamente in faccia, ma non ebbe manifestazioni di sorpresa. Mi guardò così per vari minuti, con le lunghe dita intrecciate. Il suo volto pallido era illuminato dalla luce della luna, riflessa dall'acqua che sciabordava. Aveva gli occhi aperti, ma era ovvio che non vedesse niente. Oppure ero talmente basso che mi aveva scambiato per una roccia o un'ombra.

Restò seduta così per un'altra decina di minuti, a fissare nella mia direzione. Iniziò a tremare per il freddo, poi mosse di nuovo la testa con decisione, distogliendo lo sguardo da me e dal mare alla sua destra. Sciolse le dita e si gettò i capelli dietro le spalle. Poi si voltò a guardare il cielo e si alzò lentamente. Era scalza. Tremava, come se avesse freddo o se fosse triste. Tenendo le braccia aperte come un equilibrista, si avviò nella mia direzione. Il terreno le faceva male ai piedi, era chiaro. Si bilanciava con le braccia e calibrava ogni passo. Arrivò a un metro da me e proseguì dritto verso casa. La osservai allontanarsi. Il vento le gonfiava l'accappatoio e la camicia le si appiattiva addosso. Scomparve dietro il muro del cortile. Vari minuti dopo sentii la porta anteriore aprirsi, poi una piccola pausa e poi ancora un tonfo attutito mentre si chiudeva. Mi appiattii sul terreno e rotolai sulla schiena, guardando le stelle.

Restai lì per un po', poi mi alzai e coprii carponi gli ultimi quindici metri che mi separavano dal mare. Estrassi il sacchetto delle immondizie, mi spogliai e misi con cura i miei abiti al suo interno. Avvolsi la Glock nella camicia insieme ai caricatori di riserva, infilai i calzini nelle scarpe e li deposi in cima alla pila, coprendoli poi col telo di lino. Legai stretto il sacco e lo tenni per l'estremità. Mi infilai in acqua trascinandomelo dietro.

Immaginavo che l'oceano fosse freddo: ero sulla costa del Maine in aprile. Ma era *davvero* molto freddo, gelido. Sentii una sensazione di dolore, poi di torpore, che mi tolse il fiato. Nel giro di un secondo ero ghiacciato fino alle ossa. Dopo aver percorso cinque metri battevo i denti. Non facevo progressi e il sale mi bruciava gli occhi.

Proseguii fino a trovarmi a una decina di metri dalla costa e a vedere il muro. Era inondato di luce: non ci sarei potuto passare attraverso né sopra, perciò avrei dovuto aggirarlo. Non c'era altra scelta. Feci qualche calcolo: avrei dovuto nuotare per quattrocento metri circa, ero forte, ma non veloce e mi trascinavo dietro un sacco, perciò avrei impiegato una decina di minuti, quindici al massimo. Questo era quanto. Nessuno muore di freddo in quindici minuti, nessuno. Non io, comunque, non quella sera.

Reagii al freddo e alle onde e adottai una nuotata ritmica laterale. Trascinavo il sacco con la sinistra per dieci spinte con le gambe, poi lo passavo nella destra e continuavo. C'era una lieve corrente e stava salendo la marea, il che mi aiutava, ma mi congelava anche: arrivava diretta dai Grand Banks ed era polare. Sentivo la pelle intorpidita, viscida. Il respiro mi grattava in gola e il cuore mi martellava nel petto. Cominciai a preoccuparmi dell'ipotermia. Pensai ai libri che avevo letto sul *Titanic*: le persone che non erano riuscite a salire sulle scialuppe erano morte nel giro di un'ora.

Io però non sarei rimasto in acqua un'ora e tutt'intorno non c'erano iceberg. Inoltre il ritmo che avevo preso era efficace: ero quasi all'altezza del muro. Il fascio di luce terminava ben più indietro. Ero nudo e livido per il freddo, ma mi sentivo invisibile. Superai il muro. Ero a metà strada. Continuai a spingere con le gambe e ad allontanarmi. Sollevai il polso dall'acqua e controllai il tempo. Nuotavo da sei minuti.

Nuotai per altri sei. Spostavo acqua, ansimavo per respirare, sollevavo il sacco davanti a me e mi guardavo indietro. Ero ben oltre il muro. Cambiai direzione e puntai verso la costa. Emersi tra scogli viscidi per il muschio e raggiunsi una spiaggia sassosa. Gettai il sacco davanti a me e uscii gattoni dall'acqua. Rimasi così per un intero minuto, ansimando e tremando. Battevo violentemente i denti. Slegai il sacco, trovai il telo e mi asciugai con forza. Avevo le braccia blu e i vestiti mi si attaccavano alla pelle. Piegai il sacco e il telo e li misi bagnati in tasca, poi partii di corsa perché dovevo scaldarmi.

Corsi per quasi dieci minuti prima di trovare la macchina. Era la Taurus del vecchio, grigia sotto la luce della luna. Era parcheggiata col muso verso la strada, pronta a partire. Non avrei perso tempo in inutili manovre. Duffy era una donna pratica, quello era certo. Sorrisi di nuovo. La chiave era sul sedile. Avviai il motore e mi mossi lentamente. Tenni i fari spenti e non toccai il freno finché non superai il promontorio a forma di palmo e la prima curva della strada nell'entroterra. Allora li accesi, aprii il riscaldamento e premetti l'acceleratore.

Quindici minuti dopo mi trovavo all'esterno dei docks di Portland. Lasciai la Taurus parcheggiata in una strada tranquilla a un chilometro e mezzo dal magazzino di Beck e camminai per il resto del tragitto. Quello era il momento della verità. Se avevano trovato il corpo di Doll, l'intero posto sarebbe stato in fermento e io sarei scomparso senza più farmi rivedere. In caso contrario, sarei rimasto per affrontare un altro giorno.

La camminata durò quasi venti minuti. Non vidi nessuno: niente sbirri, niente ambulanze, niente nastri della polizia, niente medici legali né strani personaggi in una Lincoln Town Car. Girai attorno al magazzino di Beck tenendomi bene al largo e sbirciando nei vicoli e nelle aperture. Le luci all'interno dell'ufficio erano tutte accese, come le avevo lasciate io. L'auto di Doll era ancora là, accanto alla saracinesca, proprio dove l'avevo lasciata.

Mi allontanai dall'edificio e mi avvicinai di nuovo da un'altra parte, dal lato cieco, senza finestre. Estrassi la Glock e la tenni nascosta in basso, accanto alla gamba. Avevo la macchina di Doll davanti. Dietro la vettura, a sinistra, c'era la porta del personale che dava accesso allo stanzino di vetro del magazzino, dietro ancora, l'ufficio posteriore. Superai l'auto e la porta, mi gettai a terra, poi strisciai fin sotto la finestra. Sollevai la testa e guardai dentro: non c'era nessuno. Anche la stanza delle segretarie era vuota. Era tutto tranquillo. Espirai e misi via la pistola. Tornai alla macchina di Doll, aprii la portiera e feci scattare la leva del bagagliaio. Lui era ancora lì. Non se n'era andato da nessuna parte. Gli presi le chiavi dalla tasca, chiusi il bagagliaio e rientrai dalla porta del personale. Trovai la chiave giusta e rinchiusi alle mie spalle.

Ero disposto a rischiare quindici minuti del mio tempo: ne passai cinque nello stanzino, cinque nell'ufficio posteriore e cinque nella stanza delle segretarie. Pulii con il telo di lino tutto quello che avevo toccato in modo da non lasciare impronte. Non trovai nessuna traccia specifica di Teresa Daniel o di Quinn. Va però detto che non c'erano nomi, da nessuna parte: tutto era codificato, persone e merci. Me ne andai con un unico dato in mano: la Bizarre Bazaar vendeva diverse decine di migliaia di articoli ogni anno a diverse centinaia di clienti, in transazioni che ammontavano in totale a diverse decine di milioni di dollari. Niente indicava di che articoli si trattasse o chi fossero i clienti. I prezzi erano divisi in tre categorie: cinquanta dollari, mille dollari e superiori ai mille dollari. Non c'erano documenti di spedizione: niente lettere di vettura della FedEx, della UPS o del servizio postale. La distribuzione veniva chiaramente effettuata con mezzi privati. Ma da una pratica assicurativa che trovai vidi che la ditta possedeva solo due camion per le consegne.

Tornai allo stanzino del magazzino e chiusi il computer. Ripercorsi i miei passi fino all'atrio, nel farlo spensi le luci e pulii tutto. Alla porta principale provai le chiavi di Doll, trovai quella giusta e la tenni stretta in mano, poi mi voltai verso l'allarme.

A Doll affidavano il compito di chiudere l'ufficio, il che significava che sapeva come attivare l'allarme. Ero certo che di tanto in tanto lo facessero anche Duke e Beck, naturalmente. Forse anche un paio dei dipendenti. Erano un bel po' di persone. Una aveva di certo poca memoria. Guardai la bacheca accanto all'allarme, passando in rassegna lo spesso strato di memo che vi erano appesi, e trovai un codice a quattro cifre scritto in fondo a un avviso vecchio di due anni sulle regole di parcheggio in città. Lo digitai sulla tastiera e la scatola iniziò a emettere una serie di sibili. Sorrisi. Non ci si sbaglia mai. Password di computer, numeri telefonici non presenti sull'elenco, codici di allarme: qualcuno li annota sempre.

Uscii dalla porta principale e la chiusi alle mie spalle. L'allarme smise di fare rumore. Feci scattare la serratura, girai l'angolo e m'infilai nella Lincoln di Doll. Accesi il motore e partii. La lasciai in un posteggio del centro, forse lo stesso che Susan Duffy aveva fotografato. Pulii tutto quello che avevo toccato. Chiusi la portiera, infilai le chiavi in tasca. Pensai di bruciarla: c'era benzina sufficiente nel serbatoio e avevo ancora i due fiammiferi asciutti in tasca. Bruciare auto è divertente e avrebbe messo Beck ancor più sotto pressione, ma alla fine decisi di allontanarmi. Fu probabilmente la scelta giusta. Ci sarebbe voluto un giorno o quasi prima che qualcuno si accorgesse della macchina, un altro perché decidessero di fare qualcosa, un terzo prima che la polizia si muovesse. Avrebbero verificato la targa scoprendo che apparteneva a una delle società di copertura di Beck e l'avrebbero rimossa per effettuare ulteriori indagini. Avrebbero di certo aperto il bagagliaio, temendo un attacco terroristico o per via dell'odore. A quel punto però tutta una serie di scadenze sarebbe stata raggiunta e io sarei stato già lontano.

Tornai alla Taurus e guidai fino a un chilometro e mezzo dalla casa. Ricambiai il favore a Duffy, facendo inversione a U e parcheggiandola col muso rivolto nella giusta direzione di marcia. Poi ripetei la procedura al contrario. Mi spogliai sulla spiaggia sassosa, misi i vestiti nel sacco per le immondizie ed entrai in acqua. Non ne ero entusiasta. Era altrettanto fredda, ma la marea era cambiata, andava nella mia direzione: persino l'oceano stava collaborando. Nuotai anche questa volta per dodici minuti tracciando un arco verso destra per superare l'estremità del muro e approdai dietro il garage. Tremavo per il freddo e battevo i denti, ma mi sentivo bene. Mi asciugai come meglio potei con il telo umido e mi vestii in fretta prima di congelare. Lasciai la Glock, i caricatori di riserva e il mazzo di chiavi di Doll nel nascondiglio insieme alla PSM, allo scalpello e al punteruolo, piegai il sacco e il telo e li infilai sotto una pietra a un metro di distanza. Poi mi diressi alla grondaia. Tremavo ancora.

La salita fu più semplice della discesa. Facevo scorrere le mani sul tubo e con i piedi mi arrampicavo sul muro. Arrivai all'altezza della mia finestra e afferrai il davanzale con la sinistra, poi spostai i piedi sulla cornice di pietra. Avvicinai la destra e sollevai la finestra. Mi tirai su il più silenziosamente possibile.

La stanza era fredda: la finestra era rimasta aperta per ore. La chiusi bene e mi spogliai di nuovo. I vestiti erano umidi. Li stesi sul radiatore e andai in bagno, dove mi feci una lunga doccia calda. Poi mi chiusi dentro con le scarpe. Erano esattamente le sei del mattino. A quell'ora sarebbero andati a recuperare la Taurus: forse l'avrebbe fatto Eliot con il vecchio. Forse Duffy sarebbe rimasta alla base. Presi l'apparecchio e-mail e scrissi: *Duffy?* Novanta secondi dopo rispose: *Eccomi. Stai bene?* Risposi: *Sì. Verifica questi nomi in qualsiasi modo, anche con Powell: Angel Doll, poss. collega di Paulie, entrambi poss. ex militari.*

Sarà fatto, rispose.

Poi feci la domanda che mi ronzava in testa da cinque ore e mezzo: *Qual è il vero nome di Teresa Daniel?*

Ci furono i soliti sessanta secondi di attesa e poi Duffy rispose: *Teresa Justice.*

6

Andare a letto non avrebbe avuto senso, perciò rimasi alla finestra a guardare l'alba. Sorse di lì a poco: il sole spuntò dal
mare. L'aria era fresca e tersa. Vedevo fino a ottanta chilometri di distanza. Osservai una sterna artica arrivare da nord.
Sulla costa si abbassò più che poté. Immaginai cercasse un
posto per costruire il nido. Il sole basso dietro di lei creava
un'ombra enorme, facendola sembrare un avvoltoio. A un
certo punto rinunciò, volteggiò e si allontanò sull'acqua per
piombare poi in picchiata nell'oceano. Ne emerse poco dopo
lasciandosi dietro una scia di goccioline argentee d'acqua gelida mentre risaliva in cielo. Non aveva niente nel becco, ma
volava come se fosse lo stesso contenta. Era meglio adattata
di me.
    Dopo non ci fu molto altro da vedere. C'erano alcuni
gabbiani reali in lontananza. Socchiusi gli occhi alla luce intensa e cercai tracce di balene o di delfini, ma non vidi nulla.
Osservai i tappeti di alghe ondeggiare, mossi da correnti cir-
colari. Alle 6.15 udii i passi di Duke in corridoio e lo scatto
della serratura. Non entrò, si allontanò semplicemente con
passo pesante. Mi voltai verso la porta e feci un respiro profondo. Era il giorno numero tredici, giovedì. Forse era meglio di venerdì tredici, ma non ne ero molto sicuro. *Comunque sia, va' avanti.* Feci un altro respiro, uscii e mi diressi verso le scale.
    Niente era uguale alla mattina precedente. Duke era in
forze e io ero stanco. Paulie non si vedeva. Andai in palestra,
nel seminterrato, ma non vi trovai nessuno. Duke non si era
fermato a colazione, era scomparso da qualche parte. Richard Beck venne a mangiare in cucina. A tavola c'eravamo so-

lo lui e io. Il meccanico non c'era e la cuoca era occupata ai fornelli. La ragazza irlandese andava e veniva dalla sala da pranzo, muovendosi rapida. Nell'aria c'era fermento. Stava accadendo qualcosa.

«C'è un grosso carico in arrivo», disse Richard Beck. «È sempre così. Tutti si eccitano per i soldi che guadagneranno.»

«Torni a scuola?» domandai.

«Domenica», rispose. Non sembrava preoccupato all'idea, io invece sì. Domenica sarebbe stata di lì a tre giorni. Il mio quinto giorno in quel posto, la scadenza finale. Qualsiasi cosa fosse successa, sarebbe successa entro quella data e il ragazzo si sarebbe trovato sotto il fuoco incrociato.

«Te la senti?» chiesi.

«Di tornare?»

Annuii. «Dopo quello che è successo?»

«Adesso sappiamo chi è stato», rispose. «Una banda di coglioni del Connecticut. Non si ripeterà.»

«Ne siete così sicuri?»

Mi guardò come se fossi impazzito. «Mio papà si occupa costantemente di cose del genere. E se per domenica la faccenda non verrà chiusa, resterò qui finché non lo sarà.»

«Tuo papà gestisce da solo l'attività? O ha un socio?»

«La gestisce da solo», rispose. La sua ambivalenza era scomparsa: sembrava contento d'essere a casa, sicuro, a suo agio, fiero del padre. Il suo mondo si era ridotto a mezzo acro di nudo granito, con un mare agitato e un muro alto di pietra provvisto di filo spinato che facevano da confini.

«Secondo me tu non hai ucciso quello sbirro», disse.

In cucina piombò il silenzio. Lo fissai.

«Probabilmente lo hai solo ferito», aggiunse. «Almeno, lo spero. Sai, forse adesso si starà riprendendo in un ospedale o da qualche altra parte. Questo è quello che penso. Tu dovresti cercare di fare lo stesso. Pensa positivo. Così è meglio: vedi il mezzo bicchiere pieno, non quello vuoto.»

«Non lo so», dissi.

«Allora fa' finta», suggerì lui. «Usa il potere del pensiero positivo. Ripeti a te stesso: ho fatto una buona azione e non ci sono stati risvolti negativi.»

«Tuo padre ha chiamato il dipartimento di Polizia», osservai. «Questo non lascia spazio a dubbi.»

«Allora fa' finta», ripeté. «È quello che faccio io: le cose brutte non succedono a meno che tu non le evochi.»

Aveva smesso di mangiare e teneva la mano sinistra sulla testa. Sorrideva radioso, ma il suo inconscio stava ricordando alcune brutte cose che gli erano capitate nella vita: era chiaro. Le stava ricordando, eccome.

«D'accordo», esclamai. «Non era una ferita grave.»

«Il proiettile è entrato e uscito», aggiunse lui. «Pulito, pulito.»

Io rimasi in silenzio.

«Ha mancato di un pelo qualsiasi organo», proseguì. «È stato un miracolo.»

Annuii. Ci sarebbe proprio voluto un miracolo, quello era maledettamente certo: colpisci al petto qualcuno con un 44 Magnum a punta molle e gli fai un foro grande quanto il Rhode Island. La morte in genere è istantanea. Il cuore si ferma subito, soprattutto perché non esiste più. Immaginai che il ragazzo non avesse mai visto uccidere nessuno con un'arma da fuoco, poi invece pensai: magari sì, e non gli è piaciuto molto.

«Pensiero positivo», affermò. «Questo è il segreto. Immagina che sia al sicuro e al caldo da qualche parte, in fase di pieno recupero.»

«Il carico in arrivo, che cos'è?» chiesi.

«Roba falsa, probabilmente», rispose. «Dal Pakistan. Laggiù facciamo fare tappeti persiani antichi di duecento anni. Le persone sono così imbecilli.»

«Davvero?»

Lui mi guardò e annuì. «Vedono quello che vogliono vedere.»

«Davvero?»

«Sempre.»

Distolsi lo sguardo. Non c'era caffè. Dopo un po' ti rendi conto che la caffeina dà dipendenza. Mi sentivo irritato e stanco.

«Che fai oggi?» mi chiese.

«Non lo so», risposi.

«Io ho intenzione di leggere», affermò Richard. «Forse farò due passi lungo la costa per vedere che cosa ha portato il mare.»

«Il mare porta cose?»

«A volte. Sai, cose che cadono dalle barche.»

Lo guardai. Era un messaggio? Avevo sentito che i contrabbandieri gettavano in mare balle di marijuana in modo che le correnti le portassero a terra in zone isolate. Immaginai che lo stesso sistema potesse essere adottato per l'eroina. Era un messaggio? O mi stava avvertendo? Sapeva del fagotto di arnesi che avevo nascosto? E cos'era tutta quella faccenda del poliziotto a cui avevo sparato? Psicologia da strapazzo? O stava giocando con me?

«Ma succede soprattutto in estate», aggiunse. «Adesso fa troppo freddo per andare in giro in barca, perciò resterò a casa, forse a dipingere un po'.»

«Tu dipingi?»

«Studio arte», rispose. «Te l'ho detto.»

Annuii e fissai la nuca della cuoca, come per indurla telepaticamente a fare il caffè. A quel punto arrivò Duke. Si avvicinò al posto dov'ero seduto, posò una mano sullo schienale della sedia e l'altra sul tavolo, estesa. Poi si chinò come se dovesse parlarmi con tono confidenziale.

«È il tuo giorno fortunato, coglione», disse.

Non risposi nulla.

«Porterai in giro la signora Beck», aggiunse. «Desidera fare un po' di shopping.»

«Dove?»

«Da qualsiasi parte», rispose.

«Tutto il giorno?»

«Sarà meglio.»

Annuii. *Niente sconosciuti il giorno in cui arriva un carico.*

«Prendi la Cadillac», disse gettando le chiavi sul tavolo.

«E fa' in modo che non torni presto indietro.»

O meglio, niente signora Beck il giorno in cui arriva un carico.

«D'accordo», affermai.

«Lo troverai molto interessante», aggiunse. «Soprattutto nella prima parte. A me eccita sempre da matti, ogni volta.»

Non avevo idea di quello che intendesse e non persi tempo a cercare di capire. Mi limitai a fissare la caffettiera vuota. Duke se ne andò e poco dopo udii la porta d'ingresso aprirsi e chiudersi. Il metal detector squillò due volte. Duke e Beck, con chiavi e pistole. Richard si alzò da tavola e uscì con calma. Io rimasi solo con la cuoca.

«C'è un po' di caffè?» domandai.

«No», rispose.

Rimasi seduto finché mi venne in mente che un bravo autista doveva essere pronto, in attesa, perciò uscii dalla porta posteriore. Il metal detector suonò con discrezione per le chiavi. La marea era salita da tempo e l'aria era fredda e frizzante. Sentivo odore di sale e di alghe. L'oceano non era più calmo, s'infrangeva sugli scogli. Mi diressi al garage, accesi la Cadillac e uscii in retromarcia. Imboccai la rotonda e rimasi lì in attesa con il motore acceso per attivare il riscaldamento. Ero rivolto a nord-est e all'orizzonte vedevo le navi minuscole che entravano e uscivano da Portland. Si muovevano poco prima della linea in cui il cielo si congiungeva con il mare, seminascoste, incredibilmente lente. Mi chiesi se una di esse fosse quella di Beck o se la sua fosse già arrivata e bene ormeggiata, pronta a scaricare. Se un doganiere la stesse superando con lo sguardo fisso davanti a sé, alla nave successiva, con un rotolo di banconote nuove, fruscianti, in tasca.

Elizabeth Beck uscì di casa dieci minuti dopo il mio arrivo. Indossava una gonna scozzese al ginocchio, un maglioncino bianco sottile e un cappotto di lana. Aveva le gambe nude, senza collant, e i capelli raccolti con un elastico. Aveva un'aria infreddolita, ma anche di sfida, rassegnata e pensierosa nello stesso tempo. Sembrava una nobildonna condotta alla ghigliottina. Immaginai fosse abituata ad avere Duke come autista e che fosse un po' in imbarazzo a farsi portare in giro dall'ammazza-sbirri. Scesi e le aprii la portiera posteriore, ma lei non si fermò.

«Salgo davanti», disse.

Si sistemò sul sedile del passeggero e io mi sedetti al suo fianco.

«Dove andiamo?» chiesi educatamente.

Lei fissò fuori del finestrino.

«Ne parleremo dopo il cancello», rispose.

Questo era chiuso e Paulie era in piedi proprio davanti a esso. Sembrava grande e grosso più che mai. Sotto le spalle e nelle maniche della giacca sembrava avere dei palloni da basket. Aveva la pelle del volto rossa per il freddo. Ci stava aspettando. Fermai l'auto a un paio di metri da lui, che tuttavia non si mosse per aprire il cancello. Lo guardai in faccia. Mi ignorò e si avvicinò al finestrino di Elizabeth Beck. Le sorrise, batté con le nocche sul vetro e le fece cenno di abbassarlo. Lei guardava davanti a sé, oltre il parabrezza, cercando di ignorarlo. Lui bussò di nuovo, al che lei si voltò a guardarlo. Paulie inarcò le sopracciglia e ripeté il gesto. Elizabeth rabbrividì con tanta forza da far ondeggiare la macchina sulle sospensioni. Si fissò intensamente un'unghia, poi la posò sul pulsante del finestrino e lo premette. Il vetro si abbassò. Paulie si chinò e posò l'avambraccio destro sul telaio della portiera.

«Buongiorno», disse.

Si protese nell'abitacolo e le toccò la guancia con il dorso dell'indice. Lei non si mosse, continuò solo a fissare davanti a sé. Lui le mise una ciocca di capelli dietro l'orecchio. «Mi è piaciuta la tua visita ieri sera», aggiunse. Lei tremò ancora, come se morisse di freddo. Paulie mosse la mano, abbassandola sul seno. Le afferrò una mammella e gliela strinse. Lei rimase immobile senza reagire. Al che usai il pulsante del finestrino sulla mia portiera e il vetro si sollevò bloccandosi contro il gigantesco braccio di Paulie. Scattò il dispositivo di sicurezza e il vetro si abbassò di nuovo. Aprii la portiera, scesi e girai attorno al cofano. Paulie era ancora chino, ancora con la mano nell'auto. L'aveva abbassata ancora un po'.

«Sta' lontano», disse guardando lei, ma rivolgendosi a me. Mi sentivo come un taglialegna senza un'ascia o una sega elettrica di fronte a una sequoia: *da dove inizio?* Gli sferrai un calcio nei reni. Era un calcio che avrebbe mandato un pallone da football fuori dello stadio, fin nel posteggio, o che avrebbe rotto un palo del telefono. Sarebbe bastato di per sé a spedire la maggior parte delle persone in ospedale, qualcuna, forse, l'avrebbe anche uccisa, ma su Paulie ebbe l'effetto di un colpetto educato sulla spalla. Non emise neanche un verso. Si limitò a posare tutte e due le mani sul telaio della portiera e a sollevarsi lentamente. Poi si voltò a guardarmi.

«Rilassati, maggiore», disse. «È solo il mio modo di dire buongiorno alla signora.»

Si allontanò dalla macchina, passò alla mia destra e aprì il cancello. Era molto calmo. Non diede alcun segno di reazione: era come se non l'avessi toccato. Io rimasi fermo e lasciai che l'adrenalina calasse, poi guardai la macchina: il bagagliaio, il cofano. Passare dietro, accanto al bagaglio, equivaleva a dirgli *ho paura di te*. Perciò passai accanto al cofano, ma feci in modo di restare ben al di fuori della sua portata. Non avevo alcun desiderio di dare sei mesi di lavoro a un chirurgo per ricostruirmi le ossa della faccia. Giunsi al massimo a un metro e mezzo da lui. Paulie non accennò ad aggredirmi. Spalancò completamente il portone e rimase lì, paziente, in attesa di richiuderlo.

«Di quel calcio parleremo dopo, va bene?» esclamò. Non risposi nulla.

«E non farti idee sbagliate, maggiore», aggiunse. «A lei piace.»

Tornai in macchina. Elizabeth Beck aveva chiuso il finestrino e fissava dritto davanti a sé, pallida, muta, umiliata. Superai il cancello e mi diressi a ovest osservando Paulie nel retrovisore. Chiuse il cancello e si diresse di nuovo nella guardiola, scomparendo alla vista.

«Mi spiace che abbia dovuto assistere», affermò calma Elizabeth.

Non replicai.

«E grazie per essere intervenuto», aggiunse. «Anche se è stato inutile. Temo che ti procurerà parecchi guai. Già prima ti odiava, sai, e non è un tipo che ragioni molto.»

Rimasi sempre zitto.

«È una questione di controllo, naturalmente», proseguì come se parlasse a se stessa, non a me. «Una dimostrazione di potere. Solo questo, e basta. Non c'è sesso. Non può farlo. Troppi steroidi, credo. Mi tocca soltanto.»

Tacqui ancora.

«Mi fa spogliare», spiegò lei, «e sfilare davanti a lui. Mi tocca, ma non facciamo sesso. È impotente.»

Tacqui, continuando a guidare piano per non sbandare sulle curve della costiera.

«In genere dura un'ora», disse ancora Elizabeth.

«Lo ha detto a suo marito?» chiesi.

«Che cosa può fare *lui*?»

«Licenziarlo.»

«Impossibile», rispose.

«Perché?»

«Perché Paulie non lavora per mio marito.»

La guardai. Ricordai di aver detto a Duke: *Sbarazzatene.*

E lui mi aveva risposto: *Non è così semplice.*

«Allora per chi lavora?» domandai.

«Per qualcun altro.»

«Chi?»

Lei scosse la testa. Era come se non riuscisse a pronunciarne il nome.

«È una questione di controllo», ripeté. «Non posso oppormi a quello che mi fanno, così come mio marito non può opporsi a quello che fanno a lui. Nessuno si può opporre *a niente*, capisci. Questo è il punto. Non lo permetteranno nemmeno a te. Duke non penserebbe mai di farlo, ovviamente. Quello è un animale.»

Rimasi zitto.

«Ringrazio solo Dio di avere un figlio maschio», aggiunse. «Non una femmina.»

Restai ancora in silenzio.

«Ieri sera è stato orribile», esclamò. «Pensavo mi avrebbe lasciata in pace ora che sto invecchiando.»

La guardai di nuovo. Non sapevo che dire.

«Ieri era il mio compleanno», affermò. «Quello è stato il regalo di Paulie.»

Tacqui.

«Ho cinquant'anni», proseguì Elizabeth. «Immagino che a te non venga in mente di chiedere a una cinquantenne di sfilarti nuda davanti.»

Non sapevo che rispondere.

«Anche se mi tengo in forma», spiegò. «Uso la palestra quando gli altri sono via.»

Restai sempre zitto.

«Mi chiama col cercapersone», disse. «Devo portarlo sempre con me. È suonato nel cuore della notte. Ieri notte. Ho dovuto andare, subito. Se lo faccio aspettare è peggio.»

Non dissi nulla.

«Stavo tornando quando mi hai vista», affermò. «Là fuori, sugli scogli.»

Accostai, frenai dolcemente e fermai la macchina, spostando il cambio sulla posizione di posteggio.

«Penso che tu lavori per il governo», disse.

Scossi la testa.

«Si sbaglia», risposi. «Sono uno qualsiasi.»

«Allora mi deludi.»

«Sono uno qualsiasi», ripetei.

Lei non parlò.

«Non dovrebbe dire cose del genere», aggiunsi. «Sono già abbastanza nei guai.»

«Sì», ammise. «Ti uccideranno.»

«Be', ci proveranno», replicai, poi tacqui per qualche istante. «Li ha informati della sua teoria?»

«No», rispose lei.

«Be', non lo faccia. E comunque, si sbaglia.»

Lei non aprì bocca.

«Sarebbe la guerra», spiegai. «Loro mi attaccherebbero, ma io non cederei facilmente. Ci sarebbero dei feriti. Richard, forse.»

Lei mi fissò. «Stai cercando di *patteggiare?*»

Scossi di nuovo la testa.

«Sto cercando di avvertirla», risposi. «Sono un sopravvissuto.»

Lei abbozzò un sorriso amaro.

«Tu non hai assolutamente idea», disse. «Chiunque tu sia, sei in guai più grossi di te. Dovresti andartene, ora.»

«Sono uno qualsiasi», ripetei. «Non ho niente da nascondere a loro.»

Il vento scuoteva la macchina. Non vedevo altro che granito e alberi. Eravamo a chilometri di distanza da qualsiasi essere umano.

«Mio marito è un criminale», affermò.

«Lo immaginavo», risposi.

«È un uomo duro», disse. «Sa essere violento, ed è sempre spietato.»

«Ma non è lui che comanda», osservai.

«No», ammise. «Non è lui che comanda. È un uomo duro che trema letteralmente come una foglia di fronte a quello che è il suo capo.»

Non dissi nulla.

«C'è un modo di dire...» proseguì. «La gente si chiede perché le cose brutte capitino ai buoni. Ma nel caso di mio marito le cose brutte capitano a un malvagio. Ironico, vero? E *sono* davvero cose brutte.»

«Da chi dipende Duke?» chiesi.

«Da mio marito», rispose. «Ma Duke, a suo modo, è marcio quanto Paulie. Non saprei chi dei due è meglio. È un ex poliziotto corrotto, un ex agente federale corrotto e un assassino. È stato in carcere.»

«È l'unico?»

«Alle dipendenze di mio marito? Be', aveva le due guardie del corpo. Quelle erano sue o quanto meno gli erano state fornite. Ma sono state uccise, naturalmente, all'esterno del college, da quelli del Connecticut. Perciò sì, Duke adesso è l'unico. A parte il meccanico, ma lui è solo un tecnico.»

«Quanti uomini ha quell'altro?»

«Non ne sono certa. Sembra ci sia sempre un gran viavai.»

«Che cosa importano esattamente?»

Elizabeth distolse lo sguardo. «Se non sei del governo, allora queste cose non ti devono interessare.»

Seguii il suo sguardo in direzione degli alberi lontani. *Pensa, Reacher.* Potrebbe essere un piano architettato con cura per farti uscire allo scoperto. Potrebbero essere tutti coinvolti. Per Beck la mano di quell'uomo sul seno della moglie potrebbe essere un prezzo irrisorio da pagare in cambio di un'informazione di cruciale importanza. E io credevo nei piani architettati con cura: ne stavo giusto seguendo uno.

«Non sono del governo», risposi.

«Allora mi deludi», ripeté lei.

Misi il cambio nella posizione di guida e tenni il piede sul freno.

«Dove andiamo?» chiesi.

«Pensi che m'importi dove diavolo andiamo?»

«Le va un caffè?»

«Un caffè?» chiese. «Certo. Vai a sud. Teniamoci alla larga da Portland, oggi.»

Svoltai a sud e imboccai la Uno, circa un chilometro e mezzo prima dell'Interstatale 95. Era una strada vecchia e piacevole, come un tempo erano tutte le strade. Passammo un posto chiamato Old Orchard Beach, con graziosi marciapiedi di mattoni e vecchi lampioni in stile vittoriano. Alcune targhe indicavano la spiaggia a sinistra. C'erano varie bandiere francesi sbiadite: supposi che i canadesi del Québec venissero lì in vacanza prima che la riduzione delle tariffe aeree per la Florida e i Caraibi li pilotasse altrove.

«Perché sei uscito la notte scorsa?» mi chiese Elizabeth Beck.

Non dissi nulla.

«Non puoi negarlo», continuò. «Credevi non ti avessi visto?»

«Non ha reagito», osservai

«Ero nella modalità Paulie», rispose. «Ho imparato a non reagire.»

Non parlai.

«La tua stanza era chiusa a chiave», proseguì lei.

«Sono sceso dalla finestra», affermai. «Non mi va d'essere chiuso a chiave.»

«E poi cos'hai fatto?»

«Due passi, come credevo facesse anche lei.»

«E sei risalito dalla finestra?»

Annuii senza dire nulla.

«Il muro è il grande problema», osservò. «Ci sono le luci e il filo spinato, ovviamente, ma ci sono anche i sensori nel terreno. Paulie ti sentirebbe a trenta metri di distanza.»

«Volevo solo prendere una boccata d'aria», affermai.

«Sotto il viale non ci sono sensori», continuò. «Sotto l'asfalto non avrebbero potuto funzionare. Ma sulla guardiola c'è una telecamera e il cancello ha un sensore di movimento. Sai che cos'è una NSV?»

«Una mitragliatrice istallata sulla torretta dei carri armati sovietici», risposi.

«Paulie ne ha una», disse. «La tiene accanto alla porta laterale. Ha l'ordine di usarla se sente scattare il sensore di movimento.»

Inspirai ed espirai. Una NSV è lunga più di un metro e mezzo e pesa circa venticinque chili. Usa proiettili lunghi dodici centimetri con un diametro di centotrenta millimetri. Ne può sparare dodici in un secondo e non ha la sicura. L'abbinamento Paulie-NSV avrebbe inquietato chiunque.

«Secondo me tu hai nuotato», aggiunse. «Sento l'odore del mare sulla camicia. Non ti sei asciugato bene quando sei rientrato.»

Superammo un cartello che indicava la cittadina di Saco. Accostai a bordo strada e mi fermai di nuovo. Auto e camion ci superarono sibilando.

«Ti è andata incredibilmente bene», commentò. «Al largo del promontorio ci sono delle brutte correnti di risucchio. Sul fondale c'è un gran movimento d'acqua. Ma immagino tu sia entrato in mare dietro il garage, nel qual caso le hai evitate diciamo di circa tre metri.»

«Non lavoro per il governo», insistei.

«Davvero?»

«Non crede di stare rischiando grosso?» domandai.

«Supponiamo che non sia quello che sembro. Così, solo perché ne stiamo discutendo. Diciamo che appartenga, per esempio, a un'organizzazione rivale. Non capisce quanto rischia? Crede che con quello che ha detto tornerebbe viva a casa?»

Lei distolse lo sguardo.

«Allora, immagino che questa sarà la prova», replicò. «Se sei del governo, non mi ucciderai. Altrimenti lo farai.»

«Sono uno qualsiasi», dissi. «E lei potrebbe mettermi nei guai.»

«Cerchiamo un posto dove bere un caffè», osservò. «Saco è una bella cittadina. Una volta, tanti anni fa, ci vivevano tutti i proprietari dei grandi stabilimenti.»

Finimmo su un'isola in mezzo al fiume Saco, su cui sorgeva un'enorme costruzione di mattoni che molto tempo prima era stata una fabbrica. Adesso era stata riqualificata e ospitava una miriade di uffici e negozi. Trovammo un bar tutto vetro e cromo chiamato Café Café. Non che fosse un nome molto originale, pensai. Ma il profumo bastava a giustificare il viaggio. Ignorai i caffelatte e i caffè aromatizzati pieni di schiuma e ne ordinai uno nero, caldo, grande. Poi mi voltai verso Elizabeth Beck, che scosse il capo.

«Tu resta pure», disse. «Ho deciso che andrò a far spese. Da sola. Ci vediamo qui tra quattro ore.»

Non risposi nulla.

«Non mi serve il tuo permesso», aggiunse. «Sei solo un autista.»

«Non ho soldi», dissi.

Elizabeth Beck prese venti dollari dalla borsa. Pagai il caffè e lo portai a un tavolino. Lei mi seguì e mi guardò mentre mi sedevo.

«Quattro ore», ripeté. «Forse qualcosa di più, ma non di meno. In caso tu debba fare qualcosa.»

«Non ho niente da fare», risposi. «Sono solo il suo autista.»

Lei mi guardò e chiuse la cerniera della borsa. Lo spazio attorno al tavolino era scarso: dovette girarsi lievemente per mettersi la borsa in spalla e piegarsi in avanti per evitare di toccare il tavolino e rovesciare il caffè. In quel momento udii un tonfo soffocato, come se un oggetto di plastica fosse caduto per terra. Abbassai lo sguardo. Qualcosa le era scivolato da sotto la gonna. Lei lo fissò e il suo viso assunse lentamente un colorito rosso intenso. Si chinò, raccolse l'oggetto e lo strinse in mano. Poi si buttò verso la sedia davanti alla mia come se d'un tratto non avesse più forze, come se fosse stata brutalmente umiliata. In mano teneva un cercapersone. Era un rettangolo di plastica nera, più piccolo del mio apparecchio e-mail. Elizabeth lo fissò. Aveva il collo tutto rosso, ben oltre la scollatura del maglioncino. Parlò sussurrando, con tono basso e triste.

«Mi costringe a portarlo lì», disse. «Nelle mutandine. Gli piace che abbia quello che chiama 'il giusto effetto' quando suona. Controlla che ci sia ogni volta che esco dal cancello. Dopo, di solito lo tolgo e lo metto in borsa, ma stavolta non ho voluto farlo, sai, con te che guardavi.»

Rimasi in silenzio. Lei si alzò. Batté un paio di volte le palpebre, inspirò e deglutì.

«Quattro ore», ripeté. «In caso tu debba fare qualcosa.»

Quando si allontanò, la osservai. Superata la porta, girò a sinistra e scomparve. *Un piano architettato con cura?* Era possibile che cercassero di farmi cadere in trappola con la sua storia, che portasse un cercapersone nelle mutande per renderla più credibile e che avesse fatto in modo di perderlo al momento giusto. Tutto era possibile. Ma ciò che non lo era assolutamente era indurre a comando quel rossore intenso. Nessuno ci sarebbe riuscito, nemmeno l'attrice più abile al meglio delle sue capacità. Perciò Elizabeth Beck era stata sincera.

Non abbandonai del tutto le precauzioni più logiche, era un'abitudine troppo radicata. Finii il caffè come una persona che aveva a disposizione tutto il tempo del mondo. Mi avviai con calma lungo i marciapiedi interni del centro commerciale, svoltando a caso a destra e a sinistra finché fui certo d'essere solo. A quel punto tornai al bar e ordinai un'altra tazza di caffè. Chiesi la chiave della toilette e mi chiusi dentro. Seduto sul coperchio del water mi tolsi la scarpa. C'era un messaggio di Duffy: *Perché ti interessava sapere il vero nome di Teresa Daniel?* Ignorai la domanda e scrissi: *Dov'è il tuo motel?* Novanta secondi dopo rispose: *Che cos'hai mangiato a colazione il primo giorno a Boston?* Sorrisi. Duffy era una donna pratica. Temeva che il mio apparecchio e-mail fosse controllato e mi aveva fatto una domanda di sicurezza. *Una piccola porzione di pancake con uova e caffè, mancia: tre dollari*, scrissi. Qualsiasi altra risposta le avessi dato, di lì a un secondo sarebbe saltata in macchina. Novanta secondi dopo rispose: *Sulla Uno, lato ovest, a un centinaio di metri a sud del fiume Kennebunk.* Immaginavo fosse a una quindicina di chilometri di distanza. *Ci vediamo tra dieci minuti*, risposi.

Per tornare alla macchina e districarmi nel traffico che s'imbottigliava nel punto in cui la Uno attraversava Saco, impiegai invece più di quindici minuti. Per l'intero tragitto tenni d'occhio il retrovisore, ma non vidi nulla di allarmante. Attraversai il fiume e trovai il motel sulla destra. Era una costruzione allegra di color grigio brillante che imitava le abitazioni coloniali del New England. Era aprile e non c'era molto movimento. Vidi la Taurus in cui avevo viaggiato da passeggero quando avevo lasciato Boston parcheggiata accanto all'ultima stanza. Era l'unica berlina che notai. Posteggiai la Cadillac a trenta metri di distanza, dietro un capanno di legno che riparava un grande serbatoio di propano. Non aveva senso che fosse visibile a chiunque passasse sulla Uno.

Tornai indietro e bussai una volta. Susan Duffy aprì subito e ci abbracciammo. Fu un gesto spontaneo per entrambi e la cosa mi colse del tutto alla sprovvista. Anche lei, credo, rimase spiazzata. Probabilmente, se ci avessimo pensato, non l'avremmo fatto. Lei era in ansia e io stressato, per questo accadde. Ma fu davvero molto piacevole. Duffy era alta e sottile: la mia mano copriva l'intera larghezza della sua schiena. Sentii le sue costole cedere lievemente. Sapeva di fresco e di pulito: non aveva profumo, era l'odore della sua pelle. Si era fatta la doccia da poco.

«Che cosa sai di Teresa?» domandò.

«Sei sola?»

«Sì. Gli altri sono a Portland. La Dogana ci ha detto che oggi arriva una nave di Beck.»

Ci allontanammo ed entrammo nella stanza.

«Che hanno intenzione di fare?» domandai.

«Osservare soltanto», rispose. «Non ti preoccupare. Sono bravi. Nessuno li vedrà.»

Era una stanza di motel come tante: un letto queen size, un tavolo, un televisore, una finestra, un condizionatore a incasso. Le uniche cose che la distinguevano dalla miriade di altre stanze di motel erano l'abbinamento cromatico blu-grigio e le stampe di marina alle pareti, che conferivano una tipica atmosfera da zona costiera del New England.

«Che cosa sai di Teresa?» ripeté.

Le raccontai del nome inciso nella stanza del seminterrato e della data. Duffy mi fissò, poi chiuse gli occhi.

«È viva», disse. «Grazie.»

«Be', ieri lo era», osservai.

Lei aprì gli occhi. «Pensi che oggi lo sia?»

Annuii. «Secondo me le probabilità sono piuttosto elevate. La usano per qualcosa. Perché tenerla in vita per nove settimane e ucciderla ora?»

Duffy non parlò.

«Devono averla solo spostata», aggiunsi. «È la mia migliore ipotesi. Al mattino la porta era chiusa a chiave, la sera lei non c'era più.»

«Pensi la trattino bene?»

Non le dissi quello che Paulie amava fare a Elizabeth Beck: aveva già abbastanza preoccupazioni.

«Credo abbia inciso il suo nome con una forchetta», affermai. «E ieri sera c'era un piatto in più con una bistecca e delle patate, come se l'avessero portata via tanto in fretta da scordarsi di avvisare la cuoca. Perciò le danno da mangiare. Per loro è una prigioniera, nient'altro.»

«Dove l'avranno portata?»

«Suppongo l'abbia presa Quinn», risposi

«Perché?»

«Perché mi sembra che qui abbiamo un'organizzazione sovrapposta a un'altra. Beck è sicuramente un criminale, ma è passato alle dipendenze di uno che è peggio di lui.»

«Come in una sorta di società?»

«Esatto», dissi. «Ma è stato un assorbimento forzato. Quinn ha messo i suoi a lavorare nell'azienda di Beck e la sfrutta come un parassita.»

«Ma perché spostare Teresa?»

«Per precauzione», risposi.

«Per causa tua? Quanto ti temono?»

«Un po'», ammisi. «Penso stiano spostando e nascondendo cose.»

«Ma non ti hanno ancora affrontato.»

«In verità, non sono sicuri di me.»

«Perché allora correre un rischio?»

«Perché ho salvato il ragazzo.»

Lei annuì e tacque. Aveva l'aria un po' stanca. Immaginai non avesse dormito molto da quando le avevo chiesto l'auto a mezzanotte. Indossava un paio di jeans e una camicia Oxford da uomo. Era di un bianco immacolato, bene infilata nei pantaloni. I due bottoni in alto erano aperti. Portava un paio di scarpe da barca senza calze. Il riscaldamento della stanza era alzato. Sul tavolo, accanto al telefono della camera, c'era un laptop. L'apparecchio era uno di quei modelli a console tutto pieno di tasti per le chiamate rapide. Controllai il numero e lo memorizzai. Il computer si inseriva mediante un complicato adattatore in una porta dati alla base del telefono. Sul monitor si vedeva uno screensaver con lo scudo del dipartimento di Giustizia che si muoveva di qua e di là. Ogniqualvolta raggiungeva il bordo dello schermo, rimbalzava e ripartiva in una direzione a caso, come quel vecchio videogioco sul tennis. Non emetteva alcun suono.

«Hai già visto Quinn?»

Scossi la testa.

«Sai da dove opera?»

Scossi di nuovo la testa. «A dire il vero non ho scoperto proprio niente, tranne che i loro libri sono tutti in codice e che non hanno una flotta di distribuzione sufficiente a movimentare le merci che sembra movimentino. Forse sono i clienti a venirle a prendere.»

«Sarebbe una pazzia», commentò Duffy. «Non mostrerebbero mai ai clienti la loro base operativa. Anzi, sappiamo che non lo fanno. Beck si è incontrato con lo spacciatore di Los Angeles in un garage, ricordati.»

«Allora potrebbero fissare gli appuntamenti in qualche zona neutra. Per le vendite vere. In un punto vicino, nel nord-est.»

Lei annuì. «Come hai fatto a vedere i libri?»

«Ero nel loro ufficio ieri sera. Per questo volevo una macchina.»

Duffy si avvicinò al tavolo, si sedette e toccò il touch pad del computer. Lo screensaver scomparve e sotto apparve la mia ultima mail: *Ci vediamo tra dieci minuti*. Selezionò il cestino e cliccò un messaggio di Powell, il poliziotto militare che mi aveva venduto.

«Abbiamo verificato quei nomi», disse. «Angel Doll ha fatto otto anni a Leavenworth per aggressione sessuale.

Avrebbe dovuto prendere l'ergastolo per stupro e omicidio, ma l'accusa ha combinato un casino. Era un tecnico delle comunicazioni. Ha violentato un tenente colonnello e l'ha lasciata morire dissanguata per lesioni interne. Non è un tipo molto raccomandabile. »

« Non è un tipo molto vivo », replicai.

Lei mi guardò.

« Ha controllato le targhe della Maxima », spiegai. « Mi ha preso di petto: un grosso errore. È stata la prima vittima. »

« Lo hai ucciso? »

Annuii. « Gli ho spezzato il collo. »

Lei non disse nulla.

« Se l'è voluta », commentai. « Stava per compromettere la missione. »

Duffy era pallida.

« Stai bene? » chiesi.

Lei distolse lo sguardo. « A dire il vero non credevo ci sarebbero state delle vittime. »

« Potrebbero essercene altre. Preparati. »

Lei mi guardò di nuovo. Inspirò e assentì.

« Bene », disse, poi tacque. « Mi spiace per le targhe. È stato uno sbaglio. »

« E di Paulie che mi dici? »

Duffy fece scorrere il testo. « A Leavenworth Doll aveva un compagno, un certo Paul Masserella, un bodybuilder condannato a otto anni per aggressione a un ufficiale. Il collegio di difesa ha sostenuto che la violenza era stata scatenata dalla rabbia da steroidi e cercato di incolpare l'Esercito per non aver controllato l'uso che ne faceva. »

« Adesso ne è imbottito. »

« Credi sia lo stesso Paulie? »

« Dev'essere lui. Mi ha detto che non gli piacciono gli ufficiali. Gli ho tirato un calcio nei reni: tu o Eliot sareste rimasti secchi, lui non si è nemmeno scomposto. »

« E cosa ha intenzione di fare? »

«Non voglio pensarci.»

«Te la senti di tornare?»

«La moglie di Beck sa che non sono quello che sembro.»

Lei mi fissò. «Come?»

Scrollai le spalle. «Forse non lo *sa*, forse desidera che non lo sia. Forse sta cercando di autoconvincersi.»

«Lo ha detto in giro?»

«Non ancora. Ieri sera mi ha visto all'esterno della casa.»

«Non puoi tornare.»

«Non sono uno che molla.»

«Ma nemmeno un idiota. Adesso la situazione è fuori controllo.»

Annuii. «Ma la decisione è mia.»

Lei scosse la testa. «La decisione è nostra, congiunta. Dipendi da noi per il supporto.»

«Dobbiamo tirare fuori di lì Teresa. Sul serio, Duffy. Si trova in brutte acque.»

«Ora che mi hai confermato che è viva, potrei mandare le SWAT.»

«Non sappiamo dove sia in questo momento.»

«Lei è una mia responsabilità.»

«E Quinn è una mia responsabilità.»

Duffy tacque.

«Non puoi mandare le SWAT», dissi. «La missione non è autorizzata. Chiamare le SWAT è come chiedere di essere licenziata.»

«Sono disposta a farmi licenziare, se necessario.»

«Non si tratta solo di te», osservai. «Altre sei persone verrebbero licenziate insieme a te.»

Lei rimase zitta.

«E comunque, ho intenzione di tornare», aggiunsi. «Perché voglio Quinn, con o senza di te. Perciò puoi tranquillamente usarmi.»

«Che cosa ti ha *fatto* Quinn?»

Non risposi e Duffy rimase a lungo in silenzio.

«La signora Beck sarebbe disposta a parlare?» domandò infine.

«Non glielo voglio chiedere», risposi. «Farlo significherebbe confermare i suoi sospetti. Non so esattamente dove ci porterebbe.»

«Che cosa farai se tornerai indietro?»

«Mi farò promuovere», risposi. «Quella è la chiave. Devo arrivare a prendere il posto di Duke e diventare così il braccio destro di Beck. A quel punto potrò avere un contatto ufficiale con gli uomini di Quinn. Questo è quello che mi serve, altrimenti mi muoverei alla cieca.»

«Ci servono progressi», osservò lei. «Prove.»

«Lo so», risposi.

«Come ti farai promuovere?»

«Come fanno tutti», dissi.

Lei non rispose. Tornò alla casella della posta in arrivo e si allontanò dal computer per guardar fuori della finestra. La osservai. La luce le filtrava attraverso la camicia. Aveva i capelli pettinati all'indietro e alcune ciocche le ricadevano sul colletto. Sembrava un'acconciatura da cinquecento dollari, ma immaginai che con gli stipendi che offriva la DEA probabilmente se l'era fatta lei. Oppure l'aveva aiutata un'amica. La immaginai nella cucina di un'amica, seduta su una sedia in mezzo alla stanza con un vecchio asciugamano attorno al collo, interessata sì al suo aspetto, ma non tanto da spendere follie in un salone del centro.

I jeans le mettevano in risalto il sedere stupendo. Vedevo l'etichetta sul retro: *Waist 24. Leg 32.* Ciò significava che la gamba del pantalone era di una decina di centimetri più corta della mia, il che era normale, ma una vita di trenta centimetri più piccola mi sembrava incredibile. Io non ho quasi grasso corporeo, solo gli organi necessari, tonici e compatti. Lei doveva avere organi in miniatura. Quando vedo una vita del genere, mi viene voglia di misurarla con le mani per lo stupore, e magari anche di sprofondare la testa un po' più in su. Se non si fosse voltata, non avrei potuto scoprire che sensazioni avrei provato a fare una cosa del genere con lei, ma immaginai fossero molto piacevoli.

«Quant'è pericoloso, adesso?» chiese. «Voglio una valutazione realistica.»

«Non sono in grado di dirlo», risposi. «Ci sono troppe variabili. La signora Beck si basa sull'intuito e basta, forse anche sull'autoconvinzione. Non ha prove concrete: da questo punto di vista, me la sto cavando bene. Perciò anche se la signora Beck parlasse, tutto dipenderebbe dalla loro decisione di dar credito o no al suo intuito.»

«Ti ha visto all'esterno della casa. Questa è una prova concreta.»

«E di cosa? Del fatto che sono irrequieto?»

«Quel tizio, Doll, è stato ucciso mentre eri libero.»

«Presumeranno non abbia superato il muro e non troveranno Doll. Non ci riusciranno, non in tempo.»

«Perché hanno spostato Teresa?»

«Per precauzione.»

«Adesso la situazione è fuori controllo», ripeté.

Mi strinsi nelle spalle anche se non poteva vedere il mio gesto. «Questo genere di situazioni è sempre fuori controllo, c'è da aspettarselo. Niente va come prevedi. Tutti i piani crollano non appena spari il primo colpo.»

Lei tacque e si girò.

«Ora che farai?» chiese.

Rimasi zitto per un istante. La luce le filtrava sempre attraverso la camicia. *Davvero molto piacevole.*

«Mi farò una dormitina», risposi.

«Quanto tempo hai?»

Controllai l'orologio. «Circa tre ore.»

«Sei stanco?»

Annuii. «Sono rimasto in piedi tutta la notte e mi sono fatto una bella nuotata.»

«Hai superato il muro a nuoto?» domandò. «Forse sei *davvero* idiota.»

«Anche tu sei stanca?» chiesi.

«Molto. Sono settimane che lavoro sodo.»

«Allora fatti una dormitina come me», proposi.

«Non è il caso. Teresa è in pericolo da qualche parte.»

«Non posso comunque andar via adesso», spiegai. «Non finché la signora Beck non torna.»

Lei tacque per qualche istante. «C'è un letto solo.»

«Non è un grave problema», osservai. «Sei magra, non occupi tanto spazio.»

«Non è opportuno», replicò.

«Non dobbiamo infilarci *sotto* le coperte», osservai. «Possiamo stenderci sopra.»

«Uno a fianco dell'altra?»

«Completamente vestiti», dissi. «Terrò anche le scarpe.»

Lei non rispose nulla.

«Non è contro la legge», commentai.

«Forse sì», affermò. «In alcuni Stati è ancora in vigore qualche legge strana. Magari anche nel Maine è così.»

«Sono altre le leggi del Maine che mi preoccupano.»

«Non in questo momento.»

Sorrisi e sbadigliai. Mi sedetti sul letto e mi stesi di schiena. Poi mi spostai su un lato, misi le braccia sotto la testa e chiusi gli occhi. La sentii restare in piedi lì vicino, minuto dopo minuto, poi stendersi al mio fianco. Si mosse un po' e quindi s'immobilizzò, ma era tesa, lo avvertivo. Dalle molle del materasso mi arrivavano le minuscole vibrazioni della sua tensione.

«Non temere», dissi. «Sono troppo stanco.»

In realtà non lo ero. Il problema iniziò quando lei si mosse lievemente e mi toccò il sedere col suo. Fu un contatto molto lieve, ma era come se mi avesse collegato a una presa elettrica. Aprii gli occhi, fissai il muro e cercai di capire se fosse addormentata e si fosse mossa involontariamente o se lo avesse fatto apposta. Passai un paio di minuti a riflettere, ma suppongo che il pericolo mortale abbia un effetto afrodisiaco perché mi ritrovai a peccare d'ottimismo. Non sapevo quale fosse la risposta giusta. Decisi di muovermi un po' a mia volta e di rafforzare il contatto: in quel modo, pensai, rilancio la palla. Ora era lei a dover interpretare la mia mossa. Per un minuto intero non accadde nulla. Stavo metabolizzando la delusione quando Duffy si mosse di nuovo. Adesso il contatto era più che rafforzato. Se non avessi avuto i miei centodieci chili di peso, mi avrebbe spinto sul copriletto lucido. Ero certo di sentire i rivetti delle tasche posteriori dei suoi jeans. *Ora tocca a me.* Mascherai la mossa con una sorta di verso assonnato e mi girai: adesso eravamo nella posizione del cucchiaio e guarda caso col braccio le toccavo la spalla. Avevo i suoi capelli in faccia: erano morbidi e profumavano d'estate. Il cotone della sua camicia era fresco e scendeva fino alla vita dove iniziava il denim dei jeans che le copriva morbidamente i fianchi. Sbirciai rapido in basso. Si era tolta le scarpe e le vedevo le piante dei piedi. Dieci piccole dita, tutte in fila.

Allora Duffy emise un verso sonnolento. Ero più che certo che l'avesse fatto apposta. Si accoccolò fino ad appoggiarsi completamente a me, dalla testa ai piedi. Le posai la mano sul braccio, poi lo abbassai fino a toccarle il gomito e mi fermai all'altezza della vita. Avevo la punta del mignolo nella vita dei suoi jeans. Fece un altro verso, anche stavolta quasi certamente apposta. Trattenni il fiato. Mi teneva il sedere premuto contro l'inguine. Il cuore mi martellava nel petto e la testa mi girava. Non c'era modo di resistere, proprio nessun modo. Era uno di quei momenti di pazzia governati solo dagli ormoni: avrei rischiato otto anni a Leavenworth pur di viverlo. Spostai la mano in avanti verso l'alto e le toccai il seno. Dopodiché, la situazione sfuggì a qualsiasi controllo.

Era una di quelle donne che sono molto più attraenti nude che vestite. Aveva un corpo da sogno. Non era abbronzata, ma non aveva la pelle chiara. Era morbida come seta, ma non trasparente. Era molto magra, ma non ne vedevo le ossa. Sarebbe stata divinamente con uno di quei costumi da bagno sgambati sui fianchi. Aveva un seno piccolo, sodo, perfetto, un collo lungo e sottile, orecchie, caviglie, ginocchia e spalle splendide. Alla base del collo aveva una piccola cavità, lievemente umida.

Era anche molto forte. Pesavo una sessantina di chili più di lei, ma mi aveva sfinito. Era giovane, immagino, doveva avere dieci anni meno di me, e mi aveva lasciato senza forze, il che la fece sorridere. Aveva un bellissimo sorriso.

«Ricordi la mia stanza di motel a Boston?» chiesi. «Il modo in cui ti sei seduta sulla sedia? È stato in quel momento che ti ho voluta.»

«Stavo solo seduta su una sedia. Non c'era *niente* di particolare.»

«Non me la racconti giusta.»

«Ricordi il Freedom Trail?» chiese lei. «Quando mi hai detto del 'penetratore long-rod'? È stato in quel momento che *ti* ho voluto.»

Sorrisi.

«Faceva parte di un contratto miliardario della difesa», osservai. «Perciò sono molto contento che una cittadina ne abbia ricavato un beneficio.»

«Se con me non ci fosse stato Eliot, l'avrei fatto lì nel parco.»

«C'era una donna che dava da mangiare agli uccelli.»

«Saremmo potuti andare dietro un cespuglio.»

«Paul Revere ci avrebbe visti.»

«Lui aveva cavalcato tutta la notte.»

«Io però non sono Paul Revere», replicai.

Lei sorrise di nuovo, la sentii a contatto con la mia spalla.

«Sei KO, vecchio mio?»

«Non ho detto esattamente questo.»

«Il rischio è afrodisiaco, vero?» esclamò.

«Direi proprio di sì.»

«Allora ammetti che stai correndo un rischio?»

«Il rischio che mi venga un infarto.»

«Davvero, non dovresti tornare», insistette Duffy.

«Il rischio di non essere in grado di farlo.»

Lei si mise a sedere sul letto. La gravità non alterava per nulla la perfezione del suo corpo.

«Sono seria, Reacher», disse.

Le sorrisi. «Andrà tutto bene. Altri due o tre giorni. Troverò Teresa e Quinn, poi me ne andrò.»

«Solo se te lo permetterò.»

Annuii.

«Le due guardie del corpo», dissi.

Lei annuì a sua volta. «Per questo hai bisogno del mio supporto. Scordati gli eroismi: con te o senza di te, un accidente. Se rilasciamo quei due, il tempo di una telefonata e sei un uomo morto.»

«Adesso dove sono?»

«Nel primo motel, nel Massachusetts, dove abbiamo preparato il piano. Sorvegliati dagli uomini del Toyota e da quelli dell'auto del college.»

«Con attenzione, spero.»

«Con grande attenzione.»

«Sono a ore di distanza da qui», commentai.

Lei scosse la testa.

«In macchina», disse. «Non per telefono.»

«Tu vuoi riavere Teresa.»

«Sì», rispose. «Ma sono la responsabile.»

«Sei una maniaca del controllo», osservai.

«Semplicemente non voglio che ti succeda niente di brutto.»

«A me non succede mai niente di brutto.»

Lei si chinò e mi sfiorò con le dita le cicatrici sul petto, sul ventre, sulle braccia, sulle spalle, sulla fronte. «Per essere uno a cui non succede mai niente di brutto, hai un bel po' di segni.»

«Sono maldestro», replicai. «Cado spesso.»

Lei si alzò e andò in bagno nuda, aggraziata, senza il minimo imbarazzo.

«Torna subito qui», esclamai.

Ma non lo fece. Rimase in bagno a lungo e quando uscì indossava un accappatoio. Il suo volto era cambiato e sembrava un po' in imbarazzo, un po' triste.

«Non avremmo dovuto farlo», disse.

«Perché no?»

«Non è professionale.» Mi guardò dritto in faccia. Annuii. Immaginai non lo fosse molto.

«Ma è stato divertente», osservai.

«Non avremmo dovuto.»

«Siamo adulti. Viviamo in un Paese libero.»

«Era solo un modo per confortarci perché siamo entrambi tesi e stressati.»

«Non c'è niente di sbagliato in questo.»

«Complicherà le cose», disse.

Scossi la testa.

«No, se lo impediamo», replicai. «Non significa che ci dobbiamo sposare o che. Nessuno è in obbligo con l'altro se è successo.»

«Vorrei che non l'avessimo mai fatto.»

«Io invece sono contento. Se una cosa ti sembra giusta, falla.»

«È la tua filosofia?»

Distolsi lo sguardo.

« È la voce dell'esperienza », risposi. « Una volta dissi di no quando volevo dire di sì e non ho fatto che rimpiangere quella scelta. »

Lei si strinse nell'accappatoio.

« È stato bello », affermò.

« Anche per me. »

« Ma adesso dobbiamo dimenticarcene. È stato quello che è stato, e basta. D'accordo? »

« D'accordo. »

« E rifletti bene sull'idea di tornare. »

« D'accordo. »

Rimasi steso a letto a pensare come ci si sentisse a dire di no quando in realtà si voleva dire di sì. In complesso, dire di sì era stato meglio e non avevo rimpianti. Duffy era silenziosa. Era come se entrambi aspettassimo che accadesse qualcosa. Mi feci una lunga doccia calda e mi vestii in bagno. A quel punto avevamo finito di parlare: non c'era più altro da dire. Sapevamo tutti e due che sarei tornato alla villa. Apprezzai il fatto che non avesse cercato davvero di fermarmi, che eravamo due persone pratiche, concentrate sul nostro obiettivo. Mi stavo allacciando le scarpe quando arrivò una mail per Duffy. Il laptop emise una sorta di trillo attutito come quello del microonde che ti segnala che il cibo è pronto. Non c'era una voce registrata che annunciava: *C'è posta per te*. Uscii dal bagno. Duffy si sedette al computer e cliccò un tasto.

« Un messaggio del mio ufficio », disse. « Nei file ci sono undici ex poliziotti di dubbia fama chiamati Duke. Ho inviato ieri la richiesta. Quanti anni ha? »

« Una quarantina », risposi.

Lei fece scorrere l'elenco.

« È del sud? » chiese. « O del nord? »

« Non del sud », risposi.

« Ne restano tre. »

«La signora Beck ha detto che è stato anche agente federale.»

Duffy fece scorrere ancora la lista.

«John Chapman Duke», annunciò. «È l'unico a essere passato ai federali, dopo. Ha iniziato la carriera a Minneapolis come agente di pattuglia, poi è diventato detective. È stato sottoposto a tre indagini interne che non hanno condotto a nulla. Poi è arrivato da noi.»

«Alla DEA?» domandai. «Sul serio?»

«No, voglio dire al governo federale», spiegò. «È entrato al dipartimento del Tesoro.»

«A fare che?»

«Non c'è scritto. Nel giro di tre anni è stato incriminato per una storia di corruzione. Era anche sospettato d'essere un pluriomicida, ma non sono mai riusciti a provarlo. A ogni modo, è finito in prigione per quattro anni.»

«Descrizione?»

«Bianco, circa della tua corporatura», disse. «La foto lo fa sembrare più brutto.»

«È lui», affermai.

Duffy fece scorrere di nuovo il testo e lesse il resto del verbale.

«Sta' attento», disse. «Sembra proprio un bel tipo.»

«Non ti preoccupare», risposi. Pensai di darle un bacio di addio sulla porta, ma non lo feci. Immaginai non avrebbe voluto, perciò mi avviai in fretta verso la Cadillac.

Ero tornato al bar e avevo quasi finito la seconda tazza di caffè quando arrivò Elizabeth Beck. Non aveva niente che indicasse che avesse fatto spese: nessun acquisto, nessun sacchetto sfarzoso. Supposi non fosse entrata in alcun negozio e avesse vagabondato per quattro lunghe ore lasciando che l'uomo del governo facesse quello che doveva. Mi ignorò e si diresse al banco. Ordinò un caffè con latte formato grande e lo portò al tavolino. Avevo deciso che cosa dirle.

«Non lavoro per il governo», esordii.

«Allora mi deludi.»

«Come potrei?» osservai. «Ho ucciso un poliziotto, non ricorda?»

«Sì.»

«Chi lavora per il governo non fa cose del genere.»

«Forse sì», replicò. «Per sbaglio.»

«Ma dopo non scappa», obiettai. «Resta e si assume le sue responsabilità.»

Lei tacque e rimase in silenzio a lungo, sorseggiando lentamente il caffè.

«Ci sarò stata otto, dieci volte», disse infine. «Al college, intendo. Ogni tanto organizzano eventi per le famiglie degli studenti. E cerco di andarci all'inizio e alla fine di ogni semestre. Un'estate ho persino noleggiato un furgoncino per aiutarlo a portare a casa tutte le sue cose.»

«E allora?»

«È una scuola piccola», aggiunse. «Ma nonostante ciò, il primo giorno del semestre si anima: genitori, studenti, SUV, macchine, furgoni, un gran traffico dappertutto. I giorni delle famiglie sono ancor peggio. E sai cosa?»

«Cosa?»

«Non ho mai visto un poliziotto da quelle parti, non una volta. Tanto meno un detective in borghese.»

Guardai fuori della vetrina, verso il marciapiede interno del centro commerciale.

«È stato solo un caso, immagino», proseguì. «Un martedì mattina qualsiasi di aprile, nelle prime ore, non sta succedendo niente di particolare e lì vicino al cancello, senza un chiaro motivo, c'è un detective in borghese.»

«Dove vuole arrivare?» chiesi.

«Al fatto che è stato tremendamente sfortunato», rispose. «Voglio dire, quante erano le probabilità?»

« Io non lavoro per il governo », ripetei.

« Ti sei fatto una doccia », osservò. « E lavato i capelli. »

« Davvero? »

« Lo vedo e lo sento dall'odore. Sapone economico, shampoo economico. »

« Sono andato in una sauna. »

« Non avevi soldi. Ti ho dato venti dollari. Hai preso almeno due caffè, il che significa che sei rimasto con quattordici. »

« Era una sauna economica. »

« Davvero », commentò.

« Sono uno qualsiasi », dissi.

« E io ne sono delusa », replicò.

« Sembra che voglia che suo marito venga arrestato. »

« È così. »

« Finirebbe in prigione. »

« Vive già in una prigione e se lo merita. Ma sarebbe più libero in una vera prigione che dov'è ora. Poi non ci resterebbe per sempre. »

« Potrebbe chiamare qualcuno », suggerii. « Non deve aspettare che siano loro a venire da voi. »

Elizabeth scosse la testa. « Sarebbe un suicidio per me e per Richard. »

« Proprio come se parlasse di me in questi termini davanti ad altri. Si ricordi, non cederei facilmente. Ci sarebbero dei feriti. Forse lei o Richard. »

Sorrise. « Stai di nuovo cercando di patteggiare? »

« Sto di nuovo cercando di avvertirla », replicai. « Sull'opportunità di divulgare i dettagli. »

Lei annuì.

« So tenere la bocca chiusa », rispose e me lo dimostrò evitando di aggiungere altro. Finimmo il caffè in silenzio e tornammo alla macchina. Non scambiammo neanche due parole. Mi diressi verso casa, a nord-est, incerto se al mio fianco

avessi una bomba a orologeria o se stessi voltando le spalle al-
l'unico aiuto interno che avrei mai potuto avere.

Paulie era in attesa dietro il cancello. Doveva averci visto dalla finestra: aveva preso posizione non appena individuata la
macchina in lontananza. Rallentai, mi fermai e lui mi fissò.
Poi fissò Elizabeth.

«Mi dia il cercapersone», dissi.

«Non posso», rispose.

«Me lo dia», insistei.

Paulie aprì il catenaccio e spinse il cancello. Elizabeth aprì
la borsa e mi porse il cercapersone. Lasciai che la macchina
avanzasse lenta e abbassai il finestrino, fermandomi nel punto in cui Paulie aspettava per richiudere il cancello.

«Prendi un po'», esclamai.

Sollevando il braccio, gettai il cercapersone davanti all'auto. Usai la sinistra e il lancio risultò debole, impreciso, ma
conseguì il suo scopo. Il piccolo rettangolo di plastica tracciò
un arco a mezz'aria e atterrò nel centro esatto del viale, a circa sei metri dalla macchina. Paulie ne seguì la traiettoria, poi
quando capì che cosa fosse s'immobilizzò.

«Ehi», disse.

Si mosse verso l'apparecchio, e io verso di lui. Premetti
l'acceleratore, gli pneumatici sgommarono e l'auto partì con
un balzo. Con l'angolo destro del parafango anteriore mirai
al lato del ginocchio sinistro. Mi avvicinai molto, ma lui fu
incredibilmente rapido. Raccolse il cercapersone e arretrò,
tanto che lo mancai di una trentina di centimetri. L'auto gli
sfrecciò accanto. Non rallentai. Continuai ad accelerare e lo
guardai nel retrovisore: era in piedi alle mie spalle, mi fissava,
col fumo azzurrognolo delle gomme che gli aleggiava intorno. Ero profondamente deluso. Se avessi dovuto lottare con
un uomo che pesava una novantina di chili più di me, sarei

stato molto più contento se fosse stato storpio o per lo meno non così maledettamente *veloce*.

Mi fermai alla rotonda e feci scendere Elizabeth Beck davanti all'ingresso, poi misi l'auto in garage. Mi stavo avviando in cucina quando Zachary Beck e John Chapman Duke uscirono a cercarmi. Erano agitati e camminavano a passo svelto. Erano tesi, sconvolti. Pensai me ne volessero dire quattro per via di Paulie, ma non fu così.

«Angel Doll è scomparso», annunciò Beck.

Rimasi immobile. Il vento soffiava dall'oceano, che non era più calmo: adesso le onde erano grosse e fragorose come la prima sera. L'aria era piena di spruzzi.

«L'ultima cosa che ha fatto ieri sera è stato parlare con te», disse Beck. «Poi ha chiuso tutto, se n'è andato e da allora nessuno lo ha più visto.»

«Da te cosa voleva?» chiese Duke.

«Non lo so», risposi.

«Non lo sai? Sei rimasto là dentro cinque minuti.»

Annuii. «Mi ha portato nell'ufficio del magazzino.»

«E?»

«E niente. Stava per iniziare un discorso, ma lo hanno chiamato al cellulare.»

«Chi era?»

Mi strinsi nelle spalle. «Come faccio a saperlo? Sembrava una cosa urgente. Ha parlato al telefono per tutti i cinque minuti. Stava facendo perdere tempo a me e a voi, perciò ho rinunciato e sono uscito.»

«Cosa ha detto al telefono?»

«Non ho ascoltato», risposi. «Non mi sembrava educato.»

«Hai sentito qualche nome?» chiese Beck.

Mi voltai nella sua direzione e scossi il capo.

«Nessuno», affermai. «Ma si conoscevano, quello era

chiaro. Doll è rimasto a lungo in ascolto. Penso ricevesse istruzioni per qualcosa.»

«Per cosa?»

«Non ne ho idea», risposi.

«Era una cosa urgente?»

«Immagino di sì. Sembrava essersi scordato di me e di certo non ha fatto niente per fermarmi quando me ne sono andato.»

«È tutto quello che sai?»

«Presumevo si trattasse di una specie di piano», dissi. «Delle istruzioni per il giorno dopo, forse.»

«Per oggi?»

Mi strinsi di nuovo nelle spalle. «Sto solo facendo ipotesi. È stato più un monologo che una conversazione.»

«Splendido», commentò Duke. «Sei davvero di grande aiuto, lo sai?»

Beck guardò l'oceano. «Quindi ha ricevuto una telefonata urgente al cellulare, ha chiuso l'ufficio e se n'è andato. È tutto quello che ci sai dire?»

«Non l'ho visto chiudere l'ufficio», osservai. «E nemmeno andarsene. Quando sono uscito parlava ancora al telefono.»

«Che abbia chiuso l'ufficio è ovvio», replicò Beck. «E anche che se ne sia andato. Stamattina tutto era perfettamente normale.»

Non dissi nulla. Beck si voltò di novanta gradi, verso est. Il vento soffiava dal mare e gli appiattì i vestiti addosso. I pantaloni svolazzavano come bandiere. Mosse i piedi sfregando le suole delle scarpe sulla ghiaia, come se cercasse di scaldarsi.

«Ci mancava anche questa adesso», commentò. «*Proprio* ci mancava. Ci aspetta un fine settimana di fuoco.» Si voltarono entrambi e rientrarono in casa lasciandomi lì, solo.

Ero stanco, ma non mi sarei potuto riposare, quello era chiaro. Il clima era elettrico e la routine delle due sere precedenti era stata completamente sconvolta. In cucina non c'era da mangiare: niente cena. La cuoca era scomparsa. Udii qualcuno muoversi nell'atrio, poi Duke entrò in cucina, mi superò e uscì dalla porta posteriore. Portava una borsa sportiva blu della Nike. Lo seguii all'esterno e rimasi a osservarlo da dietro l'angolo della casa: lo vidi entrare nel secondo box. Cinque minuti dopo uscì in retromarcia con la Lincoln nera e se ne andò. Aveva cambiato targa: adesso ne aveva una a sette cifre dello Stato di New York. Tornai dentro e andai in cerca di un caffè. Trovai la macchina, ma non i filtri di carta, perciò mi accontentai di un po' d'acqua. Ero a metà bicchiere quando arrivò Beck. Anche lui aveva una borsa sportiva. Dal modo in cui la portava e dal rumore che fece quando cozzò contro la sua gamba capii che era piena di qualcosa di metallico e di pesante. Armi, probabilmente, forse un paio.

«Va' a prendere la Cadillac», disse. «Subito. Ti aspetto all'ingresso.»

Estrasse le chiavi dalla tasca e le gettò sul tavolo davanti a me, poi si accucciò, aprì la borsa e prelevò due targhe dello Stato di New York e un cacciavite. Mi porse il tutto.

«Prima metti queste», disse.

Vidi le armi: due MP5K della Heckler & Koch, corti, grassi e neri, con grosse impugnature a bulbo di plastica fusa. Futuristiche, come le armi dei film.

«Dove andiamo?» chiesi.

«Seguiamo Duke fino a Hartford, nel Connecticut. Abbiamo un lavoro da sbrigare laggiù, ricordi?»

Chiuse la borsa, si alzò e la riportò nell'atrio. Io rimasi seduto immobile per un secondo, poi alzai il bicchiere d'acqua e brindai alla parete bianca di fronte a me.

A guerre sanguinose e malattie terribili, dissi tra me e me.

7

Lasciai il resto dell'acqua in cucina e mi avviai verso il garage. All'orizzonte, sull'oceano, un centinaio di miglia più a est, stava calando il crepuscolo. Il vento era forte e le onde battevano sulla costa. Mi fermai e con aria noncurante mi girai. Non vidi nessun altro nei paraggi, così sgattaiolai lungo il lato del muro. Trovai il fagotto nascosto, posai le targhe finte e il cacciavite sugli scogli e prelevai entrambe le pistole. Infilai la Glock di Duffy nella tasca destra del cappotto e la PSM di Doll nella sinistra. Nascosi i caricatori di riserva nei calzini. Riposi lo straccio, raccolsi le targhe e il cacciavite e tornai all'ingresso del cortile.

Il meccanico era al lavoro nel terzo box, quello vuoto. Aveva spalancato le porte e stava oliando i cardini. Il locale alle sue spalle era ancor più pulito della notte prima, quando lo avevo visto, anzi immacolato. Il pavimento era stato lavato con un tubo di gomma: vedevo qua e là chiazze di bagnato che si stavano asciugando. Feci un cenno all'uomo che ricambiò. Aprii il quarto box, mi accucciai e svitai la targa del Maine dal retro della Cadillac rimpiazzandola con quella di New York. Feci lo stesso davanti. Lasciai le vecchie targhe e il cacciavite sul pavimento, salii e accesi il motore. Uscii in retromarcia e mi diressi alla rotonda. Il meccanico mi guardò allontanarmi.

Beck mi stava aspettando. Aprì da solo la portiera posteriore e gettò la borsa sportiva sul sedile. Udii le armi spostarsi al suo interno. Poi chiuse la portiera e si sedette davanti, al mio fianco.

«Va'», disse. «Prendi la I-95 in direzione sud fino a Boston.»

«Dobbiamo fare benzina», osservai.

«Va bene, nel primo posto che trovi.»

Paulie ci stava aspettando al cancello. Il suo viso era una maschera di rabbia. Quell'uomo non sarebbe stato un problema ancora per molto. Mi guardò in cagnesco e, mentre apriva il cancello, voltò la testa a destra e a sinistra per non perdermi d'occhio. Io lo ignorai e varcai il cancello senza girarmi. Lontano dagli occhi, lontano dal cuore: così mi sarei comportato per quanto lo riguardava.

La strada costiera in direzione ovest era completamente deserta. Dodici minuti dopo essere partiti eravamo sull'interstatale. Mi stavo abituando alla Cadillac: era una bella macchina, scorrevole, silenziosa, ma beveva benzina, quello era certo. L'indicatore era basso in modo inquietante; lo vedevo quasi muoversi. A quanto ricordavo, la prima stazione di servizio era quella a sud di Kennebunk, dove avevo incontrato Duffy e Eliot quand'ero andato a New London. La raggiungemmo in quindici minuti. Mi sembrava molto familiare. Superai il posteggio dove avevamo aperto il furgone e mi diressi alle pompe. Beck non disse nulla. Scesi e feci il pieno. Impiegai un po'. Sessantotto litri in tutto. Avvitai il tappo; Beck abbassò il finestrino e mi diede un rotolo di banconote.

«Paga sempre la benzina in contanti», disse. «In questo modo è più sicuro.»

Tenni il resto, un po' più di quindici dollari, pensando di averne diritto: non ero ancora stato pagato. Ero stanco e quando sei stanco non c'è niente di peggio di chilometri e chilometri di strada. Accanto a me, Beck taceva. All'inizio pensai fosse solo cupo, timido o inibito, poi mi resi conto che era nervoso. Immaginai che non si sentisse del tutto a suo agio ad andare in battaglia. Io invece sì, soprattutto perché sapevo con certezza che non ci saremmo trovati di fronte alcun avversario.

«Come sta Richard?» chiesi.

«Bene», rispose. «Ha una grande forza d'animo. È bravo come figlio.»

«Davvero?» chiesi perché dovevo dire qualcosa. Per restare sveglio dovevo farlo parlare.

«È molto leale. Un padre non potrebbe desiderare di più.»

Poi tacque di nuovo e io lottai per non addormentarmi. Dieci chilometri, quindici.

«Hai mai trattato con piccoli spacciatori?» domandò.

«No», risposi.

«Hanno una caratteristica singolare», osservò.

Non disse altro per una trentina di chilometri, poi riprese il discorso come se avesse passato tutto quel tempo a inseguire un pensiero sfuggente.

«Sono totalmente schiavi della moda», disse.

«Sul serio?» chiesi fingendomi interessato. Non lo ero affatto, ma avevo bisogno che parlasse.

«Ovviamente, anche le droghe da laboratorio sono una cosa alla moda», aggiunse. «I clienti sono marci come loro. Non riesco nemmeno a tenere il conto della roba che vendono. Ogni settimana compare qualche assurdo nome nuovo.»

«Cosa sono le droghe da laboratorio?» domandai.

«Droghe fatte in laboratorio», rispose. «Sai, sono fabbricate chimicamente, non crescono in natura.»

«Come la marijuana.»

«O l'eroina», aggiunse. «O la cocaina. Quelli sono prodotti naturali, biologici. Sono raffinati, naturalmente, ma non vengono creati in un becher.»

Non replicai, sforzandomi solo di tenere gli occhi aperti. L'auto era fin troppo calda e quando sei stanco hai bisogno di aria fredda. Mi morsi il labbro inferiore per restare sveglio.

«La mania per la moda investe tutto ciò che fanno», proseguì. «Ogni più piccola cosa. Le scarpe, per esempio. I tizi che stiamo cercando, ogni volta che li ho visti avevano un paio di scarpe diverse.»

« Di che tipo, da ginnastica? »

« Certo, come se si guadagnassero da vivere giocando a basket. Un giorno hanno un paio di Reebok da duecento dollari, nuove di zecca, la volta dopo le Reebok sono assolutamente bandite e le scarpe devono essere Nike o qualcosa del genere, air questo, air quello. Poi si passa alle Caterpillar, alle Timberland, alle Leather, a quelle in Gore-tex e dopo ancora a quelle di pelle. Nere, gialle come le scarpe da lavoro, sempre slacciate. Poi si torna di nuovo alle scarpe da corsa, solo che stavolta sono Adidas, con le striscioline. Due, trecento dollari al colpo, senza ragione. È pura follia. »

In silenzio, continuai a guidare con le palpebre spalancate e gli occhi che mi pungevano.

« Sai perché? » chiese. « Per i soldi: ne hanno così tanti che non sanno che farsene. Come i giubbotti. Hai visto i giubbotti che portano? Una settimana sono North Face, tutti gonfi e lucidi, imbottiti di piume d'oca, e non importa se sia estate o inverno perché loro girano solo di notte. La settimana dopo i capi lucidi sono obsoleti. Forse il marchio North Face può ancora andare, ma adesso devono essere di microfibra. Poi diventano di pelle, di lana con le maniche di pelle. Ogni stile dura all'incirca una settimana. »

« Sono matti », commentai perché dovevo dire qualcosa.

« Sono i soldi », ripeté lui. « Non sanno che farsene, perciò cambiano per il puro gusto di cambiare. È un'abitudine che investe tutto, anche le armi naturalmente. Questi tizi, in particolare, amavano gli MP5K della Heckler & Koch, adesso secondo quello che dici hanno le Uzi. Capisci quello che intendo? Con quei tipi persino le armi diventano oggetto di moda, come le scarpe da ginnastica, i giubbotti e i loro prodotti, il che chiude il cerchio. La loro domanda cambia sempre, in qualsiasi settore, persino in quello delle auto. In genere preferiscono le giapponesi secondo la moda della West Coast, suppongo, ma una settimana sono Toyota, quella dopo Honda, poi ancora Nissan. Due o tre anni fa la Nissan Maxima, come quella che hai rubato, era una delle grandi preferite. Poi è venuto il turno delle Lexus. È una mania. Con gli orologi succede lo stesso: un giorno hanno gli Swatch, un altro i Rolex. Non vedono differenze. È totale follia. Naturalmente, essendo nel mercato, parlando da fornitore, non mi lamento. L'obsolescenza del mercato è quello a cui miriamo, ma a volte il processo è troppo rapido e si fatica a starci dietro. »

« Allora lei è nel mercato? »

« Che cosa pensavi? » chiese. « Che facessi il ragioniere? »

« Pensavo importasse tappeti. »

« Certo », rispose. « Importo tappeti. »

« D'accordo. »

« Ma si tratta fondamentalmente di una copertura », aggiunse, poi scoppiò a ridere. « Pensi che di questi tempi non si debbano prendere precauzioni quando si vendono scarpe da ginnastica a personaggi del genere? »

Continuò a ridere e nella sua risata avvertii una forte tensione nervosa. Continuai a guidare e poco dopo Beck si calmò. Guardò fuori del finestrino, poi oltre il parabrezza e riprese a parlare, come se servisse a lui quanto a me.

« Tu non porti mai scarpe da ginnastica? » domandò.

« No », risposi.

« Perché vorrei che qualcuno me lo spiegasse. Non c'è una differenza razionale tra una Reebok e una Nike, giusto? »

« Non saprei. »

« Voglio dire, vengono probabilmente prodotte nella stessa fabbrica, da qualche parte in Vietnam, probabilmente sono identiche prima che qualcuno ci applichi il logo. »

« Forse », dissi. « Davvero non saprei. Non sono mai stato un atleta. Non ho mai portato scarpe del genere. »

« C'è differenza tra una Toyota e una Honda? »

« Non saprei. »

« Perché? »

« Perché non ho mai avuto un VP. »

« Che cos'è un VP? »

« Veicolo privato », spiegai. « Così l'esercito chiama una Toyota o una Honda. Una Nissan o una Lexus. »

« Allora che cosa sai? »

« La differenza tra uno Swatch e un Rolex? »

« Bene, qual è? »

« Non c'è », risposi. « Tutti e due ti dicono l'ora. »

« Questa non è una risposta. »

« So la differenza tra una Uzi e un Heckler & Koch. »

Beck si voltò sul sedile. « Bene. Splendido. Spiegamela. Perché quei tizi avrebbero buttato via i loro Heckler & Koch a favore delle Uzi? »

La Cadillac continuava ad avanzare ronzando. Guardando il volante, mi strinsi nelle spalle e soffocai uno sbadiglio. Era una domanda senza senso, ovviamente: i tizi di Hartford non avevano buttato via gli Heckler & Koch a favore delle Uzi, non nella realtà. Eliot e Duffy non potevano sapere quale fosse la loro arma « del giorno » e non sapevano che Beck avesse contatti a Hartford, tutto qui, perciò avevano dato ai loro uomini delle Uzi, forse perché le avevano sottomano.

In teoria però era una buona domanda. Una Uzi è un'arma molto bella. Un po' pesante forse e non ha la velocità ciclica più elevata del mondo, il che per qualcuno può essere importante. La canna ha poche rigature, il che riduce lievemente la precisione. D'altronde, è molto affidabile, semplice, completamente sicura, e puoi anche inserirci un caricatore da quaranta colpi. È un'arma molto bella, ma qualsiasi derivato dell'MP5 della Heckler & Koch è meglio: spara le stesse munizioni più velocemente e con più forza. È molto, molto preciso, in alcune mani quanto un buon fucile. Molto affidabile. In una parola, migliore. Uno splendido design anni '70 contro un buon design anni '50. Non vale in tutti i campi, ma per quanto riguarda il materiale militare le cose moderne sono sempre le migliori.

«Non c'è una ragione», risposi. «Per me non ha senso.» «Esatto», convenne Beck. «È questione di moda, di capriccio. È una compulsione. Danno da lavorare a tutti, ma a volte ti fanno anche impazzire.»

In quel momento il suo cellulare squillò. Lo estrasse svelto dalla tasca e rispose pronunciando il suo nome in modo rapido e secco. E un po' nervoso. *Beck.* Sembrò un colpo di tosse. Rimase a lungo in ascolto, fece ripetere all'interlocutore un indirizzo e le indicazioni per raggiungerlo, chiuse il cellulare e lo rimise in tasca.

«Era Duke», spiegò. «Ha fatto qualche telefonata. I nostri ragazzi non si trovano a Hartford, da nessuna parte, ma dovrebbero avere un posto in campagna, a sud-est. Pensa che si siano rintanati lì, perciò è lì che andremo.»

«Quando arriviamo, cosa facciamo?»

«Niente di eclatante», rispose Beck. «Non dobbiamo sollevare polveroni. Niente di sensazionale, niente di stravagante. In una situazione del genere preferisco metterli a tacere in un clima di ineluttabilità, sai? Ma anche di noncuranza. Come a dire, hai cercato rogna e la punizione arriva rapida e sicura, anche se non smanio per fartela pagare.»

«In quel modo perde clienti.»

«Li posso rimpiazzare tranquillamente. Questa è la cosa davvero fantastica del mio lavoro: tra domanda e offerta, la prima è sempre più elevata.»

«Lo farà con le sue mani?»

Lui scosse la testa. «A questo servite tu e Duke.»

«Io? Pensavo di fare solo da autista.»

«Ne hai già eliminati due. Altri due non dovrebbero preoccuparti.»

Abbassai un po' il riscaldamento e mi sforzai di tenere aperti gli occhi. Guerre sanguinose, dissi tra me.

Percorremmo metà circonvallazione di Boston e a quel punto Beck mi disse di andare a sud-ovest sulla Mass Pike e poi sull'Interstatale 84. Coprimmo altri cento chilometri, pari a un'altra ora di viaggio. Non voleva che corressi troppo. Non voleva farsi notare. Con le targhe false e una borsa piena di armi automatiche sul sedile posteriore non voleva attirare l'attenzione della polizia stradale, il che era logico. Guidai come un automa. Non dormivo da quaranta ore, ma non rimpiangevo il sonnellino perduto nel motel di Duffy. Ero molto contento del modo in cui avevo impiegato il tempo, anche se lei non lo era.

« La prossima uscita », disse Beck.

Proprio in quel punto la I-84 attraversava diritta la città di Hartford. C'era una nube bassa e le luci della città la tingevano di arancione. Lo svincolo conduceva a una strada larga che dopo un chilometro e mezzo si restringeva e puntava a sud-est, in mezzo alla campagna. Davanti a noi c'era il buio. Incontrammo alcuni negozi chiusi: attrezzatura da pesca ed esche, birra ghiacciata, ricambi per motociclette, poi più nulla, tranne la sagoma scura degli alberi.

« Alla prossima svolta a destra », disse Beck otto minuti dopo.

Svoltai in una strada più stretta, dal fondo sconnesso, piena di curve improvvise. Tutt'intorno, il buio. Dovetti concentrarmi. L'idea del viaggio di ritorno non mi entusiasmava.

« Continua », ordinò Beck.

Percorremmo altri quattordici, quindici chilometri. Non avevo idea di dove fossimo.

« Bene », disse. « Presto dovremmo vedere Duke che ci aspetta. »

Un paio di chilometri più in là i fari illuminarono la targa posteriore di Duke. Era parcheggiato a bordo strada e l'auto era inclinata perché il terreno formava un fosso.

« Fermati dietro », disse.

Mi fermai col muso contro il retro della Lincoln e inserii il cambio nella posizione di parcheggio. Avrei voluto dormire: anche solo cinque minuti avrebbero fatto una grande differenza. Duke invece scese non appena ci ebbe identificati e si avvicinò in fretta al finestrino di Beck. Questi abbassò il vetro e lui, chinandosi, infilò il viso nell'abitacolo.

«Il posto è a circa tre chilometri da qui», disse. «A sinistra c'è un viale d'accesso lungo e tortuoso. È poco più di una stradina sterrata. Possiamo arrivare in macchina fino a metà se procediamo lenti e senza far rumore, a fari spenti. Il resto, lo dovremo fare a piedi.»

Beck non disse nulla, si limitò solo a chiudere il finestrino. Duke tornò alla macchina e partì con un sobbalzo riportandola in carreggiata. Lo seguii per tre chilometri e a un centinaio di metri dal vialetto spegnemmo i fari. Poi svoltammo e rallentammo. C'era una pallida luce lunare. La Lincoln davanti a me sussultava e ondeggiava quando superava le buche. La Cadillac faceva lo stesso, ma in modo scoordinato: era in alto quando la Lincoln si trovava in basso, si piegava a destra quando l'altra s'inclinava a sinistra. Rallentammo fino quasi a passo d'uomo e sfruttammo l'inerzia per avvicinarci ancora un po'. Poi le luci dei freni di Duke si accesero e la sua macchina si bloccò. Io mi fermai alle sue spalle. Beck si girò, prese la borsa sportiva facendola passare nello spazio tra i sedili e l'aprì sulle ginocchia. Mi porse un MP5K con due caricatori di riserva da trenta colpi.

«Porta a termine il lavoro», disse.

«Lei aspetta qui?»

Lui annuì. Aprii il mitra e lo controllai. Lo richiusi e inserii un colpo nella camera, poi misi la sicura. Infilai i caricatori di riserva in tasca con grande cura, in modo che non tintinnassero a contatto con la Glock e la PSM e scesi dall'auto. Rimasi in piedi e respirai l'aria fredda della notte. Era un sollievo e mi svegliò. Sentivo l'odore di un lago nelle vicinanze, di alberi e del tappeto di foglie sul terreno. Udivo il rumore di una piccola cascata in lontananza e delle marmitte che ticchettavano piano mentre si raffreddavano. Tra gli alberi soffiava una lieve brezza ma, a parte ciò, non c'erano altri rumori, solo silenzio assoluto.

Duke mi stava aspettando. Nel suo comportamento notai tensione e impazienza. Aveva già fatto cose del genere, quello era chiaro. Aveva proprio l'aria di un veterano della polizia prima di un grande arresto: conosceva la routine, ma nello stesso tempo era perfettamente consapevole che nessuna situazione è mai uguale all'altra. In mano aveva una Steyr con il caricatore lungo da trenta colpi, che sporgeva oltre l'impugnatura e rendeva la pistola più grande e brutta che mai.

«Andiamo, coglione», sussurrò.

Rimasi a un metro e mezzo da lui e camminai lungo il lato opposto del viale, come un fante. Dovevo essere convincente, come se temessi di affrontare un bersaglio numeroso. Io sapevo che il posto era vuoto, ma lui no.

Superammo una curva e vedemmo la casa di fronte a noi. Dietro una finestra c'era una luce accesa, probabilmente azionata da un timer. Duke rallentò e si fermò.

«Vedi una porta?» chiese.

Scrutai nell'oscurità. Vidi un piccolo portico e glielo indicai.

«Tu aspetta all'ingresso», sussurrai. «Io controllo la finestra illuminata.»

Duke fu più che felice dell'idea. Raggiungemmo il portico dove lui si fermò. Io mi allontanai rapido e girandoci attorno mi avviai verso la finestra. Mi gettai a terra e coprii gli ultimi tre metri strisciando. Sollevai quindi la testa fino al davanzale e sbirciai dentro. C'era una lampada da tavolo con il paralume di plastica e una lampadina a basso voltaggio. Divani e poltrone sfondati. La cenere fredda di un vecchio fuoco nel caminetto e pareti pannellate di pino. Ma non c'era anima viva.

Tornai indietro strisciando finché la luce mi rese visibile a Duke, al che portai due dita a V davanti agli occhi, un codice standard di comunicazione tra cecchino e ricognitore che significava *vedo*. Poi estesi il palmo e tutte le dita per dire *vedo cinque persone* e feci una serie complicata di gesti per indicare la collocazione delle armi ben sapendo che Duke non li poteva capire: nemmeno io li avrei capiti. Per quanto ne sapessi, non avevano senso. Non ero mai stato un cecchino/ricognitore, ma l'intera performance sembrava molto realistica con la sua nota di professionalità, segretezza e urgenza.

Strisciai per altri tre metri, mi alzai e tornai silenzioso alla porta.

«Sono andati», mormorai. «Ubriachi o fatti. Abbiamo un buon vantaggio. Sarà un successo.»

«Armi?»

«Molte, ma nessuna a portata di mano.» Indicai il portico. «Sembra che dall'altra parte ci sia un piccolo corridoio. Porta esterna, porta interna, corridoio. Tu va' a sinistra, io a destra. Aspetteremo lì, in corridoio. Falli fuori quando escono dalla stanza insospettiti dal rumore.»

«Adesso dai ordini?»

«Sono andato io in ricognizione.»

«Solo non metterti nei casini, coglione.»

«Anche tu.»

«A me non capita», replicò.

«Bene», osservai.

«Parlo sul serio», aggiunse. «Vienimi tra i piedi e sarò più che lieto di farti fuori insieme a loro, senza la minima esitazione.»

«Siamo dalla stessa parte.»

«Davvero?» chiese. «Tra poco lo scopriremo.»

«Rilassati.»

Lui tacque e si contrasse, poi annuì al buio. «Io butto giù la porta esterna, tu quella interna. Facciamo alla cavallina.»

«D'accordo», risposi. Mi voltai e sorrisi. Era proprio una cosa da veterano della polizia: se io avessi buttato giù la porta interna, lui l'avrebbe varcata per primo e, dati i normali tempi di reazione del nemico, in genere è il secondo che entra a prendersi una pallottola.

«Via la sicura», sussurrai.

Predisposi l'H&K per sparare un colpo solo e lui spostò il fermo della Steyr a destra. Annuii, lui fece lo stesso e diede un calcio alla porta esterna. Io gli ero alle spalle: lo superai e con un calcio aprii la porta interna senza fare un passo. Lui a sua volta mi superò e si gettò a sinistra; io lo seguii e mi buttai a destra. Era abbastanza in gamba; formavamo una buona squadra. Eravamo accucciati in posizione, perfetti, ancor prima che le porte spaccate finissero di oscillare. Lui fissava davanti a sé l'ingresso della stanza di fronte. Impugnava la Steyr a due mani, con le braccia tese e gli occhi spalancati. Respirava affannosamente, sembrava quasi senza fiato. Affrontava quel lungo momento di pericolo come meglio poteva. Estrassi la PSM di Angel Doll dalla tasca, la tenni con la sinistra e tolsi la sicura. Strisciai sul pavimento e gliela conficcai nell'orecchio.

«Sta' fermo», intimai. «E scegli. Ti farò una domanda, una sola. Se menti o se ti rifiuti di rispondere, ti sparo in testa. Capito?»

Lui rimase perfettamente immobile per cinque, otto, dieci secondi, fissando disperato la porta di fronte.

«Non temere, *coglione*», dissi. «Là dentro non c'è nessuno. Sono stati arrestati la scorsa settimana dal governo.»

Duke era pietrificato.

«Hai capito quello che ho detto a proposito della domanda?»

Lui annuì titubante, goffo, con la pistola ancora ben conficcata nell'orecchio.

«Rispondi o ti sparo in testa. Afferrato?»

Lui annuì di nuovo.

«Bene, eccola», dissi. «Sei pronto?»

Lui assentì, una volta sola.

«Dov'è Teresa Daniel?» chiesi.

Ci fu un lungo momento di silenzio. Duke fece mezzo giro verso di me e io mossi la mano per tenere la bocca della PSM al suo posto. Dal suo sguardo vidi che stava capendo. «Non lo saprai mai», rispose.

Gli sparai in testa. Estrassi la bocca della pistola dall'orecchio e con la sinistra gli sparai un colpo alla tempia destra. Nel buio il suono fu assordante. Sangue, cervello e frammenti ossei schizzarono sul muro lontano e l'esplosione gli bruciò i capelli. Poi sparai un paio di colpi nel soffitto con l'H&K con la destra e un altro con la PSM, con la sinistra, nel pavimento. Predisposi il mitra per sparare in automatico e gli scaricai addosso a bruciapelo l'intero caricatore. Raccolsi la Steyr e colpii di nuovo il soffitto, più volte: quindici colpi rapidi, *bam bam bam bam*, metà caricatore. Il corridoio si riempì di fumo acre. Dappertutto c'erano frammenti di legno e di intonaco. Cambiai caricatore all'H&K e sparai ai muri, tutt'intorno. Il rumore fu assordante. I bossoli schizzavano e rimbalzavano ovunque. L'H&K terminò i colpi con un *clic*, allora sparai il resto delle munizioni della PSM nel muro del corridoio, con un calcio aprii la porta che dava nella stanza illuminata e feci saltare la lampada con la Steyr. Trovai un tavolino e lo gettai contro la finestra, poi usai il secondo caricatore dell'H&K per sparare contro gli alberi in lontananza mentre con la sinistra sparavo con la Steyr al pavimento finché non si scaricò. A quel punto presi tra le braccia Steyr, H&K e PSM e corsi via con le orecchie che mi ronzavano. Avevo sparato centoventotto colpi in circa quindici secondi che mi avevano assordato. Beck doveva aver pensato che fosse scoppiata la terza guerra mondiale.

Corsi dritto sul viale. Tossivo e mi portavo dietro il fumo degli spari come una nube. Mi diressi alle auto. Beck si era già messo alla guida della Cadillac. Mi vide arrivare e aprì la portiera di un paio di centimetri: era più rapido che abbassare il finestrino.

« Un'imboscata », dissi. Ero senza fiato e sentivo la mia voce alta in testa. « Erano almeno in otto. »

« Dov'è Duke? » chiese.

« Morto. Dobbiamo andarcene. *Subito*, Beck. »

Lui rimase impietrito per un secondo, poi si mosse.

« Prendi la sua macchina », disse.

Aveva già messo in moto la Cadillac. Premette il piede sull'acceleratore, sbatté la portiera e partì in retromarcia scomparendo alla vista. Io saltai sulla Lincoln, l'accesi, misi il cambio nella posizione di retromarcia e posando il gomito sul sedile guardai nel retrovisore. Poi diedi gas. Sbucammo sulla strada uno dopo l'altro come frecce, girammo e partimmo in direzione nord fianco a fianco, come in una gara d'auto. Sgommavamo in curva e contrastavamo la bombatura della strada, mantenendo una velocità di centodieci all'ora. Non rallentammo finché non raggiungemmo l'incrocio che ci avrebbe riportati a Hartford. A quel punto Beck andò avanti e io mi accodai. Percorse altri otto chilometri a velocità sostenuta, poi entrò nello spiazzo di un negozio chiuso di alcolici e parcheggiò sul retro. Io mi fermai a tre metri di distanza e rimasi seduto in macchina, lasciando che fosse lui a venire da me. Ero troppo stanco per scendere. Beck girò di corsa attorno al bagagliaio della Cadillac e aprì la mia portiera.

« È stata un'imboscata? » chiese.

Annuii. « Ci stavano aspettando. Erano in otto, forse anche di più. È stato un massacro. »

Lui non disse nulla. Non c'era niente che potesse dire. Presi la Steyr di Duke dal sedile accanto e gliela porsi.

« L'ho recuperata », affermai.

« Perché? »

« Ho pensato che avrebbe voluto lo facessi. Che fosse rintracciabile. »

Beck assentì. « Non lo è, ma è stata una buona idea. »

Gli diedi anche l'H&K. Lui tornò alla Cadillac. Lo vidi rimettere entrambe le armi nella borsa. Si girò, strinse le mani e guardò dapprima il cielo nero, poi me.

«Hai visto qualcuno in faccia?» chiese.

Scossi la testa. «Era troppo buio, ma ne abbiamo colpito uno. Ha perso questa.»

Gli porsi la PSM. Fu come se avesse ricevuto un pugno allo stomaco. Impallidì, allungò una mano e si tenne al tetto della Lincoln.

«Che c'è?» domandai.

Lui distolse lo sguardo. «Non ci posso credere.»

«Cosa?»

«Tu lo hai colpito e lui ha perso questa?»

«Dev'essere stato Duke a colpirlo.»

«Hai assistito alla scena?»

«Ho visto solo sagome», risposi. «Era buio. C'erano un sacco di lampi degli spari. Duke stava sparando e ha colpito una sagoma. Quando sono uscito, per terra c'era questa.»

«È la pistola di Angel Doll.»

«Ne è certo?»

«Scommetto un milione a uno che lo è. Sai che cos'è?»

«Non ne ho mai vista una simile.»

«È una pistola speciale del KGB», rispose. «Della vecchia Unione Sovietica. Molto rara in questo Paese.»

Si allontanò quindi nel buio del parcheggio. Chiusi gli occhi. Volevo dormire. Anche cinque secondi avrebbero fatto la differenza.

«Reacher», esclamò. «Che prove hai lasciato?»

Aprii gli occhi.

«Il corpo di Duke», risposi.

«Quello non porterà a niente. A livello balistico?»

Sorrisi nell'oscurità. Immaginai gli scienziati forensi della Polizia di Hartford impegnati a ricostruire le traiettorie: pareti, pavimenti, soffitti. Avrebbero concluso che in corridoio c'era uno stuolo di discotecari pesantemente armati.

«Un bel po' di proiettili e di bossoli.»

« Irrintracciabili. »

Beck si addentrò ulteriormente nel buio e io richiusi gli occhi. Non avevo lasciato impronte. Non avevo toccato la casa con nessuna parte del corpo, fatta eccezione per le suole delle scarpe, e non avevo usato la Glock di Duffy. Sapevo di un registro centrale in cui si conservavano i dati delle rigature lasciate sui proiettili dalle armi. Forse la Glock ne faceva parte. Io, a ogni modo, non l'avevo usata.

« Reacher », mi chiamò. « Portami a casa. »

Aprii gli occhi.

« E questa macchina? » esclamai.

« Lasciala qui. »

Sbadigliai e mi costrinsi a muovermi. Con i lembi del cappotto pulii il volante e tutti i comandi che avevo usato. Per poco la Glock inutilizzata non mi cadde di tasca, ma Beck non se ne accorse. Era tanto assorto nei suoi pensieri che avrei potuto estrarla e farla ruotare attorno al dito come Sundance Kid senza che lo notasse. Pulii la maniglia della portiera, poi mi chinai nell'abitacolo, estrassi le chiavi, pulii anche quelle e le gettai nella boscaglia ai margini del posteggio.

« Andiamo », disse Beck.

Rimase muto finché non fummo a una cinquantina di chilometri a nord-est di Hartford. A quel punto iniziò a parlare: aveva impiegato tutto quel tempo a rimuginare la faccenda.

« La telefonata di ieri », disse. « Stavano preparando il piano. Doll lavorava per loro. »

« Da quando? »

« Dall'inizio. »

« Non ha senso », obiettai. « Duke è andato a sud per scoprire il numero di targa del Toyota, poi lei lo ha dato a Doll perché lo rintracciasse. Perché Doll le avrebbe detto la verità sulla targa? Se fossero stati suoi amici, avrebbe insabbiato la cosa, l'avrebbe depistata, lasciata all'oscuro. »

Beck abbozzò un sorriso di superiorità.

«No», rispose. «Stavano preparando l'imboscata: quello era lo scopo della telefonata. Da parte loro è stata un'abile improvvisazione. La mossa del rapimento è fallita, perciò hanno cambiato tattica e hanno lasciato che Doll ci indicasse la via, in modo che potesse accadere quello che è accaduto stasera.»

Annuii lentamente, come se accettassi la sua teoria. Il miglior modo per assicurarsi una promozione è indurli a credere che sei un po' più tardo di loro. Con me aveva già funzionato tre volte, quand'ero nell'Esercito.

«Doll sapeva che cosa avevate in mente di fare stasera?» domandai.

«Sì», rispose. «Ne stavamo discutendo ieri, in dettaglio, quando ci hai visti parlare in ufficio.»

«Quindi vi ha teso una trappola.»

«Sì», ripeté. «Ieri sera ha chiuso l'ufficio, ha lasciato Portland e li ha raggiunti per informarli di chi sarebbe venuto, quando e come.»

Non replicai. La mia mente era rivolta alla macchina di Doll: era a un chilometro e mezzo dall'ufficio di Beck. Iniziai a pensare che avrei dovuto nasconderla meglio.

«Ma il grande punto di domanda è: Doll era *solo*?» chiese Beck.

«O?»

Lui tacque e si strinse nelle spalle.

«O ha agito con qualcuno di quelli che lavorano con lui», aggiunse.

Quelli che non controlli, pensai. *Gli uomini di Quinn.*

«O con tutti loro.»

Ricominciò a elucubrare e andò avanti per altri quaranta, cinquanta chilometri. Non disse altro finché non fummo di nuovo sull'Interstatale 95, all'altezza di Boston, diretti a nord.

«Duke è morto», affermò.

« Mi spiace », dissi.

Ci siamo, pensai.

« Lo conoscevo da molto. »

Rimasi in silenzio.

« Dovrai prendere tu il suo posto », continuò. « Adesso ho bisogno di una persona. Di una persona di cui mi possa fidare. E finora per quel che mi riguarda tu hai agito bene. »

« È una promozione? » chiesi.

« Sei qualificato. »

« A capo della sicurezza? »

« Almeno temporaneamente », rispose. « O a livello permanente, se lo vorrai. »

« Non lo so », risposi.

« Ricordati quello che *so* di te », affermò. « Tu mi appartieni. »

Rimasi zitto per più di un chilometro. « Prima o poi mi pagherà? »

« Avrai i tuoi cinquemila più quello che prendeva Duke. »

« Mi servono più informazioni », dissi. « Altrimenti non potrò aiutarla. »

Lui assentì.

« Domani », rispose. « Ne parleremo domani. »

Poi tacque di nuovo. Quando lo guardai, dormiva profondamente. Era una specie di reazione allo shock: era convinto che il mondo gli stesse crollando sotto i piedi. Io lottai per restare sveglio e non uscire di strada, pensando ai testi che avevo letto sull'esercito britannico in India, durante il Raj, nel periodo di massimo splendore dell'Impero. I giovani subalterni vincolati ai loro ranghi avevano una mensa a parte: cenavano insieme indossando l'alta uniforme e parlavano delle probabilità di ottenere una promozione. In realtà non ne avevano, a meno che un ufficiale d'alto grado non morisse. Fare carriera sulla pelle altrui, quella era la regola. Perciò sollevavano i bicchieri di cristallo colmi di vino francese e brindavano a *guerre sanguinose e malattie terribili*, perché una vittima a monte nella catena di comando era l'unico modo che avevano per avanzare di grado. Brutale certo, ma così è sempre stato nell'Esercito.

Tornai sulla costa del Maine guidando in automatico. Non ricordo un solo chilometro di quel viaggio, tanto ero stordito dalla stanchezza. Avevo male in ogni parte del corpo. Paulie fu lento ad aprirci: immaginai lo avessimo tirato giù dal letto. Mi fissò a lungo, apposta. Scaricai Beck all'ingresso e misi l'auto in garage. Per sicurezza, nascosi la Glock e i caricatori di riserva poi entrai dalla porta posteriore. Il metal detector trillò per via delle chiavi della macchina, che posai sul tavolo di cucina. Avevo fame, ma ero troppo stanco per mangiare. Salii le scale, mi buttai sul letto e mi addormentai completamente vestito, con tanto di cappotto e scarpe ai piedi.

Sei ore dopo mi svegliò il maltempo. La pioggia batteva orizzontale sulla finestra: contro il vetro sembrava ghiaia. Rotolai giù dal letto e guardai fuori. Il cielo era grigio ferro, denso di nubi, e il mare in tempesta, pieno di schiuma bianca per mezzo miglio. Le onde ingoiavano gli scogli. Non c'era nemmeno un uccello. Erano le nove del mattino del giorno quattordici, venerdì. Mi stesi di nuovo a letto e fissai il soffitto, ripensando a settantadue ore prima, al mattino dell'undici, quando Duffy mi aveva esposto il suo piano in sette punti. Uno, due e tre, fare molta attenzione. Da quel punto di vista me la stavo cavando bene. Se non altro, ero ancora vivo. Quattro, trovare Teresa Daniel. Qui non avevo fatto nessun progresso. Cinque, trovare prove contro Beck. Non ne avevo, neanche una. Non lo avevo visto fare niente di male, tranne forse guidare un veicolo con targhe false e portare una borsa piena di mitra probabilmente illegali in tutti i quattro Stati in cui eravamo passati. Sei, trovare Quinn. Nemmeno qui avevo fatto progressi. Sette, uscirne vivo. Questo avrebbe dovuto aspettare. Poi Duffy mi aveva dato un bacio sulla guancia lasciandovi un po' di zucchero delle ciambelle.

Mi alzai di nuovo e mi chiusi in bagno per controllare la posta. La porta della mia camera non era più chiusa a chiave. Immaginavo che Richard Beck non sarebbe mai entrato all'improvviso e nemmeno la madre, ma il padre sì che avrebbe potuto farlo. Gli appartenevo. Ero stato promosso, ma ero sempre appeso a un filo. Mi sedetti sul pavimento e mi tolsi la scarpa. Aprii il tacco e accesi l'apparecchio. *C'è posta per te!* Era un messaggio di Duffy: *I container di Beck sono stati scaricati e portati al magazzino. Niente ispezioni doganali. Cinque in tutto. Il più grande carico da qualche tempo.*

Cliccai *Rispondi* e scrissi: *Continuate la sorveglianza?*

Novanta secondi dopo rispose: *Sì.*

Sono stato promosso, scrissi ancora.

Sfrutta la situazione, rispose lei.

Ieri è stato bello.

Risparmia la batteria, replicò Duffy.

Sorrisi, spensi l'apparecchio e lo rimisi nel tacco. Dovevo farmi una doccia, ma prima avevo bisogno di mangiare e di trovare degli abiti puliti. Aprii la porta del bagno, attraversai la stanza e scesi di sotto, in cucina. La cuoca era di nuovo al lavoro. Stava servendo pane tostato e tè alla ragazza irlandese e dettandole una lunga lista della spesa. Le chiavi della SAAB erano sul tavolo, quelle della Cadillac no. Mangiai tutto quello che trovai frugando di qua e di là, poi andai in cerca di Beck. Di lui nessuna traccia, e nemmeno di Elizabeth o Richard. Tornai in cucina.

« Dov'è la famiglia? » chiesi.

La cameriera sollevò lo sguardo e non disse niente. Si era messa l'impermeabile ed era pronta per andare a fare la spesa.

« Dov'è il signor Duke? » chiese la cuoca.

« Indisposto », risposi. « Lo sostituisco io. Dove sono i Beck? »

« Sono usciti. »

« Dove sono andati? »

« Non lo so. »

Guardai il tempo. « Chi era alla guida? »

La cuoca abbassò lo sguardo sul pavimento.

« Paulie », rispose.

« Quando sono usciti? »

« Un'ora fa. »

« Bene », dissi. Avevo ancora addosso il cappotto. Lo portavo da quando ero uscito dal motel di Duffy e da allora non l'avevo più tolto. Uscii dalla porta posteriore, nella burrasca. La pioggia mi sferzava e sapeva di sale, mista com'era agli spruzzi d'acqua marina. Le onde s'infrangevano sugli scogli come bombe, lanciando brandelli di spuma bianca fino a dieci metri. Mi riparai il viso nel colletto e corsi al garage. Entrai nel cortile cintato che era riparato dalla pioggia. Il primo box era vuoto con le porte aperte. La Cadillac era scomparsa. Il meccanico era nel terzo box, solo, intento in qualche lavoro. In quel momento la cameriera corse fuori in cortile. La vidi spalancare le porte del quarto box. Si stava inzuppando. Un attimo dopo entrò e uscì in retromarcia con la vecchia SAAB, che dondolò investita dal vento. La pioggia trasformò lo strato di polvere che vi era appiccicato in una patina sottile di fango grigio che prese a colare lungo le fiancate. La cameriera partì alla volta del supermercato. Io rimasi ad ascoltare le onde e iniziai a chiedermi preoccupato fino a che altezza potessero arrivare. Attaccato al muro del cortile, feci tutto il giro portandomi dalla parte del mare. Trovai la mia buca nelle rocce. Le erbacce che la circondavano erano bagnate e piegate dalle intemperie. La buca stessa era piena d'acqua: d'acqua piovana, non di mare. Era ben al di sopra del livello di marea e le onde non l'avevano raggiunta. Ma dentro c'era solo acqua piovana, null'altro. Niente fagotto, niente straccio, niente Glock. Anche i caricatori di riserva erano scomparsi, come pure le chiavi di Doll, il punteruolo e lo scalpello.

8

Arrivai fino al lato anteriore della casa e, rivolto a ovest, rimasi sotto la pioggia battente a fissare l'alto muro di pietra. Quello fu il momento in cui arrivai quasi a mollare tutto. Sarebbe stato facile: il cancello era spalancato. Supposi l'avesse lasciato così la cameriera. Era uscita dall'auto sotto la pioggia per aprirlo e non aveva voluto uscire di nuovo per richiuderlo. Paulie non c'era, non poteva farlo per lei: era fuori, occupato a guidare la Cadillac. Perciò il cancello era aperto e privo di sorveglianza. Era la prima volta che lo vedevo così. Ci sarei potuto passare dritto in mezzo, ma non lo feci. Restai.

In parte per il tempo: oltre il cancello c'erano almeno venti chilometri di strada deserta prima che il paesaggio cambiasse significativamente. Venti chilometri e nessuna macchina a disposizione. I Beck erano fuori con la Cadillac, la cameriera con la SAAB. Avevamo abbandonato la Lincoln nel Connecticut, perciò sarei rimasto a piedi. Tre ore a passo svelto e io non avevo tre ore. La Cadillac sarebbe di certo rientrata prima e lungo la strada non c'erano nascondigli. I bordi erano spogli e rocciosi. Sarei stato esposto: Beck mi sarebbe venuto incontro frontalmente. Io sarei stato a piedi, lui in macchina. Armato di una pistola e di Paulie. Io non avevo niente.

Pertanto, anche la strategia fu uno dei motivi per cui restai. Essere sorpreso ad allontanarmi a piedi avrebbe confermato qualsiasi congettura Beck avesse fatto, ammesso che fosse stato lui a trovare il fagotto. Se rimanevo, avevo qualche chance. Rimanere implicava essere innocente: avrei potuto scaricare i sospetti su Duke, sostenere fosse suo il nascondiglio. Beck l'avrebbe trovato plausibile. Forse. Duke aveva la libertà di andare dappertutto, in qualsiasi momento del giorno e della notte. Io venivo chiuso a chiave e sorvegliato tutto il tempo. Inoltre, Duke non esisteva più e non avrebbe potuto negare niente. Io invece sarei stato lì, davanti a Beck, e gli avrei parlato con tono deciso, rapido, persuasivo. Forse l'avrebbe bevuta.

Anche la speranza fu parte della ragione. Forse non era stato Beck a trovare il fagotto, forse era stato Richard mentre camminava lungo la costa. La sua reazione non era prevedibile: calcolai il cinquanta per cento di probabilità che affrontasse me o suo padre per primo. O forse era stata Elizabeth a fare la scoperta. Conosceva bene gli scogli là fuori, molto bene. Conosceva i loro segreti. Immaginavo vi avesse trascorso molto tempo, per l'uno o l'altro motivo. E la sua reazione avrebbe giocato a mio favore. Probabilmente.

La pioggia era parte della ragione per cui rimasi. Era fredda, forte, incessante. Ero troppo stanco per camminare per tre ore sotto la pioggia. Sapevo che era solo debolezza, ma non riuscivo a muovere i piedi. Volevo rientrare in casa, scaldarmi, mangiare ancora e riposare.

Anche la paura di fallire lo era. Se me ne fossi andato in quel momento, non sarei mai più tornato. Lo sapevo e avevo già investito due settimane. Avevo fatto buoni progressi e c'erano persone che dipendevano da me. Ero stato sconfitto tante volte, ma non avevo mai mollato, in nessun caso. Mai. Se avessi mollato ora, mi sarei roso di rabbia tutta la vita. *Jack Reacher, sei un perdente. Hai mollato quando il gioco si è fatto duro.*

Rimasi lì con la pioggia che mi batteva sulla schiena. Tempo, strategia, speranza, pioggia, paura del fallimento: tutte componenti della ragione che mi indusse a restare. Tutte lì, nella lista.

Ma in cima alla lista c'era una donna.

Non Susan Duffy, non Teresa Daniel: una donna del passato, di un'altra vita. Si chiamava Dominique Kohl. Ero capitano dell'Esercito quando la incontrai; mancava un anno alla mia promozione finale a maggiore. Un mattino presto entrai nel mio ufficio e trovai la solita pila di documenti sul tavolo, perlopiù scartoffie inutili, ma tra di esse c'era la copia di un ordine che assegnava il sergente E-7 di prima classe Kohl, D.E. alla mia unità. A quel tempo qualsiasi riferimento scritto al personale doveva essere anonimo per quanto riguardava il sesso: il nome *Kohl* mi sembrava tedesco e m'immaginai un tizio brutto e grosso del Texas o del Minnesota. Mani grandi e rosse, faccione rubizzo, più vecchio di me, forse sui trentacinque, con i capelli tagliati quasi a zero sulle tempie e sulla nuca. Più tardi, quel mattino, la segretaria mi avvertì che il sergente era arrivato, pronto a prendere servizio. Lo feci attendere dieci minuti per puro gusto, poi lo chiamai. Ma invece d'essere un lui era una lei, e non era grossa e brutta. Portava la gonna e aveva circa ventinove anni. Non era alta, ma era troppo atletica per essere definita minuta. Era come se fosse stata modellata ad arte con il materiale con cui fabbricano la parte interna delle palle da tennis: sembrava nello stesso tempo elastica, soda e morbida. Scolpita, ma senza spigolosità. Si mise rigidamente sull'attenti davanti alla scrivania e fece il saluto con eleganza. Io non lo ricambiai, il che fu scortese da parte mia. Rimasi a fissarla per almeno cinque secondi.

«Riposo, sergente», dissi.

Lei mi porse una copia degli ordini e il suo dossier personale. Lo chiamavamo «cartella di servizio»: conteneva tutto quello che bisognava sapere. La lasciai in piedi, in riposo, mentre lessi la sua, e anche questo fu scortese da parte mia, ma non avevo alternative. Non c'erano sedie per i visitatori: a quell'epoca l'Esercito non le forniva se non dal grado di colonnello in su. Lei rimase perfettamente immobile con le mani giunte dietro la schiena, a fissare un punto a mezz'aria, trenta centimetri sopra la mia testa.

Aveva uno stato di servizio incredibile. Aveva fatto un po'

di tutto e si era sempre distinta in modo eccezionale: tiratore scelto, specialista in numerosi ambiti, una serie strabiliante di arresti, una percentuale straordinaria di casi risolti. Era una brava leader ed era stata promossa velocemente. Aveva ucciso due persone, una con un'arma da fuoco, l'altra senza armi e in entrambi i casi la sua azione era stata giudicata corretta dalle commissioni d'inchiesta. Era una stella nascente, quello era chiaro, e mi resi conto che nella mente di qualche superiore il suo trasferimento era un modo per farmi un vivo complimento.

«Piacere di averla a bordo», esclamai.

«Signore, grazie, signore», disse con lo sguardo fisso nel vuoto.

«Io non bado a tutte queste stronzate», dissi. «Non credo finirei vaporizzato se lei mi guardasse in faccia e non mi piace sentire un solo signore in una frase, figuriamoci due, intesi?»

«Intesi», rispose. Si adeguò in fretta e per il resto della sua vita non mi chiamò più *signore*.

«Vuole iniziare subito con qualcosa di tosto?» le chiesi.

«Certo», rispose.

Aprii un cassetto, estrassi un dossier sottile e glielo porsi. Lei non lo degnò di un'occhiata: lo tenne lungo il fianco con una mano e mi guardò.

«Aberdeen, Maryland», dissi. «Al campo di prova. C'è un progettista di armi che si comporta in modo strano. È una soffiata confidenziale di un amico che teme un caso di spionaggio. Secondo me però si tratta più di un ricatto. Potrebbe essere un'indagine lunga e delicata.»

«Non c'è problema», rispose.

Era lei la ragione per cui non uscii da quel cancello aperto, privo di sorveglianza.

Rientrai e mi feci una lunga doccia calda. A nessuno piace rischiare uno scontro quando è nudo e bagnato, ma a me ormai non importava più. Immagino fossi diventato fatalista. *Qualsiasi cosa accada, va' avanti.* Mi avvolsi in un asciugamano, scesi una rampa di scale, trovai la stanza di Duke e presi altri vestiti. Li indossai, infilai le scarpe e il cappotto, tornai in cucina e aspettai. Lì faceva caldo. Il modo in cui il mare batteva e in cui la pioggia colpiva le finestre faceva sembrare il locale ancora più caldo. Era una sorta di rifugio. La cuoca stava armeggiando con un pollo.

«C'è un po' di caffè?» chiesi.

Lei scosse la testa.

«Perché?»

«Per la caffeina», rispose.

Le osservai la nuca.

«La caffeina è l'essenza del caffè», obiettai. «Comunque, anche il tè contiene caffeina e ho visto che lo prepari.»

«Il tè contiene tannino», replicò.

«E caffeina», aggiunsi.

«Allora bevi il tè.»

Mi guardai attorno. C'era un blocco di legno posto in verticale su un banco da cui sporgevano vari manici neri di coltello. C'erano bicchieri e bottiglie, sotto al lavandino probabilmente spray contenenti ammoniaca, forse anche candeggina. Era un buon numero di armi improvvisate da usare in un combattimento corpo a corpo. Se Beck avesse avuto la minima esitazione a sparare in una stanza affollata, forse sarei riuscito a farlo fuori prima che lui facesse fuori me. Tutto quello che mi serviva era mezzo secondo.

«Vuoi un caffè?» mi domandò la cuoca. «È questo che intendi?»

«Sì», risposi. «Proprio questo.»

«Basta chiedere.»

«L'avevo fatto.»

«No, hai chiesto se ci fosse del caffè», osservò la cuoca. «Non è la stessa cosa.»

«Allora me lo prepari? Per favore?»

« Che cos'è successo al signor Duke? »

Tacqui. Forse sperava di sposarselo, come nei vecchi film in cui la cuoca sposa il maggiordomo, vanno tutti e due in pensione e vivono felici e contenti.

« È rimasto ucciso », risposi.

« Ieri notte? »

Annuii. « In un'imboscata. »

« Dove? »

« Nel Connecticut. »

« D'accordo », disse. « Ti farò il caffè. »

Accese la caffettiera. Osservai dove prendeva ogni cosa: i filtri di carta erano in un armadio accanto ai tovaglioli di carta, il caffè in freezer. La macchina era vecchia e lenta ed emetteva una sorta di singulto forte, profondo che, combinato con la pioggia sulle finestre e le onde che s'infrangevano sugli scogli, mi impedì di sentire la Cadillac che rientrava. La prima cosa che udii fu la porta posteriore che si spalancava. Elizabeth Beck entrò di corsa con Richard alle calcagna. Beck chiuse la fila. Si muovevano con quella premura divertita che le persone hanno dopo essere corse per un breve tratto sotto un diluvio.

« Salve », esclamò Elizabeth.

Feci un cenno senza parlare.

« Caffè », disse Richard. « Fantastico. »

« Siamo andati fuori a colazione », affermò Elizabeth. « A Old Orchard Beach. C'è un piccolo locale che ci piace molto. »

« Paulie ha deciso che non era il caso di svegliarti », aggiunse Beck. « Ha pensato che fossi parecchio stanco ieri notte e si è offerto di guidare. »

« Bene », dissi e pensai: è stato Paulie a trovare il fagotto? Glielo ha già detto?

« Vuoi un caffè? » mi chiese Richard. Era accanto alla macchina con due tazze tintinnanti in mano.

« Nero », risposi. « Grazie. »

Me ne portò una tazza. Beck si tolse il cappotto e lo fece sgocciolare sul pavimento.

«Portatelo dietro», esclamò. «Dobbiamo parlare.»

Uscì in corridoio e mi guardò come se si aspettasse che lo seguissi. Presi il caffè. Era caldo, fumante. Avrei potuto tirarglielo in faccia, se necessario. Mi condusse verso la stanza quadrata ricoperta di legno che avevamo già usato. Io avevo la tazza in mano, il che mi rallentava un po'. Beck mi distanziò di parecchio e, quando entrai, era già accanto a una delle finestre, con le spalle rivolte a me, intento a guardare la pioggia. Quando si voltò, aveva una pistola in mano. Io rimasi immobile. Ero troppo lontano per usare il caffè, forse quattro metri: avrebbe tracciato un arco e si sarebbe disperso nell'aria, mancandolo completamente.

La pistola era una Beretta M9 edizione speciale, ossia una Beretta 92FS per uso civile adattata per sembrare in tutto e per tutto una M9 militare. Utilizzava munizioni Parabellum da nove millimetri. Aveva un caricatore da quindici colpi e un congegno di mira di tipo punto-barra. Ricordo con assurda chiarezza il prezzo di vendita al dettaglio: 861 dollari. Avevo usato una M9 per tredici anni. Con quella pistola avevo sparato migliaia di colpi alle esercitazioni e numerosi anche in situazioni reali. Gran parte aveva colpito il bersaglio perché è un'arma precisa, e gran parte dei bersagli era stata distrutta perché è un'arma potente. Mi aveva reso un buon servizio. Ricordo persino la frase con cui gli incaricati alle armi e munizioni la presentavano: «Ha un rinculo accettabile ed è facile da estrarre sul campo». Lo ripetevano come un mantra, all'infinito. C'era però qualche polemica: i Navy SEAL la odiavano, sostenevano che molte erano scoppiate in faccia. Ma a me la M9 aveva sempre reso un buon servizio. A mio parere, era una bella pistola. Quella che aveva Beck sembrava nuova di zecca, con una finitura immacolata, lucida d'olio. Sul congegno di mira c'era una vernice luminescente che riluceva debole nell'oscurità.

Attesi.

Beck rimase lì in piedi con la pistola in mano, poi si mosse. Batté la canna sul palmo della mano sinistra e allontanò la destra. Si chinò sulla scrivania di quercia e con la sinistra me la porse per l'impugnatura, in modo educato, come se fosse il commesso di un negozio.

«Spero ti piaccia», disse. «Pensavo avresti avuto più familiarità con questa. Duke amava le cose strane, come la sua Steyr, ma ho pensato che tu avessi più familiarità con la Beretta, sai, visto il tuo passato.»

Feci un passo in avanti e posai il caffè sul tavolo. Presi la pistola dalle sue mani, estrassi il caricatore, verificai la camera di scoppio e i meccanismi, ispezionai la canna. Non era tappata. Non era fasulla: era un'arma funzionante. I Parabellum erano veri. Era una pistola nuova di zecca che non aveva mai sparato. Inserii di nuovo il caricatore e la tenni per un istante. Era come stringere la mano a un vecchio amico. Poi l'armai, inserii la sicura e la misi in tasca.

«Grazie», dissi.

Beck infilò la mano in tasca e prese due caricatori di riserva, porgendomeli.

«Dopo te ne darò altri.»

«Va bene.»

«Hai mai provato i congegni di puntamento laser?»

Scossi la testa.

«C'è una ditta chiamata Laser Devices», affermò. «Fabbricano un congegno di puntamento universale per pistole che si monta sotto la canna, più una piccola fonte luminosa che si applica sotto il mirino. Un aggeggio molto interessante.»

«Proietta un puntino rosso?»

Fece un cenno affermativo e sorrise. «Nessuno ama vedersi addosso quel puntino, questo è certo.»

«È costoso?»

«Non tanto», rispose. «Circa duecento dollari.»

« Quanto pesa? »

« Centotrenta grammi », disse.

« Tutti sulla parte anteriore? »

« A dire il vero, aiutano », spiegò. « Impediscono il movimento della bocca verso l'alto quando spari. Aggiungono circa il tredici per cento di peso all'arma, un po' di più con la fonte luminosa. Parliamo di un chilo e cento, un chilo e due in tutto, sempre meno di quelle Anaconda che usavi tu. Quanto pesavano, un chilo e otto? »

« Scariche », risposi. « Di più con le cartucce. Le riavrò mai? »

« Le ho messe via da qualche parte », affermò. « Te le farò avere più tardi. »

« Grazie », ripetei.

« Vuoi provare il laser? »

« Mi va bene senza », risposi.

« Come preferisci. Ma voglio la migliore protezione possibile. »

« Non si preoccupi. »

« Adesso devo andare », disse. « Da solo. Ho un appuntamento. »

« Non vuole che la porti io? »

« A questo genere di appuntamenti devo andare da solo. Tu sta' qui. Parleremo dopo. Spostati nella camera di Duke, d'accordo? Preferisco che il capo della mia sicurezza sia più vicino a dove dormo. »

Misi i caricatori di riserva nell'altra tasca.

« Va bene », risposi.

Mi passò accanto e uscì in corridoio, diretto nuovamente in cucina.

Provai quel genere di scombussolamento mentale che ti rallenta nei movimenti: prima una grande tensione, poi un grande sconcerto. Andai nella parte anteriore della casa e guardai da una finestra dell'atrio. Vidi la Cadillac percorrere la rotonda sotto la pioggia e dirigersi al cancello. Si fermò davanti a esso e Paulie uscì dalla guardiola. Dovevano averlo lasciato lì quand'erano rientrati da colazione. Beck doveva aver guidato per l'ultimo tratto. O Richard o Elizabeth. Paulie aprì il cancello. La Cadillac lo superò e svanì nella pioggia e nella foschia. Paulie lo richiuse. Indossava una mantella impermeabile grande quanto un tendone da circo.

Mi scossi, mi voltai e andai in cerca di Richard. Lui aveva uno sguardo schietto che non nascondeva nulla. Era ancora in cucina a bere il suo caffè.

«Hai fatto due passi lungo la costa stamattina?»

Lo chiesi con aria innocente, affabile, come se volessi scambiare quattro chiacchiere. Avrei capito subito se avesse avuto qualcosa da nascondere: sarebbe arrossito, avrebbe distolto lo sguardo, balbettato, dimenato i piedi. Ma non fece niente del genere. Era perfettamente rilassato e mi guardava dritto in faccia.

«Stai scherzando?» disse. «Hai visto che tempo fa?»

Assentii.

«È piuttosto brutto.»

«Lascio il college», affermò.

«Perché?»

«Per via di ieri notte», rispose. «Per l'imboscata. Quei tizi del Connecticut sono ancora in giro. Tornarci non è sicuro. Me ne resterò qui per un po'.»

«A te sta bene?»

«Benissimo. Era più che altro una perdita di tempo.»

Guardai altrove. *La legge delle conseguenze impreviste*: avevo appena stroncato la carriera scolastica di un ragazzo. Forse gli avevo anche rovinato la vita. D'altronde, stavo per mandare in prigione suo padre, o addirittura per farlo fuori, quindi una laurea non aveva molta importanza al confronto.

Andai quindi in cerca di Elizabeth Beck. Lei sarebbe stata più difficile da leggere: pensai all'approccio da seguire, ma non trovai nulla che mi garantisse una buona riuscita. La trovai in un salottino nell'angolo nordoccidentale della casa, seduta in poltrona. In grembo aveva un libro aperto: il *Dottor Živago* di Boris Pasternak, un'edizione economica. Io avevo visto il film. Ricordo Julie Christie e la musica, il tema di Lara. Tanti viaggi in treno e tanta neve. Mi aveva portato a vederlo una ragazza.

« Non sei tu », esordì.

« Chi non sono io? »

« La spia governativa. »

Espirai. Non lo avrebbe mai detto se avesse trovato il fagotto.

« Certo », convenni. « Suo marito mi ha appena dato una pistola. »

« Non sei abbastanza sveglio per essere una spia governativa. »

« Davvero? »

Lei scosse la testa. « Poco fa, quando siamo rientrati, Richard smaniava per una tazza di caffè. »

« E allora? »

« Pensi si sarebbe comportato così se fossimo stati fuori a colazione? Avrebbe bevuto tutto il caffè che avesse voluto. »

« Allora dove siete stati? »

« Siamo stati convocati per una riunione. »

« Con chi? »

Lei scosse il capo, come se le fosse impossibile pronunciare il nome.

« Paulie non si è *offerto* di guidare », proseguì. « Ci ha prelevati. Richard ha dovuto aspettare in macchina. »

« Ma lei è entrata? »

Elizabeth assentì. « Hanno un tizio di nome Troy. »

« Che nome idiota. »

« Ma è uno molto in gamba », disse. « Giovane e molto

bravo con i computer. Immagino sia quello che chiamano un hacker.»

«E?»

«È riuscito a violare in parte uno dei sistemi del governo a Washington e ha scoperto che hanno infiltrato un agente da noi. Sotto copertura. All'inizio presumevano fossi tu, poi hanno controllato meglio e visto che si trattava di una donna, che è qui da molte settimane.»

La fissai, perplesso. *Teresa Daniel non era in missione ufficiale. I computer governativi non sapevano niente di lei.* Poi mi ricordai del laptop di Duffy con il logo del dipartimento di Giustizia come screensaver. Del cavo del modem che correva sul tavolo, entrava nel complicato adattatore e s'infilava nel muro, connettendosi con tutti gli altri computer del mondo. Duffy compilava rapporti privati? Per suo uso personale? Per giustificare a posteriori la missione?

«Non oso pensare che cosa faranno», proseguì Elizabeth. «A una donna.»

Tremò visibilmente e distolse lo sguardo. Io arrivai al corridoio, poi mi fermai di colpo. Non c'erano macchine. Venti chilometri di nulla prima di poter sperare di arrivare da qualche parte. Tre ore di camminata a passo svelto. Due ore di corsa.

«Dimentica tutto», fece Elizabeth alle mie spalle. «Tu non c'entri.»

Mi voltai e la fissai.

«Dimentica tutto», ripeté. «Se ne staranno occupando in questo momento. Presto sarà tutto finito.»

La seconda volta che vidi il sergente di prima classe Dominique Kohl fu il terzo giorno che lavorava per me. Indossava un paio di pantaloni verdi da combattimento e una maglietta cachi. Faceva molto caldo, me lo ricordo: in quel periodo c'era stata un'ondata di caldo eccezionale. Kohl aveva le braccia abbronzate e quel tipo di pelle che nella calura sembrava coperta di polvere. Non sudava: la maglietta era perfetta, con le sue scritte, KOHL a destra e U.S. ARMY a sinistra, entrambe lievemente sollevate dalla curva del seno. Aveva con sé il dossier che le avevo dato. Era diventato più corposo, pieno com'era dei suoi appunti.

«Mi servirà un collega», disse. Mi sentii un po' in colpa: era al terzo giorno e non le avevo nemmeno fornito un aiuto. Mi chiesi se le avrei mai dato un tavolo, un armadietto o una stanza dove dormire.

«Ha già conosciuto un certo Frasconi?» domandai.

«Tony? L'ho conosciuto ieri. Ma è un tenente.»

Mi strinsi nelle spalle. «Non ho obiezioni a che ufficiali e sottufficiali lavorino insieme. Non ci sono regole che lo vietino e anche se ci fossero le ignorerei. Ha problemi al riguardo?»

Kohl scosse la testa. «Ma lui forse sì.»

«Frasconi? Non farà difficoltà.»

«Allora glielo dirà?»

«Sì», risposi e scrissi un appunto su un pezzo di carta bianca: *Frasconi, Kohl, colleghi*. Lo sottolineai due volte, per ricordarmi. Poi indicai il dossier che aveva in mano. «Che cos'ha?»

«Notizie buone e cattive», rispose. «La cattiva notizia è che il loro sistema per contrassegnare i documenti riservati fa acqua da tutte le parti. Potrebbe essere normale inefficienza, ma penso sia stato volutamente compromesso per nascondere cose che non dovrebbero succedere.»

«Chi è il personaggio coinvolto?»

«Un cervellone di nome Gorowski. Lo Zio Sam lo ha reclutato non appena è uscito dal MIT. Un tipo a posto, secondo tutte le testimonianze, ritenuto molto intelligente.»

«È russo?»

Lei scosse la testa. «Polacco, dall'origine dei tempi. Nessuna ideologia.»

«Al MIT era un fan dei Red Sox?»

«Perché?»

«Sono tutti tipi strani», risposi. «Verifichi.»

«Probabilmente si tratta di un ricatto», affermò Kohl.

«E la buona notizia?»

Lei aprì il dossier. «Questa cosa a cui stanno lavorando è in sostanza una specie di piccolo missile.»

«Con chi lavorano?»

«Con la Honeywell e la General Defense Corporation.»

«Quindi?»

«Il proiettile deve essere sottile, perciò sarà sottocalibro. I carri armati usano cannoni da venti millimetri, ma questo sarà più piccolo.»

«Di quanto?»

«Nessuno ancora lo sa. In questo momento stanno lavorando sulla sagoma dello zoccolo. Lo zoccolo è un pezzo che avvolge la base del missile e serve a ottenere il giusto diametro.»

«So che cos'è uno zoccolo», risposi.

Lei ignorò il commento. «Sarà uno zoccolo a perdere, cioè si staccherà e cadrà a terra subito dopo che il proiettile uscirà dalla bocca del cannone. Stanno cercando di capire se realizzarlo in metallo o in plastica. *Sabot* significa zoccolo in francese. È come se all'inizio il proiettile avesse un piccolo zoccolo.»

«Lo so», dissi. «Parlo francese, mia madre era francese.»

«Come sabotaggio», proseguì lei. «Deriva dalle antiche contese lavorative francesi. In origine significava fracassare le nuove macchine industriali prendendole a calci.»

«Con gli zoccoli», precisai.

Lei concordò. «Esatto.»

«Allora qual è la buona notizia?»

«La sagoma dello zoccolo non rivelerà niente a nessuno», rispose. «Niente di importante, comunque. È solo uno zoccolo. Perciò abbiamo parecchio tempo.»

«Bene», esclamai. «Ma metta l'indagine tra le priorità. Lavori con Frasconi, le piacerà.»

«Le va di bere una birra dopo?»

«A me?»

Lei mi guardò dritto in faccia. «Se tutti i gradi possono lavorare insieme, possono anche bere una birra insieme, giusto?»

«D'accordo», risposi.

Dominique Kohl non ricordava per niente Teresa Daniel nelle foto, ma quella che vedevo nella mia mente era un'immagine sovrapposta dei loro volti. Lasciai Elizabeth Beck con il suo libro e mi diressi nella mia prima stanza. Lassù mi sentivo più isolato, più sicuro. Mi chiusi a chiave in bagno e mi tolsi la scarpa. Aprii il tacco e accesi l'apparecchio e-mail. C'era un messaggio di Duffy: *Nessuna attività al magazzino. Che fanno?*

Lo ignorai, premetti *Nuovo messaggio* e scrissi: *Abbiamo perso Teresa Daniel.*

Quattro parole, ventiquattro lettere, tre spazi. Li fissai a lungo, poi posai il dito su *Invia*, ma non lo spedii. Usai il tasto *backspace* e cancellai il messaggio che scomparve da destra a sinistra. Il piccolo cursore se lo mangiò tutto. Decisi che lo avrei mandato solo quando fosse stato necessario, quando avrei avuto la certezza.

È possibile che abbiano violato il tuo computer, scrissi invece.

Ci fu una lunga attesa, molto più lunga dei soliti novanta secondi. Pensai che forse non mi avrebbe risposto, che in quel momento stesse strappando tutti i cavi dal muro. Forse invece era sotto la doccia o qualcosa del genere, perché circa quattro minuti dopo rispose con un semplice: *Perché?*

Hanno parlato di un hacker che è entrato parzialmente nei sistemi del governo.

Mainframe o LAN? domandò lei.

Non avevo idea di che intendesse. Risposi: *Non lo so.*

Dettagli? chiese quindi.

Sono solo voci. Tieni un diario nel laptop?

No, accidenti!

Da altre parti?

No, accidenti!!

Eliot?

Ci fu un'altra pausa di quattro minuti, poi rispose: *Non credo.*

Non credi o non lo sai?

Non credo.

Fissai la parete di piastrelle davanti a me ed espirai. *Eliot aveva ucciso Teresa Daniel,* era l'unica spiegazione. Poi inspirai. Forse no, forse non lo aveva fatto. *Queste e-mail sono vulnerabili?* chiesi.

Comunicavamo furiosamente per posta elettronica da più di sessanta ore e lei aveva chiesto notizie della sua agente. Io le avevo domandato il suo vero nome, in un modo che non era assolutamente anonimo in termini di sesso. Forse ero stato io a uccidere Teresa Daniel.

Trattenni il fiato finché Duffy non rispose: *Le nostre e-mail sono criptate. Tecnicamente potrebbero essere visibili sotto forma di codice, ma non sono assolutamente leggibili.*

Espirai e chiesi: *Sicura?*

Totalmente, rispose.

Codificate come? domandai.

Grazie a un progetto miliardario dell'NSA.

Il che mi rallegrò, ma solo di poco. Alcuni progetti miliardari dell'NSA sono sul *Washington Post* prima ancora che vengano terminati, e gli errori di comunicazione creano più pasticci di qualsiasi altro fattore al mondo.

Verifica subito con Eliot se tiene un diario, scrissi.

Sarà fatto. Progressi?

Nessuno, digitai.

Poi cancellai e scrissi: *In arrivo*. Pensai che l'avrebbe fatta sentire meglio.

Scesi giù al piano terra. La porta del salotto di Elizabeth era aperta e lei sedeva ancora in poltrona, con il *Dottor Živago* capovolto sulle ginocchia. Stava fissando la pioggia fuori della finestra. Aprii la porta principale e uscii. Il metal detector emise uno stridio rauco per la Beretta che avevo in tasca. Chiusi la porta alle mie spalle e puntai dritto verso il viale, senza seguire la rotonda. La pioggia mi batteva forte sulla schiena e mi colava sul collo, ma il vento mi aiutava: mi spingeva a ovest, proprio in direzione della guardiola. Mi sentivo le ali ai piedi. Tornare indietro sarebbe stato più difficile: avrei dovuto camminare controvento, sempre ammesso che sarei stato in grado di camminare.

Paulie mi vide arrivare. Doveva aver passato tutto quel tempo curvo nella minuscola costruzione, facendo la spola dalla finestra anteriore a quella posteriore per guardare fuori, come un animale nella sua tana. Uscì con il suo mantello impermeabile addosso. Per passare dalla porta fu costretto a piegare la testa e a girarsi di lato. Rimase con la schiena al muro della costruzione, dove le grondaie erano basse, ma queste non gli servirono: la pioggia cadeva orizzontale sotto di esse. La sentivo colpire la mantella, forte, netta, secca. Gli sferzava il volto e gli correva giù come un torrente di sudore. Non aveva cappello e i capelli sembravano appiccicati alla fronte, scuri per l'acqua.

Tenevo entrambe le mani in tasca e il viso abbassato nel colletto. Con la destra stringevo saldamente la Beretta: avevo tolto la sicura, ma non volevo usarla. Usarla avrebbe significato dover dare spiegazioni complicate e lui sarebbe stato semplicemente rimpiazzato. Non volevo accadesse finché non fossi stato pronto, perciò non volevo usare la Beretta. Ma ero pronto a farlo.

Mi fermai a due metri da lui, al di fuori della sua portata.

«Dobbiamo parlare», dissi.

«Io non voglio parlare», rispose.

«Preferisci fare a braccio di ferro?»

Aveva gli occhi di color azzurro chiaro e due pupille minuscole. Immaginai che la sua colazione fosse interamente composta da capsule e prodotti in polvere.

«Parlare di che?» chiese.

«Di una situazione nuova», risposi.

Lui restò zitto.

«Qual è la tua SOM?» chiesi.

SOM è un acronimo dell'esercito. L'esercito adora gli acronimi. Significa *Specialità occupazionale militare*. Usai il tempo presente: *qual è*, non *qual era*. Volevo farlo tornare indietro. Essere un ex militare è come essere un ex cattolico: anche se li hai ricacciati in un angolo della tua mente, i vecchi riti hanno ancora un forte potere. I vecchi riti come quello di obbedire a un ufficiale.

«Undici bang bang», rispose con un sorriso.

Non era una risposta confortante. «Undici bang bang» era il termine gergale con cui i soldati della fanteria si riferivano a *11B*, ossia *11-Bravo, fanteria*, ossia *armi da combattimento*. Se mi fossi trovato ancora davanti a un gigante di centosessanta chili, pieno fino al collo di metanfetamine e steroidi, avrei preferito fosse specializzato in manutenzione dei mezzi o in dattilografia, non in armi da combattimento, soprattutto se non amava gli ufficiali e si era fatto otto anni a Leavenworth per averne pestato uno.

«Andiamo dentro», dissi. «Qui ci si bagna.»

Lo dissi con il tono che assumi quando vieni promosso oltre il grado di capitano. È un tono equilibrato, quasi da conversazione, diverso da quello che usi da tenente. È un suggerimento, ma anche un ordine ed è pieno di sottintesi. Vuol dire: ehi, siamo solo due uomini. Non ha senso che formalità come il grado ci siano d'impaccio, giusto?

Paulie mi guardò a lungo, poi si girò e s'infilò di lato nella porta. Avvicinò il mento al petto per poter entrare. Dentro il soffitto era alto poco più di due metri: per me era basso, lui lo toccava quasi con la testa. Tenni le mani in tasca. L'acqua che colava dalla mantella si stava raccogliendo sul pavimento.

La casa emanava un odore forte, acre, di animale. Ed era sporca. C'era un piccolo soggiorno che si apriva su un angolo cottura, dietro il quale iniziava un piccolo corridoio con un bagno e in fondo una camera da letto. Nient'altro. Era più piccola di un appartamento di città, ma strutturata in modo da sembrare una casa isolata in miniatura. C'era disordine dappertutto: piatti sporchi nel lavandino, piattini, tazze e abiti sportivi usati in tutto il soggiorno. Davanti al televisore c'era un vecchio divano, sfondato dal suo peso. C'erano flaconi di pillole sulle mensole, sui tavoli, ovunque: alcuni erano di vitamine, ma non erano la maggioranza.

Nella stanza c'era anche una mitragliatrice: una vecchia NSV sovietica appartenuta alla torretta di un carro armato. L'aveva appesa a una catena in mezzo al locale da dove pendeva, macabra scultura, come le istallazioni di Alexander Calder che collocano in ogni nuovo terminal aeroportuale. Impugnandola, avrebbe potuto ruotarla a trecentosessanta gradi, sparando dalla finestra anteriore o da quella posteriore come se fossero feritoie. Aveva un campo di fuoco limitato, ma poteva coprire una quarantina di metri del viale in direzione est. La mitragliatrice era alimentata da un nastro di cartucce che usciva da una scatola di munizioni posta sul pavimento. Impilate contro la parete, c'erano forse altre venti scatole color verde oliva, tutte ricoperte di caratteri cirillici e di stelle rosse.

La mitragliatrice era tanto grande che dovetti schiacciarmi contro il muro per passare. Vidi due telefoni: uno era probabilmente per la linea esterna, l'altro per comunicare con la casa. Sulla parete c'erano un paio di allarmi: uno collegato ai sensori esterni, nella terra di nessuno, l'altro a quelli di movimento del cancello stesso. C'era un monitor che mostrava l'immagine lattiginosa in bianco e nero della telecamera del cancello.

«Tu mi hai dato un calcio», disse.

Non risposi.

«Poi hai cercato di investirmi», aggiunse.

«Erano solo spari di avvertimento», osservai.

«Per cosa?»

«Duke non c'è più», affermai.

«Sì, l'ho saputo.»

«Perciò adesso ci sono io», proseguii. «Tu hai il cancello, io ho la casa.»

Lui annuì senza dire nulla.

«Adesso sono io che mi occupo dei Beck», dichiarai. «Io il responsabile della loro sicurezza. Il signor Beck si fida di me, a tal punto che mi ha dato un'arma.»

Mentre parlavo non smisi mai di fissarlo con quello sguardo che ti penetra nel cervello. Quello era il momento giusto perché metanfetamine e steroidi entrassero in gioco e lo facessero ghignare stoltamente e dire: «Be', non si fiderà più quando gli racconterò che cos'ho trovato là fuori sugli scogli, o no? Quando gli spiegherò che avevi già un'arma». Avrebbe strascicato i piedi per terra e usato una voce cantilenante. Ma non disse niente, non fece niente. Non ebbe la minima reazione tranne un lieve annebbiamento dello sguardo, come se avesse difficoltà a cogliere le implicazioni.

«Capito?» domandai.

«Prima c'era Duke e adesso ci sei tu», disse con tono neutro.

Non era stato lui a trovare il fagotto.

«Penserò io alla loro incolumità», ripetei. «Anche a quella della signora Beck. Adesso quel giochino non si fa più, intesi?»

«Oppure?»

« Oppure fra te e me sarà guerra », risposi.

« Potrebbe piacermi. »

Scossi la testa.

« Non ti piacerebbe affatto », replicai. « Nemmeno un po'. Finiresti a pezzi, un po' alla volta. »

« Credi? »

« Quando eri in servizio hai mai pestato un poliziotto militare? » domandai.

Non rispose. Distolse solo lo sguardo e rimase zitto. Probabilmente stava ricordando il suo arresto: aveva opposto un po' di resistenza e avevano dovuto ammansirlo. Perciò, nel tragitto tra la scena del crimine e la cella, probabilmente era rotolato giù per una scala facendosi parecchio male. Era stato un semplice incidente: sono cose che capitano in determinate circostanze. L'ufficiale che lo aveva fatto arrestare aveva con molta probabilità mandato sei uomini a prenderlo. Io ne avrei mandati otto.

« Dopodiché ti licenzierei », aggiunsi.

Il suo sguardo tornò a fuoco, lento, ozioso.

« Non mi puoi licenziare », replicò. « Io non lavoro per te né per Beck. »

« Allora per chi lavori? »

« Per qualcuno. »

« Questo qualcuno ha un nome? »

Scosse la testa.

« Non te lo dirò mai. »

Tenni le mani in tasca e girai attorno alla mitragliatrice, dirigendomi verso la porta.

« Ci siamo chiariti? »

Lui mi guardò senza dire nulla, ma era calmo. Il dosaggio del mattino doveva essere stato corretto.

« La signora Beck è off limits, intesi? » dissi.

« Finché sarai qui », rispose. « Non ci resterai per sempre. »

Spero proprio di no, pensai. In quell'istante suonò il telefono, la linea esterna, supposi: dubitavo che Elizabeth o

Richard lo chiamassero dalla casa. Lo squillo risuonò forte nel silenzio. Paulie sollevò il ricevitore e disse il suo nome, poi rimase in ascolto. Udii una voce al microfono, lontana e indistinta, piena di vibrazioni ed echi che impedivano di capire che cosa dicesse. La voce parlò per meno di un minuto, poi la telefonata finì. Paulie riagganciò e, muovendo la mano con gran delicatezza, fece ondeggiare piano la mitragliatrice con il palmo. Mi accorsi che era un'imitazione voluta del gesto che aveva fatto con il grosso sacco in palestra, il mattino che ci eravamo incontrati. Mi sorrise.

«Ti terrò d'occhio», disse. «Sempre.»

Lo ignorai, aprii la porta e uscii. La pioggia m'investì come il getto di un idrante. Mi chinai e mi avviai nella sua direzione. Trattenni il fiato e provai una sgradevole sensazione al fondoschiena finché non ebbi superato il tratto di quaranta metri visibile dalla finestra posteriore. A quel punto espirai.

Non erano stati Beck, né Elizabeth, né Richard. E nemmeno Paulie.

Era escluso.

Dominique Kohl mi disse «È escluso» la sera in cui andammo a bere la birra. Era successo un imprevisto e dovetti rimandare l'appuntamento, poi fu lei a dover rimandare quello che avevo proposto in alternativa, quindi prima che ci incontrassimo passò circa una settimana. A quel tempo era difficile che sergenti e capitani bevessero qualcosa insieme alla base perché i circoli erano rigorosamente separati, perciò andammo in un bar in città. Era il tipico locale lungo e basso con otto tavoli da biliardo, pieno di gente, di neon, di rumore dei juke-box e di fumo. Faceva ancora molto caldo: i condizionatori andavano al massimo, ma era come se non ci fossero. Indossavo un paio di pantaloni da fatica e una vecchia maglietta perché non possedevo abiti personali. Kohl si presentò con un vestito: era semplice, senza maniche, lungo fino al ginocchio, nero con piccoli pois bianchi. Con pois molto piccoli. Non grossi bolli o che. Era un disegno molto fine.

«Come va Frasconi?» domandai.

«Tony?» disse. «È un tipo simpatico.»

Non aggiunse altro sul suo conto. Ordinammo due Rolling Rock, il che mi andava bene perché quell'estate era il mio drink preferito. Kohl dovette avvicinarsi molto per parlare a causa del rumore. Apprezzai la vicinanza, ma non mi feci illusioni: era il livello di decibel che la spingeva a farlo, nient'altro. Né ci avrei provato con lei. Non c'erano ragioni formali per non farlo: allora esistevano delle regole, immagino, ma non ancora dei regolamenti. Il concetto di molestia sessuale è entrato lentamente nel mondo dell'Esercito. Io però ero già conscio delle potenziali ingiustizie: non che in qualche modo avrei potuto favorirla o rovinarle la carriera. Dallo stato di servizio era chiaro come il sole che sarebbe diventata sergente semplice e quindi primo sergente. Era solo questione di tempo. Poi, senza alcun problema, avrebbe fatto il balzo a E-9, sergente maggiore. Dopo il grado di sergente maggiore viene quello di sergente maggiore capo: in ogni reggimento ce n'è uno solo. Dopo ancora, c'è il sergente maggiore dell'Esercito, una figura unica in tutto l'esercito. Sarebbe avanzata di grado e poi si sarebbe fermata, qualsiasi cosa avessi detto al riguardo.

«Abbiamo un problema tattico», disse. «O forse strategico.»

«Perché?»

«Gorowski, il cervellone? Non pensiamo lo ricattino perché è a conoscenza di un terribile segreto o cose del genere. Ci sembra più un caso di minacce dirette alla sua famiglia. Di coercizione più che di ricatto.»

«Come puoi dirlo?»

«Il suo dossier è immacolato. Il suo background è stato verificato fino al minimo dettaglio. Proprio per questo lo fanno: per evitare qualsiasi possibilità di ricatto.»

«Era un fan dei Red Sox?»

Lei scosse la testa. «Degli Yankee. È del Bronx. Lì ha frequentato la High School of Science.»

«Bene», commentai. «Già mi piace.»

«Ma dalle informazioni raccolte dovremmo arrestarlo su due piedi.»

«Cosa fa?»

«Lo abbiamo visto portar fuori documenti dal laboratorio.»

«Stanno ancora lavorando allo zoccolo?»

«Sì. Ma anche se pubblicassero il progetto su *Stars and Stripes*, non rivelerebbero niente a nessuno. Perciò la situazione non è ancora critica.»

«Cosa fa dei documenti?»

«Li consegna in un posto a Baltimora.»

«Potete mettere le mani su chi va a prenderli?»

Lei scosse il capo.

«È escluso.»

«Che cosa pensi del nostro cervellone?»

«Non voglio arrestarlo. Dovremmo prendere chiunque gli stia addosso e lasciarlo in pace. Ha due bambine piccole.»

«Frasconi che ne pensa?»

«È d'accordo.»

«Sul serio?»

Lei sorrise.

«Be', lo sarà», rispose. «Ma le informazioni ci dicono una cosa diversa.»

«Lascia perdere le informazioni», dissi.

«Davvero?»

«È un mio ordine diretto», affermai. «Te lo metterò per iscritto, se vuoi. Segui l'istinto. Ricostruisci tutta la catena fino all'altro capo. Se ci riusciremo, potremo tenere Gorowski lontano dai guai. Questo è l'approccio che uso di solito con i fan degli Yankee. Ma non lasciare che la cosa ti sfugga di mano.»

« Non succederà », disse.

« Chiudi il caso prima che terminino lo zoccolo », aggiunsi. « Altrimenti dovremmo pensare a un altro approccio. »

« D'accordo », rispose.

Poi parlammo d'altro e bevemmo ancora un paio di birre. Dopo un'ora misero qualcosa di buono al juke-box e le chiesi di ballare. Per la seconda volta quella sera mi rispose: « È escluso ». Dopo, ripensai a quell'espressione: il suo era stato un rifiuto netto o un modo per dirmi che date le circostanze ero stato scorretto? Non sapevo rispondere.

Quando rientrai in casa ero fradicio, perciò andai di sopra e presi possesso della stanza di Duke. Mi asciugai e indossai i suoi abiti. La stanza era nella parte anteriore della casa, più o meno in posizione centrale. La finestra offriva una buona vista a ovest, sull'intero viale d'accesso e grazie all'altezza potevo vedere oltre il muro. Scorsi una Lincoln Town Car in lontananza: puntava verso di noi. Era nera e aveva i fari accesi per via del tempo. Paulie uscì con la sua mantella e aprì il cancello molto prima del tempo, in modo che non dovesse rallentare. L'auto arrivava diritta, a velocità sostenuta. Il parabrezza era bagnato, pieno di schizzi, e i tergicristalli si muovevano ritmici avanti e indietro. Paulie la stava aspettando: era stato avvertito dalla telefonata. La osservai avvicinarsi finché scomparve alla vista, sotto di me. Allora mi girai.

La camera di Duke era quadrata e semplice, come gran parte delle stanze della casa. Aveva una pannellatura scura e un grande tappeto orientale. C'erano un televisore e due telefoni, uno esterno e uno interno, supposi. Le lenzuola erano pulite e non c'erano oggetti personali, tranne i vestiti nell'armadio. Immaginai che quel mattino Beck avesse detto alla cameriera del cambio di personale e di lasciare gli abiti per me.

Tornai alla finestra e circa cinque minuti dopo vidi Beck

rientrare con la Cadillac. Paulie era pronto a ricevere anche lui. La grossa auto non fu quasi costretta a rallentare. Poco dopo Paulie chiuse il cancello, fece scorrere il catenaccio e lo fermò. Il cancello era a un centinaio di metri, ma riuscivo a vedere quello che faceva. La Cadillac scomparve sotto di me e proseguì verso il garage. Scesi. Immaginai che, essendo tornato Beck, fosse ora di pranzo e che Paulie avesse chiuso il cancello perché ci avrebbe raggiunti.

Ma mi sbagliavo.

Giunto in corridoio, incontrai Beck che arrivava dalla cucina. Aveva il cappotto schizzato di pioggia e mi stava cercando. In mano teneva una borsa sportiva, la stessa con cui aveva portato le armi nel Connecticut.

« C'è un lavoro da fare », disse. « Subito. Devi azzeccare la marea giusta. »

« Dove? »

Beck si allontanò, si voltò e gridò da sopra la spalla. « Te lo dirà l'uomo della Lincoln. »

Attraversai la cucina e uscii. Il metal detector squillò. Sotto la pioggia mi diressi al garage, ma la Lincoln era parcheggiata proprio lì, all'angolo della casa. Era stata girata e avvicinata in retromarcia in modo che il bagagliaio fosse rivolto al mare. Alla guida c'era un uomo: si stava riparando dalla pioggia ed era impaziente. Tamburellava con i pollici sul volante. Mi vide nel retrovisore, al che il bagagliaio scattò. Un istante dopo aprì la portiera e scese rapido.

Sembrava essere stato prelevato a forza da un campo di case mobili e infilato in un vestito. Aveva un pizzetto lungo, tutto brizzolato, che nascondeva un mento sfuggente, e una coda di cavallo unta tenuta da un elastico rosa effetto glitter, come quelli che si vedono nei display dei negozi, appesi in basso perché le bambine li scelgano. Aveva vecchie cicatrici d'acne e tatuaggi di una prigione sul collo. Era alto e molto magro, sembrava una persona normale tagliata longitudinalmente in due.

« Sei il nuovo Duke? » mi chiese.

« Sì », risposi. « Sono il nuovo Duke. »

« Io sono Harley », esclamò.

Non gli dissi il mio nome.

« Allora sbrighiamoci. »

« A fare che? »

Lui si avvicinò e aprì completamente il bagagliaio.

« Eliminazione rifiuti », rispose.

Nel bagagliaio c'era un sacco salma militare: gomma nera pesante con la cerniera chiusa fino in alto. Da come era piegato nel vano capii che conteneva una persona piccola. Una donna, probabilmente.

« Chi è? » chiesi anche se sapevo già la risposta.

« La troia del governo », disse. « Ce ne abbiamo messo di tempo, ma alla fine l'abbiamo beccata. »

Si chinò e afferrò il sacco dalla sua parte stringendolo per entrambi gli angoli, poi attese che mi muovessi. Io rimasi lì, con la pioggia che mi batteva sul collo, ad ascoltare il picchiettio e lo scoppiettio che produceva sulla gomma.

« Dobbiamo azzeccare la marea giusta », disse. « Sta per cambiare. »

Mi chinai e presi gli angoli dalla mia parte. Ci guardammo per coordinare lo sforzo e sollevammo il sacco. Non era pesante, ma poco maneggevole e Harley non era forte. Lo portammo per alcuni passi verso la costa.

« Mettilo giù », dissi.

« Perché? » chiese.

« Voglio vedere », risposi.

« Non penso sia il caso », osservò.

« Mettilo giù », ripetei.

Lui esitò ancora per un istante, poi ci accovacciammo insieme e posammo il sacco sugli scogli. Dentro, il corpo si mosse girandosi con la schiena inarcata verso l'alto. Io rimasi accucciato e mi avvicinai alla testa. Trovai la cerniera e tirai.

«Guarda solo la faccia», disse Harley. «Quella non è troppo malconcia.»

Guardai. Invece lo era, e molto. Era morta tra atroci sofferenze, quello era chiaro. Il viso era devastato dal dolore: lo si notava ancora nella smorfia dell'ultimo, spaventoso urlo.

Ma non era Teresa Daniel.

Era la cameriera di Beck.

9

Aprii a poco a poco la zip finché vidi la stessa mutilazione che avevo visto dieci anni prima, a quel punto mi fermai. Girai la testa verso la pioggia e chiusi gli occhi. Le gocce sul mio volto sembravano lacrime.

« Dai, sbrighiamoci », disse Harley.

Aprii gli occhi e fissai le onde. Richiusi la cerniera senza più guardare. Mi alzai lentamente e mi portai ai piedi del sacco. Harley aspettava. Afferrammo i rispettivi angoli, lo sollevammo e lo trasportammo sugli scogli. Harley mi condusse a sud-est, abbastanza lontano, là dove due lastre di granito si univano. Tra di esse c'era una spaccatura a V, piena per metà d'acqua mossa.

« Aspetta fino alla prima onda grossa », disse.

Questa arrivò con un boato e abbassammo la testa per schivare gli spruzzi. La spaccatura si riempì fino in cima e l'acqua salì fin sugli scogli, lambendoci quasi i piedi. Poi si ritirò e la spaccatura si svuotò. I sassolini rotolarono via, trascinati dall'onda. La superficie del mare era orlata di schiuma di color grigio opaco e butterata dalla pioggia.

« Bene, adesso mettilo giù », disse Harley. Era senza fiato. « Tieni la tua estremità. »

Posammo il sacco a terra in modo che la testa sporgesse dalla lastra di granito, dentro la spaccatura. La zip era rivolta verso l'alto e il corpo era di schiena. Io tenni entrambi gli angoli dell'altra estremità. La pioggia mi aveva appiccicato i capelli alla testa e mi entrava negli occhi facendomi male. Harley si accucciò, si mise a cavalcioni del sacco, e ne spinse la testa un po' più in fuori. Io lo imitai, centimetro dopo centimetro, facendo piccoli passi sulla roccia scivolosa. L'onda successiva arrivò e vorticò sotto il sacco che venne lievemente sollevato. Harley sfruttò la spinta momentanea per spostarlo un po' più in là, verso il mare. Io mi mossi con lui. L'onda si ritirò e di nuovo la spaccatura si svuotò. La pioggia batteva sulla gomma rigida e sulle nostre schiene. Era spaventosamente fredda.

Harley sfruttò le cinque onde seguenti per spingere più in là il sacco, sino a farlo penzolare completamente nella spaccatura. Alla fine mi ritrovai a stringere solo un pezzo di gomma vuota: per gravità il corpo si era ammassato nella parte anteriore del sacco. Harley attese e scrutò il mare, poi si chinò e aprì interamente la cerniera. Tornò indietro rapidamente e prese uno degli angoli che stavo reggendo, afferrandolo con forza. La settima onda arrivò con gran fragore e ci inzuppò con la sua schiuma. La spaccatura si riempì, il sacco si riempì, poi la grande onda risucchiò il corpo. Questo galleggiò inerte per una frazione di secondo, poi le correnti sul fondo lo afferrarono e lo trascinarono via. Andò subito giù, in profondità. Vidi una lunga ciocca di capelli biondi ondeggiare nell'acqua e una chiazza di pelle chiara brillare verde e grigia prima di scomparire. Mentre l'acqua calava, la schiuma della spaccatura diventò rossa.

«Qui c'è una bella corrente di risucchio», commentò Harley.

Io non replicai nulla.

«Il movimento dell'acqua sul fondale li cattura subito», proseguì. «Non ne è mai tornato indietro uno, comunque. Li trascina per due, tre chilometri, tirandoli sotto. Là fuori poi ci sono gli squali: vanno su e giù lungo la costa. Più tutte le altre creature: sai, granchi, remore, cose del genere.»

Rimasi sempre zitto.

«Non uno è tornato indietro», ripeté.

Lo guardai e lui mi sorrise. La sua bocca sembrava un buco scavato sopra il pizzetto. Al posto dei denti aveva dei monconi gialli, tutti marci. Distolsi di nuovo lo sguardo. Arrivò l'onda seguente: era piccola, ma quando si ritirò la spaccatura era pulita, come se nulla fosse accaduto, come se lì dentro non ci fosse stato niente. Harley si alzò goffamente e chiuse il sacco vuoto. Ne uscì un'acqua rosata che sgocciolò sugli scogli. Prese ad arrotolarlo e io guardai verso la casa. Beck era in piedi sulla porta di cucina, solo, e ci osservava.

Tornammo alla villa, fradici di pioggia e di acqua di mare. Beck scomparve in cucina e noi lo seguimmo. Harley rimase in disparte, come se sapesse di non dover stare lì.

« Era un'agente federale? » chiesi.

« Non c'è dubbio », rispose Beck.

La sua borsa sportiva era sul tavolo, in centro, bene in vista, come una prova dell'accusa in un'aula di tribunale. Beck l'aprì e vi frugò dentro.

« Guarda qui », disse.

Sollevò un fagotto e lo mise sul tavolo. Era un oggetto avvolto in uno straccio unto d'olio grande quanto un asciugamano. Lo aprì e ne estrasse la Glock 19 di Duffy.

« Era nascosta nella macchina che le avevamo dato », spiegò.

« La SAAB? » chiesi, perché dovevo dire qualcosa.

« Sì, nel pozzo della ruota di scorta, sotto il bagagliaio. » Posò la Glock sul tavolo. Prese quindi i due caricatori di riserva e li mise accanto alla pistola, vi affiancò il punteruolo piegato, lo scalpello affilato e l'anello di chiavi di Angel Doll.

Restai senza fiato.

« Il punteruolo serviva per scassinare le serrature, immagino », affermò Beck.

« In che modo questo prova che era un'agente federale? » domandai.

Lui prese di nuovo la Glock, la girò e indicò il lato destro del carrello.

« Il numero di serie », disse. « Lo abbiamo verificato alla

Glock, in Austria, al computer. Abbiamo accesso a questo genere di cose. «Questa pistola in particolare è stata venduta al governo degli Stati Uniti circa un anno fa, nell'ambito di un grosso ordine fatto dalle agenzie di tutela della legge: 17 per gli agenti maschi e 19 per le donne. Da questo sappiamo che era un'agente federale.»

Fissai il numero di serie. «Ha negato?»

Lui assentì. «Ovviamente. Ha detto di averla trovata, ci ha propinato una bella serie di storie. A dire il vero ha incolpato te: ha detto che era roba tua. Ma in fondo, negano sempre, giusto? Sono addestrati a farlo, immagino.»

Distolsi lo sguardo e fissai il mare al di là della finestra. Perché lo aveva preso? Perché non lo aveva lasciato lì? Per uno strano istinto da governante? Perché non voleva si bagnasse? O che?

«Hai l'aria sconvolta», osservò Beck.

E come aveva fatto a trovarlo? Perché poi andare in cerca di una cosa del genere?

Ero più che sconvolto. Era morta soffrendo atrocemente ed era colpa mia. Probabilmente aveva pensato di farmi un favore tenendomi la roba all'asciutto, al riparo dalla pioggia. Era solo una ragazzina irlandese ingenua e ottusa che aveva cercato di aiutarmi e io l'avevo uccisa, proprio come se l'avessi massacrata con le mie mani.

«Sono responsabile della sicurezza», risposi. «Avrei dovuto sospettare di lei.»

«Sei responsabile solo da ieri sera», replicò Beck. «Perciò non ti buttare troppo giù. Non hai nemmeno avuto il tempo di ambientarti. Era Duke che avrebbe dovuto accorgersene.»

«Ma io non l'avrei mai sospettata», aggiunsi. «Pensavo fosse una semplice cameriera.»

Distolsi di nuovo lo sguardo e fissai il mare: era grigio, grosso. Non capivo proprio. Era stata lei a trovarlo, ma perché nasconderlo tanto bene?

«Questa è la prova definitiva», disse Beck.

Lo guardai in tempo per vederlo estrarre un paio di scarpe dalla borsa: erano scarpe grandi, squadrate, brutte, di colore nero, quelle che le avevo sempre visto addosso.

«Guarda qui», aggiunse.

Rovesciò la scarpa destra e con le unghie tirò un perno sul tacco, ruotò quest'ultimo come una piccola porta e capovolse di nuovo la scarpa. La scosse e un rettangolino di plastica nera cadde sul tavolo all'ingiù. Beck lo girò.

Era un apparecchio e-mail senza fili, identico in tutto e per tutto al mio.

Mi passò la scarpa e io la presi. La fissai, inespressivo. Era un trentasei e mezzo da donna, fatto per un piede piccolo, ma aveva una punta larga, bombata e per conseguenti ragioni estetiche un tacco grosso. Una sorta di fashion statement piuttosto rozzo. Nel tacco era stata realizzata una cavità rettangolare identica alla mia. Era stata scavata con precisione e pazienza, non a macchina: presentava gli stessi vaghi segni di attrezzi della mia. Mi immaginai un uomo in un laboratorio da qualche parte con una fila di scarpe davanti, su un banco, immerso nell'odore di pelle nuova, con accanto una piccola serie di strumenti per intagliare il legno disposti a semicerchio e i riccioli e i pezzetti di gomma sul pavimento, ai suoi piedi. Gran parte del lavoro governativo è incredibilmente a bassa tecnologia: non riguarda penne esplosive e telecamere inserite negli orologi. Un giorno al centro commerciale per comprare un apparecchio e-mail e un paio di scarpe comuni è una delle operazioni più sofisticate che i dipendenti possano svolgere.

«A che stai pensando?» chiese Beck.

Stavo pensando ai miei sentimenti. Mi sentivo su un ottovolante. Lei era sempre morta, ma non ero più stato io a ucciderla bensì i computer del governo, perciò mi sentivo personalmente sollevato. Ma ero anche molto arrabbiato: che diavolo stava combinando Duffy? A che diamine di gioco stava giocando? Era una regola tassativa della procedura quella di non mettere mai due agenti o più sotto copertura nello stesso posto, a meno che loro stessi non lo sapessero. Duffy mi aveva detto di Teresa Daniel: perché accidenti allora non mi aveva detto di quell'altra donna?

«Incredibile», esclamai.

«La batteria è scarica» disse Beck tenendo l'apparecchio con due mani e usando entrambi i pollici per attivarlo, come fosse un videogame. «Comunque, non funziona.»

Me lo porse. Io posai la scarpa e lo presi. Premetti il ben noto tasto *Power*, ma lo schermo rimase nero.

«Da quanto tempo era qui?» chiesi.

«Da otto settimane», rispose Beck. «È difficile per noi tenere il personale. Qui è isolato. Poi c'è Paulie, sai. E anche Duke non era un tipo molto ospitale.»

«Suppongo che otto settimane siano troppe perché una batteria duri.»

«Quale potrebbe essere ora la loro procedura?»

«Non lo so», risposi. «Non sono mai stato un federale.»

«In generale», disse. «Avrai visto cose del genere.»

«Secondo me se lo aspettavano», risposi. «Le comunicazioni sono sempre la prima cosa che s'incasina. Lei non è più contattabile, ma all'inizio non se ne preoccupano. Non hanno altra scelta se non quella di lasciarla sul campo. Non possono certo contattarla per ordinarle di tornare a casa, giusto? Perciò penso che si aspettino che ricarichi la batteria non appena possibile.» Girai l'apparecchio di lato e indicai la piccola presa sul fondo. «Sembra utilizzi un caricabatteria per cellulari o qualcosa del genere.»

«Manderanno degli uomini a cercarla?»

«Alla fine», risposi. «Penso di sì.»

«Quando?»

«Non lo so. Non ancora, comunque.»

«Negheremo che sia mai stata qui. Negheremo di averla vista. Non ci sono prove che sia stata qui.»

«Sarà meglio che faccia pulire bene la sua stanza», dissi. «Ci saranno impronte, capelli e DNA dappertutto.»

«Ci era stata raccomandata», replicò Beck. «Non mettiamo certo annunci sui giornali. Alcuni conoscenti di Boston hanno creato il contatto.»

Mi guardò. *Alcuni conoscenti di Boston alla disperata ricerca di un patteggiamento, disposti ad aiutare il governo in qualsiasi modo.*

«Brutta faccenda», commentai.

Lui annuì amaramente. Conveniva con me: sapeva quello che intendevo. Prese il grosso mazzo di chiavi accanto allo scalpello.

«Penso siano di Angel Doll», affermò.

Non dissi nulla.

«Perciò è un triplice incubo», proseguì. «Possiamo legare Doll al gruppo di Hartford e i nostri amici di Boston ai federali. Adesso possiamo anche legare Doll ai federali, perché ha dato le sue chiavi alla troia sotto copertura. Il che significa che anche il gruppo di Hartford era d'accordo con i federali. Doll è morto grazie a Duke, ma ho sempre Hartford, Boston e il governo addosso. Avrò bisogno di te, Reacher.»

Lanciai un'occhiata a Harley: stava guardando la pioggia fuori della finestra.

«Si trattava solo di Doll?» chiesi.

«Sono andato a fondo della questione e me ne sono convinto: si trattava solo di Doll, gli altri sono fidati. Sono ancora con me. Si sono scusati molto per Doll», rispose.

«Bene», dissi.

Ci fu un lungo attimo di silenzio. Poi Beck riavvolse le mie armi nello straccio e le rimise nella borsa. Vi gettò dentro l'apparecchio e-mail e sopra mise le scarpe della cameriera: avevano un'aria triste, insignificante, misera.

«Ho imparato una cosa», concluse. «Comincerò a ispezionare le scarpe della gente, questo è maledettamente certo. Ci puoi scommettere la pelle.»

Ce la scommisi, in quel preciso istante. Tenni addosso le mie scarpe. Tornai nella stanza di Duke e controllai nell'armadio: c'erano quattro paia di scarpe. Non del genere che avrei scelto in negozio, ma erano passabili e quasi della giusta misura. Comunque, le lasciai lì: farsi vedere subito con un paio di scarpe diverse avrebbe destato sospetti. E se avessi dovuto buttare le mie, avrei dovuto farlo nel modo adeguato. Non aveva senso lasciarle in camera perché qualcuno potesse controllarle. Avrei dovuto portarle all'esterno della casa e in quel momento non c'era un modo semplice per farlo, non dopo la scena della cucina. Non potevo scendere di sotto con le scarpe in mano. Che cosa avrei detto? *Cosa, queste? Oh, sono le scarpe che portavo quando sono arrivato. Vado a buttarle nell'oceano.* Come se me ne fossi stancato. Perciò le tenni ai piedi.

In ogni caso, mi servivano. Ero tentato di tagliar fuori Duffy, ma non ero ancora pronto a farlo. Non in quella fase. Mi chiusi nel bagno di Duke ed estrassi l'apparecchio e-mail. Provai una strana sensazione. Premetti *Power* e sullo schermo comparve un messaggio: *Ci dobbiamo vedere.* Premetti *Rispondi* e scrissi: *Ci puoi scommettere il culo.* Poi spensi l'unità, la rimisi nel tacco e scesi di nuovo in cucina.

«Va' con Harley», esclamò Beck. «Devi portare indietro la SAAB.»

La cuoca non c'era. I banchi erano puliti e in ordine. Erano stati lavati con cura. I fornelli erano spenti. Era come se sulla porta fosse appeso il cartello CHIUSO.

«E il pranzo?» chiesi.

«Hai fame?»

Pensai al modo in cui il mare aveva riempito il sacco e reclamato il corpo, vidi i capelli sott'acqua, liquidi, infinitamente sottili e il sangue che veniva lavato via, rosa, diluito. Non avevo fame.

« Sto morendo », risposi.

Beck sorrise imbarazzato. « Sei proprio un figlio di puttana dal sangue freddo, Reacher. »

« Ho già visto persone morte e penso che ne vedrò altre. »

Lui annuì. « La cuoca ha il giorno libero. Mangia fuori, d'accordo? »

« Non ho soldi. »

Mise la mano nella tasca dei pantaloni e ne estrasse un rotolo di banconote. Prese a contarle, poi si strinse nelle spalle, rinunciò e me lo porse tutto. Dovevano essere quasi mille dollari.

« Per le spese », disse. « Sistemeremo dopo la faccenda dello stipendio. »

Misi i soldi in tasca.

« Harley ti sta aspettando in macchina », disse.

Uscii e sollevai il colletto del cappotto. Il vento stava calando e la pioggia tornando verticale. La Lincoln era ancora lì, all'angolo della casa. Il bagagliaio era chiuso e Harley stava tamburellando i pollici sul volante. M'infilai sul sedile del passeggero e lo spinsi indietro per avere più spazio per le gambe. Lui accese il motore, azionò i tergicristalli e partì. Dovemmo aspettare che Paulie aprisse il cancello. Harley armeggiò con il riscaldamento e lo mise al massimo. Avevamo i vestiti bagnati e i finestrini si stavano appannando. Paulie fu lento e Harley riprese a tamburellare le dita.

« Voi due lavorate per la stessa persona? » chiesi.

« Io e Paulie? » disse. « Certo. »

« Chi è? »

« Beck non te l'ha detto? »

« No », risposi.

« Allora non lo farò nemmeno io. »

« È difficile per me lavorare senza informazioni », obiettai.

« È un problema tuo », fece. « Non mio. »

Sfoderò quel suo sorriso giallo, cavernoso. Immaginai che se lo avessi colpito con forza con un pugno gli avrei spaccato tutti quei moncherini e fracassato la gola ossuta, ma non lo feci. Paulie aprì il catenaccio e spalancò il cancello. Harley partì subito e vi passò attraverso con appena un paio di centimetri di spazio per lato. Io mi misi comodo sul sedile. Harley accese i fari e accelerò al punto che ci lasciammo dietro due scie di spruzzi. Puntammo a ovest perché per i primi venti chilometri non c'era altra scelta, poi svoltammo a nord sulla Uno, nella direzione opposta rispetto a quella che mi aveva fatto imboccare Elizabeth Beck, rispetto a Old Orchard Beach e a Saco, e ci avviammo verso Portland. Non vedevo niente perché il tempo era pessimo: scorgevo a malapena i fanali delle auto davanti a noi. Harley non parlò. Si limitò a dondolarsi in avanti e all'indietro sul sedile e a tamburellare i pollici sul volante mentre guidava. Non aveva una guida uniforme: non faceva che correre e frenare. Acceleravamo e rallentavamo, acceleravamo e rallentavamo. Furono trenta chilometri molto lunghi.

Poi la strada piegò bruscamente a ovest e vidi l'Interstatale 295 vicina, alla nostra sinistra. Al di là di essa c'era una lunga lingua di mare grigio e oltre ancora l'aeroporto di Portland. Un aereo stava decollando in una gigantesca nube di spruzzi. Passò basso, rombando sulle nostre teste e virò a sud, verso l'Atlantico. Poi vidi un centro commerciale sulla sinistra, con davanti un parcheggio. Nel centro c'era il genere di negozi che ti aspetti di trovare in un posto intrappolato tra due strade nei pressi di un aeroporto, dove gli affitti costano poco. Nel posteggio c'era una ventina di macchine in fila, tutte di muso, perpendicolari al cordolo. La vecchia SAAB era la quinta da sinistra. Harley entrò nel posteggio, fermò la Lincoln esattamente dietro di essa e prese a tamburellare le dita sul volante.

«È tutta tua», disse. «Le chiavi sono nella tasca della portiera.»

Scesi nella pioggia e lui si allontanò non appena richiusi la portiera, ma non tornò sulla Uno: alla fine del posteggio girò a sinistra e subito dopo a destra. Lo vidi imboccare con la grossa auto un accesso improvvisato di calcestruzzo, tutto pieno di gobbe, che conduceva nel lotto adiacente. Sollevai di nuovo il colletto e lo osservai mentre procedeva lento e scompariva dietro una fila di edifici nuovi. Erano capannoni lunghi e bassi di metallo corrugato lucido, una specie di complesso di uffici attraversato da una rete di stradine asfaltate bagnate e lucide di pioggia, con i cordoli alti di calcestruzzo, tutti lisci e nuovi. Da uno spazio tra due edifici scorsi di nuovo la Lincoln: avanzava lenta e pigra, come se cercasse posteggio. Poi scivolò dietro un altro edificio e non la rividi più.

Mi girai. La SAAB era parcheggiata di muso davanti a un negozio di liquori, fiancheggiato da un lato da un negozio che vendeva stereo per auto e dall'altro da uno pieno di finti lampadari di cristallo. Dubitai che la cameriera fosse stata mandata a comprare un nuovo lampadario o un lettore CD per la SAAB: dovevano averla mandata nel negozio di liquori e lì ad attenderla aveva trovato un bel gruppetto di persone. Quattro, forse cinque di loro, come minimo. Dopo il primo momento di sorpresa si era trasformata da cameriera stupita in agente addestrato a combattere per la sua vita, ma loro dovevano averlo previsto ed essere arrivati in massa. Osservai il marciapiede, poi il negozio di liquori: la vetrina era piena di scatole. Dall'interno non c'era una grande visuale, ma entrai ugualmente.

Il locale era pieno di scatole, ma vuoto di persone e dava l'idea di essere sempre così. Era freddo e polveroso. Il commesso dietro il banco era un uomo grigio sulla cinquantina: capelli grigi, camicia grigia, pelle grigia. Sembrava non uscisse all'aria aperta da dieci anni. Non aveva niente che m'interessasse acquistare per rompere il ghiaccio, perciò andai al sodo e gli feci la domanda.

« Vedi quella SAAB là fuori? » chiesi.

Con molta teatralità l'uomo fece il gesto di guardar fuori.

« Sì », rispose.

« Hai visto quello che è successo a chi la guidava? »

« No », rispose.

In genere le persone che dicono subito di no mentono.
Chi è sincero può tranquillamente rispondere di no, ma di
solito prima riflette e poi aggiunge « mi spiace » o qualcosa
del genere. Forse fa a sua volta una domanda: rientra nella
natura umana. Dice: « Mi spiace, no, perché, cos'è successo? » Misi la mano in tasca e presi a caso una banconota dal
rotolo di Beck. La estrassi. Era un pezzo da cento. La piegai a
metà e la tenni tra pollice e indice.

« Adesso hai visto? » chiesi.

Lui guardò verso sinistra, poi verso destra.

Fu solo un'occhiata furtiva, rapida.

« No » ripeté.

« Una Town Car nera? » domandai. « Si è allontanata in
quella direzione? »

« Non ho visto », ripeté. « Ero occupato. »

Annuii. « Praticamente qui dentro ti spacchi la schiena, lo
vedo bene. È un miracolo che un uomo solo riesca a soppor-
tare tanto stress. »

« Ero nel retro. Al telefono. »

Tenni la banconota da cento in mano ancora per un po'.
Calcolai che cento dollari esentasse fossero una buona fetta
della sua paga netta settimanale, ma lui distolse lo sguardo. E
anche quello mi disse molto.

« D'accordo », esclamai. Rimisi il denaro in tasca e uscii.

Con la SAAB percorsi duecento metri in direzione sud, sulla
Uno, e mi fermai alla prima stazione che vidi. Entrai, com-
prai una bottiglia di acqua minerale e due barrette dolci. Pagai l'acqua quattro volte di più della benzina, se calcolata al

litro. Poi uscii e mi riparai vicino alla porta; scartai una barretta e iniziai a mangiare. Sfruttai il tempo per guardarmi attorno. Nessuna sorveglianza. Perciò mi avvicinai ai telefoni a pagamento e con il resto chiamai Duffy. Avevo memorizzato il numero del motel. Mi chinai sotto la copertura di plastica e cercai di non bagnarmi. Lei rispose al secondo squillo.

« Va' a nord fino a Saco », le dissi. « Subito. Ci vediamo nel grande centro commerciale di mattoni sull'isola in mezzo al fiume, in un bar chiamato Café Café. L'ultimo che arriva paga. »

Finii la barretta mentre guidavo verso sud. La SAAB era dura e rumorosa rispetto alla Cadillac di Beck e alla Lincoln di Harley. Era vecchia e logora, con le tappezzerie lise e rovinate. Aveva sei cifre sull'orologio. Ma si comportò bene: gli pneumatici erano buoni e i tergicristalli funzionavano. Sotto la pioggia andava bene e aveva retrovisori belli grandi. Li guardai per tutto il tempo, ma nessuno mi seguì. Arrivai al bar per primo e ordinai un espresso formato grande per togliermi il sapore di cioccolato dalla bocca.

Duffy arrivò circa sei minuti dopo. Si fermò sulla soglia, si guardò attorno, poi si diresse verso di me sorridendo. Indossava un nuovo paio di jeans e un'altra camicia di cotone, azzurra, non bianca. Sopra portava il giubbotto di pelle e sopra ancora un vecchio impermeabile troppo grande per lei. Forse era del vecchio, forse glielo aveva chiesto in prestito. Non era di Eliot, quello era chiaro. Lui era più piccolo di lei. Doveva essere venuta al nord senza prevedere il maltempo.

« Questo posto è sicuro? » chiese.

Non risposi.

« Che c'è? » domandò.

« Paghi tu », risposi. « Sei arrivata dopo. Io prendo un altro espresso e mi paghi anche il primo. »

Lei mi guardò inespressiva, poi andò al banco e tornò con due espressi. Aveva i capelli lievemente bagnati: se li era pettinati con le dita. Doveva aver parcheggiato in strada e, mentre camminava sotto la pioggia, essersi guardata in una vetrina. Contò il resto e mi diede banconote e monete pari al prezzo dell'espresso. Il caffè era un'altra cosa, lì nel Maine, che costava più della benzina, ma supposi fosse così dappertutto.

«Che c'è?» domandò.

Non risposi.

«Reacher, che succede?»

«Hai mandato un'altra agente otto settimane fa», risposi.

«Perché non mi hai avvertito?»

«Di cosa?»

«Di quello che ho detto.»

«Quale agente?»

«È morta stamattina. Ha subito una mastectomia bilaterale radicale senza il beneficio dell'anestesia.»

Lei mi fissò. «Teresa?»

«Non Teresa», risposi. «L'altra.»

«Quale altra?»

«Non dirmi stronzate.»

«*Quale altra?*»

La fissai con durezza, poi più dolcemente. C'era qualcosa nella luce di quel caffè, forse era il modo in cui veniva riflessa dal legno chiaro, dal metallo satinato, dal vetro e dal cromo. Era come un fascio di raggi X, un siero della verità: mi aveva mostrato il rossore sincero, incontrollabile di Elizabeth Beck e adesso mi aspettavo che facesse lo stesso con Duffy. Mi aspettavo di vederla arrossire profondamente di vergogna e d'imbarazzo perché l'avevo scoperta, ma invece ebbi una grande sorpresa. Glielo lessi in faccia: era diventata molto pallida, bianca come un lenzuolo per lo shock. Era come se avesse perso tutto il sangue che aveva in corpo, e nessuno può farlo a comando come nessuno può arrossire di proposito.

«Quale *altra?*» insistette. «C'era solo Teresa. Cosa? Mi stai dicendo che è morta?»

« Non Teresa », ripetei. « Ce n'era un'altra. Un'altra donna. Era stata assunta come cameriera. »

« No », disse lei. « C'è solo Teresa. »

Scossi di nuovo la testa. « Ho visto il corpo. Non era Teresa. »

« Una cameriera? »

« Aveva quel dispositivo e-mail nella scarpa », spiegai. « Esattamente identico al mio. Il tacco è stato preparato dalla stessa persona: ho riconosciuto il lavoro. »

« Non è possibile », affermò.

La guardai in faccia.

« Te lo avrei detto », aggiunse. « È ovvio che te lo avrei detto. E non avrei avuto *bisogno* di te se avessi avuto un'altra agente lì dentro. Non lo capisci? »

Distolsi lo sguardo e poi lo riportai su di lei. Adesso ero io in imbarazzo.

« Allora chi diavolo era? » domandai.

Duffy non rispose. Iniziò a ruotare la tazza sul piattino, a spingere con l'indice sul manico, a ruotarla di una decina di gradi alla volta. L'abbondante schiuma e il cacao in polvere rimasero fermi mentre la tazza ruotava. Stava pensando a ritmo frenetico.

« Otto settimane fa? » chiese.

Assentii.

« Che cosa li ha messi in allarme? »

« Sono entrati nei vostri computer », risposi. « Stamattina o forse ieri sera. »

Lei sollevò lo sguardo dalla tazza. « Era questo che mi chiedevi stamattina? »

Assentii senza dire nulla.

« Teresa non è nei computer », rispose. « La missione non è autorizzata. »

« Hai verificato con Eliot? »

« Ho fatto di più che verificare », disse. « Ho ispezionato tutto il suo hard drive, tutti i file sul main server di Washington. Ho accesso totale dappertutto. Ho cercato Teresa, Daniel, Justice, Beck, Maine e sotto copertura: non ha scritto nessuna di quelle parole, da nessuna parte.»

Rimasi in silenzio.

«Com'è successo?» domandò.

«Non ne sono del tutto certo», risposi. «Immagino che per prima cosa abbiano visto dal computer che avevi piazzato qualcuno, poi che si trattava di una donna. Nessun nome, nessun particolare, perciò sono andati in cerca e credo sia stata in parte colpa mia se l'hanno trovata.»

«Come?»

«Avevo nascosto la tua Glock, le munizioni e altre cose in un fagotto. Lei le ha trovate e le ha nascoste nell'auto che usava.»

Duffy rimase zitta per alcuni istanti.

«D'accordo», affermò. «Pensi che abbiano perquisito l'auto e che quegli oggetti l'abbiano fatta apparire colpevole?»

«Credo di sì.»

«Ma forse hanno perquisito prima *lei* e scoperto la scarpa.»

Distolsi lo sguardo. «Me lo auguro di cuore.»

Duffy fece una smorfia. «Non ti rimproverare, non è colpa tua. Non appena hanno guardato nel computer, per la prima donna che avevano deciso di controllare è stata solo questione di tempo. Entrambe combaciavano con il profilo: voglio dire, quante donne c'erano tra cui scegliere? Presumibilmente solo lei e Teresa. Non si potevano sbagliare.»

Annuii. C'erano anche Elizabeth e la cuoca, ma nessuna delle due destava grandi sospetti: la prima era la moglie del capo, la seconda lavorava lì forse da vent'anni.

«Ma chi era?»

Duffy giocherellò con la tazza fino a rimetterla nella posizione iniziale, fino a farle compiere un giro completo. Il bordo non smaltato del fondo emise un lieve stridio.

«Sono preoccupata, è ovvio», disse. «Pensa alla sequenza

temporale. Andiamo indietro a partire da oggi. Undici settimane fa ho combinato un casino con le foto del pedinamento. Dieci settimane fa mi tolgono il caso, ma visto che Beck è
un pesce grosso io non mollo e nove settimane fa mando Teresa sotto copertura senza che lo sappiano. Ma visto che
Beck è un pesce grosso, loro riassegnano il caso a qualcun altro senza che *io* lo sappia e otto settimane fa quel qualcuno
manda la cameriera, che scavalca Teresa. Teresa non sapeva
che sarebbe arrivata la cameriera e la cameriera non sapeva
che Teresa era già lì. »

« Perché avrebbe dovuto ficcare il naso nelle mie cose? »

« Immagino volesse controllare la situazione. Procedura
standard. Per quel che le risultava, tu non eri un tipo raccomandabile, solo una mina vagante, una fonte di guai. Avevi
ucciso un poliziotto e nascondevi delle armi. Forse ha pensato che fossi di una banda rivale e aveva in mente di venderti a
Beck: quello avrebbe aumentato la credibilità ai suoi occhi.
Inoltre, aveva bisogno di eliminarti perché non le servivano
altre complicazioni. Se non ti avesse venduto a Beck, ti
avrebbe consegnato a noi denunciandoti come assassino di
un agente. Sono stupita che non l'abbia fatto subito. »

« Non aveva più batteria », risposi.

Lei concordò. « Otto settimane. Immagino che una cameriera non abbia facilmente accesso a un caricabatteria per cellulare. »

« Beck dice che veniva da Boston. »

« Ha senso », ammise. « Probabilmente l'hanno pescata
dall'ufficio operativo di Boston. Geograficamente è logico e
spiegherebbe perché a Washington non ci sia giunto nessun
pettegolezzo di corridoio. »

« Mi ha detto che gli era stata raccomandata da amici
suoi. »

Lei assentì di nuovo. « Gente che patteggia, di certo. Li
usiamo continuamente. Sono ben felici di fregarsi a vicenda.
Con quella gente non esistono codici di omertà. »

A quel punto mi ricordai di un'altra cosa che Beck aveva detto.

«Come comunicava Teresa?» domandai.

«Aveva il dispositivo e-mail, come il tuo.»

«Nella scarpa?»

Duffy annuì senza dire nulla. Io udii le parole di Beck forti nella mia mente: «Comincerò a ispezionare le scarpe della gente, questo è maledettamente certo. Ci puoi scommettere la pelle».

«Quando l'hai sentita l'ultima volta?»

«Ha cessato le comunicazioni il secondo giorno.»

«Dove viveva?» chiesi.

«A Portland. L'avevamo sistemata in un appartamento. Era impiegata d'ufficio, non cameriera.»

«Sei stata all'appartamento?»

«Sì, nessuno l'ha più vista dopo il secondo giorno.»

«Hai controllato l'armadio?»

«Perché?»

«Dobbiamo sapere quali scarpe portava quando l'hanno presa.»

Duffy impallidì di nuovo.

«Merda», esclamò.

«Sì», dissi. «Quali scarpe sono rimaste nell'armadio?»

«Quelle sbagliate.»

«Avrà pensato a buttare il dispositivo e-mail?»

«Non l'aiuterebbe. Dovrebbe buttare anche le scarpe. Il buco nel tacco svelerebbe tutto, o no?»

«Dobbiamo trovarla», dissi.

«Sicuro», affermò lei, poi tacque per un istante. «Oggi le è andata molto bene. Sono andati in cerca di una donna e per caso hanno controllato prima la cameriera. Non possiamo sperare che le vada così bene per molto.»

Tacqui. Era andata molto bene per Teresa e molto male per la cameriera. Il bicchiere è sì mezzo pieno, ma anche mezzo vuoto. Duffy sorseggiò il caffè e fece una lieve smorfia, come se fosse cattivo, quindi posò la tazza.

«Ma che cosa l'ha tradita in primo luogo?» chiese. «Vorrei proprio saperlo. È durata solo due giorni. Ed è accaduto nove settimane prima che violassero i computer.»

«Che copertura le avevi preparato?»

«La solita per questo genere di lavoro: nubile, senza legami, senza famiglia, niente radici. Come te, solo che tu non hai avuto bisogno di fingere.»

Annuii lentamente. *Una trentenne di bella presenza di cui non sarebbe stata denunciata la scomparsa.* Una grande tentazione per personaggi come Paulie o Angel Doll, forse addirittura irresistibile. *Un bel giocattolo a disposizione.* E il resto del gruppo poteva essere anche peggio, come Harley, per esempio: non mi sembrava un fulgido esempio di civiltà.

«Forse non c'è stato niente che l'ha tradita», dissi. «Forse è semplicemente scomparsa, sai, come fanno le donne. Molte scompaiono: soprattutto le giovani single, senza legami. Succede in continuazione, migliaia di casi all'anno.»

«Ma tu hai trovato la stanza in cui la tenevano.»

«Tutte le donne che scompaiono devono pur stare da qualche parte. Sono scomparse dal nostro punto di vista: loro sanno dove sono, come pure gli uomini che le hanno prese.»

Lei mi guardò. «Pensi sia andata così?»

«Potrebbe.»

«Starà bene?»

«Non lo so», risposi. «Lo spero.»

«La terranno in vita?»

Annuii. «Penso lo facciano perché non sanno che è un'agente federale. Credono sia solo una donna.»

Un bel giocattolo a disposizione.

«Riuscirai a trovarla prima che le controllino le scarpe?»

«Potrebbero non controllargliele mai», dissi. «Sai, se è

vero che la vedono in una luce specifica, sarebbe sorprendente che inizino a vederla in tutt'altra ottica.»

Lei distolse lo sguardo e restò zitta a lungo.

«Una luce specifica», ripeté. «Perché non ci diciamo chiaramente quello che pensiamo?»

«Perché non vogliamo», risposi.

Rimase in silenzio per un minuto, due, poi mi guardò dritto in faccia. Le era venuto in mente un pensiero nuovo.

«E le tue scarpe?» domandò.

Scossi la testa.

«È la stessa cosa», dissi. «Si stanno abituando a me. Sarebbe sorprendente se iniziassero a vedermi come qualcosa di diverso.»

«È pur sempre un grosso rischio.»

Mi strinsi nelle spalle.

«Beck mi ha dato una Beretta M9», dissi. «Perciò aspetterò e vedrò. Se si china a dare un'occhiata, gli sparo dritto in fronte.»

«Ma lui fondamentalmente è solo un uomo d'affari, giusto? Farebbe del male a Teresa senza sapere che è una minaccia per la sua attività?»

«Non lo so», risposi.

«Ha ucciso lui la cameriera?»

Scossi la testa. «Lo ha fatto Quinn.»

«Eri presente?»

«No.»

«Allora come lo sai?»

Distolsi lo sguardo.

«Ho riconosciuto la mano.»

La quarta volta che vidi il sergente di prima classe Dominique Kohl fu una settimana dopo la serata al bar. Faceva ancora caldo e si diceva che sarebbe arrivata una tempesta tropicale dalle Bermuda. Avevo la scrivania sommersa di pratiche: stupri, omicidi, suicidi, furti d'armi, aggressioni e la sera prima c'era stata una rissa perché si era rotto il sistema di refrigerazione nelle cucine della mensa dei soldati di leva e il gelato era diventato acqua. Avevo appena terminato di parlare al telefono con un amico di Fort Irwin in California, che mi aveva detto che lì succedeva lo stesso ogni volta che soffiava il vento del deserto.

Kohl arrivò con un paio di short e una canotta. Non sudava e aveva sempre la pelle come impolverata. Aveva con sé il file, che ormai era otto volte più spesso di quando glielo avevo dato.

«Lo zoccolo dovrà essere metallico», disse. «Questa è la loro conclusione definitiva. »

«Davvero? »

«Avrebbero preferito la plastica, ma a mio parere si tratta solo di ostentazione. »

«Va bene», dissi.

«Quello che sto cercando di dirti è che hanno terminato il progetto dello zoccolo. Adesso sono pronti a passare alle cose importanti. »

«Sei ancora preoccupata e ansiosa per le sorti di quel Gorowski? »

«Sì. Licenziarlo sarebbe una tragedia. È una brava persona, una vittima innocente. E il punto sostanziale è che è bravo nel suo lavoro e utile all'Esercito. »

«Allora che vuoi fare? »

«È piuttosto complicato», rispose. «Quello che penserei di fare è portarlo dalla nostra parte e indurlo a riferire informazioni fasulle a chiunque stia interferendo. In questo modo mandiamo avanti l'indagine senza rischiare di divulgare dati veri. »

«Ma? »

«La verità è che la cosa sembra di per sé fasulla. È un dispositivo molto strano. È come un grosso dardo senza esplosivo. »

« Come funziona? »

« Energia cinetica, metalli densi, uranio impoverito, calore, cose del genere. Hai fatto la specializzazione in fisica? »

« No. »

« Allora non capiresti. Ma ho la sensazione che se alteriamo il progetto il nostro uomo se ne accorgerà, il che metterà in pericolo Gorowski o le sue bambine o altri. »

« Così vuoi che di lì esca il progetto originale? »

« Sarebbe molto meglio. »

« È un grosso rischio », commentai.

« La decisione spetta a te », rispose. « Per questo prendi più soldi. »

« Sono un capitano », dissi. « Se mai ho il tempo di mangiare, uso i buoni pasto del governo. »

« Cosa decidi? »

« Hai già modo di catturare il nostro uomo? »

« No. »

« Sei certa che la cosa non ti sfuggirà di mano? »

« Totalmente. »

Sorrisi. In quel momento sembrava la persona più sicura di sé che avessi mai visto: occhi luccicanti, espressione seria, capelli dietro le orecchie, pantaloncini corti color cachi, minuscola T-shirt cachi, calze e anfibi modello paracadutista, pelle scura, come impolverata, dappertutto.

« Allora procedi », dissi.

« Non ballo mai », replicò lei.

« Cosa? »

« Non eri tu », disse. « Anzi, mi sarebbe piaciuto. Ho apprezzato l'invito, ma non ballo mai con nessuno. »

« Perché? »

« Così », rispose. « Mi imbarazza. Non sono molto coordinata. »

« Nemmeno io. »

« Forse dovremmo fare pratica in privato », suggerì.

« Separatamente? »

«Un sistema di aiuto reciproco potrebbe servire», disse. «Come con l'alcolismo.»

Poi ammiccò e si allontanò, una scia molto lieve di profumo nell'aria calda e pesante.

Duffy e io finimmo il caffè in silenzio. Il mio era acquoso, freddo e amaro. Non avevo voglia di berlo. La scarpa destra mi faceva male: non si adattava perfettamente al piede e iniziavo a non sopportarla più. All'inizio mi era sembrata geniale: una trovata superba, brillante, magnifica. Ricordai la prima volta che aprii il tacco, tre giorni addietro, poco dopo essere arrivato alla villa, poco dopo che Duke mi aveva chiuso in camera. *Sono dentro.* Mi ero sentito come il personaggio di un film. Poi ricordai l'ultima volta che lo avevo aperto: un'ora e mezzo prima. Avevo acceso l'unità e trovato il messaggio di Duffy: *Ci dobbiamo vedere.*

«Perché volevi vedermi?» chiesi.

Scosse la testa. «Adesso non ha più importanza. Sto rivedendo la missione, eliminando tutti gli obiettivi tranne quello di recuperare Teresa. Trovala e portala via di lì, d'accordo?»

«E Beck?»

«Lo lasceremo perdere. Ho combinato un altro casino. La cameriera era un'agente legittimo, Teresa no. Nemmeno tu lo sei. E la cameriera è morta, perciò mi licenzieranno per aver condotto una missione non autorizzata con te e Teresa. Abbandoneranno il caso perché ho compromesso la procedura a tal punto che non potrebbero mai sostenerlo in tribunale. Perciò, porta via Teresa da lì e ce ne torniamo tutti a casa.»

«D'accordo», risposi.

«Dovrai scordarti di Quinn», aggiunse. «Mollare l'osso.»

Non parlai.

«Abbiamo fallito comunque», riprese. «Tu non hai trovato niente di utile, nessuna prova. È stata una totale perdita di tempo.»

Rimasi sempre zitto.

«Come la mia carriera», affermò.

«Quando informerai il dipartimento di Giustizia?»

«Della cameriera?»

Annuii.

«Subito», rispose. «All'istante. Devo farlo, non ho scelta. Ma prima controllerò i file e scoprirò chi l'ha mandata in missione, perché preferisco dare la notizia di persona, a mio modo: così avrò la possibilità di scusarmi. In qualsiasi altro caso scoppierebbe il pandemonio prima che ne abbia l'opportunità. Tutti i miei codici di accesso verrebbero cancellati e io mi vedrei recapitare una scatola di cartone con l'ordine di sgombrare il tavolo in mezz'ora.»

«Da quanto tempo lavori lì?»

«Da molto. Pensavo sarei diventata la prima direttrice donna.»

Tacqui.

«Te lo avrei detto», affermò. «Giuro: se avessi mandato un'altra agente, te lo avrei detto.»

«Lo so», risposi. «Mi dispiace di essere saltato subito alle conclusioni.»

«È lo stress», rispose. «Lavorare sotto copertura è duro.»

Assentii. «Lassù è come un labirinto degli specchi: una maledetta cosa dietro l'altra. Tutto sembra irreale.»

Lasciammo le tazze piene a metà sul tavolo e, seguendo i marciapiedi interni del centro commerciale, uscimmo fuori sotto la pioggia. Avevamo posteggiato vicini. Duffy mi diede un bacio sulla guancia, salì sulla Taurus e partì in direzione sud. Io presi la SAAB e mi avviai verso nord.

Paulie agì con la massima calma quando si trattò di aprirmi il cancello. Mi fece attendere un paio di minuti prima di uscire pesantemente dalla guardiola. Aveva ancora addosso la mantella. Rimase in piedi a fissarmi per un altro minuto prima di avvicinarsi al catenaccio, ma non m'importava. Ero assorto nei miei pensieri. Sentivo la voce di Duffy nella mente: *Sto rivedendo la missione.* Per gran parte della mia carriera militare un certo Leon Garber era stato direttamente o indirettamente il mio capo. Garber spiegava tutto con proverbi o modi di dire: ne aveva uno per ogni occasione. Soleva dire: «Rivedere gli obiettivi è intelligente perché ti impedisce di sprecare soldi buoni per aumentare le perdite». Non intendeva soldi in senso stretto, ma personale, risorse, tempo, sforzo, energie. Soleva anche contraddirsi e altrettanto spesso dire: «Non distogliere mai l'attenzione dal compito che devi svolgere». Naturalmente, in genere i proverbi sono così. *Troppi cuochi rovinano il brodo; molte mani rendono il lavoro leggero. Le grandi menti la pensano nello stesso modo; gli stolti sono sempre tutti uguali.* Ma nel complesso, tolte alcune contraddizioni, Leon approvava il principio della revisione soprattutto perché rivedere significava pensare, e a suo avviso pensare non aveva mai fatto male a nessuno. Perciò io stavo pensando, e anche con grande concentrazione, perché qualcosa stava lentamente e impercettibilmente prendendo forma in me, pur restando ancora a livello inconscio. Qualcosa che era legato a quello che mi aveva detto Duffy: «Tu non hai trovato niente di utile, neanche una cosa. Nessuna prova».

Sentii il cancello aprirsi. Sollevai lo sguardo e vidi Paulie che aspettava che passassi. La pioggia gli batteva sulla mantella. Era sempre senza cappello. Avevo avuto la mia piccola vendetta, visto che l'avevo fatto attendere per un po'. La revisione di Duffy mi andava abbastanza bene: Beck non m'interessava granché, davvero, ma volevo Teresa e l'avrei trovata. Volevo anche Quinn e l'avrei trovato, al di là di quello che avrebbe detto Duffy. La revisione si sarebbe limitata a quei punti.

Guardai di nuovo Paulie. Stava ancora aspettando. Era un

idiota: lui era fuori, sotto la pioggia, io in macchina. Tolsi il piede dal freno e attraversai lentamente il cancello, poi accelerai forte e puntai verso la casa.

Misi la SAAB nel posto in cui una volta l'avevo vista e uscii in cortile. Il meccanico era ancora nel terzo garage, quello vuoto. Non vedevo che cosa stesse facendo: forse si stava solo riparando dalla pioggia. Corsi in casa. Beck udì il metal detector annunciare il mio arrivo, mi venne incontro in cucina e mi indicò la borsa: era ancora lì, sul tavolo.

«Sbarazzati di questa merda», disse. «Buttala nell'oceano, d'accordo?»

«D'accordo», risposi. Beck sparì in corridoio. Presi la borsa e mi girai. Uscii di nuovo e costeggiai il muro del garage che dava verso l'oceano. Rimisi a posto il fagotto nella buca. *Non sprecare e non ti ritroverai nel bisogno.* Inoltre, volevo restituire a Duffy la sua Glock: aveva già abbastanza guai, non era il caso che aggiungesse alla lista anche la perdita della pistola d'ordinanza. Gran parte delle agenzie prende quel genere di cose molto seriamente.

Mi avvicinai al bordo delle lastre di granito, mi diedi la spinta e lanciai la borsa lontano, in mare. Questa roteò a mezz'aria: le scarpe e il dispositivo e-mail caddero fuori. Vidi l'apparecchio colpire l'acqua e affondare subito. La scarpa sinistra la colpì di punta e lo seguì. La borsa cadde a mo' di paracadute e atterrò piano capovolta, si riempì d'acqua, si girò e sparì. La scarpa destra galleggiò per un po' come una minuscola barca nera: beccheggiò, si girò e ondeggiò con forza come se cercasse di scappare a est. Superò un'onda e scese dall'altra parte, poi iniziò a inclinarsi di lato. Galleggiò per una decina di secondi ancora, si riempì d'acqua e affondò senza lasciare traccia.

In casa era tutto tranquillo. La cuoca non si vedeva, Richard era in sala da pranzo a mangiare un sandwich che si era presumibilmente preparato da solo, Elizabeth era ancora in salotto, impegnata con il suo *Dottor Živago*. Beck stesso era scomparso. Per esclusione supposi fosse nella sua tana, forse seduto sulla poltrona di pelle rossa a guardare la collezione di mitra. C'era silenzio dappertutto. Non capivo. Duffy aveva detto che erano arrivati cinque container, Beck aveva dichiarato che sarebbe stato un fine settimana di fuoco e nessuno faceva niente.

Salii nella stanza di Duke. Non la consideravo la mia stanza. Speravo che non lo sarebbe mai diventata. Mi stesi sul letto e ripresi a pensare, cercando di scacciare quel qualcosa che mi stava affiorando nella mente. *È facile*, avrebbe detto Leon Garber. *Lavora sugli indizi. Riesamina tutto quello che hai visto, tutto quello che hai sentito.* Così feci, ma i miei pensieri tornavano a Dominique Kohl. La quinta volta che la vidi mi portò in macchina ad Aberdeen, nel Maryland, in una Chevrolet verde oliva. Avevo avuto qualche ripensamento sull'opportunità di divulgare un progetto autentico: era un grosso rischio. Non era una cosa di cui in genere mi preoccupavo, ma avevo bisogno di più progressi di quelli che stavamo facendo. Kohl aveva scoperto il punto di consegna delle informazioni e la tecnica, nonché dove e quando Gorowski informava il suo contatto dell'avvenuta consegna, ma non aveva ancora visto il contatto prelevare il materiale e non sapeva ancora chi fosse.

Aberdeen erano un piccolo centro a trenta chilometri circa a nord-est di Baltimora. Il metodo di Gorowski era guidare fino in città, di domenica, e fare la consegna nella zona del porto interno: a quel tempo la ristrutturazione era già in pieno corso, ma la gente non la frequentava ancora molto, perciò restava perlopiù deserta. Gorowski aveva un VP, una Mazda Miata di due anni, rosso fuoco. Una macchina credibile, tutto sommato: non nuova, ma neanche economica, perché allora era richiesta e nessuno otteneva sconti, pertanto il valore dell'usato si manteneva alto. Era una due posti, non adatta alle bambine, quindi doveva possedere anche un'altra macchina. Sapevamo che la moglie non era ricca. In un altro caso ciò mi avrebbe insospettito, ma quell'uomo era un ingegnere. La sua era una scelta tipica. Gorowski non beveva e non fumava: era del tutto plausibile che avesse risparmiato per comprarsi un'auto con un bel cambio manuale e la trazione posteriore.

La domenica che lo seguimmo parcheggiò in un posteggio accanto a uno dei porti turistici di Baltimora e andò a sedersi su una panchina. Era un uomo peloso e tarchiato, grosso, ma non alto. Aveva con sé il quotidiano della domenica. Passò un po' di tempo a osservare le barche a vela, poi chiuse gli occhi e rivolse la faccia al cielo. Il tempo era ancora splendido. Trascorse circa cinque minuti a prendere il sole come una lucertola, poi aprì gli occhi, aprì il giornale e iniziò a leggere.

« È la quinta volta », mi sussurrò Kohl. « Il terzo viaggio da quando hanno finito lo zoccolo.»

« Finora è la procedura standard? » chiesi.

« Identica », rispose.

Gorowski lesse per una ventina di minuti. Vedevo che leggeva davvero: prestava attenzione a tutte le rubriche, tranne alle pagine sportive, il che mi parve un po' strano per un fan degli Yankee. D'altronde, un fan degli Yankee non digeriva bene l'onnipresenza degli Oriole.

« Ci siamo », bisbigliò Kohl.

L'uomo sollevò lo sguardo e dal giornale fece scivolar fuori una busta gialla dell'Esercito. Sollevò di scatto la sinistra in alto per stendere una pagina piegata che stava leggendo, ma anche per sviare l'attenzione, perché con la destra lasciò cadere nel contempo la busta nel cestino delle immondizie accanto a lui, a fianco della panchina.

« Grande », dissi.

« Altro che », osservò lei. « Il nostro amico non è un imbecille.»

Annuii. Era molto bravo. Non si alzò subito. Rimase lì seduto a leggere ancora per una decina di minuti, quindi piegò lentamente, con cura, il giornale e si alzò. Si avvicinò al bordo dell'acqua e osservò le barche ancora per un po'. Infine si girò e si avviò verso la macchina con il giornale sotto il braccio sinistro.

«Adesso guarda», disse Kohl.

Con la destra lo vidi prendere un pezzo di gesso dalla tasca dei pantaloni. Strascinando i piedi, si avvicinò a un lampione di ferro e vi lasciò un segno. Era il quinto. Cinque settimane, cinque segni. I primi quattro stavano sbiadendo in ordine cronologico. Li osservai con il mio binocolo da campo mentre Gorowski si avviava al parcheggio, saliva nel suo roadster e si allontanava lentamente. Mi girai e fissai il cestino delle immondizie.

«Ora che succede?» chiesi.

«Assolutamente niente», rispose Kohl. «Ho già fatto due appostamenti, due domeniche intere. Non arriva nessuno: né oggi né stasera.»

«Quando viene svuotato il cestino?»

«Domani mattina, è la prima cosa che fanno.»

«Forse l'uomo della nettezza urbana fa da intermediario.»

Lei scosse la testa. «Ho controllato. Il camion compatta tutto in una massa solida non appena i rifiuti vengono caricati e poi va dritto all'inceneritore.»

«Quindi il nostro progetto segreto finirebbe bruciato in un inceneritore municipale?»

«Sembra proprio di sì.»

«Forse uno di quei tizi delle barche a vela va a prenderlo nel cuore della notte.»

«No, a meno che l'Uomo invisibile non si sia comprato una barca a vela.»

«Allora forse non c'è nessun uomo», osservai. «Forse l'intera cosa era stata studiata con molto anticipo e l'uomo è stato arrestato per altri motivi o si è ammalato ed è morto. Forse è un piano andato a monte.»

«Tu credi?»

«Non proprio», risposi.

«Hai intenzione di bloccare tutto?» chiese.

«Sì, devo farlo. Non sarò un genio, ma neanche completamente stupido. Ormai la situazione è fuori controllo.»

«Posso passare al piano B?»

Annuii. «Coinvolgi Gorowski e minaccialo dicendogli che finirà davanti a un plotone di esecuzione. Poi aggiungi che se collabora e consegna progetti falsi gli daremo una mano.»

«Sarà difficile preparare progetti falsi convincenti.»

«Digli che li prepari lui stesso», risposi. «È lui che rischia il culo.»

«O quello delle sue figlie.»

«Fa tutto parte dell'essere genitore», commentai. «Lo aiuterà a concentrarsi.»

Lei rimase zitta per un po', poi chiese: «Ti va di andare a ballare?»

«Qui?»

«Siamo molto lontani da casa. Nessuno ci conosce.»

«D'accordo», risposi.

Poi pensammo che fosse troppo presto per andare a ballare, così bevemmo un paio di birre e aspettammo la sera. Il bar in cui ci trovavamo era piccolo e buio, tutto di legno e di mattoni. Era un posto piacevole e aveva un jukebox. Passammo un bel po' di tempo chini su di esso, fianco a fianco, cercando il pezzo con cui fare il nostro debutto. Discutemmo appassionatamente e la cosa assunse grande importanza. Cercai di interpretare i suoi suggerimenti in funzione del ritmo: avremmo ballato abbracciati? Avremmo scelto quel tipo di danza? O avremmo saltellato di qua e di là separati come si fa di solito? Alla fine ci sarebbe voluta una risoluzione delle Nazioni Unite per decidere, perciò inserimmo un quarto di dollaro nell'apparecchio, chiudemmo gli occhi e prememmo un tasto a caso. La scelta cadde su *Brown Sugar* dei Rolling Stones. Era un pezzo fantastico. Kohl, in realtà, ballava splendidamente, mentre io ero un disastro.

Dopo, restammo senza fiato, perciò ci sedemmo e ordinammo un'altra birra. All'improvviso capii la mossa di Gorowski.

«Non è la busta», esclamai. «La busta è vuota. È il giornale. I progetti sono nel giornale, nella sezione sportiva. Avrebbe dovuto leggere anche i risultati delle partite. La busta è un diversivo, in caso di pedinamenti. Lo hanno addestrato bene. Butta il giornale in un altro cestino dei rifiuti, più tardi, dopo aver fatto il segno col gesso, probabilmente quando esce dal posteggio.»

«Merda», esclamò Kohl. «Ho sprecato cinque settimane.»

«E qualcuno si è intascato tre progetti veri.»

«È uno dei nostri», osservò lei. «Un militare, uno della CIA o dell'FBI. Un professionista, se è stato così astuto.»

Il giornale, non la busta. Dieci anni dopo mi trovavo disteso in un letto del Maine a pensare a Dominique Kohl che ballava e a un uomo chiamato Gorowski che piegava il giornale, lentamente e con cura, e fissava la selva di alberi di barche a vela sull'acqua. *Il giornale, non la busta.* Sembrava in certo qual modo ancora rilevante. *Questo, non quello.* Poi pensai alla cameriera che aveva nascosto il fagotto sotto il fondo del bagagliaio della SAAB. Lì non aveva nascosto altro, altrimenti Beck lo avrebbe aggiunto alla serie di prove d'accusa disposte sul tavolo di cucina. Ma la tappezzeria della SAAB era vecchia e logora. Se io fossi il genere di persona che nasconde una pistola sotto la gomma di scorta, nasconderei anche documenti sotto la tappezzeria della macchina. Forse avrei anche l'abitudine di prendere appunti e di tenere un diario.

Rotolai giù dal letto e mi avvicinai alla finestra. Il pomeriggio era già finito e stava ormai facendo buio. Era la fine del quattordicesimo giorno, venerdì. Scesi di sotto pensando alla SAAB. Beck stava percorrendo il corridoio in gran fretta, con un'aria tesa. Andò in cucina e prese il telefono. Restò in ascolto per qualche secondo e poi me lo porse.

« I telefoni sono tutti muti », disse.

Portai il ricevitore all'orecchio e ascoltai. Niente: nessun segnale, nessun sibilo stridulo di qualche circuito aperto, solo un silenzio cupo, indolente, e il rumore del sangue che mi scorreva in testa, come in una conchiglia.

« Va' a controllare il tuo », mi disse.

Tornai di sopra nella stanza di Duke. Il telefono interno funzionava alla perfezione: Paulie rispose al terzo squillo. Gli chiusi la comunicazione in faccia. Ma la linea esterna era muta. Tenni il ricevitore sollevato come se ciò potesse cambiare le cose e Beck comparve sulla soglia.

« Riesco a comunicare con il cancello », dissi.

« Certo, è un circuito separato », spiegò. « Lo abbiamo messo noi. E la linea esterna? »

« Muta », dissi.

« Strano », osservò.

Posai il ricevitore e guardai la finestra.

« Potrebbe essere il tempo », suggerii.

« No », replicò lui e sollevò il cellulare, un minuscolo Nokia color argento. « Anche questo è fuori uso. »

Me lo porse. Davanti aveva un piccolo monitor e l'icona della batteria a destra indicava che era completamente carica, ma quella del segnale era a zero. *Nessun servizio* si leggeva a caratteri grandi, neri, evidenti. Glielo restituii.

« Devo andare in bagno », dissi. « Arrivo subito. »

Mi chiusi dentro e mi tolsi la scarpa. Aprii il tacco e premetti *Power*. Lo schermo s'illuminò: *Nessun servizio*. Lo spensi e lo rimisi a posto, tirai lo sciacquone per risultare credibile e rimasi seduto sul coperchio. Non ero esperto di telecomunicazioni e sapevo che a volte la tecnologia dei cellulari ti gioca qualche scherzo. Ma quante erano le probabilità che le linee fisse di una località s'interrompessero insieme a quelle mobili? Molto poche, supposi. Maledettamente poche. Perciò doveva essere stata un'interruzione voluta. Ma chi l'aveva ordinata? Non la compagnia telefonica. Non farebbe una cosa del genere per motivi di manutenzione in un'ora simile di venerdì, e non escluderebbero mai linee fisse e linee mobili insieme. Scaglionerebbero il lavoro, senza alcun dubbio.

Allora chi c'era dietro? Forse un'agenzia governativa importante come la DEA. Forse la DEA stava arrivando per via della cameriera. Forse la SWAT si stava già avvicinando alla ditta nella zona del porto e non volevano che Beck lo sapesse prima che questa potesse dirigersi alla villa.

Era improbabile, però. La DEA ha più di una SWAT e pianificherebbe operazioni simultanee; anche se non lo facesse, la cosa più semplice al mondo sarebbe chiudere la strada tra la casa e il primo incrocio. Avrebbero potuto chiuderla per sempre. Avevano venti chilometri di possibilità illimitate. Beck era un bersaglio facile.

Allora chi?

Forse Duffy, in via ufficiosa. La sua posizione le consentiva di chiedere un grosso favore una tantum, magari parlando privatamente con un direttore di una compagnia telefonica, soprattutto se questo era limitato in termini geografici: una piccola derivazione di terra di secondaria importanza e un'antenna per la telefonia mobile, situate da qualche parte vicino all'Interstatale 95. In quel modo si sarebbe creata una zona morta di una cinquantina di chilometri. Forse ci era riuscita. Soprattutto se il favore era circoscritto a livello temporale: diciamo, quattro o cinque ore.

E perché Duffy avrebbe dovuto temere una minaccia improvvisa dal telefono per quattro o cinque ore? C'era solo una risposta possibile. Temeva per la mia sorte.

Le guardie del corpo erano fuggite.

10

Tempo. La distanza divisa per la velocità adattata in base alla direzione dà il tempo. O ne avevo abbastanza o non ne avevo affatto. Non sapevo quale delle due ipotesi fosse vera. Le guardie erano tenute in custodia nel motel del Massachusetts dove avevamo preparato il finto rapimento, il che significava trecento chilometri più a sud. Quello, lo sapevo con certezza. Quelli erano i fatti. Il resto erano pure congetture, anche se potevo delineare un probabile scenario: erano scappati dal motel e avevano rubato una Taurus governativa, avevano guidato come matti per un'ora, col cuore in gola per il panico. Volevano allontanarsi a sufficienza prima di fare un'altra cosa. Forse si erano anche persi laggiù, in mezzo alla natura, ma alla fine avevano recuperato l'orientamento e, trovata l'interstatale, avevano accelerato in direzione nord. Poi si erano calmati, si erano guardati alle spalle, avevano rallentato rispettando il codice e iniziato a cercare un telefono. Ma a quel punto Duffy aveva già interrotto le linee. Era stata rapida. Quindi la loro prima sosta si era rivelata una perdita di tempo. Dieci minuti per rallentare, parcheggiare, chiamare la villa, chiamare il cellulare, riavviare la macchina e imboccare di nuovo l'interstatale. Avevano fatto lo stesso all'area di servizio successiva. Il primo tentativo fallito era stato attribuito a un problema tecnico casuale. Altri dieci minuti. Dopodiché, o avevano capito la situazione o concluso che erano ormai abbastanza vicini da proseguire ugualmente. O entrambe le cose.

Dall'inizio alla fine, erano in tutto quattro ore, forse. Ma quando erano iniziate quelle quattro ore? Non ne avevo idea. Ovviamente in un tempo compreso tra quattro ore e trenta minuti prima, quindi o avevo abbastanza tempo o non ne avevo affatto.

Uscii rapido dal bagno e controllai dalla finestra. La pioggia era cessata. Fuori era calata la notte e le luci del muro erano accese. Erano circondate da un alone di foschia. Oltre, c'era buio pesto. Niente fari in lontananza. Scesi di sotto e trovai Beck in corridoio. Stava ancora armeggiando con il Nokia, nel tentativo di farlo funzionare.

«Esco», dissi. «Risalgo un tratto di strada.»

«Perché?»

«Questa storia dei telefoni non mi piace», risposi. «Potrebbe non essere niente e potrebbe essere tutto.»

«Tutto cosa?»

«Non lo so», risposi. «Forse sta arrivando qualcuno. Ha appena finito di dirmi che ha addosso una schiera di persone.»

«Abbiamo il muro e il cancello.»

«Ha una barca?»

«No», rispose. «Perché?»

«Se arrivano al cancello, avrà bisogno di una barca. Potrebbero assediarla e farla morire di fame.»

Beck non disse nulla.

«Prenderò la SAAB», aggiunsi.

«Perché?»

Perché è più leggera della Cadillac.

«Perché voglio lasciare la Cadillac a lei. È più grande.»

«Che hai in mente di fare?»

«Qualsiasi cosa sia necessaria», spiegai. «Adesso sono il suo capo della sicurezza. Forse non succederà niente, ma in caso non sia così cercherò di occuparmene di persona.»

«Io che faccio?»

«Tenga una finestra aperta e resti in ascolto», dissi. «La sera, con tutta quest'acqua attorno, mi sentirà a tre chilometri di distanza se sparo. Se accade, metta tutti sulla Cadillac e lasci subito la casa. Guidi veloce senza fermarsi. Li tratterrò quel tanto da permetterle di passare. Ha un altro posto dove andare?»

Lui fece un cenno affermativo, ma non mi disse dove.

«Allora ci vada», aggiunsi. «Se me la caverò, andrò all'ufficio e l'aspetterò lì, in macchina. Mi potrà raggiungere più tardi.»

«D'accordo», rispose.

«Adesso chiami Paulie col telefono interno e gli dica di prepararsi ad aprire il cancello.»

«D'accordo», ripeté.

Lo lasciai lì, in corridoio e uscii nella notte. Feci una deviazione attorno al muro del cortile e recuperai il fagotto dalla buca. Lo portai alla SAAB e lo misi sul sedile posteriore, poi m'infilai al posto di guida, accesi il motore e uscii in retromarcia. Guidai lentamente lungo la rotonda, dopodiché accelerai. Le luci del muro erano intense in lontananza. Vedevo Paulie al cancello. Rallentai un po' in modo da non dovermi fermare. Lo superai e mi diressi a ovest fissando oltre il parabrezza in cerca di un paio di fari in avvicinamento.

Percorsi quasi sette chilometri, poi vidi una Taurus governativa. Era parcheggiata a bordo strada col muso rivolto nella mia direzione e i fari spenti. Al volante c'era il vecchio. Spensi le luci e rallentai, fermandomi all'altezza del finestrino. Abbassai il vetro e lui fece lo stesso. Mi puntai una torcia e una pistola al volto in modo che capisse chi fossi, poi le misi via.

«Le guardie del corpo sono fuggite», disse.

Feci un cenno affermativo. «Lo avevo immaginato. Quando?»

«Quasi quattro ore fa.»

Guardai involontariamente davanti a me. *Non c'è tempo.*

«Abbiamo perso due uomini», aggiunse.

«Uccisi?»

Lui assentì senza dire altro.

« Duffy ha fatto rapporto? »

« Non può », rispose. « Non ancora. La missione non è autorizzata. L'intera situazione non si è mai verificata. »

« Deve farlo », osservai. « Sono morti due uomini. »

« Lo farà », replicò lui. « Dopo. Quando tu avrai terminato, perché gli obiettivi sono tornati quelli di prima. Ora più che mai ha bisogno di Beck come giustificazione. »

« Com'è andata? »

Lui si strinse nelle spalle. « Hanno aspettato il momento buono. Due contro quattro: doveva essere una cosa semplice, ma i nostri avranno commesso qualche leggerezza, suppongo. È dura tenere in custodia qualcuno in un motel. »

« Chi sono i due? »

« I ragazzi del Toyota. »

Non replicai. Era durata all'incirca ottantaquattro ore, tre giorni e mezzo, in verità un po' di più di quello che mi aspettavo.

« Dov'è ora Duffy? » chiesi.

« Siamo tutti sparpagliati », rispose. « Lei è a Portland con Eliot. »

« È stata in gamba con i telefoni. »

Lui assentì. « Molto brava. Tiene a te. »

« Da quanto sono a piede libero? »

« Da quattro ore. È stato tutto quello che ha potuto fare. Perciò presto saranno di ritorno. »

« Credo verranno direttamente qui. »

« Anch'io », convenne il vecchio. « Per questo sono venuto subito. »

« Quasi quattro ore, avranno già lasciato l'interstatale, perciò penso che ora i telefoni non siano più un pericolo. »

« Anch'io. »

« Hai un piano? » chiesi.

« Ti stavo aspettando. Immaginavamo capissi. »

« Sono armati? »

«Hanno due Glock», rispose. «Con il caricatore pieno.»
Poi tacque e distolse lo sguardo.
«Sulla scena sono stati sparati meno di quattro colpi», aggiunse. «Così ci hanno detto. Quattro colpi, due uomini. Erano tutti mirati alla testa.»
«Non sarà facile.»
«Non lo è mai», commentò
«Dobbiamo trovare un posto adatto.»
Gli dissi di lasciare l'auto dov'era e di salire sulla mia. Lui si sistemò sul sedile del passeggero. Portava lo stesso impermeabile che Duffy indossava al bar. Se l'era ripreso. Percorremmo un altro chilometro e mezzo, quindi iniziai a cercare un posto adatto. Lo trovai là dove la strada si restringeva bruscamente e faceva una curva lieve, ma lunga. L'asfalto era più spesso, come se la strada fosse leggermente rialzata. I margini erano larghi meno di trenta centimetri e digradavano rapidi verso le rocce. Fermai la macchina, la girai bruscamente, feci retromarcia e avanzai fino a porla perpendicolare alla strada. Scendemmo a controllare. Era un buon blocco: non c'era spazio per superarlo. Ma era anche un blocco molto evidente, come ben sapevo. I due sarebbero sbucati a gran velocità dalla curva, avrebbero inchiodato e cominciato a sparare mentre scappavano in retromarcia.
«Dobbiamo rovesciarla», affermai. «Come in un brutto incidente.»
Presi il fagotto dal sedile posteriore e lo misi sul ciglio della strada in caso mi fosse servito. Poi chiesi al vecchio di stendere il suo cappotto per terra. Io svuotai le tasche del mio e feci lo stesso. Volevo rovesciare la SAAB sopra di essi: dovevo riportarla indietro relativamente integra. Ci mettemmo spalla a spalla, con la schiena contro la macchina, e cominciammo a farla dondolare. È abbastanza facile rovesciare un'auto: l'ho visto fare in tutte le parti del mondo. Lasci che gomme e sospensioni ti aiutino: la fai dondolare e rimbalzare, continui così finché non la ritrovi su un fianco. A quel punto calcoli il

momento giusto e la giri dall'altra parte. Il vecchio era forte e fece la sua parte. A forza di rimbalzi riuscimmo a metterla a quasi quarantacinque gradi, allora ci girammo insieme e, infilate le mani sotto il telaio, la sollevammo fino a metterla sul fianco. Sfruttando la spinta, la inclinammo rovesciandola sul tetto.

I cappotti ci permisero di girarla abbastanza facilmente senza graffiarla, perciò riuscimmo a piazzarla nella posizione giusta. Aprii la portiera del guidatore e dissi al vecchio di fingersi morto per la seconda volta in quattro giorni. Lui s'infilò nell'abitacolo e si stese sul ventre, mezzo dentro e mezzo fuori, con le braccia sopra la testa. Al buio era molto convincente e non lo sarebbe stato di meno nelle ombre nette create da due fari luminosi. I cappotti non erano visibili, a meno che qualcuno non guardasse molto attentamente. Mi allontanai, recuperai il fagotto e scesi tra le rocce oltre il margine della strada dove mi accovacciai.

«Dovrebbero arrivare», esclamò il vecchio agente.

«Arriveranno», risposi.

Aspettammo. La notte rimase buia e silenziosa.

«Come ti chiami?» domandai.

«Perché?» chiese.

«Volevo solo saperlo», risposi. «Non mi sembra giusto: ti ho ucciso due volte e non so nemmeno come ti chiami.»

«Terry Villanueva», rispose.

«È spagnolo?»

«Certo che lo è.»

«Non hai l'aria di uno spagnolo.»

«Lo so. Mia madre era irlandese, mio padre spagnolo. Mio fratello ha cambiato il cognome in Newton, come lo scienziato o la cittadina, perché questo è il significato di Villanueva, nuova città. Io ho tenuto quello spagnolo, per rispetto nei confronti del mio vecchio.»

«Dove stavate?»

«A South Boston», disse. «Non era facile, anni fa, tra il matrimonio misto e tutto il resto.»

Tacemmo di nuovo. Io osservavo e ascoltavo. Niente. Villanueva si mosse, non pareva molto comodo.

«Sei un tipo in gamba», esclamai.

«Vecchia guardia», replicò lui.

In quel momento udii un'auto.

E il cellulare di Villanueva squillò.

L'auto era forse a un chilometro e mezzo di distanza. Sentivo il rumore lieve, flebile di un V-6 su di giri. Vidi il bagliore lontano di due fari intrappolati tra la strada e le nuvole. Il telefono di Villanueva aveva come suoneria una versione ritmata della *Toccata e fuga in re minore* di Bach. Lui cessò di fare il morto, si mise in fretta in ginocchio e rispose. Nella sua mano l'apparecchio era minuscolo. Rimase ad ascoltare per qualche secondo. Lo sentii dire «va bene», poi «ce ne stiamo occupando ora» e ancora «va bene». Ripeté un'ultima volta «va bene», chiuse il telefono e si stese a terra. Con la guancia sull'asfalto disse: «Hanno appena ripristinato la linea».

Un nuovo orologio aveva iniziato a ticchettare. Guardai alla mia destra, a est. Beck aveva di certo continuato a controllare i telefoni e, non appena avesse sentito di nuovo il segnale, sarebbe venuto a cercarmi e a dirmi che l'allarme era cessato. Guardai alla mia sinistra, a ovest. Sentivo la macchina, forte e chiara. Le luci dei fari ondeggiavano nel buio.

«Trenta secondi», gridai.

Il rombo si fece più forte. Ora distinguevo i rumori delle gomme, del cambio automatico e del motore. Mi abbassai ancora di più. Dieci secondi, otto, cinque. L'auto sbucò di corsa da dietro la curva e le luci dei fari mi sfiorarono la schiena. Poi sentii il colpo sordo dei meccanismi idraulici, lo stridio dei freni e il gemito della gomma frenata sull'asfalto. L'auto si bloccò sbandando lievemente a circa sei metri dalla SAAB.

Alzai lo sguardo. Era una Taurus blu tinta unita, ma alla

fosca luce della luna appariva grigia. Davanti c'era un cono di luce bianca, dietro le luci rosse abbaglianti dei freni. Dentro c'erano due uomini, il cui volto era illuminato dalla luce dei fari riflessa dalla SAAB. Rimasero immobili per qualche istante. Avevano riconosciuto la SAAB: dovevano averla vista centinaia di volte. Vidi il guidatore muoversi. Lo udii inserire il cambio nella posizione di parcheggio e le luci dei freni si spensero. Il motore girava al minimo. Sentivo odore di fumo di scarico e il calore che proveniva dal cofano.

I due aprirono le portiere simultaneamente, scesero e rimasero in piedi con le Glock in mano. Aspettarono un po', quindi presero ad avanzare lenti con le pistole puntate in basso. La luce dei fari li illuminava bene dalla vita in giù, ma la parte superiore del corpo era visibile a stento. Riuscii tuttavia a scorgerne i lineamenti, le sagome. Erano le guardie del corpo, non c'erano dubbi. Erano giovani e pesanti, tesi e circospetti. Indossavano abiti scuri, tutti spiegazzati, sgualciti e macchiati. Non avevano la cravatta e la camicia da bianca era diventata grigia.

Si accovacciarono accanto a Villanueva, che era coperto dalle loro ombre. Si mossero lievemente e gli girarono la faccia verso la luce. Sapevo che lo avevano già visto prima, solo un breve sguardo all'esterno del college quando lo avevano superato, ottantaquattro ore prima. Non mi aspettavo che se ne ricordassero e così probabilmente andò, ma erano stati raggirati una volta e non volevano che la cosa si ripetesse. Erano molto cauti. Non gli prestarono subito soccorso, rimasero accovacciati senza far niente. Poi quello più vicino a me si alzò in piedi.

A quel punto ero a un metro e mezzo da lui e nella destra stringevo un sasso un po' più grande di una palla da softball. Ruotai il braccio con un movimento ampio e veloce, come se volessi schiaffeggiarlo. La pietra lo colpì esattamente alla tempia e lui si accasciò a terra come se gli fosse caduto addosso un peso. L'altro fu più svelto. Scattò e si rimise in piedi.

Villanueva fece per afferrarlo per le gambe, ma lo mancò. L'uomo balzò via, si girò di scatto e sollevò la Glock nella mia direzione. Tutto ciò che volevo era impedirgli di sparare, perciò lanciai la pietra mirando alla testa. Lui si girò di nuovo e la prese esattamente sulla nuca, nel punto in cui il cranio curvava verso la colonna vertebrale. Fu come un pugno brutale e cadde in avanti. Lasciò la Glock e piombò a terra di faccia come un tronco, dove rimase immobile.

Io restai dov'ero e scrutai il buio a est. Niente. Nessun paio di fari. Non udii niente se non il mare lontano. Villanueva uscì carponi dalla macchina rovesciata e si accovacciò sul primo uomo.

«Questo è morto», disse.

Verificai, lo era. Difficile sopravvivere a una pietra di quasi cinque chili che ti colpisce alla tempia. Aveva il cranio infossato e gli occhi spalancati. Controllai il polso carotideo e quello radiale, ma non rilevai niente. Andai a vedere il secondo e mi chinai: era morto anche quello. Aveva il collo spezzato. Non ne ero molto sorpreso: avevo lanciato quei cinque chili come Nolan Ryan.

«Due piccioni con una fava», commentò Villanueva.

Io rimasi in silenzio.

«Che c'è?» domandò. «Volevi che li rimettessimo sotto custodia, dopo quello che ci hanno fatto? Se la sono cercata, punto e basta.»

Rimasi sempre zitto.

«C'è qualche problema?» chiese nuovamente Villanueva.

Io non ero uno di loro. Non ero della DEA e non ero un poliziotto, ma pensai al messaggio personale che Powell mi aveva mandato: *Messaggio riservato, 10-2, 10-28, quei due devono morire, non fare errori.* Ero pronto a credergli sulla parola. A questo serve la lealtà di corpo. Villanueva aveva la sua, io avevo la mia.

«No, nessun problema», risposi.

Trovai la pietra là dove si era fermata e la feci rotolare lungo il margine. Poi mi alzai, mi allontanai e chinandomi spensi le luci della Taurus. Quindi feci cenno a Villanueva di avvicinarsi.

«Adesso dobbiamo fare molto in fretta», dissi. «Di' a Duffy che porti qui Eliot. Abbiamo bisogno di lui, per spostare questa macchina.»

Villanueva premette un tasto di chiamata veloce e iniziò a parlare mentre io recuperavo le Glock sull'asfalto e le infilavo in tasca ai morti, una a testa. Poi mi avvicinai alla SAAB. Rigirarla sarebbe stato molto più difficile. Per un attimo temetti fosse quasi impossibile. I cappotti eliminavano qualsiasi attrito contro il manto stradale. Se l'avessimo spinta, sarebbe semplicemente scivolata sul tetto. Chiusi la portiera del guidatore e attesi.

«Stanno arrivando», annunciò Villanueva.

«Aiutami con questa», esclamai.

Manovrammo di nuovo la SAAB con i cappotti, spingendola il più possibile in direzione della casa. Scivolò dal cappotto di Villanueva al mio, poi raggiunse l'orlo e si fermò quando il tetto toccò la strada.

«Si graffierà», osservò Villanueva.

Annuii.

«È un rischio», dissi. «Adesso sali sulla Taurus e dalle un colpo.»

Lui avvicinò la Taurus finché il paraurti anteriore toccò la SAAB. Feci segno di dare più gas e la SAAB balzò di lato. Il tetto si graffiò a contatto con l'asfalto. Salii allora sul cofano della Taurus e spinsi con forza il telaio. Villanueva continuava a spingere con la Taurus, lento e costante. La SAAB si mise sul fianco, a quaranta gradi, cinquanta, sessanta. Piantai bene i piedi contro il parabrezza della Taurus, spostai le mani sul fianco della SAAB e le misi, piatte, sul tetto. Villanueva premette l'acceleratore. La mia colonna vertebrale si compresse di un paio di centimetri e la SAAB si rigirò completamente atterrando con un tonfo sulle gomme. Rimbalzò una volta e Villanueva inchiodò, tanto che caddi dal cofano e battei la testa contro la sua portiera, finendo lungo disteso a terra sotto il paraurti anteriore della Taurus. Villanueva arretrò, si fermò e scese.

«Stai bene?» domandò.

Io rimasi lì. La testa mi faceva male. Avevo preso un bel colpo.

«Com'è la macchina?» chiesi.

«Vuoi prima la notizia buona o quella cattiva?»

«Prima la buona», dissi.

«Gli specchietti laterali sono intatti», rispose. «Torneranno a posto.»

«Ma?»

«La carrozzeria ha dei brutti graffi», disse. «E c'è una piccola botta nella portiera. Devi averla fatta tu con la testa. Anche il tetto è un po' infossato.»

«Dirò che ho investito un cervo.»

«Non so se qui ci siano i cervi.»

«Un orso, allora», risposi. «O qualsiasi altro animale. Una balena spiaggiata, un mostro marino, un calamaro gigante. Un mammut enorme emerso da un ghiacciaio che si ritira.»

«Stai bene?» chiese di nuovo.

«Sopravvivrò», risposi. Rotolai sul fianco e mi misi carponi, quindi mi sollevai lentamente ma agevolmente.

«Puoi portar via tu i corpi?» domandò. «Perché noi non possiamo.»

«Allora toccherà per forza a me», dissi.

Aprimmo il bagagliaio della SAAB con difficoltà: era lievemente fuori asse per l'infossatura del tetto. Trasportammo i morti uno alla volta e li piegammo nel vano. Lo riempirono quasi tutto. Tornai al margine della strada, recuperai il fagotto e lo misi sopra di essi. C'era un ripiano che avrebbe coperto tutto. Dovemmo spingere in due per chiudere il portellone. Raccogliemmo quindi i cappotti, li scuotemmo e li indossammo. Erano umidi, schiacciati e strappati qua e là.

«Stai bene?» mi chiese ancora Villanueva.

«Sali in macchina», dissi.

Rimettemmo a posto gli specchietti e salimmo insieme. Girai la chiave. Niente. Riprovai ma invano. Tra i due tentativi udii il gemito della pompa della benzina.

«Lasciala riposare un attimo», disse Villanueva. «La benzina è uscita dal motore quand'era capovolta. Aspetta un attimo, lascia che ricominci a pomparla.»

Attesi e al terzo tentativo l'auto partì. Inserii la marcia, la raddrizzai e ripercorsi il chilometro e mezzo fino al punto in cui avevamo lasciato l'altra Taurus, quella con cui era arrivato Villanueva. Ci stava aspettando lì, sul ciglio, grigia e spettrale sotto la luce della luna.

«Adesso torna indietro e aspetta Duffy ed Eliot», affermai. «Poi vi suggerisco di tagliare subito la corda. Ci vediamo più tardi.»

Lui mi strinse la mano.

«Vecchia guardia», disse.

«Dieci-diciotto», risposi. 10-18 era il codice radio della Polizia militare per indicare *missione compiuta*, ma immagino non lo sapesse perché mi fissò senza commentare.

«In gamba», dissi.

Lui scosse la testa.

«La segreteria telefonica», affermò.

«Cosa?»

«Quando un cellulare non funziona, di solito vieni indirizzato alla segreteria telefonica.»

«L'intera antenna era fuori uso.»

«Ma la rete mobile non lo sapeva. Per quanto ne sapevano le macchine, Beck aveva solo il telefono spento, perciò sarà scattata la segreteria in un server centrale, da qualche parte. Potrebbero avergli lasciato un messaggio.»

«A che scopo?»

Villanueva si strinse nelle spalle. «Potrebbero avergli detto che erano sulla via del ritorno. Sai, forse hanno immaginato che avrebbe controllato i messaggi. Potrebbero anche avergli raccontato l'intera storia. O forse non erano lucidi: hanno pensato si trattasse di una normale segreteria telefonica e detto: 'Ehi, signor Beck, rispondi, forza!'»

Rimasi in silenzio.

«Potrebbero aver lasciato incise le loro voci», proseguì.

«Oggi. Questo è il punto fondamentale.»

«D'accordo», convenni.

«Che hai intenzione di fare?»

«Inizierò a sparare», risposi. «Scarpe, segreterie telefoniche: ormai Beck è a un passo dal capire.»

Villanueva scosse la testa.

«Non puoi», osservò. «Duffy deve arrestarlo: è l'unico modo in cui ora può salvarsi il culo.»

Distolsi lo sguardo. «Dille che farò del mio meglio, ma se si tratta di scegliere tra la sua vita e la mia, lui muore.»

Villanueva rimase zitto.

«Cosa?» domandai. «Adesso dovrei sacrificarmi?»

«Fa' solo del tuo meglio», rispose. «Duffy è una brava persona.»

«Lo so», risposi.

Si tirò su tenendosi con una mano alla portiera e l'altra allo schienale del sedile. Si allontanò e salì sulla sua auto, poi si avviò con andatura lenta e tranquilla, a fari spenti. Lo vidi fare un saluto con la mano. Rimasi a osservarlo finché scomparve, quindi feci retromarcia, girai e misi la SAAB di traverso, nel centro della strada. Immaginai che, quando fosse venuto a cercarmi, Beck si aspettasse di trovarmi in assetto difensivo.

Ma o non aveva controllato spesso i telefoni, oppure non si preoccupava molto di me, perché rimasi seduto lì per una decina di minuti senza avere sue notizie. Passai parte del tempo a verificare la mia precedente ipotesi in base a cui se una persona nascondeva una pistola sotto la ruota di scorta poteva anche nascondere appunti sotto la tappezzeria. Questa era già malconcia e il capovolgimento dell'auto non aveva migliorato la situazione, ma sotto non c'era niente se non chiazze di ruggine e uno strato umido di isolante acustico che sembrava fatto con vecchie felpe rosse e grigie. Nessun appunto. Era un'ipotesi errata. Rimisi a posto la tappezzeria come meglio potei e a forza di calci l'appiattii a sufficienza.

Poi uscii e controllai i danni esterni. Non c'era niente che potessi fare per i graffi: erano brutti ma non disastrosi. L'auto non era nuova. Non potevo far nulla nemmeno per la portiera ammaccata, a meno di smontarla e di ribatterla. Il tetto era lievemente infossato: ricordo che aveva una forma bombata mentre ora era piuttosto piatto. Forse sarei potuto intervenire dall'interno. Salii sul sedile posteriore, appoggiai entrambe le mani sulla tappezzeria e spinsi. Fui ricompensato da due rumori: lo schiocco della lamina metallica che tornava a posto e un crepitio di carta.

Non era un'auto nuova, perciò la tappezzeria non era un pezzo unico sagomato, a pelo raso, come quelle che si usano oggi, ma di vecchio vinile color crema con nervature metalliche interne che andavano da una fiancata all'altra e la dividevano in tre segmenti. I margini erano infilati sotto una guarnizione di gomma nera che correva lungo tutto il tetto. Nell'angolo anteriore, sopra il sedile di guida, il vinile presentava qualche grinza e la guarnizione sembrava un po' scollata. Immaginai che il vinile potesse essere spinto verso l'alto, sfilato dalla guarnizione, tirato e infine staccato per tutta la sua lunghezza: in quel modo si aveva accesso a una delle tre sezioni. Poi, avendo tempo e buone unghie, lo si poteva infilare di nuovo sotto la guarnizione. In un'auto malandata come quella non ci sarebbe voluto molto per mascherare il danno.

Mi protesi e controllai la sezione sopra i sedili anteriori.

Tastai il vinile procedendo verso l'alto, per tutta la larghezza della macchina, fino a sentire il tetto metallico. Lì non c'era niente e nemmeno nella sezione seguente. Ma in quella sopra il sedile posteriore c'era della carta nascosta. Ne individuai persino la dimensione e il peso. Era carta formato A4, circa otto o nove fogli impilati. Scesi dal sedile posteriore, mi misi al posto di guida e osservai la guarnizione. Tirai un po' il vinile e cominciai ad armeggiare col bordo. Infilai un'unghia sotto la gomma e l'abbassai fino a ottenere una piccola apertura di un centimetro. Misi l'altra mano di lato, sul tetto, tirai e il vinile uscì obbediente dalla guarnizione lasciandomi spazio sufficiente per infilarvi sotto il pollice.

Con questo lavorai procedendo in direzione posteriore. Avevo staccato venti centimetri di tappezzeria quando d'un tratto fui illuminato da dietro. Era una luce intensa e creava ombre scure. La strada si trovava oltre la mia spalla destra, perciò guardai nel retrovisore del passeggero. Lo specchio era incrinato. Vidi la scritta che vi era incisa: GLI OGGETTI SONO PIÙ VICINI DI QUANTO NON APPAIANO NELLO SPECCHIO. Mi girai sul sedile e vidi due fari abbaglianti che, seguendo le curve, puntavano veloci a destra e a sinistra. Erano a circa mezzo chilometro e avanzavano rapidi. Abbassai di poco il finestrino e udii un sibilo lontano di grossi pneumatici e il rombo di un V-8 con il cambio nella seconda posizione di marcia. Era la Cadillac e procedeva spedita. Rimisi a posto il vinile. Non avevo tempo di infilarlo sotto la guarnizione, lo sistemai alla buona sperando che restasse lì.

La Cadillac mi arrivò alle spalle e si arrestò bruscamente. I fari rimasero accesi. Guardai nello specchietto: vidi la portiera aprirsi e Beck scendere dall'auto. Infilai la mano in tasca e predisposi la Beretta per sparare. Duffy o non Duffy, non ero interessato a lunghe discussioni sulle segreterie telefoniche. Beck tuttavia non aveva niente in mano: né la pistola né il Nokia. Fece un passo in avanti, al che scesi e gli andai incontro fermandomi all'altezza del paraurti posteriore della SAAB. Volevo stesse lontano dalla botta e dai graffi. In quel momento Beck si trovava a meno di mezzo metro dagli uomini che aveva mandato a prendere il figlio.

«Le linee sono state ripristinate», disse.

«Anche quelle del cellulare?» chiesi.

Lui fece un cenno affermativo.

«Ma guarda un po' qui», aggiunse.

Estrasse il minuscolo telefono argento dalla tasca. Io tenni la mano sulla Beretta, nascosta alla sua vista. Avrebbe fatto un bel buco nel mio cappotto e uno ancora più grande nel suo. Beck mi porse il cellulare e io lo presi con la sinistra. Lo tenni in basso, nel fascio di luce dei fari della Cadillac e guardai il monitor senza sapere che cosa cercare. Alcuni cellulari segnalano la presenza di un messaggio in segreteria con una piccola icona tipo una busta, altri con un simbolo composto da due cerchi uniti in basso da una barra, a ricordare un nastro a bobina, il che per me è assurdo visto che quasi tutte le persone che usano i cellulari non ne hanno mai visto uno. E sono assolutamente certo che le stesse compagnie di telefonia mobile non registrino i messaggi su nastri a bobina, ma lo facciano con tecniche digitali. In fondo però i cartelli stradali che indicano un passaggio a livello raffigurano ancora una locomotiva di cui andrebbe fiero Casey Jones.

«Vedi?» chiese Beck.

Non vedevo niente: niente buste, niente nastri a bobina, solo le tacche del segnale e le solite cose: la scritta *menu*, la scritta *rubrica*.

«Cosa c'è?» domandai.

«Il segnale», rispose. «Dà solo tre tacche su cinque. Normalmente ne ho quattro.»

«Forse l'antenna ha avuto un guasto», dissi. «Forse ha ripreso a funzionare lentamente. Ci sarà qualche ragione di natura elettrica.»

«Credi?»

«Sono coinvolte le microonde», spiegai. «Probabilmente è una cosa complicata. Provi a controllare più tardi, magari le tacche aumenteranno.»

Gli porsi di nuovo il telefono con la sinistra. Lui lo prese e lo mise in tasca, ancora agitato per la questione.

«Qui è tutto tranquillo?» chiese.

«Come una tomba», risposi.

«Allora non era niente», osservò.

«Proprio così», risposi. «Mi spiace.»

«No, apprezzo la tua cautela, davvero.»

«Faccio solo il mio lavoro.»

«Andiamo a cena», disse Beck.

Tornò alla Cadillac e salì. Io rimisi la sicura alla Beretta e m'infilai nella SAAB. Lui fece retromarcia, girò la macchina e mi attese. Immaginai volesse passare il cancello insieme a me, in modo che Paulie lo aprisse e lo chiudesse una volta sola. Tornammo indietro in fila per quei brevi sette chilometri. La SAAB andava male; i fari puntavano verso l'alto, storti, e lo sterzo era troppo cedevole. Nel bagagliaio ci saranno stati centottanta chili di peso e, quando presi la prima buca, l'angolo della tappezzeria del tetto si staccò e mi sbatté in faccia per tutto il tragitto.

Mettemmo le auto in garage e Beck mi attese in cortile. La marea stava salendo, sentivo le onde dietro il muro: riversavano grandi masse d'acqua sugli scogli e percepivo il loro impatto sul suolo. Era una sensazione fisica netta, non solo un rumore. Raggiunsi Beck e ci avviammo insieme verso la porta principale. Il metal detector trillò due volte, una per me, una per lui. Allora mi porse un mazzo di chiavi di casa. Le accettai come una sorta di badge. Poi mi disse che la cena sarebbe stata servita di lì a mezz'ora e mi invitò a mangiare con la famiglia.

Salii nella stanza di Duke e mi avvicinai alla finestra. A otto chilometri di distanza, in direzione ovest, credetti di vedere alcune luci rosse di fanali che si allontanavano. Tre coppie. Villanueva, Eliot e Duffy, mi augurai, nelle Taurus governative. *10-18, missione compiuta.* Ma era difficile esserne sicuri per via del bagliore delle luci del muro. Forse erano solo macchie visive dovute alla stanchezza o al colpo in testa. Mi feci una rapida doccia e rubai altri vestiti di Duke. Tenni le mie scarpe e la giacca e lasciai il cappotto rovinato in armadio. Non controllai l'e-mail. Duffy era stata troppo presa per pensare di mandare messaggi. E a quel punto avevamo gli stessi obiettivi. Lei non aveva altro da riferirmi e ben presto sarei stato io a riferirle qualcosa, non appena avessi avuto modo di staccare la tappezzeria della SAAB.

Passai quel che restava della pausa di mezz'ora senza fare nulla, scesi quindi di sotto e trovai la famiglia nella sala da pranzo. Non l'avevo mai vista prima: era enorme. C'era un lungo tavolo rettangolare di quercia pesante, di tipo rustico. Avrebbe potuto ospitare una ventina di persone. Beck sedeva a capotavola, Elizabeth dall'altra parte, Richard sul lato più lontano. Il posto che mi era stato riservato era esattamente di fronte al suo e mi avrebbe costretto a dare le spalle alla porta. Pensai di chiedergli di fare cambio: non mi piace dare le spalle alle porte, ma decisi infine di non farlo e mi sedetti.

Paulie non c'era. Come ovvio, non era stato invitato. Naturalmente, non c'era nemmeno la cameriera. La cuoca doveva svolgere anche quella funzione e non sembrava molto contenta all'idea, ma in cucina si era dimostrata in gamba. Iniziammo con una zuppa di cipolle alla francese. Era proprio come quella vera. Mia madre non l'avrebbe approvata, ma sono milioni le donne francesi che pensano di conoscere la ricetta giusta per prepararla.

«Raccontaci della tua carriera militare», disse Beck come se volesse far conversazione. Non avrebbe parlato di lavoro, era chiaro, non davanti alla famiglia. Immaginai che Elizabeth sapesse più del necessario, ma Richard sembrava ignaro.

O forse rimuoveva tutto. Che cos'aveva detto? *Le cose brutte non succedono a meno che tu non le evochi.*

«Non c'è molto da dire», risposi. Non mi andava di parlarne: erano successe brutte cose e non intendevo evocarle.

«Ci dovrà pur essere qualcosa», affermò Elizabeth.

Mi stavano fissando tutti e tre, perciò mi strinsi nelle spalle e raccontai una storia relativa alla verifica di un budget del Pentagono in cui comparivano ottomila dollari di spesa per attrezzi di manutenzione chiamati DFATR. Dissi loro che ero abbastanza annoiato da decidere di approfondire la questione e che con un paio di telefonate avevo appurato che l'acronimo significava *dispositivo di fissaggio adattabile alla torsione rotazionale.* Ne avevo recuperato uno e scoperto che si trattava di un banale cacciavite da tre dollari. Di lì ero passato ai martelli da tremila dollari, alle assi per WC da mille dollari e via discorrendo. È una buona storia, adatta a qualsiasi pubblico: gran parte delle persone resta colpita dall'impudenza e chi nutre sentimenti antigovernativi s'infervora. Ma non è vera. È accaduta, ma non a me, credo in un altro dipartimento.

«Hai mai ucciso un uomo?» domandò Richard.

Quattro negli ultimi tre giorni, pensai.

«Non fare domande del genere», affermò Elizabeth.

«La zuppa è ottima», intervenne Beck. «Forse non c'è abbastanza formaggio.»

«Papà», esclamò Richard.

«Cosa?»

«Pensa alle tue arterie. Finiranno per tapparsi tutte.»

«Sono le mie arterie.»

«E tu sei mio padre.»

Si scambiarono un'occhiata e sorrisero timidamente. Padre e figlio, i migliori amici. L'ambivalenza. Tutto suggeriva che sarebbe stato un pasto lungo. Elizabeth cambiò argomento e cominciò a parlare del Portland Museum of Art e della sua splendida collezione di maestri americani e impressionisti. Non capivo se volesse istruirmi o indurre Richard a uscire di casa e fare qualcosa. Smisi di ascoltare. Volevo tornare alla SAAB, ma in quel momento non potevo, perciò cercai di prevedere con esattezza che cosa mi aspettasse, come in un gioco. Sentivo le parole di Leon Garber nella mia testa: *Riesamina tutto quello che hai visto e tutto quello che hai sentito. Lavora sugli indizi.* Non avevo sentito molto, ma avevo visto parecchie cose. Immaginavo fossero tutti indizi di qualche tipo. La tavola da pranzo, per esempio. L'intera casa e tutto ciò che conteneva. Le auto. La SAAB era un rottame. La Cadillac e la Lincoln erano due belle macchine, ma non erano Rolls Royce o Bentley. I mobili erano tutti vecchi, anonimi, massicci. Non economici, ma non denotavano spese recenti. Tutto era stato pagato molto tempo prima. Che cos'aveva detto Eliot a Boston? Del trafficante di Los Angeles? *I suoi profitti si aggirano su qualche milione di dollari alla settimana. Vive come un imperatore.* Beck avrebbe dovuto essere qualche gradino più in su, ma non viveva come un imperatore. Perché? Era un americano prudente, insensibile ai gadget del consumismo?

«Guarda», affermò.

Tornai alla realtà e lo vidi tenere il cellulare rivolto verso di me. Lo presi e guardai il monitor. C'erano di nuovo quattro tacche di segnale.

«Le microonde», dissi. «Forse aumentano lentamente.»

Poi controllai di nuovo: niente buste, niente nastri a bobina, niente messaggi in segreteria. Era un telefono minuscolo e io ho pollici grossi, perciò toccai accidentalmente la freccia alto-basso sotto lo schermo. Questo cambiò subito e mostrò un elenco di nomi: la sua agenda virtuale, immaginai. Il monitor era tanto piccolo che mostrava solo tre contatti alla volta. In alto c'era scritto *casa*, sotto *cancello*, il terzo nome in lista era *Xavier*. Lo fissai con tale intensità che nella stanza attorno a me calò il silenzio. Udivo solo il flusso assordante del sangue nelle mie orecchie.

«La zuppa era molto buona», osservò Richard.
Restituii il telefono a Beck. La cuoca si chinò davanti a me
e portò via la fondina.

La prima volta che sentii il nome Xavier fu la sesta che incontrai Dominique Kohl, diciassette giorni dopo che avevamo ballato nel locale di Baltimora. Il tempo era cambiato. Le
temperature erano scese a precipizio e il cielo era grigio, triste. Lei indossava l'alta uniforme. Per un istante pensai di
aver programmato una verifica operativa e di essermene dimenticato. Ma c'era un impiegato della compagnia che mi
ricordava cose del genere e non mi aveva detto nulla.
   «Quello che sto per dirti non ti piacerà», esordì Kohl.
   «Perché? Sei stata promossa e levi le tende?»
   Sorrise alla mia battuta. Mi accorsi di averla trasformata
in un complimento personale più di quanto non intendessi.
   «Ho trovato il colpevole», annunciò.
   «Come?»
   «Applicazione esemplare di capacità spiccate», rispose.
   La guardai. «Abbiamo in programma una verifica operativa?»
   «No, ma dovremmo pensarci.»
   «Perché?»
   «Perché ho trovato il colpevole e le verifiche vengono
sempre meglio dopo una grossa svolta in un caso.»
   «Lavori ancora con Frasconi, giusto?»
   «Siamo colleghi», disse, il che non era l'esatta risposta alla
domanda.
   «Ti aiuta?»
   Lei fece una smorfia. «Posso parlare liberamente?»
   Annuii.
   «È una persona inutile», disse.
   Annuii di nuovo. Quella era anche la mia impressione. Il

tenente Anthony Frasconi era serio, ma non era l'astro più brillante del firmamento.

«Non mi fraintendere, è una brava persona», aggiunse.

«Ma sei tu che fai tutto il lavoro», conclusi.

Lei assentì. Teneva in mano il dossier originario, quello che le avevo dato poco dopo aver scoperto che non era un energumeno grosso e brutto del Texas o del Minnesota. Era gonfio di appunti.

«*Tu* invece sei stato d'aiuto», disse. «Avevi ragione. Il documento in questione è nel giornale. Gorowski lo butta integro nel cestino dei rifiuti all'uscita del parcheggio. Stesso cestino per due domeniche di fila.»

«E?»

«E per due domeniche di fila lo stesso uomo lo va a prendere.»

Tacqui per un istante. Era un piano astuto tranne per il fatto di frugare in un cestino dell'immondizia, cosa che si prestava a una certa vulnerabilità, a una sorta di mancanza di credibilità. È una mossa difficile da attuare, a meno che non s'intenda andare fino in fondo e travestirsi da barboni. Ma lo è anche di per sé, se si vuol essere davvero convincenti: i senza tetto camminano per chilometri per tutto il giorno, ispezionando ogni cestino che trovano: per imitarne il comportamento in modo plausibile ci vogliono tempo e attenzione infiniti.

«Che uomo?» domandai.

«So quello che stai pensando», rispose. «Chi fruga nei cestini dei rifiuti se non i vagabondi, giusto?»

«Allora chi lo fa?»

«Immagina una tipica domenica», rispose Kohl. «Una giornata oziosa, stai passeggiando e forse la persona che devi incontrare è un po' in ritardo, forse il desiderio di uscire a fare due passi si è trasformato in un senso di noia. Ma il sole splende e c'è una panchina dove puoi sederti. Sai che i quotidiani della domenica sono sempre spessi e interessanti, ma non ne hai uno con te.»

«D'accordo», dissi. «Ti seguo.»

«Hai notato come un quotidiano usato diventi di proprietà comune? Hai visto quello che accade sui treni, per esempio, o sulla metropolitana? Uno legge il giornale, lo lascia sul sedile quando scende e un altro lo prende. Chiunque si ammazzerebbe pur di non raccogliere uno snack mangiato a metà, ma un giornale usato non crea problemi a nessuno.»

«D'accordo», ripetei.

«Il nostro uomo ha circa quarant'anni», proseguì lei. «È alto forse uno e ottantacinque, snello, circa ottantacinque chili, capelli neri corti un po' brizzolati, aria decisamente benestante. Porta abiti eleganti, pantaloni di cotone, polo, e quando si avvicina al cestino è come se vagasse nel parcheggio.»

«Vagasse?»

«Sì, voce del verbo vagare», osservò. «È come se passeggiasse immerso nei suoi pensieri, senza la minima preoccupazione al mondo. Come se fosse reduce da un brunch domenicale. Poi nota il giornale accanto al bordo del cestino, lo prende e legge alcuni titoli per un istante, inclina un po' la testa, lo mette sotto il braccio come se volesse leggerlo più tardi, e prosegue.»

«A vagare», aggiunsi.

«È molto naturale», commentò. «Ero lì appostata quand'è accaduto e per poco non mi sfuggiva. È quasi subliminale.»

Riflettei. Aveva ragione. Era un'abile osservatrice del comportamento umano, il che la rendeva un'abile poliziotta. Se mai mi fossi deciso a effettuare una verifica operativa, avrebbe fatto faville.

«C'è un'altra cosa che avevi ipotizzato», aggiunse. «Continua a vagare verso il porto turistico e sale su una barca.»

«Ci vive?»

«Non credo», rispose. «Voglio dire, ha le cuccette e tutto il resto, ma secondo me è una barca da tempo libero.»

«Come sai che ha le cuccette?»

«Sono salita a bordo», disse.

«Quando?»

«La seconda domenica», rispose. «Non dimenticare che tutto quello che avevo visto fino ad allora era la faccenda del giornale. Non avevo identificato con certezza il documento. Ma quando è salito su un'altra barca con altre persone, sono andata a controllare.»

«Come?»

«Applicazione esemplare di capacità spiccate», rispose. «Indossavo un bikini.»

«Indossare un bikini è una capacità?» chiesi, poi distolsi lo sguardo. Nel suo caso sarebbe stata più una performance artistica di livello mondiale.

«Quel giorno faceva ancora caldo», affermò. «Mi sono confusa fra tutte le ragazze che stavano sulle barche. Ho fatto due passi, sono salita sulla piccola passerella. Nessuno se n'è accorto. Ho scassinato la serratura del portello e ho perquisito la barca per un'ora.»

Dovevo chiederglielo.

«Come hai fatto a nascondere un grimaldello nel bikini?»

«Avevo le scarpe», rispose.

«Hai trovato il progetto?»

«Li ho trovati tutti.»

«La barca ha un nome?»

«Sì, l'ho rintracciata. C'è un registro navale per tutte queste cose.»

«Chi è il proprietario?»

«Questa è la parte che non ti piacerà», disse. «Un ufficiale di alto grado dell'intelligence militare. Un tenente colonnello, specialista del Medioriente. Gli hanno appena dato una medaglia per qualcosa che ha fatto nel Golfo.»

«Merda», esclamai. «Ma ci potrebbe essere una spiegazione innocente.»

«Certo», rispose Kohl. «Ma ne dubito. Un'ora fa ho incontrato Gorowski.»

«D'accordo», dissi. Quello spiegava l'alta uniforme: incuteva molto più timore di un bikini. «E?»

«E gli ho fatto raccontare la sua versione dei fatti. Le figlie hanno una dodici mesi, l'altra due anni. Un paio di mesi fa la bambina di due anni è scomparsa per un giorno. Non parla di quello che le è successo quel giorno, ma piange molto. Una settimana dopo, il nostro amico dell'intelligence militare si presenta e insinua che, se papà non obbedisce, la figlia potrebbe scomparire per più di un giorno. Non vedo nessuna spiegazione innocente per questo genere di cose.»

«No», convenni. «Nemmeno io. Chi è?»

«Si chiama Francis Xavier Quinn», rispose.

La cuoca servì la portata seguente, una specie di arrosto di costata, ma a dire il vero non vi prestai attenzione perché stavo ancora pensando a Francis Xavier Quinn. Chiaramente, era uscito dall'ospedale in California lasciandosi alle spalle un pezzo del suo nome, *Quinn*, insieme alle medicazioni e alle vesti ospedaliere. Se n'era andato e si era calato in una nuova identità, già bella e pronta. Un'identità in cui si sentiva a suo agio e su cui, come in cuor suo ben sapeva, le persone che si nascondevano dovevano fare affidamento. Non era più il tenente colonnello dell'intelligence militare dell'Esercito degli Stati Uniti d'America Quinn, F.X.: da quel momento in poi era solo Frank Xavier, anonimo cittadino.

«Al sangue o ben cotto?» mi chiese Beck.

Stava affettando l'arrosto con uno dei coltelli di cucina dal manico nero. Erano inseriti in un portacoltelli e io avevo pensato di usarne uno per ucciderlo. Quello che stava usando in quell'istante sarebbe stato una buona scelta. Era lungo quasi venticinque centimetri e affilato come un rasoio a giudicare da come tagliava la carne; a meno che questa non fosse stata incredibilmente tenera.

« Al sangue », risposi. « Grazie. »

Mi diede due fette e me ne pentii all'istante. La mia mente tornò a sette ore prima, al sacco salma. Avevo aperto la cerniera e visto l'opera di un altro coltello. L'immagine era così vivida che sentivo ancora il metallo della cerniera tra le dita. Poi tornai a dieci anni prima, all'inizio del caso Quinn, e il cerchio si chiuse.

« Cren? » chiese Elizabeth.

Tacqui e ne presi una cucchiaiata. La vecchia regola dell'Esercito era: *Mangia ogni volta che puoi, dormi ogni volta che puoi,* perché non sai quando avrai la possibilità di farlo di nuovo. Perciò scacciai Quinn dalla mente, presi le verdure di contorno e iniziai a mangiare. Ricominciai a pensare. *Tutto quello che avevo visto, tutto quello che avevo sentito.* Continuavo a vedere il porto turistico di Baltimora illuminato dal sole intenso, la busta e il giornale. *Non questo, quello.* E a pensare a quello che mi aveva detto Duffy: « Non hai trovato niente di utile, neanche una cosa. Nessuna prova ».

« Hai letto Pasternak? » mi domandò Elizabeth.

« Cosa pensi di Edward Hopper? » chiese Richard.

« Credi che l'M16 debba essere sostituito? » domandò Beck.

Tornai di nuovo alla realtà. Mi stavano guardando tutti. Era come se avessero un bisogno disperato di fare conversazione, come se si sentissero soli. Ascoltai le onde che s'infrangevano sui tre lati della casa e capii perché si sentissero così. Erano molto isolati, ma quella era stata una loro scelta. A me piace l'isolamento, posso passare anche tre settimane senza dire una parola.

« Ho visto il *Dottor Živago* al cinema », risposi. « Mi piace il quadro di Hopper con le persone la sera al ristorante. »

« *Nighthawks* », esclamò Richard.

Annuii. «Mi piace l'uomo a sinistra, tutto solo.»
«Ricordi il nome del ristorante?»
«Phillies», risposi. «E penso che l'M16 sia un buon fucile d'assalto.»
«Davvero?» chiese Beck.
«Fa quello che un fucile d'assalto deve fare», risposi. «Non si può chiedere di più.»
«Hopper era un genio», affermò Richard.
«Pasternak era un genio», gli fece eco Elizabeth. «Purtroppo il film lo ha banalizzato. E non è stato ben tradotto. Solženicyn è sovrastimato al confronto.»
«Edward Hopper è come Raymond Chandler», disse Richard. «Cattura momenti e luoghi particolari. Ovviamente, anche Chandler era un genio, molto meglio di Hammett.»
«Nello stesso modo in cui Pasternak è meglio di Solženicyn?» domandò sua madre.
Continuarono così a lungo. Il quattordicesimo giorno, venerdì, stava finendo con una cena a base di manzo con tre persone condannate che parlavano di libri, di quadri e di fucili. *Non questo, quello.* Smisi di nuovo di ascoltarli e tornai indietro di dieci anni, alle parole del sergente di prima classe Dominique Kohl.

«È un vero insider del Pentagono», mi disse la settima volta che ci incontrammo. «Vive nei paraggi, in Virginia. Per questo tiene la barca a Baltimora.»
«Quanti anni ha?» domandai.
«Quaranta», rispose.
«Hai visto il suo stato di servizio completo?»
Lei scosse la testa. «È in gran parte segretato.»
Annuii e cercai di ricostruire la cronologia.
Un quarantenne sarebbe stato reclutato negli ultimi due anni della guerra del Vietnam, all'età di diciotto o dicianno-

ve anni, ma un uomo arrivato al grado di tenente colonnello dell'intelligence prima di quarant'anni doveva avere per forza un diploma di college, forse anche una laurea, il che gli avrebbe garantito il rinvio della leva. Quindi probabilmente non era andato in Indocina, fatto che secondo l'andamento normale delle cose avrebbe rallentato la sua promozione. Niente guerre sanguinose, niente malattie terribili, ma la sua promozione non era stata lenta perché prima di quarant'anni era diventato tenente colonnello.

«So quello che pensi», disse Kohl. «Come ha fatto a essere due gradi più in su di te?»

«In realtà pensavo a te in bikini.»

Lei scosse la testa. «No, non è vero.»

«È più vecchio di me», dissi.

«Ha avuto una carriera fulminea.»

«Forse è più in gamba di me», commentai.

«Quasi certamente», convenne lei. «Ma anche in questo caso, ha fatto molto, molto presto.»

Annuii.

«Splendido», osservai. «Così adesso abbiamo a che fare con un genio illustre dell'intelligence.»

«Ha molti contatti con stranieri», disse Kohl. «L'ho visto con ogni sorta di persone: israeliani, libanesi, iracheni, siriani.»

«È normale», replicai. «È specialista del Medioriente.»

«È originario della California», affermò. «Suo padre lavorava alle ferrovie, sua madre era casalinga. Vivevano in una piccola casa nel nord dello Stato. L'ha ereditata ed è l'unico bene che possiede. Possiamo presumere che dall'epoca del college riceva uno stipendio dall'Esercito.»

«D'accordo», dissi.

«Era un uomo povero, Reacher», continuò. «Come può affittare una villa a Maclean in Virginia? Come fa ad avere uno yacht?»

«È uno yacht?»

« È una grossa barca a vela con cabine. Quindi uno yacht, o no?»

«VP?»

«Una Lexus nuova di zecca.»

Non dissi nulla.

«Perché i suoi non si pongono queste domande?» chiese. «Non lo fanno mai», risposi. «Non lo hai notato? Una cosa può essere chiara come il sole, ma loro non la notano.»

«Davvero non capisco come possa succedere», commentò.

Mi strinsi nelle spalle.

«Sono esseri umani», affermai. «Questo dobbiamo concederglielo. Entrano in gioco i preconcetti: si chiedono quanto sia bravo, non quanto sia marcio.»

Lei concordò. «Come la sottoscritta, che ha passato due giorni a guardare la busta, non il giornale. I preconcetti.»

«Loro però dovrebbero avere una certa esperienza.»

«Suppongo di sì.»

«L'intelligence militare.»

«L'ossimoro più famoso del mondo», replicò Kohl ricordando la nota battuta. «Come pericolo sicuro.»

«O acqua secca», dissi.

«Ti è piaciuta?» mi domandò Elizabeth Beck dieci anni dopo.

Non risposi. *Entrano in gioco i preconcetti.*

«Ti è piaciuta?» ripeté.

La guardai in faccia. *I preconcetti.*

«Mi scusi?» dissi. *Tutto quello che avevo sentito.*

«La cena», affermò. «Ti è piaciuta?»

Abbassai lo sguardo. Il mio piatto era completamente vuoto.

«Fantastica», risposi. *Tutto quello che avevo visto.*

«Davvero?»

«Assolutamente sì», dissi. *Non hai trovato niente di utile.*

«Mi fa piacere», disse lei.

«Scordatevi Hopper e Pasternak», affermai. «E Raymond Chandler. La vostra cuoca è un genio.»

«Stai bene?» domandò Beck. Aveva lasciato metà della sua carne nel piatto.

«A meraviglia», risposi. *Neanche una cosa.*

«Ne sei sicuro?»

Tacqui per un istante. *Nessuna prova.*

«Sì, è così», risposi.

Ed era così. *Perché sapevo che cosa c'era nella SAAB,* lo sapevo con certezza. Non avevo dubbi. Mi sentivo a meraviglia, ma anche un po' in colpa perché ero stato molto, molto lento. Dolorosamente, penosamente lento. Avevo impiegato ottantasei ore, più di tre giorni e mezzo. Mi ero dimostrato ottuso come la vecchia unità di Quinn. *Una cosa può essere chiara come il sole, ma loro non la notano.* Voltai la testa e guardai Beck in faccia come se lo vedessi per la prima volta.

11

Sapevo, ma durante il dessert e il caffè mi calmai. Smisi di sentirmi a meraviglia e anche in colpa. Quei sentimenti li avevo cancellati. Mi sentii invece vagamente preoccupato perché cominciai a capire le esatte dimensioni del problema tattico, che erano enormi. Avrei dovuto riconsiderare in modo radicale il concetto di operare da solo e sotto copertura. La cena finì. Tutti scostarono la sedia dal tavolo e si alzarono. Io rimasi nella sala da pranzo. Non andai alla SAAB, non avevo fretta. Ci sarei potuto andare dopo. Non aveva senso rischiare guai per confermare una cosa che già sapevo. Preferii aiutare la cuoca a sparecchiare: mi sembrava educato e forse si aspettavano che lo facessi. I Beck se ne andarono e io portai i piatti in cucina. Il meccanico era lì: stava mangiando una porzione di carne più grande della mia. Lo guardai e cominciai di nuovo a sentirmi un po' in colpa. Non avevo prestato per niente attenzione, non mi ero nemmeno mai chiesto a che cosa servisse quell'uomo. Adesso però sapevo.

Caricai la lavastoviglie. La cuoca preparò qualcosa con gli avanzi, poi pulì il bancone. Nel giro di venti minuti circa avevamo rimesso tutto a posto. Poi mi disse che sarebbe andata a dormire, perciò le augurai buonanotte, uscii dal retro e mi avviai verso gli scogli. Volevo osservare il mare, studiare la marea. Non avevo esperienza dell'oceano. Sapevo che la marea andava e veniva circa due volte al giorno, ma non sapevo quando né perché. Forse c'entrava la gravità della luna: trasformava l'Atlantico in una gigantesca vasca da bagno che sciaguattava a est e a ovest tra l'Europa e l'America. Forse quando c'era bassa marea in Portogallo c'era alta marea nel Maine, e viceversa. Non ne avevo idea. In quel momento sembrava che la marea stesse cambiando: da alta a bassa, da entrante a uscente. Osservai le onde per altri cinque minuti e tornai in cucina. Il meccanico se n'era andato. Con il mazzo di chiavi che Beck mi aveva dato chiusi la porta interna. Lasciai quella esterna aperta. Andai in corridoio e controllai la porta d'ingresso. Immaginai di dovermi occupare anche di cose del genere, adesso. Era chiusa con tanto di chiavistello. La casa era silenziosa. Perciò salii di sopra nella stanza di Duke e iniziai a pianificare il finale di partita.

C'era un messaggio di Duffy che mi aspettava nella scarpa. *Stai bene?* diceva. Risposi: *Grazie di cuore per i telefoni. Mi hai salvato il culo.*

Ho salvato anche il mio. Siamo pari.

Non risposi. Non sapevo che dire. Rimasi seduto lì in silenzio. Duffy aveva ottenuto una piccola proroga, niente di più. Qualsiasi cosa fosse successa, lei era condannata e non c'era niente che io potessi fare.

Poco dopo scrisse: *Ho controllato tutti i file e non sono riuscita, ripeto, non sono riuscita a trovare un'autorizzazione per la seconda agente.*

Lo so, risposi.

Replicò con due caratteri soltanto: *??*

Ci dobbiamo vedere. Ti chiamerò o arriverò direttamente lì. Resta in attesa.

Chiusi l'apparecchio, lo infilai nel tacco e mi chiesi per un istante se l'avrei usato ancora. Era quasi mezzanotte. Venerdì, il quattordicesimo giorno, era quasi finito. Sabato, il quindicesimo giorno, stava per iniziare. Erano passate due settimane da quand'ero piombato in mezzo alla folla della Symphony Hall a Boston, diretto a un bar a cui non ero mai arrivato.

Mi stesi sul letto completamente vestito. Immaginai che le successive ventiquattro, quarantotto ore sarebbero state cruciali e volevo passare cinque delle prime sei dormendo. Per esperienza, la stanchezza causa più errori della sbadataggine e della stupidità messe assieme, probabilmente perché genera sbadataggine e stupidità. Perciò mi misi comodo e chiusi gli occhi. Puntai la mia sveglia mentale alle due del mattino. Funzionò, come sempre. Mi svegliai dopo un sonnellino di due ore sentendomi bene.

Rotolai giù dal letto e scesi di sotto. Attraversai il corridoio, entrai in cucina e aprii la porta posteriore. Lasciai tutti gli oggetti metallici sul tavolo: non volevo che il metal detector squillasse. Uscii. Era molto buio. Non c'era la luna né le stelle. Il mare batteva con fragore. L'aria era fredda e soffiava un po' di vento. Si sentiva odore di umidità. Mi diressi al quarto box e aprii le porte. La SAAB era ancora lì, nessuno l'aveva toccata. Aprii il portellone ed estrassi il fagotto con la pistola. Mi allontanai e lo nascosi nella solita buca. Poi andai a prendere la prima guardia del corpo. Era morto da ore e la bassa temperatura aveva già indotto il rigor mortis. Era molto rigido. Lo trascinai fuori e me lo caricai in spalla. Era come trasportare un tronco da novanta chili. Le braccia sporgevano all'esterno a mo' di rami.

Lo portai alla spaccatura a V che Harley mi aveva mostrato, mi stesi accanto a lui e iniziai a contare le onde. Attesi la settima. Arrivò e, poco prima che mi toccasse, spinsi il corpo nella spaccatura. L'acqua arrivò da sotto e lo sollevò fino alla mia altezza, quasi l'uomo volesse afferrarmi con le sue braccia rigide e trascinarmi con sé o dirmi addio. Galleggiò pigramente per qualche secondo, quindi l'onda si ritirò svuotando la spaccatura e lui scomparve.

Accadde lo stesso con il secondo uomo. L'oceano lo prese, portandolo con sé come aveva fatto con il collega e la cameriera. Io rimasi lì accovacciato per qualche istante sentendo la brezza sul viso e il rumore della marea implacabile. Tornai indietro, chiusi il portellone della SAAB e m'infilai al posto di guida. Terminai il lavoro con la tappezzeria del tetto, mi allungai in direzione posteriore e recuperai gli appunti della cameriera. Erano otto fogli di un blocco formato A4. Li lessi tutti alla fioca luce dell'abitacolo. Contenevano molti particolari interessanti, ma in genere non mi dissero nulla che già non sapessi. Li verificai due volte e, quand'ebbi finito, li impilai con precisione. Mi sedetti su uno scoglio e piegai ogni foglio fino a creare una barchetta. Me lo aveva insegnato qualcuno, quand'ero ragazzo. Forse era stato mio padre, non ricordavo, forse mio fratello. Lanciai le otto piccole barche una dopo l'altra mentre la marea si ritirava e le guardai allontanarsi ondeggiando verso est, nel buio pesto.

Tornai nel box e impiegai un po' di tempo a risistemare la tappezzeria. Il risultato fu piuttosto buono. Chiusi il box. Quando lo riapriranno e noteranno i danni alla macchina, io sarò già lontano, pensai. Rientrai in casa, ripresi le mie cose, richiusi a chiave la porta e salii di sopra. Mi spogliai e, con addosso soltanto i boxer, m'infilai a letto. Volevo dormire altre tre ore, perciò puntai ancora una volta la mia sveglia mentale, mi avvolsi nelle coperte, adattai il cuscino e chiusi gli occhi. Cercai di prender sonno ma invano. Non potevo, non mi riusciva. Quello che invece mi riusciva era pensare a Dominique Kohl. Riemerse dal buio, com'era suo solito fare.

L'ottava volta che ci incontrammo avevamo alcuni problemi tattici da discutere. Incastrare un ufficiale dell'intelligence era una bella gatta da pelare. Ovviamente i poliziotti militari si occupano solo dei militari che imboccano una via sbagliata, perciò agire contro uno dei nostri non era una novità, ma la comunità dell'intelligence era un caso a parte. Erano persone diverse, riservate, che facevano il possibile per non rendere conto a nessuno. Incastrarle era difficile: di solito serravano i ranghi più rapidamente della migliore squadra che avessi mai visto, perciò Kohl e io avevamo molto di cui discutere. Non volevo che l'incontro avvenisse nel mio ufficio: non avevo una sedia per i visitatori e non volevo che stesse in piedi per tutto il tempo. Perciò tornammo al bar in città. Mi sembrava il posto adatto. L'intera faccenda stava diventando tanto grave che ci sentivamo un po' paranoici e uscire dalla base mi parve una buona idea. Inoltre, mi piaceva l'idea di discutere di questioni di intelligence come fossimo una coppia di spie, in un piccolo séparé in penombra in fondo a un locale, e credo che anche Kohl l'apprezzasse. Arrivò in abiti civili: non indossava un vestito, ma un paio di jeans, una maglietta bianca e un giubbotto di pelle. Io ero in tenuta di fatica. Non avevo abiti civili e ormai faceva freddo. Ordinai un caffè, lei prese un tè. Volevamo restare lucidi.

«Adesso sono contenta di aver usato i progetti veri», disse. Annuii.

«Ottimo istinto», commentai. Dal punto di vista delle prove avevamo dovuto agire in modo deciso. Il fatto che Quinn possedesse i progetti veri era sufficiente a incastrarlo: in presenza di qualsiasi altra prova, avrebbe iniziato a inventare storie su procedure di test, giochi di guerra, esercitazioni, trabocchetti da lui stesso escogitati.

«Sono i siriani», disse Kohl. «Pagano in anticipo. A rate.»

«Come?»

«Scambio di valigette», rispose. «Si incontra con un attaché dell'ambasciata siriana. Vanno a un caffè di Georgetown e hanno entrambi una di quelle eleganti valigette di alluminio. Una valigetta identica.»

«Le Halliburton», dissi.

«Esattamente. Le mettono fianco a fianco sotto il tavolo. Quando se ne va, Quinn prende quella del siriano.»

«Dirà che il siriano è un contatto legittimo, che *gli* passa informazioni.»

«Noi allora diciamo: va bene, mostraci queste informazioni.»

«Risponderà che non può perché sono secretate.»

Kohl non disse nulla e io sorrisi.

«Ci racconterà un sacco di storie», aggiunsi. «Ci metterà la mano sulla spalla, ci guarderà negli occhi e ci dirà: 'Ehi, fidatevi di me, ragazzi, è una questione di sicurezza nazionale'.»

«Hai già avuto a che fare con gente del genere?»

«Una volta», risposi.

«Hai vinto tu?»

Assentii. «In genere sono dei contapalle. Mio fratello è stato nell'intelligence militare per un po'. Adesso lavora al Tesoro, ma mi ha raccontato tutto di loro. Pensano di essere in gamba, mentre in realtà sono come tutti gli altri.»

«Allora che facciamo?»

«Dobbiamo reclutare il siriano.»

«Allora non potremo arrestarlo.»

«Ne volevi due al prezzo di uno?» chiesi. «Non è possibile. Il siriano fa solo il suo lavoro, non lo puoi biasimare. Il criminale è Quinn.»

Lei rimase zitta per un po', vagamente delusa, poi si strinse nelle spalle.

«Va bene», affermò. «Ma come ci comportiamo? Il siriano si rifiuterà. È un attaché d'ambasciata, ha l'immunità diplomatica.»

Sorrisi di nuovo. «L'immunità diplomatica è solo un pezzo di carta del dipartimento di Stato. La strategia che ho usato l'altra volta è stata prendere l'interessato e dirgli di mettersi un pezzo di carta davanti alla pancia. Ho estratto la pistola e gli ho chiesto se credesse che la carta avrebbe fermato il proiettile. Lui ha osservato che mi sarei messo nei guai. Io ho risposto che, per quanto gravi fossero stati i miei guai, non avrebbero modificato la lentezza con cui sarebbe morto dissanguato.»

«E ha cambiato idea?»

Annuii. «Ha collaborato, docile come un agnellino.»

Lei tacque di nuovo. Poi mi fece la prima delle due domande a cui, molto tempo dopo, avrei voluto rispondere diversamente.

«Ci possiamo frequentare?» chiese.

Era un séparé riservato in un locale buio. Era spaventosamente bella e mi stava seduta accanto. A quell'epoca ero ancora giovane e pensavo di avere tutto il tempo del mondo.

«Mi stai chiedendo di uscire?» domandai.

«Sì», rispose.

Non dissi nulla.

«Ne abbiamo fatta di strada, baby», esclamò. Quindi aggiunse: «Noi donne, intendo». In caso non conoscessi la nota pubblicità di sigarette.

Rimasi zitto.

«So quello che voglio», disse.

Assentii. Le credevo e credevo nella parità dei sessi, molto. Poco tempo prima avevo conosciuto una donna, un colonnello dell'Aviazione che comandava un B52 e attraversava i cieli notturni con più esplosivo a bordo di tutte le bombe che erano state gettate nel corso della storia umana. Se il colonnello sapeva gestire una quantità d'esplosivo capace di distruggere la terra, il sergente di prima classe Dominique Kohl sapeva sicuramente prendere le sue decisioni in tema di uomini.

«Allora?» chiese.

Domande a cui avrei voluto rispondere in modo diverso.

«No.»

«Perché no?»

«Non è professionale», dissi. «Non dovresti farlo.»

«Perché no?»

«Perché sarebbe una macchia sulla tua carriera», osservai. «Perché sei una persona molto capace che non potrà arrivare oltre il grado di sergente maggiore se non entrerà alla scuola ufficiali. Per questo ci andrai, ne uscirai distinguendoti e tra dieci anni sarai tenente colonnello perché te lo meriti, ma tutti direbbero che sei arrivata fin lì perché a suo tempo uscivi col tuo capitano.»

Lei non rispose. Chiamò soltanto la cameriera e ordinò due birre. Il locale stava diventando sempre più caldo via via che si riempiva. Mi tolsi la giacca e lei si tolse il giubbotto. Indossavo una maglietta verde oliva sbiadita, che era diventata piccola e lisa a forza di bucati. La sua era un capo da boutique: aveva una scollatura un po' più profonda rispetto alle solite T-shirt, le maniche tagliate in obliquo, lungo i piccoli deltoidi, sulle spalle. Il tessuto spiccava, bianco candido, sulla sua pelle, ed era semitrasparente. Riuscivo a vedere che sotto non portava niente.

«La vita militare è piena di sacrifici», aggiunsi parlando più a me stesso che a lei.

«Lo supererò», replicò lei.

Poi mi fece la seconda domanda a cui avrei voluto rispondere in modo diverso.

«Lascerai che sia io a effettuare l'arresto?»

Dieci anni dopo mi svegliai solo nel letto di Duke alle sei del mattino. La stanza era nella parte anteriore della casa, perciò non vedevo il mare. Dava a ovest, verso l'America. Non c'era sole, e nemmeno le lunghe ombre dell'alba, solo una luce grigia, smorta sul viale, sul muro e sul paesaggio granitico al di là. Il vento soffiava dal mare: vedevo gli alberi muoversi. Immaginai alle mie spalle un cielo pieno di nubi nere, tempestose, che correvano veloci verso la costa, gli uccelli marini che lottavano con la violenta burrasca, le penne scarmigliate, arruffate dal vento. Il quindicesimo giorno iniziava in modo grigio, freddo, avverso, e probabilmente sarebbe peggiorato.

Mi feci la doccia, ma non la barba. Presi altri abiti di denim di Duke, mi allacciai le scarpe e afferrai giacca e cappotto. Scesi con calma in cucina. La cuoca aveva già preparato il caffè: me ne diede una tazza e io mi sedetti a tavola. Prese un filone di pane dal congelatore e lo mise nel microonde. Immaginai che a un certo punto, prima che la situazione si facesse spiacevole, avrei dovuto evacuarla insieme a Elizabeth e Richard. Il meccanico e Beck potevano anche restare e arrangiarsi. Dalla cucina sentivo il mare, forte e chiaro. Le onde s'infrangevano e il movimento delle masse d'acqua sul fondale le ritraeva incessante. Le pozze si riempivano e si svuotavano, la ghiaia rotolava sugli scogli. Il vento gemeva piano attraverso le crepe della porta esterna del portico. Udivo le grida frenetiche dei gabbiani. Rimasi ad ascoltarle sorseggiando il caffè, in attesa.

Richard scese dieci minuti dopo di me. Aveva i capelli tutti spettinati e vedevo l'orecchio mancante. L'ambivalenza era tornata. Capivo che stava affrontando l'idea di non andare più al college e di passare il resto della vita rintanato lì con i genitori. Mi chiesi se, qualora la madre se la fosse cavata senza accuse, avrebbero potuto ricominciare da un'altra parte. Tutto dipendeva dalla sua forza d'animo: se avesse voluto, sarebbe potuto tornare a scuola senza perdere più di una settimana del semestre. A meno che non fosse una scuola costosa, cosa che in realtà presumevo. Sarebbero andati incontro a problemi finanziari e rimasti con quel poco a cui fossero riusciti ad aggrapparsi. Questo sempreché fossero sopravvissuti.

La cuoca uscì per apparecchiare la tavola della sala per la colazione. Richard la guardò allontanarsi e io guardai lui. Vidi di nuovo l'orecchio mancante e un altro pezzo del puzzle andò a posto.

«Cinque anni fa», dissi. «Il rapimento.»

Lui mantenne l'autocontrollo. Abbassò solo lo sguardo verso la tavola, poi mi guardò e con le dita si sistemò i capelli per coprire la cicatrice.

«Sai di che cosa si occupa veramente tuo padre?» domandai.

Lui annuì e non disse nulla.

«Non solo di tappeti, vero?» chiesi.

«No», ammise. «Non solo di tappeti.»

«Tu che ne pensi?»

«Ci sono cose peggiori», rispose.

«Ti va di raccontarmi quello che è successo cinque anni fa?» domandai.

Lui abbassò la testa e distolse lo sguardo.

«No», disse. «Non mi va.»

«Conoscevo un tizio chiamato Gorowski», affermai. «Sua figlia, di due anni, fu rapita solo per un giorno. Tu quanto sei rimasto prigioniero?»

«Otto giorni», rispose.

«Gorowski accettò subito il patto», proseguii. «Un giorno gli era bastato.»

Richard non disse nulla.

«Tuo padre non è il capo, qui», dissi con il tono di un'affermazione.

Richard tacque.

«Ha accettato il patto cinque anni fa», continuai. «Dopo che eri scomparso da otto giorni. Questo è quello che penso.»

Richard rimase in silenzio. Pensai alla figlia di Gorowski: adesso aveva dodici anni. Probabilmente aveva internet, un lettore CD, il telefono, le pareti della camera piene di poster e un dolore lieve, sordo nella mente per qualcosa che era accaduto in passato, simile al prurito di un osso da tempo consolidato.

«Non mi servono i dettagli», affermai. «Voglio solo che mi dica il nome.»

«Quale nome?»

«Il nome dell'uomo che ti ha rapito per otto giorni.»

Richard scosse la testa.

«Ho sentito parlare di un certo Xavier», dissi. «Qualcuno lo ha nominato.»

Richard distolse lo sguardo e avvicinò subito la mano sinistra al lato della testa, il che mi bastò come conferma.

«Sono stato violentato», disse.

Rimasi ad ascoltare il mare che batteva sugli scogli.

«Da Xavier?» chiesi.

Lui scosse di nuovo la testa.

«Da Paulie», rispose. «Era appena uscito di prigione e amava ancora quel genere di cose.»

Restai a lungo in silenzio.

«Tuo padre lo sa?»

«No.»

«Tua madre?»

«No.»

Non sapevo che dire. Richard non aggiunse altro. Rimanemmo lì seduti, in silenzio. Poi la cuoca tornò e accese i fornelli. Mise un po' di grasso in una padella e cominciò a scaldarlo. L'odore mi diede la nausea.

«Andiamo a fare due passi», suggerii.

Richard mi seguì all'esterno fino agli scogli. L'aria era salata, fresca, pungente. La luce era grigia, il vento forte. Ci soffiava dritto in faccia. Richard aveva i capelli tutti all'indietro, quasi orizzontali. Gli spruzzi arrivavano a sei metri d'altezza e le goccioline di schiuma ci piombavano addosso come proiettili.

«Ogni bicchiere mezzo pieno è anche mezzo vuoto», osservai. Dovevo parlare a voce alta per farmi sentire tra il vento e i frangenti. «Forse un giorno Xavier e Paulie avranno quello che si meritano, ma quando ciò accadrà tuo padre finirà in prigione.»

Richard annuì. Aveva le lacrime agli occhi. Forse era per il vento freddo, forse no.

«Anche lui se lo merita», disse.

Molto leale, aveva detto suo padre. *I due migliori amici.*

«Ero scomparso da otto giorni», aggiunse. «Uno sarebbe dovuto bastare, come per quell'uomo di cui mi hai parlato.»

«Gorowski?»

«O chiunque sia. Quello con la bambina di due anni. Pensi che l'abbiano violentata?»

«Spero sinceramente di no.»

«Anch'io.»

«Sai guidare?» domandai.

«Sì», rispose.

«Potreste dover andar via di qui», dissi. «Presto. Tu, tua madre e la cuoca. Perciò stai pronto, se e quando te lo dirò.»

«Chi sei tu?»

«Un uomo pagato per proteggere tuo padre dai suoi cosiddetti amici oltre che dai nemici.»

«Paulie non ci lascerà passare.»

«Presto non ci sarà più.»

Lui scosse la testa.

«Paulie ti ucciderà», disse. «Non hai idea. Non puoi tenergli testa, chiunque tu sia. Nessuno può farlo.»

«Ho tenuto testa a quei tizi all'esterno del college.»

Richard scosse di nuovo la testa con i capelli che ondeggiavano nel vento. Mi ricordarono quelli della cameriera, sott'acqua.

«Quella era una finta», replicò. «Io e la mamma ne abbiamo parlato. Era una messinscena.»

Rimasi zitto per un istante. *Mi potevo fidare di lui?*

«No, era tutto vero», affermai. *No, non ancora.*

«È una piccola comunità», proseguì. «Hanno cinque poliziotti. Prima non avevo mai visto quell'uomo.»

Non obiettai nulla.

«E nemmeno quegli agenti del college», disse. «Ed ero lì da quasi tre anni.»

Tacqui ancora. *Errori, che mi balzavano agli occhi per angosciarmi.*

«Allora perché hai lasciato la scuola?» chiesi. «Se era una messinscena?»

Richard non rispose.

«E com'è che Duke e io siamo finiti in un'imboscata?»
Lui rimase zitto.

«Che cos'era allora?» domandai. «Una messinscena o un'azione vera?»

Lui si strinse nelle spalle. «Non lo so.»

«Mi hai visto sparare a tutti quanti», dissi.

Lui non parlò e io distolsi lo sguardo. Arrivò la settima onda: si ripiegò a una quarantina di metri dalla costa e colpì gli scogli più rapida di un uomo in corsa. Il suolo tremò e la schiuma schizzò in aria come una granata illuminante.

«Ne avete discusso con tuo padre?» chiesi.

«Io no», rispose. «E non ho intenzione di farlo. Non so che cosa abbia in mente mia madre.»

E io non so che cos'abbia in mente tu, pensai. L'ambivalenza funziona in entrambi i sensi. Ora pensi una cosa, ora un'altra. In quel momento gli andava bene che il padre finisse in galera, in un altro avrebbe potuto vedere le cose in modo diverso. In una situazione critica quel ragazzo sarebbe stato capace di reagire in entrambi i modi.

«Ti ho salvato il culo», dissi. «Non mi va che tu creda che non sia stato così.»

«Come vuoi», rispose lui. «Comunque, non c'è niente che tu possa fare. Sarà un fine settimana molto intenso: ti dovrai occupare del carico. E dopo, sarai uno di loro.»

«Allora aiutami», dissi.

«Non tradirò mio padre», rispose.

Molto leale. I due migliori amici.

«Non c'è bisogno che lo faccia.»

«Allora come ti posso aiutare?»

«Digli solo che mi vuoi qui. Digli che in questo momento non dovresti restare solo. Per cose del genere ti dà ascolto.»

Lui non rispose. Si allontanò e tornò in cucina, poi proseguì dritto per il corridoio. Immaginai che avrebbe fatto colazione in sala da pranzo. Io rimasi in cucina. La cuoca aveva apparecchiato il tavolo d'abete. Non avevo fame, ma mi costrinsi a mangiare. La stanchezza e la fame sono due brutti nemici. Avevo dormito e ora avrei mangiato. Non volevo sentirmi debole o avere un crollo nel momento sbagliato. Mangiai pane tostato e bevvi un'altra tazza di caffè; a quel punto mi venne più voglia e presi anche le uova col bacon. Ero alla terza tazza di caffè quando Beck venne a cercarmi. Indossava abiti da fine settimana: blue jeans e una camicia di flanella rossa.

«Andiamo a Portland», disse. «Al magazzino. Subito.»

Uscì velocemente diretto in corridoio. Supposi che aspettasse all'ingresso e che Richard non gli avesse detto niente. O non ne aveva avuta l'occasione o non aveva voluto farlo. Mi pulii la bocca con il dorso della mano e controllai le tasche per assicurarmi che la Beretta fosse al sicuro, come del resto le chiavi. Poi uscii e presi la macchina, che portai all'ingresso. Beck mi stava aspettando lì. Si era messo una giacca di tela e sembrava un normale abitante del Maine diretto a far legna o a raccogliere sciroppo dagli aceri. Ma così non era.

Paulie era quasi pronto ad aprire il cancello, perciò dovetti rallentare, ma non fermarmi. Passando gli lanciai un'occhiata e pensai che sarebbe morto quel giorno, o quello dopo. Oppure sarei morto io. Me lo lasciai alle spalle e lanciai la grossa auto sulla strada familiare. Dopo un chilometro e mezzo passai il punto in cui Villanueva aveva parcheggiato. Sette chilometri più in là superai la curva dove avevamo teso l'imboscata alle guardie del corpo. Beck era silenzioso. Teneva le ginocchia divaricate e le mani in mezzo a esse. Era proteso in avanti sul sedile col capo chino, anche se lo sguardo era sollevato. Stava fissando dritto davanti a sé, oltre il parabrezza. Era teso.

«Non abbiamo mai parlato delle informazioni che mi servono», osservai.

«Lo faremo più tardi», rispose.

Superai la Uno e imboccai l'Interstatale 95 dirigendomi a nord, verso la città. Il cielo era sempre grigio e il vento soffiava tanto forte da spostare lievemente l'auto. Svoltai sulla 295 e passai l'aeroporto alla mia sinistra, oltre la striscia d'acqua. A destra c'erano il retro del centro commerciale dov'era stata catturata la cameriera e il retro del nuovo complesso di uffici dove supponevo fosse morta. Continuai e mi feci strada nella zona portuale. Passai lo spiazzo dove Beck parcheggiava i suoi camion. Un minuto dopo arrivammo al magazzino.

Era circondato da veicoli: cinque erano posteggiati di muso contro il muro, come aerei a un terminal, come animali davanti alla mangiatoia, come remore su un cadavere. C'erano due Lincoln Town Car nere, due Chevrolet Suburban blu e una Mercury Grand Marquis grigia. Una delle Lincoln era l'auto in cui avevo viaggiato quando Harley mi aveva dato un passaggio per recuperare la SAAB. Cercai un posto adeguato per la Cadillac.

«Lasciami pure qui», disse Beck.

Mi fermai. «E?»

«Torna a casa», aggiunse. «Occupati della mia famiglia.»

Annuii. Forse allora Richard gli aveva parlato. Forse la sua ambivalenza aveva giocato, anche se solo temporaneamente, a mio favore.

«Va bene», risposi. «Come preferisce. Vuole che passi a prenderla più tardi?»

Lui scosse la testa.

«Sono certo che troverò un passaggio», rispose.

Scese e si diresse alla porta grigia rovinata. Io tolsi il piede dal freno, girai attorno al magazzino e puntai a sud.

Imboccai la Uno al posto della 295 e andai dritto al nuovo complesso di uffici. Entrai e percorsi lentamente il dedalo di stradine nuove. C'erano forse trenta edifici metallici identici, tutti molto semplici. Non era il tipo di posto che attira il passante occasionale. Il traffico pedonale non era importante. Lì non c'erano rivenditori al dettaglio né vistosi cartelli di richiamo o giganteschi tabelloni pubblicitari, solo numeri civici discreti con accanto i nomi delle ditte scritti in piccolo. Vi lavoravano fabbri, commercianti di piastrelle, un paio di stampatori e anche un grossista di prodotti di bellezza. Nell'unità 26 aveva sede un distributore di sedie a rotelle e accanto a esso c'era l'unità 27: XAVIER EXPORT COMPANY. Le X erano molto più grandi delle altre lettere. Sulla targa si leggeva l'indirizzo della sede centrale che non corrispondeva a quello del complesso di uffici. Immaginai fosse un luogo nel centro di Portland. Mi diressi quindi di nuovo verso nord, riattraversai il fiume e mi feci un giro in città.

Arrivai dalla Uno e mi ritrovai un parco sulla sinistra. Svoltai a destra in una strada piena di uffici, ma erano i palazzi sbagliati, e la strada sbagliata. Battei pertanto la zona per cinque lunghi minuti finché non individuai il cartello con la strada giusta. A quel punto iniziai a controllare i numeri e mi fermai accanto a un idrante, all'esterno di un grattacielo che sull'intera facciata aveva una scritta di acciaio inossidabile: MISSIONARY HOUSE. Sotto c'era un garage: ne osservai l'entrata. Ero più che sicuro che undici settimane prima Susan Duffy l'avesse varcata con una macchina fotografica in mano. Poi mi venne in mente una lezione di storia alle superiori in un posto caldo, spagnolo, un quarto di secolo prima, e un vecchio che ci raccontava di un gesuita spagnolo chiamato Francisco Javier. Ricordavo persino le date: dal 1506 al 1552. Francisco Javier, missionario spagnolo. Francis Xavier, Missionary House. I primi giorni, a Boston, Eliot aveva accusato Beck di fare giochi di parole, ma si sbagliava. Era Quinn quello con un senso perverso dell'umorismo.

Mi allontanai dall'idrante, ritrovai la Uno e mi diressi a sud. Guidai veloce, ma impiegai ben trenta minuti per raggiungere il fiume Kennebunk. C'erano tre Ford Taurus parcheggiate all'esterno del motel, tutte senza scritte, identiche a parte il colore, che tuttavia variava di poco: grigio, grigio azzurro, blu. Misi la Cadillac dove l'avevo posteggiata la volta precedente, dietro il serbatoio di propano. Percorsi il tratto a piedi, nel freddo, e bussai alla porta di Duffy. Vidi lo spioncino oscurarsi per un istante e poi la porta si aprì. Non ci abbracciammo. Nella stanza alle sue spalle scorsi Eliot e Villanueva.

« Perché non riesco a trovare la seconda agente? » chiese.

« Dove hai cercato? »

« Dappertutto », rispose.

Indossava jeans e una camicia bianca Oxford. Jeans diversi, camicia diversa. Doveva averne in gran quantità. Portava un paio di scarpe da barca senza calze. Aveva un bell'aspetto, ma nel suo sguardo c'era preoccupazione.

« Posso entrare? » chiesi.

Lei tacque per un istante, assorta nei suoi pensieri, poi si scostò e io la seguii all'interno. Villanueva era seduto sulla sedia accanto al tavolo. L'aveva inclinata all'indietro. Mi augurai che avesse gambe robuste. Eliot sedeva ai piedi del letto, come nella mia stanza a Boston. Duffy aveva occupato il posto accanto alla testiera, quello era chiaro: i cuscini erano sovrapposti in verticale e recavano il segno della sua schiena.

« Dove hai cercato? » ripetei.

« Nell'intero sistema », rispose. « Dell'intero dipartimento di Giustizia, dall'A alla Z, il che significa FBI e anche DEA. E lei non c'è. »

« Conclusioni? »

« Anche lei non era autorizzata. »

« Il che solleva una domanda », intervenne Eliot. « Che diavolo sta succedendo? »

Duffy si sedette di nuovo alla testiera e io mi sistemai accanto a lei. Non c'era altro posto. Sfilò un cuscino e me lo mise dietro la schiena. Era caldo per il contatto con il suo corpo.

«Non sta succedendo niente di particolare», risposi. «Tranne il fatto che un paio di settimane fa siamo partiti tutti e tre con un approccio degno dei Keystone Cops.»

«In che senso?»

Feci una smorfia. «Io ero ossessionato da Quinn, voi da Teresa Daniel. Eravamo così ossessionati che ci siamo buttati a capofitto e abbiamo costruito un castello di carte.»

«In che senso?» ripeté Eliot.

«È colpa mia più che vostra», continuai. «Riesaminiamo tutto a partire dall'inizio, da undici settimane fa.»

«Undici settimane fa tu non c'eri. Non eri ancora coinvolto.»

«Dimmi esattamente che cos'è accaduto.»

Lui si strinse nelle spalle e rivide mentalmente i fatti. «Abbiamo saputo da Los Angeles che un capobanda aveva comprato un biglietto di prima classe per Portland, nel Maine.»

Annuii. «Perciò lo avete seguito all'appuntamento con Beck. E gli avete scattato foto mentre faceva cosa?»

«Mentre controllava dei campioni», rispose Duffy. «Mentre concludeva un affare.»

«In un garage privato», completai. «Tra l'altro, se era tanto privato da metterti nei guai per via del Quarto emendamento, forse ti saresti dovuta chiedere come aveva fatto Beck ad arrivarci.»

Lei non disse nulla.

«Abbiamo controllato Beck», chiarì Eliot. «E concluso che fosse un importatore e un distributore di grande importanza.»

«Cosa che in effetti è», ammisi. «E avete mandato Teresa perché lo inchiodasse.»

«In una missione non autorizzata», aggiunse Eliot.

«Quello è un dettaglio secondario», dissi.

«Che cos'è andato storto, allora?»

«Era un castello di carte», ripetei. «All'inizio avete fatto un piccolo errore di valutazione che ha invalidato tutto quello che è venuto dopo.»

«Di che si tratta?»

«Di una cosa che avrei dovuto capire molto prima.»

«Cosa?»

«Provate solo a chiedervi perché non trovate alcuna traccia informatica della cameriera.»

«Partecipava a una missione non autorizzata. È l'unica spiegazione.»

Scossi la testa. «Era autorizzata, eccome. Era in tutti i verbali. Ho trovato alcuni suoi appunti: su questo non ci sono dubbi.»

Duffy mi guardò in faccia. «Reacher, che sta succedendo esattamente?»

«Beck ha un meccanico», dissi. «Una specie di tecnico. Per cosa?»

«Non lo so», rispose.

«Non me lo sono mai chiesto», continuai. «Invece avrei dovuto. A dire il vero, non sarei nemmeno dovuto arrivare a quel punto perché avrei dovuto capirlo ben prima di conoscere quel dannato meccanico, ma andavo avanti col paraocchi, come voi.»

«Col paraocchi?»

«Beck conosceva il prezzo di vendita al dettaglio di una Colt Anaconda», spiegai. «Sapeva quanto pesasse. Duke aveva una Steyr SPP, una pistola austriaca particolare. Angel Doll aveva una PSM, una pistola russa particolare. Paulie ha una NSV, probabilmente l'unica esistente in tutti gli Stati Uniti. Beck era ossessionato dal fatto che avessimo attaccato con le Uzi e non con gli H&K. Ne sa abbastanza da predisporre una Beretta 92FS in modo che sembri una normale M9 militare.»

«E allora?»

«Non è quello che credevamo fosse.»

« Allora che cos'è? Hai appena convenuto che è un importatore e distributore di grande importanza. »

« Lo è. »

« Quindi? »

« Avete cercato nel computer sbagliato », spiegai. « La cameriera non lavorava per il dipartimento di Giustizia, ma per il Tesoro. »

« Servizi segreti? »

Scossi la testa.

« ATF », dissi. « Alcol, tabacco e armi da fuoco. »

Nella stanza calò il silenzio.

« Beck non è un trafficante di droga », conclusi. « È un trafficante d'armi. »

Il silenzio nella stanza durò a lungo. Duffy guardò Eliot, che ricambiò l'occhiata. Poi tutti e due fissarono Villanueva che a sua volta mi fissò. Questi infine guardò fuori della finestra. Attesi che si accorgessero del problema tattico, ma non ci arrivarono, non subito.

« Allora che cosa faceva il trafficante di Los Angeles? » chiese Duffy.

« Esaminava alcuni campioni », risposi. « Nel bagagliaio della Cadillac, proprio come pensavate. Ma erano campioni di armi quelli che Beck trattava. Me lo ha quasi detto: mi ha raccontato che i trafficanti di droga sono maniaci della moda, amano le cose nuove e di lusso. Cambiano continuamente armi e sono sempre a caccia dell'ultimo modello. »

« Te lo ha detto? »

« A dire il vero non gli ho prestato attenzione », ammisi. « Ero stanco e il discorso era pieno di riferimenti a scarpe da ginnastica, auto, giubbotti e orologi. »

« Duke era passato al Tesoro », affermò Duffy. « Dopo essere stato poliziotto. »

Annuii. «Probabilmente Beck lo ha conosciuto sul lavoro e lo ha comprato.»

«Dove si inserisce Quinn?»

«Immagino gestisse un'attività concorrente», risposi. «Con molta probabilità da sempre, da quand'è uscito dall'ospedale in California. Ha avuto sei mesi per elaborare un piano e per un tipo come lui le armi sono molto meglio dei narcotici. Immagino che a un certo punto abbia deciso che l'attività di Beck fosse un obiettivo da rilevare. Forse gli piaceva il modo in cui Beck si stava facendo strada nel mercato della droga o forse gli piaceva la copertura dei tappeti. È ideale. Perciò si è messo in mezzo. Cinque anni fa ha rapito Richard per ottenere la collaborazione di Beck.»

«Beck ti ha detto che la banda di Hartford era sua cliente», disse Eliot.

«Sì», confermai. «Ma per le armi, non per la droga. Per questo è rimasto perplesso di fronte alle Uzi. Aveva probabilmente da poco venduto loro un'intera partita di H&K e non capiva perché avessero usato delle Uzi. Non poteva capirlo. Avrà pensato che avessero cambiato fornitore.»

«Siamo stati molto stupidi», concluse Villanueva.

«Io più di voi», dichiarai. «Io sono stato incredibilmente stupido. C'erano prove dappertutto. Beck non è abbastanza ricco da essere un trafficante di droga: guadagna bene, certo, ma non milioni alla settimana. Ha notato i graffi che ho fatto sui tamburi delle Colt. Sapeva il prezzo e il peso di un dispositivo di puntamento laser adatto alla Beretta che mi ha dato. Quando abbiamo dovuto occuparci di una faccenda nel Connecticut, ha messo in una borsa due H&K nuovi di zecca, forse arrivati dritti dal magazzino. Ha una collezione privata di mitra Thompson.»

«Il meccanico a che serve?»

«Prepara le armi per la vendita», risposi. «È una mia ipotesi. Le modifica, le adatta, le controlla. Alcuni clienti di

Beck non reagirebbero molto bene se ricevessero merce al di sotto dello standard.»

«Non quelli che conosciamo», affermò Duffy.

«Beck ha parlato dell'M16 a cena», dissi. «Conversava di un fucile da assalto, santo cielo, e voleva conoscere la mia opinione su Uzi e H&K come se ne fosse realmente affascinato. Ho pensato fosse solo un fanatico delle armi, sai, ma il suo era un vero interesse professionale. Ha accesso informatico alla sede della Glock a Deutsch-Wagram in Austria.»

Nessuno parlò. Io chiusi gli occhi e li riaprii.

«Nella stanza del seminterrato c'era un odore», continuai. «Avrei dovuto riconoscerlo. Era l'odore del cartone imbevuto d'olio per armi, che si forma quando impili scatole di armi nuove e le lasci ferme per circa una settimana.»

Nessuno parlò.

«E i prezzi nei libri della Bizarre Bazaar», dissi. «Bassi, medi, alti. Bassi per le munizioni, medi per le pistole, alti per le armi a canna lunga e i modelli particolari.»

Duffy fissava il muro. Stava riflettendo intensamente.

«Bene», disse Villanueva. «Suppongo che siamo stati tutti un po' stupidi.»

Duffy lo guardò, poi mi fissò. Aveva finalmente compreso il problema tattico.

«Non abbiamo giurisdizione», riprese.

Nessuno proferì parola.

«Questo è compito dell'ATF», aggiunse, «non della DEA.»

«È stato uno sbaglio fatto in buona fede», affermò Eliot.

Lei scosse la testa. «Non intendevo *allora*, ma *adesso*: non possiamo intervenire, dobbiamo tirarci fuori, subito, immediatamente.»

«Io non mi ritiro», dissi.

«Devi perché noi dobbiamo farlo. Dobbiamo levare le tende e andarcene, tu non puoi continuare da solo, senza supporto.»

Avrei dovuto riconsiderare in modo radicale il concetto di operare da solo e sotto copertura.

«Io resto», dissi.

Dopo che accadde, mi feci un esame di coscienza per un anno intero e conclusi che non avrei risposto in modo diverso anche se non fosse stata seduta al mio fianco, profumata e nuda sotto la maglietta sottile, quando mi pose la domanda fatidica. *Lascerai che sia io a effettuare l'arresto?* Avrei risposto di sì, al di là delle circostanze. Sicuramente. Anche se fosse stato un energumeno brutto e grosso del Texas o del Minnesota sull'attenti nel mio ufficio, avrei detto di sì. Era stata lei a svolgere il lavoro, lei si meritava il riconoscimento. A quel tempo ero vagamente interessato all'idea di far carriera, forse meno di tanti altri, ma qualsiasi struttura che abbia un sistema piramidale ti invoglia a scalarlo. Perciò ero vagamente interessato. Non ero però il tipo che si assumeva il merito dei subordinati per farsi bello, non lo ero mai stato. Se qualcuno operava bene, se faceva un buon lavoro, ero contento di farmi da parte e di lasciare che ottenesse la sua ricompensa. È un principio a cui mi sono attenuto per tutta la carriera. Potevo sempre consolarmi godendo di luce riflessa. In fondo, era la mia compagnia e c'era una specie di riconoscimento collettivo. Almeno qualche volta.

In ogni modo, mi piaceva molto l'idea che un sottufficiale della Polizia militare arrestasse un tenente colonnello dell'intelligence, perché sapevo che un personaggio come Quinn non l'avrebbe mai sopportato. L'avrebbe ritenuta un'umiliazione estrema. Un uomo che si comprava barche e Lexus e che indossava polo eleganti non avrebbe mai voluto essere incastrato da un maledetto *sergente*.

«Lascerai che sia io a effettuare l'arresto?» ripeté lei.

«Voglio che sia tu a farlo», risposi.

«È una questione puramente legale», obiettò Duffy.

«Non per me», replicai.

«Non abbiamo alcuna autorità.»

«Io non lavoro per voi.»

«È un suicidio», intervenne Eliot.

«Finora sono sopravvissuto.»

«Solo perché abbiamo interrotto le linee telefoniche.»

«Le linee telefoniche sono acqua passata», dissi. «Il problema delle guardie del corpo si è risolto da sé, per adesso non mi serve più alcun supporto.»

«Tutti hanno bisogno di un supporto. Senza, non puoi operare sotto copertura.»

«Il supporto dell'ATF è stato davvero utile alla cameriera», commentai.

«Ti abbiamo prestato la macchina, ti abbiamo aiutato in ogni fase.»

«Ora le macchine non mi servono più. Beck mi ha dato una copia delle chiavi, una pistola e munizioni. Adesso sono il suo braccio destro. Si fida di me per la protezione della sua famiglia.»

Non dissero nulla.

«Sono a un passo dall'inchiodare Quinn», continuai. «Non mi ritirerò proprio adesso.»

«E posso riportarvi Teresa Daniel», aggiunsi.

«Può farlo l'ATF», osservò Eliot. «Se andiamo all'ATF, noi e i nostri verremo sollevati da qualsiasi responsabilità. La cameriera era una di loro, non una di noi. E tutto si risolverà.»

«L'ATF non reagirà rapidamente», osservai. «Teresa verrà presa tra due fuochi.»

Poi ci fu un lungo silenzio.

«Lunedì», disse Villanueva. «Resteremo fino a lunedì. Quel giorno al più tardi dovremo informare l'ATF.»

«Dovremmo informarla adesso», insistette Eliot.

«Sì. Ma non lo faremo e, se necessario, mi accerterò che

questo non accada. Dico di dare tempo a Reacher fino a lunedì», replicò Villanueva.

Eliot non aggiunse altro. Distolse solo lo sguardo. Duffy posò la testa sul cuscino e fissò il soffitto.

«Merda», esclamò.

«Lunedì sarà tutto finito», dissi. «Vi riporterò qui Teresa, poi ve ne tornerete a casa e farete tutte le telefonate che vorrete.» Lei restò zitta per un buon minuto e infine parlò.

«D'accordo», affermò. «Torna ed è meglio che lo faccia subito: sei via da molto tempo, il che di per sé è sospetto.»

«Va bene», risposi.

«Prima però pensaci», aggiunse. «Ne sei assolutamente certo?»

«Non sei responsabile di me», dichiarai.

«Non m'importa», replicò Duffy. «Rispondi alla domanda: ne sei certo?»

«Sì.»

«Adesso ripensaci ancora. Ne sei sempre certo?»

«Sì», ripetei.

«Saremo qui», disse. «Chiamaci se avrai bisogno di noi.»

«Va bene.»

«Sempre certo?»

«Sì.»

«Allora va'.»

Non si alzò. Nessuno di loro lo fece. Mi tirai su dal letto e uscii dalla stanza silenziosa. Ero a metà strada tra il motel e la Cadillac quando Terry Villanueva mi rincorse. Mi fece cenno di aspettare e mi si avvicinò. Era rigido e lento per l'età.

«Fammi partecipare», disse. «In qualsiasi modo. Voglio esserci.»

Non risposi nulla.

«Ti posso dare una mano», aggiunse.

«Lo hai già fatto.»

«Devo fare di più, per la ragazza.»

« Duffy? ».

Scosse la testa. « No, Teresa. »

« Sei legato a lei? »

« Sono responsabile », rispose.

« In che modo? »

« Ero il suo tutor », spiegò. « Funzionava così. Sai di che si tratta? »

Annuii. Sapevo esattamente, perfettamente e chiaramente come funzionasse.

« Teresa ha lavorato per me per un po' », disse. « L'ho addestrata, avviata alla professione, in sostanza. Poi ha fatto carriera. Però dieci settimane fa è tornata da me per chiedermi se accettare la missione. Aveva dei dubbi. »

« Tu le hai detto di sì. »

Assentì. « Come un maledetto imbecille. »

« Avresti davvero potuto fermarla? »

Lui assentì di nuovo. « Probabilmente. Mi avrebbe ascoltato se le avessi spiegato bene le ragioni per non farlo. Avrebbe preso la sua decisione, ma mi avrebbe ascoltato. »

« Capisco », dissi.

Ed era vero, lo capivo bene. Lo lasciai lì nel parcheggio del motel e m'infilai in macchina. Villanueva mi guardò allontanarmi.

Rimasi sulla Uno per tutto il tragitto, attraversando Biddeford, Saco, Old Orchard Beach, e poi mi diressi a est sulla lunga strada solitaria che conduceva alla villa. Mentre mi avvicinavo, controllai l'ora: calcolai di essere stato via un paio d'ore, delle quali solo quaranta minuti sarebbero stati giustificati. Venti per andare al magazzino e venti per tornare. Ma non pensavo di dover dare spiegazioni a chicchessia: Beck non avrebbe mai saputo che non ero rientrato subito e gli altri non avrebbero mai saputo che avrei dovuto farlo. Pensavo d'essere arrivato al finale di partita, prossimo ormai alla vittoria.

Ma mi sbagliavo.

Lo capii prima che Paulie aprisse del tutto il cancello. Uscì dalla guardiola e si avvicinò per azionare il chiavistello. Indossava un vestito senza cappotto. Sollevò il chiavistello spingendolo verso l'alto con il pugno. Tutto a quel punto era ancora normale. Lo avevo visto aprire il cancello una decina di volte e non stava facendo niente di diverso dal solito. Lo afferrò per le sbarre e lo tirò, ma prima di arrivare a metà si fermò di colpo. Aveva creato spazio sufficiente per passarvi attraverso con la sua gigantesca mole. Avanzò venendomi incontro e puntò in direzione del mio finestrino. Quando fu a due metri dalla macchina si fermò e sorridendo estrasse due pistole dalle tasche. Accadde in meno di un secondo. Due tasche, due mani, due pistole. Erano le mie Colt Anaconda. L'acciaio appariva opaco nella luce grigia. Vidi che erano entrambe cariche: da ogni alloggiamento ammiccavano le camicie di rame lucide dei proiettili a punta schiacciata. Erano Remington 44 Magnum, ne ero certo. Incamiciati, diciotto dollari per una confezione da venti più le tasse. Novantacinque centesimi l'uno. Erano dodici. Undici dollari e quaranta centesimi di munizioni di precisione, pronte per essere sparate, cinque dollari e settanta centesimi in ogni mano. Ed erano molto ferme, le sue mani: immobili come pietre. La sinistra puntava un po' più avanti rispetto alla gomma anteriore della Cadillac, la destra direttamente alla mia testa. Le dita stringevano saldamente il grilletto. La bocca delle canne non si muoveva per niente, nemmeno impercettibilmente. Paulie era come una statua.

Agii come d'abitudine e feci un po' di conti. La Cadillac era un'auto grossa, con portiere lunghe, ma lui si era piazzato abbastanza lontano da impedirmi di colpirlo aprendo la portiera. E l'auto era ferma: se avessi premuto l'acceleratore, avrebbe sparato subito con entrambe le pistole. Il proiettile di quella che impugnava con la destra avrebbe forse mancato la mia testa, ma la gomma anteriore della macchina sarebbe finita esattamente nella traiettoria della cartuccia di sinistra. Sarei finito violentemente contro il cancello, avrei perso velocità e con una gomma anteriore a terra e forse lo sterzo danneggiato sarei stato un facile bersaglio. Lui avrebbe sparato altre dieci volte e, anche se non mi avesse ucciso subito, mi avrebbe ferito gravemente. Con l'auto danneggiata, avrebbe anche potuto aspettare che mi dissanguassi mentre ricaricava le pistole.

Avrei potuto innestare la retromarcia e partire sgommando, ma in quasi tutte le macchine la retromarcia ha un rapporto piuttosto basso, quindi mi sarei mosso in modo relativamente lento. Nonché in linea retta rispetto a lui, senza spostarmi lateralmente e senza godere dei consueti vantaggi di un bersaglio mobile. E un Remington 44 Magnum esce dalla canna a una velocità di milletrecento chilometri all'ora: superarla non è facile.

Avrei potuto tentare con la Beretta, sparando molto rapidamente, all'improvviso, attraverso il vetro del finestrino, ma i vetri dei finestrini delle Cadillac sono piuttosto spessi per garantire la silenziosità dell'abitacolo. Anche se avessi estratto la pistola e sparato prima di lui, solo per puro caso sarei riuscito a colpirlo. Il vetro si sarebbe rotto, questo è certo, ma se non avessi verificato con calma che la traiettoria fosse perpendicolare al finestrino, il proiettile sarebbe stato deviato, forse in modo drastico, e lo avrei mancato in pieno. E se anche lo avessi colpito, solo per puro caso gli avrei fatto del male: mi ricordai del calcio ai reni. Se non l'avessi ferito a un occhio o al cuore, per lui sarebbe stato come una puntura d'ape.

Avrei potuto aprire il finestrino, ma sarei stato molto lento. Prevedevo esattamente quello che avrebbe fatto: mentre il vetro si abbassava, Paulie avrebbe raddrizzato il braccio e avvicinato la pistola che impugnava con la destra a un metro dalla mia testa. Anche se avessi estratto la Beretta in un lampo, avrebbe avuto un vantaggio incredibile su di me. Resta vivo, usava dire Leon Garber. *Resta vivo e vedi quello che succede in seguito.*

Fu Paulie a stabilire il seguito.

«Mettila in posizione di parcheggio», urlò.

Lo udii distintamente nonostante i vetri spessi. Spostai il cambio nella posizione di parcheggio.

«Metti la mano destra dove la possa vedere», urlò ancora. Posai il palmo destro contro il finestrino con le dita estese, come quando avevo comunicato a Duke *vedo cinque persone.*

«Apri la portiera con la sinistra», gridò.

Tastai alla cieca con la sinistra e feci scattare la maniglia, poi con la destra spinsi sul vetro e la portiera si aprì. Entrò aria fredda: la sentivo sulle ginocchia.

«Metti tutte e due le mani dove le possa vedere», intimò. Ora che non c'era più il vetro a separarci, parlava con tono più calmo. Ora che la macchina era ferma, mi puntava addosso anche la Colt di sinistra. Guardai le canne gemelle. Era come stare seduti sul ponte prodiero di una nave da guerra e osservare due cannoni. Misi le mani dove le poteva vedere.

«Scendi», ordinò.

Mi girai lentamente sul sedile di pelle e posai i piedi sull'asfalto. Mi sentivo come Terry Villanueva all'esterno del cancello del college, il mattino presto dell'undicesimo giorno.

«Alzati», disse. «Allontanati dalla macchina.»

Mi sollevai e mi allontanai. Lui mi puntò entrambe le pistole al petto. Era a un metro e mezzo da me.

«Sta' assolutamente immobile», disse.

Obbedii.

«Richard», chiamò allora.

Richard Beck uscì dalla porta della guardiola. Era pallido. Dietro di lui, nell'ombra, vidi Elizabeth Beck. Aveva la camicetta aperta sul petto e se la teneva stretta attorno a sé. Paulie sfoderò un ghigno. Fu un ghigno improvviso, demente, ma le pistole non si mossero nemmeno un po'. Rimasero ferme come sassi.

«Sei tornato un po' troppo presto», disse. «Gli stavo facendo fare sesso con sua madre.»

«Sei fuori di testa?» dissi. «Che diavolo sta succedendo?»

«Ho ricevuto una telefonata», rispose. «Questo sta succedendo.»

Sarei dovuto tornare un'ora e venti minuti fa.

«Beck ti ha chiamato?»

Lui scosse la testa.

«Non Beck», rispose. «Il mio capo.»

«Xavier?» chiesi.

«Il *signor* Xavier», precisò.

Mi fissò come per sfidarmi. Le pistole non si mossero.

«Sono andato a comprare alcune cose», spiegai. *Resta vivo e vedi quello che succede in seguito.*

«Non mi interessa quello che hai fatto.»

«Non sono riuscito a trovare quello che cercavo, per questo sono in ritardo.»

«Ci aspettavamo che lo fossi.»

«Perché?»

«Abbiamo nuove informazioni.»

A quella frase non risposi.

«Cammina all'indietro», ordinò. «Oltre il cancello.»

Tenne entrambe le pistole a poco più di un metro dal mio petto e, a mano a mano che arretravo, avanzava nella mia direzione calibrando il passo. Mi fermai a cinque metri dal cancello, nel centro del viale. Lui si portò di lato e si girò lievemente in modo da coprire me con la sinistra, Richard ed Elizabeth con la destra.

«Richard», gridò. «Chiudi il cancello.»

Tenne la Colt sinistra puntata contro di me e orientò la destra verso Richard. Vedendola muoversi, il ragazzo avanzò, afferrò il cancello e lo richiuse. Questo emise un clangore forte, metallico.

«Adesso chiudi il catenaccio.»

Richard armeggiò con il catenaccio. Lo sentivo tintinnare e sferragliare contro il ferro. Sentivo anche la Cadillac col motore al minimo, silenziosa e obbediente a una decina di metri da me, dalla parte sbagliata del cancello, e le onde del mare che sbattevano sulla costa alle mie spalle. Vidi Elizabeth Beck sulla soglia della guardiola, a tre metri dalla grossa mitragliatrice appesa alla catena. Non aveva la sicura, ma Paulie si trovava nel punto cieco. Dalla finestra posteriore non lo si vedeva.

«Chiudi il lucchetto», ordinò Paulie.

Richard lo chiuse con un colpo secco.

«Ora tu e tua madre seguite Reacher.»

Si incontrarono vicino alla porta della guardiola, si avviarono nella mia direzione e mi superarono, bianchi e tremanti. Richard aveva i capelli mossi dal vento. Gli vedevo la cicatrice. La camicetta di Elizabeth era ancora aperta. Si teneva le braccia strette al petto. Li udii fermarsi dietro di me. Udii le loro scarpe scricchiolare sull'asfalto quando si girarono. Paulie allora si portò nel centro del viale e si voltò a guardarmi in faccia. Era a tre metri di distanza. Tutte e due le canne erano puntate al mio petto, una a sinistra, l'altra a destra. I 44 Magnum camiciati mi avrebbero trapassato da parte a parte e probabilmente avrebbero fatto lo stesso con Richard ed Elizabeth. Forse sarebbero arrivati fino alla casa, spaccando un paio di finestre del pianterreno.

«Adesso Reacher aprirà le braccia», gridò Paulie.

Obbedii. Le sollevai, rigide, diritte, orientate verso il basso.

«Adesso Richard toglie il cappotto a Reacher», gridò ancora Paulie. «Lo sfilerà prendendolo dal colletto.»

Sentii le mani di Richard sul collo. Erano fredde. Afferrarono il colletto e sfilarono il cappotto, che mi scivolò sulle spalle e sulle braccia, su un polso e poi sull'altro.

«Appallottolalo», ordinò Paulie.

Sentii Richard che l'appallottolava.

«Portalo qui», gli disse Paulie.

Richard spuntò da dietro e avanzò con il cappotto appallottolato. Arrivò a un metro e mezzo da Paulie e si fermò.

«Gettalo oltre il cancello», gridò Paulie. «Molto lontano.»

Richard obbedì. Le maniche svolazzarono in aria. Il cappotto volò in alto e ricadde dall'altra parte. Udii il tonfo attutito della Beretta nella tasca quando atterrò sul cofano della Cadillac.

«Fa' lo stesso con la giacca», disse Paulie.

Richard ripeté l'operazione. La giacca atterrò accanto al cappotto, sul cofano della Cadillac. Scivolò sulla vernice lucida e finì per terra in un mucchio informe. Avevo freddo. Soffiava il vento e la mia camicia era sottile. Sentivo Elizabeth respirare alle mie spalle in modo rapido, superficiale. Richard era in piedi, immobile. A un metro e mezzo da Paulie, in attesa di altre istruzioni.

«Ora tu e la tua mamma farete cinquanta passi», gli disse Paulie. «Verso la casa.»

Richard si voltò, tornò indietro e mi superò di nuovo. Udii la madre prendere il suo stesso passo e allontanarsi insieme a lui. Girai la testa e li vidi fermarsi a circa quaranta metri. Al che mi voltai di nuovo in avanti. Paulie camminò a ritroso verso il cancello: un passo, due, tre. Si fermò a un metro e mezzo dalle sbarre, con la schiena rivolta in quella direzione. Era a cinque metri da me e immaginai che oltre la mia spalla potesse vedere anche Richard ed Elizabeth, quaranta metri più in là, in lontananza. Eravamo tutti perfettamente allineati sul viale, Paulie vicino al cancello, rivolto verso la casa, Richard ed Elizabeth a metà strada, rivolti verso di lui, io in mezzo, rivolto verso Paulie, impegnato a restare vivo e a vedere quello che sarebbe successo in seguito. Lo fissai dritto negli occhi.

Lui sorrise.

«Bene», disse. «Adesso guarda attentamente.»
Rimase sempre girato nella mia direzione mantenendo il contatto visivo. Si accucciò e posò entrambe le pistole sull'asfalto, ai suoi piedi, poi le spinse verso il cancello. Udii l'acciaio sfregare sulla superficie ruvida e le vidi fermarsi a un metro di distanza, alle sue spalle. Le sue mani si sollevarono, vuote. Paulie si rialzò e mi mostrò i palmi.

«Niente armi», disse. «Ti pesterò a morte.»

12

Sentivo ancora la Cadillac. Il motore girava ozioso al mini-mo. Sentivo il sussurro discontinuo del V-8, il borbottio vago, liquido dei tubi di scappamento e le cinghie di trasmissione che giravano lente sotto il cofano.

«Le regole», esclamò Paulie. «Se mi superi, arrivi alle pistole.»

Rimasi in silenzio.

«Se arrivi alle pistole, le puoi usare», gridò ancora.

Continuai a tacere. Lui sorrise.

«Capito?» domandò.

Annuii guardandolo negli occhi.

«Bene», disse. «Io non toccherò le pistole a meno che tu non scappi. Se lo farai, le prenderò e ti sparerò alla schiena. È giusto, no? Adesso mi devi affrontare e combattere.»

Non parlai.

«Da uomo», aggiunse.

Restai sempre zitto. Avevo freddo senza giacca e senza cappotto.

«Da ufficiale e gentiluomo», affermò.

Lo guardai negli occhi.

«Le regole sono chiare?» domandò.

Non risposi. Avevo il vento di schiena.

«Le regole sono chiare?» ripeté.

«Come il sole», dissi.

«Scapperai?» chiese.

Non risposi.

«Io penso di sì», affermò. «Perché sei un frocetto.»

Non reagii.

«Un frocetto di ufficiale», aggiunse. «Un figlio di puttana che se ne sta comodo nelle retroguardie. Vigliacco.»

Rimasi fermo dov'ero. Avrebbe potuto insultarmi a piacimento. *Bastoni e pietre mi possono anche spezzare le ossa, ma le parole non mi faranno mai male.* Dubitavo inoltre che conoscesse molte parole che non avessi già sentito milioni di volte: i poliziotti militari non sono mai molto originali. Esclusi la sua voce e fissai invece i suoi occhi, le sue mani e i suoi piedi, riflettendo attentamente. Conoscevo molto di lui e niente di quello che sapevo era confortante: era grosso, squilibrato e veloce.

«Maledetta spia dell'ATF», gridò.

Non proprio, pensai.

«Eccomi, arrivo», urlò.

Non si mosse e io nemmeno. Rimasi fermo dov'ero. Era pieno di metanfetamine e steroidi, aveva gli occhi fiammeggianti di rabbia.

«Vengo a prenderti», cantilenò.

Eppure non si mosse. Era pesante. Pesante e forte, molto forte. Se mi avesse colpito sarei finito a terra e se fossi finito a terra non mi sarei mai più rialzato. Lo osservai. Avanzò sui talloni, muovendosi rapido, fece una finta a sinistra e si bloccò. Io rimasi fermo dov'ero e lo studiai, riflettendo attentamente. Pesava cinquanta, settanta chili più della norma, forse anche di più, perciò era sì veloce, ma non lo sarebbe stato a lungo.

Feci un bel respiro.

«Elizabeth mi ha detto che non ti si rizza», esclamai.

Lui mi fissò. Sentivo ancora la Cadillac e le onde: s'infrangevano lontano, dietro la casa.

«Sei grande e grosso», aggiunsi. «Ma non dappertutto.»

Nessuna reazione.

«Scommetto che il mio mignolo sinistro è più grande», proseguii.

Lo sollevai tenendolo semipiegato verso il palmo.

«E più duro.»

Paulie si rabbuiò e parve gonfiarsi. Poi scattò. Si lanciò in avanti muovendo esageratamente il braccio destro per assestarmi un poderoso gancio. Io schivai il suo corpo, mi chinai sotto il braccio, mi rialzai di scatto e mi girai. Lui si fermò di colpo con le gambe rigide e ruotò veloce nella mia direzione. Ci eravamo scambiati di posto: adesso ero più vicino io alle pistole di quanto non lo fosse lui. Cadde in preda al panico e partì di nuovo all'attacco con la stessa mossa. Fece ondeggiare il braccio destro, io lo schivai, mi chinai e tornammo al punto di partenza. Ma ora respirava un po' più affannosamente di me.

«Inefficace come una merda secca», esclamai.

Era un insulto che avevo sentito da qualche parte, forse in Inghilterra. Non avevo idea di che cosa volesse dire esattamente, ma con certi tipi funzionava molto bene, e con Paulie funzionò a meraviglia. Mi attaccò di nuovo senza indugio usando la stessa identica mossa. Stavolta gli conficcai un gomito nel fianco mentre mi giravo sotto il braccio, ma non ottenni alcun effetto. Si girò con un salto a ginocchia unite e partì all'attacco. Lo schivai e sentii il movimento dell'aria mentre il suo gigantesco pugno mi passava a un paio di centimetri dalla testa.

Rimasi lì, ansimando. Mi stavo riscaldando proprio bene e stavo cominciando a pensare di avere qualche possibilità di vincere. Paulie era un pessimo lottatore. Molti uomini grandi e grossi lo sono: o le loro dimensioni incutono tanto timore che stroncano sul nascere qualsiasi velleità di combattere o permettono loro di sconfiggere chiunque col primo pugno andato a segno. A ogni modo, non si esercitano molto e non sviluppano una grande abilità. Inoltre, perdono la forma. Pesi e tapis roulant non ti possono dare quella forma che ti serve per combattere in strada, plasmata dall'urgenza, dall'ansia, dal panico che ti prende alla gola, dalla velocità elevata e dai fiumi di adrenalina. Immaginai che Paulie ne fosse il chiaro esempio e avesse sollevato tanti pesi da perderla completamente.

Gli mandai un bacio.

Lui si lanciò contro di me con la forza di un battipalo. Io lo schivai gettandomi a sinistra e gli ficcai un gomito in faccia. Lui mi toccò con la mano sinistra e mi scaraventò di lato come se non pesassi niente. Caddi su un ginocchio e mi rialzai appena in tempo per evitarne la mossa forsennata seguente. Il pugno di Paulie mancò il mio ventre di mezzo centimetro. La spinta selvaggia lo catapultò in avanti e verso il basso, portando la sua tempia all'altezza giusta per un gancio sinistro. Lo sferrai con tutta la forza che avevo in corpo. Il pugno lo colpì poderoso all'orecchio e lui vacillò all'indietro. Gli sferrai subito un destro colossale alla mandibola, poi arretrai saltellando, inspirai e cercai di vedere quali danni avessi inflitto.

Nessun danno.

Lo avevo colpito quattro volte ed era come se non l'avessi mai fatto. I due colpi con i gomiti erano stati decisi, i due pugni tra i più potenti che avessi tirato in vita mia. Aveva il labbro superiore insanguinato per la seconda gomitata, ma non c'erano altri segni di lesioni. In teoria, avrebbe dovuto perdere conoscenza, entrare in coma. Erano forse passati trent'anni dall'ultima volta che avevo colpito un uomo quattro volte. Lui però non sembrava accusare dolore o preoccupazione. Non era in stato di incoscienza né in coma. Saltellava di qua e di là sorridendo. Ed era rilassato. Si muoveva con disinvoltura, gigantesco, incrollabile. *Non c'era modo di ferirlo.* Lo guardai e capii con certezza che non avevo alcuna possibilità. Lui mi guardò e capì esattamente ciò che stavo pensando. Il suo sorriso si allargò. Si bilanciò sui talloni dei piedi, curvò bene le spalle e tese le braccia in avanti a mo' di chele. Avanzò battendo i piedi sul terreno, sinistro, destro, sinistro, destro: era come se lo tastasse con due zampe enormi, come se volesse afferrarmi e farmi a pezzi. Il sorriso si piegò in un ghigno ampio, spaventoso, di piacere.

Puntò dritto su di me e io lo evitai gettandomi a sinistra. Lui però si aspettava la mossa e mi assestò un gancio destro in pieno petto. Ebbi proprio la sensazione d'essere colpito da un sollevatore di pesi di centottanta chili che si muoveva alla velocità di dieci chilometri all'ora. Pensai che mi avesse fratturato lo sterno e che il cuore si fermasse per il trauma. Persi l'equilibrio e atterrai di schiena. A quel punto si trattò di scegliere se vivere o morire e io scelsi di vivere. Rotolai due volte su me stesso, spinsi con le mani e mi misi in piedi. Saltai indietro e di lato e schivai un diretto che mi avrebbe ucciso.

Dopo, fu questione di restare vivo e di vedere quello che sarebbe successo in seguito. Il petto mi faceva molto male e la mia mobilità era calata, ma schivai tutte le sue mosse per circa un minuto. Era veloce, ma non aveva alcuna abilità. Gli cacciai un gomito in faccia e gli fracassai il naso. Avrebbe dovuto farglielo uscire dalla nuca. Almeno però iniziò a sanguinare. Paulie aprì la bocca per respirare. Io schivavo, saltellavo e aspettavo. Mi presi un gancio poderoso alla spalla sinistra che per poco non mi paralizzò il braccio, poi mi mancò per un soffio con un destro e per una frazione di secondo si ritrovò con le difese abbassate. Aveva la bocca aperta per via del sangue che gli colava dal naso. Portai indietro il braccio e gli tirai un pugno da sigaretta. Era un trucco da rissa da bar che avevo imparato molto tempo prima: offri una sigaretta a qualcuno, lui la prende, la porta alle labbra e apre la bocca di un paio di centimetri. Nel frattempo calcoli la mossa con precisione e gli sferri un possente uppercut al mento, che gli chiude di colpo la bocca fracassandogli mandibola e denti e tranciandogli forse anche la lingua. *Grazie e buonanotte.* Non avevo bisogno di offrire una sigaretta a Paulie perché aveva già la bocca aperta, così tirai il montante con tutta la forza che avevo. Fu un colpo perfetto. Ero ancora in grado di pensare e ben saldo sui piedi. Nonostante sembrassi piccolo al suo confronto, sono un uomo piuttosto grosso con un buon allenamento e molta esperienza. Sferrai il pugno proprio nel punto in cui la mandibola si restringeva, sotto il mento. Un contatto netto, osso contro osso. Mi sollevai sulla punta dei piedi e portai a termine la mossa per un buon metro. Avrebbe dovuto spezzargli collo e mandibola. La testa si sarebbe dovuta staccare e finire rotolando sul terreno, invece il colpo non ebbe effetto. Nemmeno il più lieve. Lo fece solo barcollare all'indietro di qualche centimetro. Scosse la testa una volta e mi colpì in faccia. Vidi arrivare il colpo e feci quello che andava fatto: reclinai subito la testa e spalancai la bocca in modo da non perdere due file di denti. Dato che stavo spostando indietro la testa, attutii in parte il colpo, ma l'impatto fu ugualmente tremendo. Fu come essere investito da un treno, come avere un incidente d'auto. Le luci si spensero, caddi violentemente a terra e persi l'orientamento, tanto che sentii l'asfalto venirmi addosso e colpirmi come un secondo forte pugno alla schiena. L'aria mi fuoriuscì dai polmoni e vidi uno schizzo di sangue zampillarmi dalla bocca. Picchiai la nuca al suolo e il cielo sopra di me si oscurò.

Cercai di muovermi, ma era come una macchina che non parte al primo giro della chiave. *Clic... niente.* Persi mezzo secondo. Avevo il braccio sinistro tanto debole che usai il destro e mi sollevai a metà. Raccolsi le gambe e mi alzai. Mi sentivo stordito, avevo perso la lucidità. Paulie invece era in piedi, immobile, e sorrideva.

Capii che si sarebbe preso tutto il tempo del mondo per farmi fuori, che si sarebbe divertito.

Guardai le pistole: erano sempre alle sue spalle, non le potevo raggiungere. Lo avevo colpito sei volte e ora mi stava deridendo. Lui mi aveva colpito tre volte ed ero malridotto e piuttosto scosso. Sarei morto: lo capii con improvvisa chiarezza. Sarei morto ad Abbot, nel Maine, in una grigia mattinata di sabato di fine aprile. Metà di me diceva: Ehi, tutti dobbiamo morire. Che importa dove e quando? Ma l'altra metà ribolliva di quella furia e di quell'arroganza che avevano alimentato buona parte della mia vita. *Lasci che quel tizio ti faccia fuori?* Seguii con attenzione il dialogo interiore e presi la mia decisione. Sputai il sangue, inspirai profondamente e mi rianimai. La bocca mi faceva male. La testa mi faceva male. La spalla mi faceva male. Il petto mi faceva male. Avevo la nausea e mi sentivo stordito. Sputai di nuovo e mi passai la lingua sui denti: mi sembrava quasi di sorridere. *Dai, guarda il lato positivo.* Non avevo ferite letali, non ancora. Non mi aveva sparato, perciò sorrisi davvero, sputai per la terza volta e mi dissi: va bene, morirò combattendo.

Paulie stava ancora sorridendo. Aveva del sangue sulla faccia, ma a parte quello pareva del tutto normale. La cravatta era ancora a posto e indossava ancora la giacca del vestito. Sembrava sempre avere due palle da basket sotto le spalle. Mi guardò mentre mi riprendevo, sfoderò un sorriso ancora più ampio, si chinò e ripeté il numero delle chele, avanzando con passi pesanti. Calcolai che avrei potuto evitarlo ancora una volta o due, forse tre se fossi stato fortunato, poi sarebbe finita. Morto nel Maine, un sabato di aprile. Vidi mentalmente Dominique Kohl e le dissi: ci ho provato, Dom, sul serio. Poi lo vidi muoversi. Si girò, camminò per tre metri, si voltò di nuovo e corse dritto verso di me, a gran velocità. Lo evitai e il lembo della sua giacca mi sbatté addosso quando passò. Con la coda dell'occhio vidi Richard ed Elizabeth che stavano a guardare, in lontananza. Avevano la bocca aperta, come se dicessero: *Morituri te salutant.* Paulie cambiò rapido direzione e mi caricò controvento.

Poi tuttavia decise di strafare e allora capii che alla fine avrei vinto io.

Cercò di sferrarmi un calcio da arti marziali, che è la cosa più stupida che si possa fare in un combattimento faccia a faccia all'aperto. Non appena sollevi un piede dal terreno, perdi stabilità e ti rendi vulnerabile. È come voler perdere. Paulie si avvicinò veloce con il corpo girato di lato come quegli idioti del kung-fu che si vedono in televisione. Sollevò il piede in alto e mirò, tenendolo di tallone, con la gigantesca scarpa parallela al terreno. Se mi avesse colpito, mi avrebbe ucciso, non ci sono dubbi, ma non mi colpì. Mi piegai all'indietro, gli afferrai il piede con entrambe le mani e lo sollevai in aria. *So sollevare centottanta chili alla pressa? Be', vediamo, coglione.* Con tutte le forze che avevo in corpo lo alzai dal terreno, gli sollevai il piede, dopodiché lo lasciai cadere di testa. Lui piombò a terra scomposto e stordito, con il viso rivolto nella mia direzione. La prima regola di un combattimento di strada è: quando atterri l'avversario, finiscilo senza esitazioni, senza pause, senza inibizioni. Non comportarti da gentiluomo. Lo *finisci* e basta. Paulie aveva ignorato quella regola, ma io non l'avrei fatto. Lo presi a calci in faccia più forte che potei. Il sangue prese a schizzare di qua e di là e lui si girò dalla parte opposta. Allora gli calpestai la mano destra col tallone, fracassandogli carpo, metacarpo e falangi. Poi ripetei la mossa, centodieci chili di peso morto che piombavano su ossa spezzate. Lo feci ancora e gli spaccai il polso, poi l'avambraccio.

Era un superuomo. Rotolò via e si sollevò con la sinistra. Si rimise in piedi e si allontanò. Io mi avvicinai saltellando. Lui sferrò un gancio sinistro possente, io lo parai e gli assestai un sinistro sul naso rotto. Vacillò all'indietro e gli diedi una ginocchiata nell'inguine. La sua testa si piegò in avanti e gli sferrai un altro pugno da sigaretta con la destra. Al che la testa si piegò all'indietro e ne approfittai per ficcargli un gomito in gola. Gli pestai il collo del piede una, due volte, e gli conficcai i pollici negli occhi. Lui arretrò di scatto e io gli tirai un calcio nell'incavo del ginocchio destro: la gamba si piegò e lui piombò di nuovo a terra. Con il piede sinistro gli immobilizzai il polso sinistro. Aveva il braccio destro ormai fuori uso: penzolava inerte. Era inchiodato, a meno che non fosse riuscito a spostare centodieci chili con un rovescio dato con il solo braccio sinistro. Il che gli era impossibile. Immaginai che gli steroidi arrivassero fin lì. Perciò gli pestai la mano destra con il piede destro finché vidi le ossa fratturate perforare la pelle. Allora mi girai, feci un salto e gli atterrai in pieno sul plesso solare. Scesi e lo presi a calci con forza sulla sommità della testa: una, due, tre volte. Poi ancora, una quarta volta, con tale violenza che la scarpa si aprì e il dispositivo e-mail cadde a terra scivolando sull'asfalto. Si fermò proprio nel punto in cui era atterrato il cercapersone di Elizabeth Beck quando l'avevo lanciato dalla Cadillac. Paulie lo seguì con gli occhi e lo fissò. Gli diedi un altro calcio in testa.

Si mise a sedere. Si tirò su con la forza dei robusti addominali. Entrambe le braccia gli penzolavano inerti lungo i fianchi. Gli afferrai il polso sinistro e gli ruotai il gomito all'esterno fino a dislocare e fratturare l'articolazione. Lui sollevò il polso destro rotto e mi colpì con la mano insanguinata. Io la presi con la sinistra e strinsi le nocche spezzate: lo fissai negli occhi e schiacciai. Non emise un solo verso. Sempre tenendogli la mano viscida, gli ruotai il gomito destro verso l'esterno e premetti col ginocchio finché non lo sentii fratturarsi. Dopodiché mi pulii le mani sui suoi capelli e mi allontanai. Raggiunsi il cancello e presi le Colt.

Lui si alzò con un movimento goffo. Aveva le braccia inutilizzabili, perciò avvicinò i piedi ai glutei e si sollevò con un salto. Aveva il naso fracassato e il sangue gli usciva a fiumi dalla ferita. Gli occhi erano rossi, infuriati.

«Cammina», dissi. Ero senza fiato. «Verso gli scogli.»

Lui rimase fermo come un bue stordito. Avevo la bocca piena di sangue e qualche dente mi dondolava. Non ero soddisfatto, per niente. Non lo avevo sconfitto: si era sconfitto da solo con quella mossa idiota da kung-fu. Se mi avesse sferrato un colpo con le braccia, sarei morto nel giro di un minuto e lo sapevamo entrambi.

«Cammina», ripetei. «Altrimenti ti sparo.»

Lui sollevò il mento come per fare una domanda.

«Entrerai in acqua», dissi.

Paulie non si mosse. Non volevo sparargli. Non volevo dover trascinare una carcassa da centottanta chili per un centinaio di metri fino al mare. Lui rimase immobile e la mia mente si mise all'opera per risolvere il problema. Le Cadillac avevano il gancio di traino? Non ne ero certo.

«Cammina», ripetei.

Vidi Richard ed Elizabeth avanzare verso di me compiendo un ampio cerchio. Volevano portarsi alle mie spalle senza avvicinarsi troppo a Paulie. Era come se fosse una figura mitica, come se fosse capace di tutto. Aveva le braccia spezzate, ma lo stavo osservando come se fosse questione di vita o di morte. In fondo era vero. Se mi avesse caricato e buttato a terra, mi avrebbe potuto schiacciare a morte a suon di ginocchiate. Iniziai a pensare che le Colt non gli avrebbero fatto nulla. Lo immaginai mentre mi assaliva: gli scaricavo addosso i dodici colpi e vedevo che, pur colpendolo, non ne rallentavano la corsa.

«Cammina», dissi.

Lui obbedì. Si girò e si avviò lungo il viale. Io lo seguii a dieci passi di distanza. Richard ed Elizabeth avanzarono ancora sull'erba. Li superammo e loro mi si accodarono. All'inizio pensai di dir loro di restare dov'erano, poi conclusi che avevano il diritto di assistere, ognuno a suo modo.

Paulie seguì la rotonda. Sembrava sapere dove volessi portarlo e non pareva importargli. Passò accanto al garage e si diresse dietro la casa, verso gli scogli. Io lo seguivo sempre a dieci passi di distanza. Zoppicavo perché avevo perso il tacco della scarpa destra, e avevo il vento in faccia. Il mare batteva fragoroso tutt'intorno a noi: era mosso, infuriato. Paulie arrivò fino alla punta dove c'era la spaccatura di Harley. Lì si fermò, rimase immobile per qualche secondo, poi si girò nella mia direzione.

«Non posso nuotare», disse. Biascicò le parole. Gli avevo rotto qualche dente e sferrato un forte colpo alla gola. Il vento gli ululava attorno e gli sollevò i capelli, aggiungendo un altro paio di centimetri alla sua statura. Gli spruzzi delle onde lo superarono giungendo fino a me.

« Non c'è bisogno che nuoti », risposi.

Gli sparai dodici volte al petto. Tutti i dodici proiettili lo trapassarono, seguiti da grossi pezzi di carne e muscolo che finirono anch'essi nell'oceano. Un uomo, due pistole, dodici forti esplosioni, undici dollari e quaranta centesimi di munizioni. Cadde all'indietro nell'acqua con un gran tonfo. Il mare era agitato, ma la marea non era quella giusta, non lo trascinava via. Paulie rimase lì a galleggiare nell'acqua torbida. L'oceano tutt'intorno divenne rosato. Lui continuò a galleggiare, statico. Poi cominciò a muoversi verso l'esterno molto lentamente, sollevandosi e abbassandosi brusco sulle onde. Galleggiò per un minuto intero, due, mentre veniva trascinato per tre, sei metri. Si girò a faccia all'ingiù con un forte risucchio e prese a ruotare nella corrente prima lento, poi più veloce. Era intrappolato poco al di sotto della superficie dell'acqua. La sua giacca era fradicia e gonfia per l'aria che vi si raccoglieva, passando dai dodici fori di proiettile. L'oceano lo sballottava su e giù come se non pesasse nulla. Posai entrambe le pistole scariche sugli scogli, mi accovacciai e vomitai in acqua. Rimasi chino, tutto ansimante, e lo guardai galleggiare, ruotare, allontanarsi sempre più. Richard ed Elizabeth si tenevano a sei metri da me. Mi sciacquai il viso con un po' d'acqua fredda e salata, poi chiusi gli occhi e li tenni così a lungo, molto a lungo. Quando li riaprii, guardai la superficie agitata del mare e vidi che non c'era più. Era finalmente andato sotto.

Rimasi ancora accucciato ed espirai. Controllai l'ora. Erano soltanto le undici. Guardai l'oceano per un po': s'innalzava e si abbassava. Le onde s'infrangevano e m'investivano con i loro spruzzi. Vidi di nuovo la sterna artica: era tornata e stava cercando ancora un luogo dove fare il nido. Avevo la mente vuota. Poi iniziai a pensare, a valutare le cose, la nuova situazione. Riflettei per cinque minuti buoni e alla fine mi sentii piuttosto ottimista. Tolto di mezzo Paulie così presto, pensai che il finale di partita sarebbe stato molto più rapido e facile.

Ma anche qui mi sbagliavo.

La prima cosa che andò storta fu che Elizabeth Beck non aveva intenzione di andarsene. Le dissi di prendere Richard e la Cadillac e di tagliare la corda, ma lei si rifiutò. Rimase lì sugli scogli con i capelli sollevati dal vento e i vestiti che sventolavano.

«Questa è casa mia», disse.

«Tra poco sarà una zona di guerra», obiettai.

«Io resto.»

«Non posso permettervi di restare», replicai.

«Io non me ne vado», insistette lei. «Non senza mio marito.»

Non sapevo che dirle. Rimasi immobile a prendere freddo. Richard mi venne alle spalle, mi girò attorno e guardò prima l'oceano, poi me.

«È stato fico», disse. «Lo hai battuto.»

«No, si è battuto da solo», osservai.

In cielo volteggiavano gabbiani chiassosi. Lottavano con il vento e giravano attorno a un punto nell'oceano, una quarantina di metri più lontano. Si buttavano in picchiata e beccavano le creste delle onde. Stavano mangiando i brandelli galleggianti di Paulie. Richard li guardava con occhi inespressivi.

«Parla con tua madre», dissi. «Devi convincerla ad andare via.»

«Io non me ne vado», ripeté Elizabeth.

«Nemmeno io», affermò Richard. «È qui che viviamo. Siamo una famiglia.»

Erano sotto shock. Non ero in grado di discutere con loro, perciò cercai di farli lavorare. Ci avviammo verso il viale con passo lento e tranquillo. Il vento sferzava i nostri abiti e io zoppicavo per via della scarpa. Mi fermai dove iniziavano le gocce di sangue e recuperai l'apparecchio e-mail. Era rotto. Lo schermo di plastica era fessurato e non si accendeva più. Lo infilai in tasca, poi trovai il tacco di gomma, mi sedetti a gambe incrociate sul terreno e lo rimisi a posto. Dopo, camminare mi fu più facile. Raggiungemmo il cancello. Tolsi il catenaccio, lo aprii, mi misi giacca e cappotto. Abbottonai quest'ultimo e sollevai il colletto. Portai dentro la Cadillac e la parcheggiai accanto alla porta della guardiola. Richard chiuse di nuovo il cancello col catenaccio. Entrai dentro, aprii la culatta della mitragliatrice russa e tolsi il nastro con le cartucce. La portai fuori nel vento e la misi di lato sul sedile posteriore della Cadillac. Rientrai, sistemai il nastro nella sua scatola, staccai la catena dall'uncino e svitai questo dal travetto. Portai scatola, catena e uncino fuori e li caricai nel bagagliaio della Cadillac.

« Posso aiutarti in qualche modo? » chiese Elizabeth.

« Ci sono altre venti casse di munizioni », risposi. « Le voglio tutte. »

« Io là dentro non vado », disse. « Mai più. »

« Allora non credo che mi possa aiutare », replicai.

Portai due scatole alla volta, perciò dovetti fare dieci viaggi. Avevo sempre freddo e male dappertutto. Sentivo ancora il sapore del sangue in bocca. Impilai le scatole nel bagagliaio e sul pavimento, nel pozzetto anteriore e in quelli posteriori. Poi m'infilai al posto di guida e inclinai il retrovisore: avevo le labbra spaccate e le gengive orlate di sangue. I denti anteriori mi dondolavano. Ero molto preoccupato: erano da sempre mal allineati e vagamente scheggiati, ma li avevo dall'età di otto anni. Mi ero abituato a quei denti ed erano gli unici che avevo.

« Stai bene? » domandò Elizabeth.

Mi tastai la nuca. C'era un punto dolente là dove avevo picchiato la testa sul viale, e una brutta ecchimosi sul lato della spalla sinistra. Mi faceva male il petto e respirare non era del tutto indolore, ma nel complesso stavo bene. Ero più in forma di Paulie e quella era l'unica cosa che contasse. Col pollice spinsi i denti nelle gengive e li tenni lì.

« Mai stato meglio », risposi.

« Hai il labbro tutto gonfio. »

« Sopravvivrò. »

« Dovremmo festeggiare. »

Scesi dall'auto.

« Dovremmo parlare della vostra partenza », replicai.

Lei non disse nulla. Il telefono all'interno della guardiola iniziò a suonare. Aveva un trillo antiquato, basso, lento, rilassante. Sembrava debole, lontano, attutito dal rumore del vento e del mare. Suonò una, due volte. Girai attorno al cofano della Cadillac, entrai e sollevai il ricevitore. Dissi il nome di Paulie, attesi un istante e udii la voce di Quinn per la prima volta dopo dieci anni.

« Si è già fatto vedere? » disse.

Tacqui per un attimo.

« Dieci minuti fa », risposi tenendo la mano sul microfono e parlando con voce alta e lieve.

« È già morto? » chiese Quinn.

« Cinque minuti fa », risposi.

« Bene, tieniti pronto. Sarà una giornata lunga. »

Hai proprio ragione, pensai. Poi la comunicazione s'interruppe. Riagganciai e uscii fuori.

« Chi era? » domandò Elizabeth.

« Quinn », risposi.

La prima volta che sentii il nome di Quinn era stato dieci anni prima, in un nastro registrato. Kohl stava effettuando un'intercettazione. Non era autorizzata, ma a quell'epoca la legge militare era molto più liberale rispetto a quella civile. La cassetta era un pezzo di plastica trasparente che lasciava intravedere le piccole bobine all'interno. Kohl aveva con sé un registratore grande quanto una scatola da scarpe. Vi inserì la cassetta e premette un tasto. Il mio ufficio fu invaso dalla voce di Quinn: stava parlando a una banca offshore, dando disposizioni finanziarie. Sembrava rilassato. Parlava in modo chiaro e lento con l'accento neutro, standardizzato, che acquisisci quando passi un'intera vita nell'esercito. Lesse i numeri di un conto, diede le password e le istruzioni per una somma complessiva di mezzo milione di dollari. Voleva che gran parte fosse trasferita alle Bahamas.

«Spedisce il denaro per posta», disse Kohl. «Prima a Grand Cayman.»

«È sicuro?»

«Abbastanza. L'unico rischio è che lo rubino gli impiegati postali, ma l'indirizzo di destinazione è una casella postale e lo spedisce con la tariffa usata per i libri: nessuno ruba libri dalla posta, perciò gli va bene.»

«Mezzo milione di dollari sono un bel mucchio di soldi.»

«Sono un'arma di valore.»

«Davvero? Di *così tanto* valore?»

«Non credi?»

Mi strinsi nelle spalle. «A me sembrano tanti. Per un dardo qualsiasi?»

Lei indicò il registratore e l'aria tutt'intorno, pregna della voce di Quinn. «Be', è questo quello che pagano, naturalmente. Voglio dire, altrimenti come avrebbe accumulato mezzo milione di dollari? Non li ha risparmiati dallo stipendio, questo è certo.»

«Quando farai la tua mossa?»

«Domani», rispose. «Dobbiamo. Avrà il progetto finale. Gorowski dice che è la chiave di tutto.»

«Come si svolgerà?»

«Frasconi si sta occupando del siriano. Segnerà il denaro in presenza di un pubblico ministero del tribunale militare. Assisteremo tutti allo scambio. Apriremo la valigetta che

Quinn darà al siriano, subito, davanti allo stesso pubblico ministero, ne documenteremo il contenuto, cioè il progetto definitivo, poi andremo a prendere Quinn. Lo arresteremo e confischeremo la valigetta che il siriano *gli* ha dato. Il pubblico ministero assisterà all'apertura, dopo. Dentro troveremo le banconote segnate: quindi saremo stati testimoni di una transazione che abbiamo documentato. Quinn verrà inchiodato, definitivamente.»

«È a prova di bomba», commentai. «Ottimo lavoro.»

«Grazie», rispose lei.

«Frasconi se la caverà?»

«Dovrà, per forza. Io non posso trattare con il siriano. Quelli sono strani con le donne: non ci possono toccare, non ci possono guardare, a volte non ci possono nemmeno parlare, perciò se ne dovrà occupare Frasconi.»

«Vuoi che lo tenga per mano?»

«Il suo ruolo è del tutto marginale», rispose. «Non c'è molto che possa incasinare.»

«Penso che lo terrò comunque per mano.»

«Grazie», ripeté lei.

«E verrò con voi a effettuare l'arresto», aggiunsi.

Kohl rimase in silenzio

«Non vi posso mandare da soli, lo sai», aggiunsi.

Lei annuì.

«Ma gli dirò che sei tu a capo dell'indagine», affermai. «Mi assicurerò che capisca che il caso è tuo.»

«Va bene», rispose.

Premette il tasto *Stop* del registratore e la voce di Quinn s'interruppe a metà di una parola: era *dollari*, come in *duecentomila dollari*, ma ne uscì solo *doll*. Aveva un tono allegro, contento e vigile, come un uomo che si sente padrone del gioco, tutto concentrato e consapevole di vincere. Kohl estrasse la cassetta e la infilò in tasca. Poi mi ammiccò e uscì dall'ufficio.

«Chi è Quinn?» mi domandò Elizabeth Beck dieci anni dopo.

«Frank Xavier», risposi. «Un tempo si chiamava Quinn. Il suo nome completo è Francis Xavier Quinn.»

«Lo *conosci*?»

Annuii. «Perché sarei qui altrimenti?»

«Chi sei tu?»

«Uno che conosceva Frank Xavier quando si chiamava Francis Xavier Quinn.»

«Lavori per il governo.»

Scossi la testa. «È una faccenda strettamente personale.»

«Cosa accadrà a mio marito?»

«Non ne ho idea», dissi. «E in ogni caso non m'importa.»

Tornai nella minuscola guardiola di Paulie e chiusi la porta d'ingresso. Uscii e chiusi quella posteriore alle mie spalle, poi controllai il catenaccio del cancello: era a posto. Calcolai che avremmo potuto trattenere eventuali intrusi per un minuto, forse un minuto e mezzo, il che mi andava abbastanza bene. Misi la chiave del lucchetto nella tasca dei pantaloni.

«Adesso torniamo alla villa», dissi. «Mi spiace, dovrete andare a piedi.»

Mi avviai con la Cadillac lungo il viale, con le scatole di munizioni impilate alle mie spalle e al mio fianco. Vidi Elizabeth e Richard nel retrovisore che camminavano svelti fianco a fianco. Non volevano andarsene, ma non erano nemmeno molto contenti d'essere lasciati soli, quello era certo. Mi fermai davanti alla porta d'ingresso e feci retromarcia per agevolare lo scarico. Aprii il bagagliaio, presi l'uncino e la catena e corsi di sopra nella stanza di Duke. Dalla finestra si vedeva l'intero viale. Sarebbe stata una feritoia ideale. Presi la Beretta dalla tasca, tolsi la sicura e sparai un colpo nel soffitto. Vidi Elizabeth e Richard bloccarsi di colpo a una cinquantina di metri e poi iniziare a correre verso la casa. Forse pensavano che avessi sparato alla cuoca o che mi fossi ucciso. Salii su una sedia e scrostai l'intonaco fino a trovare un travetto di legno. Quindi mirai con attenzione e sparai di nuovo praticando un foro netto da nove millimetri nel legno. Vi avvitai l'uncino, vi infilai la catena e lo provai con il mio peso. Reggeva.

Tornai di sotto e aprii le portiere posteriori della Cadillac. Elizabeth e Richard arrivarono in quel momento e dissi loro di portare le scatole delle munizioni. Io presi la grossa mitragliatrice. Il metal detector dell'ingresso emise uno stridio forte, insistente. La portai di sopra, l'appesi alla catena e inserii l'estremità del primo nastro di cartucce. Girai la bocca verso il muro e sollevai la parte inferiore della finestra. Rigirai la bocca e la spostai da un lato all'altro, e dall'alto verso il basso. Copriva il muro lontano e il viale fino alla rotonda per tutta la lunghezza. Richard si fermò a guardare.

«Continua a impilare la scatole», dissi.

Mi avvicinai al tavolino, presi il telefono esterno e chiamai Duffy al motel.

«Vuoi sempre aiutarmi?» chiesi.

«Sì», rispose.

«Allora ho bisogno che veniate tutti e tre qui alla casa», dissi. «Prima possibile.»

Dopodiché non ci fu altro da fare in attesa del loro arrivo. Aspettai alla finestra, premendomi i denti con il pollice e controllando la strada. Osservai Richard ed Elizabeth che faticavano con le scatole pesanti. Osservai il cielo. Era mezzogiorno, ma stava già diventando buio. Il tempo sarebbe peggiorato ancora. Il vento rinforzava. La costa del Nordatlantico a fine aprile: imprevedibile. Elizabeth Beck entrò e posò una scatola. Respirava affannosamente e si fermò per un istante.

«Che cosa succederà?» domandò.

«Non c'è modo di saperlo», risposi.

«A che serve la mitragliatrice?»

«È una precauzione.»

«Per cosa?»

« Per gli uomini di Quinn », spiegai. « Abbiamo le spalle rivolte al mare. Potremmo avere bisogno di bloccarli sul viale. »

« Hai intenzione di sparare? »

« Se necessario. »

« E mio marito? » chiese.

« Le importa? »

« Sì. »

« Sparerò anche a lui. »

Elizabeth rimase in silenzio.

« È un criminale », affermai. « Corre i suoi rischi. »

« Le leggi che lo rendono un criminale sono incostituzionali. »

« Crede? »

« Il Secondo emendamento lo dice in modo chiaro. »

« Allora vada alla Corte suprema », replicai. « Non m'infastidisca con queste cose. »

« Una persona ha diritto di portare un'arma. »

« I trafficanti di droga no », osservai. « Non ho mai visto un emendamento che dica che è giusto sparare con armi automatiche in un quartiere affollato, usando proiettili che trapassano muri di mattoni, uno dopo l'altro. Che trapassano i passanti, uno dopo l'altro, bambini e neonati. »

Lei tacque.

« Ha mai visto un proiettile colpire un bambino? » domandai. « Non penetra dentro come un ago ipodermico: si fa strada come un ariete, schiacciando e lacerando. »

Lei tacque ancora.

« Non dica mai a un soldato che le armi sono una bella cosa », aggiunsi.

« La legge è chiara », replicò.

« Allora entri nella National Rifle Association », ribattei. « Io sto bene qui, nel mondo reale. »

« È mio marito. »

« Ha detto che si meritava di finire in prigione. »

« Sì », ammise. « Ma non di morire. »

«Lei crede?»

«È mio marito», ripeté.

«Come organizza le vendite?» domandai.

«Usa l'Interstatale 95», rispose. «Taglia il centro dei tappeti da quattro soldi e vi avvolge le armi, come in una specie di tubo o di cilindro. Le porta a Boston o a New Haven. Lì si incontra con gli acquirenti.»

Annuii. Mi ricordai delle fibre di tappeto che avevo visto in giro.

«È mio marito», disse ancora Elizabeth.

Assentii. «Se ha il buonsenso di non mettersi accanto a Quinn, potrebbe salvarsi.»

«Promettimi che si salverà e io me ne andrò con Richard.»

«Non posso promettere niente», dissi.

«Allora resto.»

Non risposi nulla.

«Non è mai stata una libera associazione», disse. «Con Xavier, intendo. Questo, lo devi capire.»

Si avvicinò alla finestra e guardò Richard, di sotto. Stava estraendo l'ultima scatola di proiettili dalla Cadillac.

«C'è stata coercizione», spiegò.

«Sì, lo avevo capito», risposi.

«Ha rapito mio figlio.»

Si mosse ancora e mi guardò dritto in faccia.

«A te cos'ha fatto?» chiese.

Vidi Kohl altre due volte quel giorno mentre preparava la fase finale della missione. Stava facendo tutto nel modo giusto. Era come una giocatrice di scacchi: non faceva niente senza pianificare le due mosse successive. Sapeva che il pubblico ministero del tribunale militare a cui avrebbe chiesto di assistere alla transazione avrebbe dovuto autoescludersi dalla corte marziale, perciò ne scelse uno inviso all'accusa. Sarebbe stato un problema in meno, dopo. Aveva contattato un fotografo per documentare visivamente il fatto e calcolato il tempo necessario per raggiungere in macchina la casa di Quinn, in Virginia. Il dossier che le avevo dato all'inizio occupava adesso due scatole di cartone. La seconda volta che la vidi le stava portando, impilate l'una sull'altra. Aveva i bicipiti contratti per lo sforzo.

« Come sta reagendo Gorowski? » le domandai.

« Non bene », rispose. « Ma domani ne sarà fuori. »

« Diventerai famosa », osservai.

« Spero di no », disse. « Tutto questo dovrà rimanere secretato. »

« Famosa nel mondo secretato », affermai. « Molta gente vedrà quelle carte. »

« Allora immagino dovrei richiedere la verifica operativa », disse. « Magari tra un paio di giorni. »

« Stasera dovremmo cenare insieme », proposi. « Dobbiamo uscire a festeggiare. Nel miglior posto che troverò. Offro io. »

« Pensavo vivessi di buoni pasto. »

« Ho risparmiato. »

« Ne hai avuto modo », osservò. « È stato un caso lungo. »

« Lungo come la fame », ribattei. « Questo è il tuo unico problema, Kohl. Sei meticolosa, ma lenta. »

Lei sorrise di nuovo e sollevò un po' di più le scatole.

« Avresti dovuto accettare di uscire con me », rispose. « Avrei potuto dimostrarti che lento può essere meglio che veloce. »

Se ne andò con le scatole. La incontrai due ore dopo in un ristorante in città. Era un posto elegante, perciò mi ero fatto la doccia e messo un'uniforme pulita. Lei arrivò con un vestito nero. Non era lo stesso dell'altra volta, non aveva i pois. Era tinta unita ed esaltava la sua bellezza, anche se non ce n'era bisogno. Sembrava una diciottenne.

« Splendido », dissi. « Penseranno che esci a cena con papà. »

«Con mio zio, forse», ribatté. «Il fratello più giovane di papà.»

Fu una di quelle cene in cui il cibo non ha importanza. Di quella serata ricordo tutto, ma non ciò che ordinai: una bistecca, forse, un piatto di ravioli, qualcosa del genere. So che mangiammo e parlammo molto, del genere di cose che probabilmente non avremmo detto a chiunque. Arrivai quasi al punto di cedere e di chiederle se volesse fermarsi in un motel, ma non lo feci. Bevemmo un bicchiere di vino a testa, poi passammo all'acqua. Volevamo restare lucidi per il giorno seguente. Pagai il conto e ce ne andammo a mezzanotte, separatamente. Lei era sveglia nonostante l'ora tarda, piena di vita, di energia e di determinazione. Ferveva di eccitazione e aveva gli occhi luccicanti. Io rimasi in strada e la guardai allontanarsi.

«Arriva qualcuno», esclamò Elizabeth Beck dieci anni dopo.

Guardai dalla finestra e vidi una Taurus grigia molto lontana. Il colore si confondeva con gli scogli e il cielo e la rendeva difficilmente distinguibile. Era forse a tre chilometri di distanza, stava spuntando da una curva e avanzava veloce. Era l'auto di Villanueva. Dissi a Elizabeth di restare lì e di tenere d'occhio Richard. Io scesi di sotto e uscii dal retro. Recuperai le chiavi di Angel Doll dal fagotto e le infilai nella tasca del cappotto. Presi anche la Glock di Duffy e i caricatori di riserva: volevo restituirglieli integri. Per me era importante. Era già nei guai fino al collo. Li misi in tasca insieme alla Beretta, raggiunsi la parte anteriore della casa e salii nella Cadillac. Andai al cancello, scesi e aspettai nascosto. La Taurus si fermò all'esterno. Vidi Villanueva al volante, Duffy al suo fianco ed Eliot dietro. Uscii allo scoperto, tolsi il catenaccio e aprii il cancello. Villanueva passò e si fermò muso contro muso davanti alla Cadillac. Poi tre portiere si spalancarono simultaneamente. Uscirono al freddo e mi fissarono.

« Che diavolo ti è successo? » chiese Villanueva.

Mi toccai la bocca. Era gonfia e dolente.

« Ho sbattuto contro una porta », dissi.

Guardò in direzione della guardiola.

« O contro un *portiere* », osservò. « Mi sbaglio? »

« Stai bene? » domandò Duffy.

« Meglio del portiere », risposi.

« Perché siamo qui? »

« Piano B », spiegai. « Andremo a Portland, ma se lì non troviamo quello che ci serve, dovremo tornare qui e attendere. Perciò due di voi verranno con me ora e l'altro resterà a presidiare il forte. » Mi voltai e indicai la casa. « La finestra centrale al primo piano ha una grossa mitragliatrice montata in modo da coprire la via di accesso. Mi serve che uno di voi stia di guardia. »

Nessuno si offrì volontario. Guardai in faccia Villanueva. Era abbastanza vecchio da aver servito sotto le armi anni addietro. Forse aveva un po' d'esperienza di grosse mitragliatrici.

« Ci pensi tu, Terry », dissi.

« Io no », rispose. « Io vengo con te a cercare Teresa. »

Lo disse con un tono che escludeva qualsiasi possibilità di discussione.

« Va bene, lo farò io », si offrì Eliot.

« Grazie », risposi. « Hai mai visto un film sul Vietnam? L'addetto alla mitragliatrice su uno Huey? Quello sei tu. Se arrivano, non cercheranno di passare per il cancello: passeranno per la finestra anteriore della guardiola, usciranno dalla porta posteriore o dalla finestra posteriore. Perciò tieniti pronto a farli fuori non appena spuntano. »

« E se è buio? »

« Torneremo prima che faccia buio. »

« Bene. Chi c'è in casa? »

« La famiglia di Beck. Sono innocui, ma non se ne vogliono andare. E la cuoca. »

«E Beck?»

«Tornerà con gli altri. Non m'importa se nella confusione se la caverà, come non m'importa se verrà colpito.»

«D'accordo.»

«Probabilmente non si faranno vedere», aggiunsi. «Hanno da fare. Questa è solo una precauzione.»

«D'accordo», ripeté.

«Tieni la Cadillac», continuai. «Noi prendiamo la Taurus.»

Villanueva risalì sulla Ford e superò in retromarcia il cancello. Io uscii a piedi con Duffy, chiusi il cancello dall'esterno, azionai il chiavistello, lo bloccai col lucchetto e gettai la chiave a Eliot.

«Ci vediamo dopo», esclamai.

Lui girò la Cadillac e lo vidi avviarsi verso la casa. A quel punto salii sulla Taurus con Duffy e Villanueva. Lei si era sistemata davanti e io mi sedetti dietro. Estrassi la Glock con i caricatori di riserva dalla tasca e glieli porsi, come in una sorta di piccola cerimonia.

«Grazie per il prestito», dissi.

Lei rimise la Glock nella fondina ascellare e i caricatori in borsa.

«Prego», rispose.

«Per prima cosa, Teresa», disse Villanueva. «Poi Quinn. Va bene?»

«Va bene», ripetei.

Svoltò sulla strada e partì verso ovest.

«Allora dove cerchiamo?» chiese.

«La scelta è fra tre posti», risposi. «Il magazzino, l'ufficio in centro città e il complesso di uffici vicino all'aeroporto. Non possono tenere una prigioniera in un ufficio del centro nel fine settimana. E il magazzino è un luogo troppo movimentato. Hanno appena ricevuto un grosso carico. Perciò io opterei per il complesso di uffici.»

«Interstatale 95 o la Uno?»

« La Uno », dissi.

Restammo in silenzio e ci portammo nell'entroterra per venticinque chilometri, poi svoltammo a nord sulla Uno in direzione di Portland.

13

Era sabato di primo pomeriggio, perciò il complesso era tranquillo. Era stato ripulito dalla pioggia e sembrava lindo e nuovo. Gli edifici metallici rilucevano come peltro sotto il cielo grigio. Perlustrammo la rete di stradine a trenta all'ora e non vedemmo nessuno. L'edificio di Quinn sembrava ben chiuso. Mentre vi passavamo accanto, mi voltai e studiai di nuovo l'insegna: XAVIER EXPORT COMPANY. Le parole erano state incise ad arte su una targa di acciaio inossidabile, ma le X gigantesche sembravano un'idea da grafico dilettante.

« Perché c'è scritto 'export'? » chiese Duffy. « Lui è certamente un importatore. »

« Come facciamo a entrare? » chiese Villanueva.

« Scassiniamo », risposi. « Una porta o una finestra posteriore, direi. »

Gli edifici erano disposti retro contro retro e davanti avevano un bel parcheggio. Per il resto nel complesso c'erano solo strade e prati delimitati da alti cordoli di calcestruzzo. Non c'erano recinzioni, da nessuna parte. L'edificio dietro quello di Quinn aveva una targa con la scritta PAUL KEAST & KRIS MADEN PROFESSIONAL CATERING SERVICES. Era chiuso e deserto. Al di là di esso vedevo bene tutto il tratto fino alla porta posteriore di Quinn, un semplice rettangolo metallico dipinto di rosso opaco.

« Non c'è nessuno », affermò Duffy.

Sul retro, accanto alla porta rossa, c'era una finestra di vetro cemento, probabilmente di un bagno. Aveva le sbarre di ferro.

« Sistema di sicurezza? » chiese Villanueva.

« In un posto nuovo come questo? » dissi. « È quasi certo. »

« Collegamento diretto con la polizia? »

« Ne dubito », risposi. « Non sarebbe furbo per uno come Quinn. Non vuole che gli sbirri mettano il naso qui ogni volta che qualche teppistello gli spacca le finestre. »

« Una società privata? »

« È quello che penso, oppure direttamente i suoi. »

« Allora come agiamo? »

« Saremo molto rapidi. Entreremo e usciremo prima che qualcuno reagisca. Possiamo arrischiarci a restare cinque, dieci minuti. »

« Uno davanti e due dietro? »

« Esatto », dissi. « Tu vai davanti. »

Gli dissi di aprire il bagagliaio, poi Duffy e io scendemmo. L'aria era fredda e umida. Tirava vento. Presi la leva per pneumatici da sotto la gomma di scorta, chiusi il bagagliaio e guardai l'auto allontanarsi. Duffy e io costeggiammo il lato della ditta di catering e attraversammo il prato divisorio avvicinandoci alla finestra del bagno di Quinn. Appoggiai l'orecchio al rivestimento metallico freddo e restai in ascolto. Niente. Poi guardai le sbarre: erano costituite da un'unica grata metallica sottile di forma rettangolare assicurata con otto bulloni a testa scanalata, due per lato, che passavano attraverso flange saldate grandi quanto un quarto di dollaro. Le teste dei bulloni erano grandi come un nichelino. Duffy estrasse la Glock dalla fondina. La sentii sfregare sul cuoio. Controllai la Beretta nella tasca del cappotto. Poi presi la leva per pneumatici a due mani. Posai l'orecchio sul rivestimento e sentii l'auto di Villanueva fermarsi davanti all'edificio. Sentii il battito del motore trasmesso dal metallo, la portiera che si apriva e si chiudeva. L'aveva lasciata accesa. Poi sentii i suoi passi sul vialetto d'accesso.

« Tieniti pronta », dissi.

Sentii Duffy muoversi alle mie spalle e Villanueva che bussava forte alla porta d'ingresso. Infilai l'estremità della leva nel rivestimento accanto a uno dei bulloni e feci una piccola tacca nel metallo. Poi la conficcai di lato nella tacca, sotto le sbarre, e feci forza, ma il bullone tenne. Passava chiaramente oltre il rivestimento ed entrava nel telaio di acciaio. Riposizionai la leva e tirai con più forza una, due volte. La testa del bullone si ruppe e le sbarre si mossero un po'. In tutto dovetti rompere sei teste di bullone, il che mi richiese circa trenta secondi. Villanueva stava ancora bussando, ma nessuno rispondeva. Quando il sesto bullone si ruppe, afferrai le sbarre e le aprii a novanta gradi come una porta. I due bulloni residui stridettero in segno di protesta. Presi di nuovo la leva per pneumatici e fracassai il vetro. Infilai la mano all'interno, trovai il fermo e aprii la finestra. Estrassi quindi la Beretta ed entrai di testa nel bagno.

Era uno stanzino di due metri per uno e venti. C'erano un water e un lavandino con un piccolo specchio senza cornice. Un cestino e una mensola con alcuni rotoli di carta igienica di scorta e un pacco di salviettine. Un secchio con uno straccio lavapavimenti appoggiato in un angolo. Il linoleum del pavimento era pulito e si sentiva un forte odore di disinfettante. Al davanzale era avvitato un piccolo dispositivo di sicurezza, ma l'edificio era ancora tranquillo: niente sirene, niente allarmi. Un allarme silenzioso. In quel momento un telefono stava squillando da qualche parte o il monitor di un computer stava lampeggiando.

Dal bagno passai in un corridoio posteriore. Lì non c'era nessuno. Era buio. Mi voltai e arretrai verso la porta sul retro. Armeggiai dietro di me senza guardare e aprii la chiusura, poi spalancai la porta. Udii Duffy entrare.

Durante l'addestramento di base aveva probabilmente passato sei settimane a Quantico e ricordava ancora bene la procedura. Tenendo la Glock con due mani, mi superò e prese posizione accanto a una porta che dal corridoio portava al resto dell'edificio. Si appoggiò con la spalla allo stipite e piegò le braccia per non intralciarmi con la pistola. Io avanzai, diedi un calcio alla porta, la varcai e mi gettai a sinistra.

Lei mi seguì e si buttò a destra. Eravamo in un altro corridoio: era stretto e correva per l'intera lunghezza dell'edificio.
Vi si aprivano varie stanze, a destra e a sinistra. Sei in tutto,
tre per lato. Sei porte, tutte chiuse.

«Avanti», sussurrai. «Da Villanueva.»

Avanzammo di lato, schiena contro schiena, coprendo
tutte le porte a turno. Rimasero chiuse. Raggiungemmo l'ingresso: azionai la chiusura e aprii la porta. Villanueva entrò e
la richiuse alle sue spalle. Nella mano vecchia e nodosa stringeva una Glock 17. Pareva proprio adatta al caso.

«Allarme?» sussurrò.

«Silenzioso», risposi sempre sussurrando.

«Allora sbrighiamoci.»

«Stanza per stanza», mormorai.

Non era una bella sensazione. Avevamo fatto tanto rumore che chiunque fosse stato nell'edificio non avrebbe avuto
dubbi sulla nostra presenza. E il fatto che non si fosse preci-
pitato ad affrontarci significava che era abbastanza in gamba
da starsene immobile, con il cane armato e il mirino puntato
all'altezza del petto, dietro una porta. Il corridoio centrale era
largo poco meno di un metro, il che non ci lasciava molto
spazio per manovrare. Non era una bella sensazione. Le porte
avevano tutte i cardini a sinistra, perciò piazzai Duffy alla
mia sinistra, rivolta verso l'esterno in modo da coprire le porte sull'altro lato. Non volevo che guardassimo tutti e tre nella
stessa direzione. Non volevo che ci sparassero alla schiena.
Poi piazzai Villanueva alla mia destra: lui aveva il compito di
aprire le porte con un calcio, a una a una. Io mi sistemai al
centro. Sarei entrato per primo, stanza dopo stanza.

Iniziammo con la stanza anteriore sinistra. Villanueva diede
un calcio poderoso alla porta. La serratura si ruppe, il telaio
si scheggiò e la porta si aprì con fragore. Io entrai subito. La
stanza era vuota. Era un locale quadrato di tre metri per tre

con una finestra, un tavolo e una parete di schedari. Uscii immediatamente. Ci girammo tutti e tre e aprimmo all'istante la porta di fronte. Duffy ci copriva le spalle. Villanueva sferrò il calcio e io entrai. Anche quella era vuota, ma presentava una caratteristica utile: il muro che la divideva da quella seguente era stato abbattuto. Misurava tre metri per sei e aveva due porte che davano sul corridoio. Dentro c'erano tre scrivanie con computer e telefoni. Nell'angolo c'era un appendiabiti con un impermeabile femminile.

Attraversammo il corridoio e ci avvicinammo alla quarta porta. Alla terza stanza. Villanueva aprì la porta e io entrai scivolando lungo lo stipite. Vuota. Un altro quadrato di tre per tre senza finestre. Lì c'era un solo tavolo con una grande bacheca di sughero dietro, dov'erano appesi vari elenchi. Un tappeto orientale copriva gran parte del linoleum.

Eravamo a quattro. Ne mancavano due. Scegliemmo la stanza a destra sul retro. Villanueva colpì la porta e io entrai. Vuota. Un quadrato di tre per tre, pittura bianca, linoleum grigio, completamente spoglia. Dentro non c'era niente se non macchie di sangue. Erano state pulite, ma non bene. Sul pavimento c'erano chiazze brune là dove uno straccio troppo impregnato d'acqua non aveva fatto che allargarle. Sulle pareti c'erano vari schizzi: alcuni erano stati ripuliti, altri ignorati. Si notavano scie complesse fino all'altezza della vita. Gli angoli tra il battiscopa e il linoleum erano orlati di marrone e di nero.

«La cameriera», dissi.

Nessuno rispose. Rimanemmo immobili, in silenzio, per un lungo minuto. Poi uscimmo, ci girammo e spalancammo con violenza l'ultima porta. Entrai con la pistola puntata e mi fermai di colpo.

Era una prigione ed era vuota.

Misurava tre metri per tre, aveva le pareti bianche e il soffitto basso. Non c'erano finestre. Il pavimento era di linoleum grigio, e sul linoleum c'era un materasso con un paio di lenzuola stropicciate. Dappertutto si vedevano confezioni di cibo cinese per asporto e bottiglie di plastica vuote d'acqua minerale.

« Era qui », esclamò Duffy.

Annuii. « È come nel seminterrato della villa. »

Avanzai e sollevai il materasso. Sul pavimento, a lettere grandi e visibili, era stata scritta la parola JUSTICE con un dito. Sotto di essa c'era la data di quel giorno: sei numeri, giorno, mese, anno, via via più sbiaditi e d'un tratto più netti, dopo che il dito era stato immerso di nuovo in un liquido nero-brunastro.

« Spera che la rintracciamo », disse Villanueva. « Giorno dopo giorno, luogo dopo luogo. In gamba, la ragazza. »

« È scritto col sangue? » chiese Duffy.

Sentivo odore di cibo rancido e di aria viziata in tutta la stanza, di paura e disperazione. Aveva sentito morire la cameriera. Due porte sottili non avevano attutito molto i rumori.

« Salsa hoisin », risposi. « Almeno spero. »

« Quanto sarà passato da quando l'hanno spostata? »

Guardai dentro le confezioni più vicine. « Forse due ore. »

« Merda. »

« Allora andiamo », disse Villanueva. « Andiamo a cercarla. »

« Cinque minuti », fece Duffy. « Mi serve qualcosa da dare all'ATF, per rimettere a posto le cose. »

« Non abbiamo cinque minuti », obiettò Villanueva.

« Due minuti », dissi io. « Afferra quello che riesci, lo guarderai dopo. »

Uscimmo dalla cella. Nessuno guardò la camera di tortura di fronte. Duffy ci condusse di nuovo nella stanza con il tappeto orientale. Scelta intelligente, pensai. Probabilmente era l'ufficio di Quinn. Lui era di certo il tipo da concedersi un tappeto orientale. Duffy prese un dossier spesso con l'etichetta IN CORSO e staccò gli elenchi dalla bacheca di sughero.

«Andiamo», ripeté Villanueva.

Uscimmo dalla porta principale esattamente quattro minuti dopo che ero entrato dalla finestra del bagno. Mi erano sembrate quattro ore più che quattro minuti. Ci buttammo nella Taurus grigia e un minuto dopo eravamo di nuovo sulla Uno. «Continua verso nord», dissi. «Va' verso il centro città.»

All'inizio restammo in silenzio. Nessuno guardò gli altri e nessun parlò. Stavamo pensando alla cameriera. Io ero dietro, Duffy davanti con le carte di Quinn sparpagliate sulle ginocchia. Il traffico sul ponte era lento. Molti stavano andando a far spese in città e procedevano cauti: la strada era viscida per la pioggia e gli schizzi d'acqua salmastra. Duffy radunò le carte e le scorse, una dopo l'altra. Poi ruppe il silenzio, il che fu un sollievo.

«È tutto piuttosto criptico», disse. «Abbiamo un XX e un BB.»

«Xavier Export Company e Bizarre Bazaar», osservai.

«BB importa», proseguì lei. «XX esporta, ma sono ovviamente legati. Sono le due facce della stessa ditta.»

«Non m'interessa», risposi. «Io voglio solo Quinn.»

«E Teresa», aggiunse Villanueva.

«Il foglio contabile del primo trimestre», affermò Duffy. «Quest'anno gireranno ventidue milioni di dollari. Sono un bel po' di armi.»

«Duecentocinquantamila armi economiche», affermai, «o quattro carri armati Abrams.»

«Mossberg», esclamò Duffy. «Hai mai sentito questo nome?»

«Perché?» chiesi.

«XX ne ha appena ricevuto un carico.»

«O.F. Mossberg and Sons», dissi. «Sta a New Haven, nel Connecticut. È una fabbrica d'armi.»

«Che cos'è un Persuader?»

«Un fucile a canne mozze», spiegai. «Il Mossberg M500 Persuader. È un'arma paramilitare.»

«XX spedisce i Persuader da qualche parte. Il valore complessivo della fattura è di sessantamila dollari. Sostanzialmente li scambia con qualcosa che BB riceve.»

«Import-export», commentai. «Così funziona.»

«Ma i prezzi non tornano», osservò Duffy. «Il carico arrivato a BB ammonta a settantamila dollari, perciò XX si ritrova con diecimila dollari di guadagno.»

«La magia del capitalismo», dissi.

«No, aspetta, c'è un'altra voce. Adesso torna tutto. Duecento Mossberg Persuader più un omaggio da diecimila dollari per far combaciare le cifre.»

«Di che omaggio si tratta?» chiesi.

«Non lo dice. Che cosa può valere diecimila testoni?»

«Non m'interessa», dissi.

Duffy sfogliò ancora un po' le carte.

«Keast and Maden», disse. «Dove abbiamo visto questi nomi?»

«Sull'edificio dietro quello di Quinn», risposi. «La ditta di catering.»

«Ha fatto un ordine», proseguì Duffy. «Oggi gli consegnano qualcosa.»

«Dove?»

«Non lo dice.»

«Qualcosa di che genere?»

«Non lo dice. Diciotto prodotti da cinquantacinque dollari ciascuno. Quasi un migliaio di dollari in totale.»

«Adesso dove si va?» chiese Villanueva.

Avevamo attraversato il ponte e ci stavamo dirigendo a nord-ovest con un'ampia traiettoria curva, lasciandoci il complesso di uffici alla sinistra.

«Prendi la seconda a sinistra», dissi.

Ci infilammo direttamente nel garage sotterraneo della Missionary House. C'era un addetto alla sicurezza privato con un'uniforme elegante in una guardiola. Registrò il nostro ingresso senza prestarci molta attenzione. Poi Villanueva gli mostrò il distintivo della DEA e gli disse di starsene tranquillo e di non prendere iniziative. Di non chiamare nessuno. Alle sue spalle il garage era silenzioso. C'erano all'incirca ottanta posti auto e meno di dieci macchine parcheggiate. Una di loro però era la Grand Marquis grigia, quella che avevo visto all'esterno del magazzino di Beck quel mattino.

«Qui abbiamo scattato le foto», affermò Duffy.

Raggiungemmo il fondo del garage e parcheggiammo in un angolo. Scendemmo e prendemmo l'ascensore per un piano, fino all'atrio. Aveva una banale decorazione di marmo e un elenco degli uffici dell'edificio. La Xavier Export Company condivideva il quarto piano con una ditta chiamata Lewis, Strange e Greeville. La cosa ci rallegrò: significava che lassù c'era un corridoio interno. Non saremmo usciti dall'ascensore direttamente nell'ufficio di Quinn.

Tornammo nell'ascensore e schiacciammo il quarto, poi ci voltammo verso la porta. Questa si chiuse e il motore si avviò con un gemito. Ci fermammo al quarto e sentimmo delle voci. Il campanello dell'ascensore trillò e la porta si aprì. Il corridoio era pieno di avvocati. A sinistra c'era una porta di mogano con una targa di ottone su cui spiccava la scritta LEWIS STRANGE & GREEVILLE, STUDIO LEGALE. Era aperta e ne erano appena uscite tre persone, due uomini e una donna, tutti con abiti casual, la valigetta e l'aria contenta. Si voltarono e ci guardarono, ci rivolsero un sorriso e fecero un cenno, come quando si incontra uno sconosciuto in un corridoio. O forse pensavano andassimo da loro per una consulenza legale. Villanueva ricambiò il sorriso e indicò la porta della Xavier Export. *Non cercavamo voi, ma loro.* La donna distolse lo sguardo e superandoci s'infilò nell'ascensore. I suoi soci chiusero l'ufficio e la seguirono. Le porte dell'ascensore si chiusero e sentimmo la cabina scendere.

« Testimoni », sussurrò Duffy. « Merda. »

Villanueva indicò la porta della Xavier Export. « E là dentro c'è qualcuno. Quegli avvocati non sono rimasti sorpresi che venissimo qui a quest'ora di sabato. Perciò *sapevano* per forza che là dentro c'è qualcuno. Forse hanno pensato che avessimo un appuntamento o che. »

Annuii. « Una delle auto nel garage era al magazzino di Beck stamattina. »

« Quinn? » chiese Duffy.

« Me lo auguro di cuore. »

« Siamo d'accordo: prima Teresa », disse Villanueva. « Poi Quinn. »

« Cambierò piano », risposi. « Io non me ne vado, non se è là dentro. Non se è un bersaglio colpibile. »

« Ma non possiamo comunque entrare », affermò Duffy. « Ci hanno visti. »

« *Voi* non potete entrare », replicai. « Io sì. »

« Cosa, da solo? »

« Così voglio che sia: lui e io e basta. »

« Abbiamo lasciato una traccia. »

« Allora andatevene. Tornate al garage e allontanatevi con l'auto. La guardia registrerà la vostra uscita. Passati cinque minuti, chiamate quest'ufficio. Registro del garage e tabulati telefonici dimostreranno che mentre eravate qui non è successo nulla. »

« E tu? Risulterà che ti abbiamo lasciato qui. »

« Ne dubito », risposi. « Non credo che l'uomo del garage presti molta attenzione. Non avrà certo contato le persone o cose del genere. Ha scritto solo il numero di targa. »

Lei non replicò.

Guardò la porta dello studio legale, poi quella della Xavier Export, poi ancora l'ascensore e infine me.

«Va bene», affermò. «Lasceremo fare a te. Non vorrei, davvero, ma sono costretta, capisci?»

«Perfettamente», risposi.

«Teresa potrebbe essere là dentro con lui», mormorò Villanueva.

Assentii. «Se è lì, ve la porterò. Ci vediamo in fondo alla strada, dieci minuti dopo la telefonata.» Esitarono entrambi per un istante, poi Duffy chiamò l'ascensore. Udimmo il rumore nel pozzo quando i macchinari si avviarono.

«Sta' attento», disse.

Il campanello suonò e le porte si aprirono. Entrarono. Villanueva mi lanciò un'occhiata e premette il pulsante dell'atrio, poi le porte si chiusero come un sipario. Un attimo dopo erano scomparsi. Mi allontanai e mi appoggiai al muro, oltre la porta di Quinn. Era bello essere solo. Strinsi l'impugnatura della Beretta in tasca e attesi.

Immaginai Duffy e Villanueva che uscivano dall'ascensore e si avviavano verso la macchina. Uscivano dal garage, notati dalla guardia, parcheggiavano dietro l'angolo e chiamavano il servizio abbonati, ottenendo il numero di Quinn. Guardai la porta. Immaginai Quinn dall'altra parte, seduto alla scrivania, con il telefono davanti. Fissai la porta come se potessi vedere attraverso.

La prima volta che lo vidi fu il giorno stesso dell'arresto. Frasconi aveva fatto tutto per bene con il siriano. Si era distinto. Frasconi era decisamente adatto a gestire situazioni del genere: se gli davi tempo e un chiaro obiettivo, lui concludeva la missione. Il siriano portò il contante dall'ambasciata e ci sedemmo tutti insieme davanti al pubblico ministero del tribunale militare a contarlo. Erano cinquantamila dollari. Supponevamo fosse il saldo di una lunga serie di rate e contrassegnammo separatamente ogni banconota. Contrassegnammo persino la valigetta: vi scrivemmo le iniziali del pubblico ministero con uno smalto per unghie trasparente vicino a una delle cerniere. Questi preparò un affidavit per il dossier. Frasconi si occupò del siriano e Kohl e io ci mettemmo in posizione per la sorveglianza. Il fotografo era già pronto a una finestra del primo piano di un edificio situato dall'altra parte della strada rispetto al caffè, venti metri più a sud. Il pubblico ministero ci raggiunse dieci minuti dopo. Usammo un camioncino parcheggiato accanto al marciapiede. Aveva il portellone con i vetri a specchio. Kohl lo aveva preso a prestito dall'FBI e aveva reclutato tre soldati per completare la messinscena: indossavano le tute di un'azienda elettrica e stavano realmente scavando una buca in strada.

Aspettammo in silenzio. Nel camioncino l'aria scarseggiava e il tempo era tornato buono. Frasconi lasciò andare il siriano quaranta minuti dopo. L'uomo spuntò da nord camminando con passo tranquillo. Era stato avvertito di quello che gli sarebbe successo se ci avesse traditi. Kohl aveva scritto il copione e Frasconi lo aveva recitato. Erano minacce che probabilmente non avremmo mai attuato, anche se lui non lo sapeva. Immagino fossero plausibili, fondate su quanto accade a certe persone in Siria.

L'uomo si sedette a un tavolino sul marciapiede, a tre metri da noi. Posò la valigetta per terra, a lato del tavolino. Sembrava attendere un secondo cliente. Il cameriere arrivò e prese l'ordine, tornando un minuto dopo con un espresso. Il siriano si accese una sigaretta, la fumò a metà e la schiacciò nel posacenere.

«Il siriano sta aspettando», disse piano Kohl. Aveva acceso un registratore per avere a riprova anche una documentazione audio in tempo reale. Indossava l'uniforme verde, pronta per l'arresto. Le stava proprio bene.

«Confermo», disse il pubblico ministero. «Il siriano sta aspettando.»

Questi finì il caffè e fece cenno al cameriere di portargliene un altro. Poi si accese un'altra sigaretta.

«Fuma sempre così tanto?» chiesi.

«Perché?» domandò Kohl.

«Non starà avvertendo Quinn?»

«No, fuma sempre così», rispose lei.

«Bene», dissi. «Ma avranno un segnale di ritirata.»

«Non lo useranno. Frasconi lo ha spaventato per bene.»

Aspettammo. Il siriano terminò la seconda sigaretta, posò le mani sul tavolo e prese a tamburellare le dita. Sembrava normale, un uomo in attesa di qualcuno che era forse un po' in ritardo. Si accese un'altra sigaretta.

«Non mi piacciono tutte quelle sigarette», osservai.

«Non vi preoccupate, fa sempre così», rispose Kohl.

«Sembra nervoso. Quinn potrebbe insospettirsi.»

«È normale. È un mediorientale.»

Aspettammo. Guardai la folla aumentare. Era quasi ora di pranzo.

«Quinn sta arrivando», disse Kohl.

«Confermo», rispose il pubblico ministero. «Sta arrivando.»

Guardai verso sud e vidi un uomo dall'aspetto ordinato, curato ed elegante, alto poco meno di un metro e novanta, di una novantina di chili di peso. Dimostrava un po' meno di quarant'anni, aveva i capelli neri lievemente brizzolati sulle tempie. Indossava un abito blu con una camicia bianca e una cravatta rosso cupo. Sembrava un cittadino qualunque di Washington. Camminava spedito, ma faceva in modo che non lo si notasse. Compiva movimenti netti, era chiaramente atletico e in forma. Quasi sicuramente faceva jogging. Portava una valigetta Halliburton, identica in tutto e per tutto a quella del siriano, che alla luce del sole emanava vaghi riflessi dorati.

Il siriano posò la sigaretta sul portacenere e accennò un saluto. Sembrava un po' a disagio, ma supposi fosse normale:

essere parte di un grosso giro di spionaggio nel cuore della capitale del nemico non era un gioco da ragazzi. Quinn lo vide e si diresse verso di lui. Il siriano si alzò e si strinsero la mano davanti al tavolino. Sorrisi. Avevano escogitato un buon sistema. A Georgetown scene del genere erano tanto familiari da passare quasi inosservate: un americano in giacca e cravatta che stringeva la mano a uno straniero davanti a un tavolino con un posacenere e una tazza di caffè. Si sedettero. Quinn si dimenò sulla sedia, si mise comodo e posò la valigetta accanto a quella già presente. A prima vista le due valigette sembravano una sola, di dimensioni più grandi.

«Le valigette sono adiacenti», disse Kohl al microfono.

«Confermo», disse il pubblico ministero. «Le valigette sono adiacenti.»

Il cameriere portò il secondo caffè del siriano. Quinn gli disse qualcosa e lui se ne andò di nuovo. Il siriano disse qualcosa a Quinn che sorrise. Era un sorriso di totale controllo, di totale soddisfazione. Poi il siriano disse qualcos'altro: stava recitando la sua parte, pensava di salvarsi la vita. Quinn allungò il collo in cerca del cameriere. Il siriano prese la sigaretta, voltò la testa dall'altra parte ed espirò il fumo direttamente nella nostra direzione, poi la spense nel posacenere. Il cameriere tornò con l'ordine di Quinn. Era una grossa tazza, probabilmente un cappuccino. Entrambi bevvero in silenzio.

«Sono nervosi», disse Kohl.

«Eccitati», osservai io. «Sono quasi al termine. Questo è l'ultimo incontro e il traguardo è in vista, per entrambi. Vogliono solo concludere.»

«Osservi le valigette», fece Kohl.

«Le sto osservando», rispose il pubblico ministero.

Quinn posò la tazza sul piattino e scostò la sedia. Allungò la destra verso il basso e prese la valigetta del siriano.

«Quinn ha la valigetta del siriano», affermò il pubblico ministero.

Quinn si alzò, disse un'ultima cosa, si voltò e si allontanò. Aveva un passo scattante. Lo guardammo finché non scomparve alla vista. Toccò al siriano pagare il conto. Lo fece e si allontanò in direzione nord finché Frasconi non uscì da una porta, lo prese per un braccio e lo condusse verso di noi. Kohl aprì il portello posteriore del camioncino e Frasconi lo spinse dentro. In cinque non avevamo molto spazio.

«Apra la valigetta», disse il pubblico ministero.

Da vicino il siriano sembrava molto più teso che dal vetro. Sudava e non aveva un buon odore. Stese la valigetta sul fondo e vi si accovacciò davanti. Ci guardò uno alla volta, fece scattare le chiusure e sollevò il coperchio.

Era vuota.

Udii suonare il telefono nell'ufficio della Xavier Export Company. La porta era spessa, pesante, e il suono era attutito, lontano, ma era un telefono e suonò esattamente cinque minuti dopo che Duffy e Villanueva erano usciti dal garage. Squillò due volte e qualcuno rispose. Non sentii alcuna conversazione. Immaginavo che Duffy avrebbe inventato una scusa dicendo che aveva sbagliato numero, in modo che la telefonata durasse abbastanza da essere notata nei tabulati. Le diedi un minuto: in casi del genere nessuno parla per più di sessanta secondi.

Estrassi la Beretta dalla tasca e spalancai la porta. Entrai in un'ampia reception di legno scuro con la moquette. A sinistra c'era un ufficio chiuso e anche a destra. Davanti a me c'era il banco, dietro il quale una persona stava riagganciando il telefono. Non era Quinn, ma una donna sulla trentina. Aveva i capelli biondi e gli occhi azzurri. Davanti a lei c'era una targa di acetato con una cornice di legno e la scritta: EMILY SMITH. Alle sue spalle c'era un appendiabiti con un impermeabile e un abito da cocktail nero avvolto in una busta da tintoria. Armeggiai alle mie spalle con la sinistra e chiusi a chiave la porta che dava sul corridoio, osservando gli occhi di Emily. Mi stavano fissando e non si mossero. Non si voltarono a destra o a sinistra verso uno degli uffici, quindi probabilmente era sola. E non si abbassarono verso una borsetta o un cassetto del banco, quindi probabilmente era disarmata.

« Dovresti essere morto », disse.

« Davvero? »

Lei annuì vagamente, come se non riuscisse a capacitarsi di ciò che vedeva.

« Tu sei Reacher », disse. « Paulie ci ha detto di averti eliminato. »

« D'accordo, sono un fantasma. Non toccare il telefono. »

Avanzai e guardai il tavolo. Non c'erano armi. Il telefono era un apparecchio complicato a console con più linee, tutto pieno di tasti. Mi chinai e con la sinistra strappai il filo dalla presa.

« Alzati », dissi.

Lei obbedì. Spinse semplicemente la sedia all'indietro e si sollevò.

« Controlliamo le altre stanze. »

« Non c'è nessuno », affermò. Nella sua voce c'era paura, quindi mi stava presumibilmente dicendo la verità.

« Controlliamo lo stesso », dissi.

Lei si allontanò dal tavolo. Era più bassa di me di una trentina di centimetri, indossava una gonna e una camicia scure e un paio di scarpe eleganti che, supposi, sarebbero andate bene anche con l'abito da cocktail, dopo. Le puntai la bocca della Beretta alla schiena, con la sinistra l'afferrai per il colletto della camicetta e la spinsi in avanti. Era piccola e fragile e i suoi capelli mi ricaddero sulla mano. Sapevano di pulito. Controllammo prima l'ufficio a sinistra. Emily aprì la porta per me: la spinsi dentro e mi spostai di lato, togliendomi dalla soglia. Non volevo che qualcuno mi sparasse alla schiena dalla reception.

Era soltanto un ufficio: uno spazio abbastanza ampio, deserto, con un tappeto orientale e una scrivania. C'era un bagno: uno stanzino minuscolo con un water e un lavandino. Dentro non c'era nessuno. La feci girare e attraversare l'intera reception fino all'ufficio a destra: stesso arredo, stesso tipo di tappeto orientale, stesso tipo di scrivania. Deserto anche quello. Lì non c'era nessuno. Niente bagno. La tenni stretta per il colletto e la spinsi di nuovo nel centro della reception fermandomi davanti al suo tavolo.

«Qui non c'è nessuno», dissi.

«Te l'avevo detto», replicò lei.

«Allora dove sono tutti?»

Non rispose. La sentii irrigidirsi, come se fosse decisa a non rispondere.

«In particolare, dov'è Teresa?» chiesi.

Nessuna risposta

«Dov'è Xavier?» domandai.

Nessuna risposta.

«Come sai il mio nome?»

«Beck lo ha detto a Xavier. Gli ha chiesto il permesso di assumerti.»

«Xavier ha fatto qualche controllo sul mio conto?»

«Per quel che ha potuto.»

«E ha dato l'okay a Beck?»

«Ovviamente.»

«Allora perché stamattina mi ha messo contro Paulie?»

Lei s'irrigidì di nuovo. «La situazione è cambiata.»

«Stamattina? Perché?»

«Ha avuto nuove informazioni.»

«Quali informazioni?»

«Non lo so con precisione», rispose. «Qualcosa che riguarda una macchina.»

La SAAB? Gli appunti mancanti della cameriera?

«Ha fatto un paio di deduzioni», proseguì. «Adesso sa tutto di te.»

« Nessuno sa tutto di me », obiettai.

« Sa che parlavi con l'ATF. »

« Come ho detto, nessuno sa veramente qualcosa. »

« Sa quello che stai facendo qui. »

« Davvero? Anche tu? »

« Non me lo ha detto. »

« Qual è il tuo ruolo qui? »

« Sono la responsabile operativa. »

Strinsi con più forza il colletto della camicia con il pugno sinistro e spostai la bocca della Beretta per grattarmi la guancia nel punto in cui la contusione mi tirava la pelle. Pensai ad Angel Doll e John Chapman Duke, alle due guardie del corpo di cui non sapevo nemmeno il nome e a Paulie. Pensai che aggiungere Emily alla lista non mi sarebbe costato molto in termini universali. Le puntai la pistola alla testa. Udii un aereo in lontananza: stava decollando dall'aeroporto. Rombò nel cielo a meno di un chilometro e mezzo. Pensai che avrei potuto aspettare il seguente e premere il grilletto. Nessuno avrebbe sentito nulla e probabilmente lei se lo meritava.

O forse no.

« Dov'è lui? » chiesi.

« Non lo so. »

« Sai cos'ha fatto dieci anni fa? »

Vivi o muori, Emily. Se lo sapeva, lo avrebbe detto di sicuro, per orgoglio, spirito di appartenenza o presunzione. Non sarebbe stata capace di tenerlo per sé. E se sapeva, meritava di morire, perché così era se sapevi e continuavi a lavorare per l'uomo che lo aveva fatto.

« No, non me lo ha mai detto », rispose. « Dieci anni fa non lo conoscevo. »

« Ne sei certa? »

« Sì. »

Le credetti.

« Sai cos'è successo alla cameriera di Beck? » chiesi.

Chi è sincero può tranquillamente rispondere di no, ma

di solito prima tace e riflette. Forse fa a sua volta una domanda. Rientra nella natura umana.

« Chi? » domandò. « No, cosa? »

Espirai.

« Va bene », affermai.

Rimisi la Beretta in tasca, lasciai andare il colletto, la girai e le bloccai entrambi i polsi con la sinistra. Presi il filo elettrico del telefono con la destra, la spinsi nell'ufficio a sinistra fino in bagno e la gettai dentro.

« Gli avvocati della porta accanto sono andati a casa », dissi. « Nell'edificio non arriverà nessuno fino a lunedì mattina, perciò grida, urla e strepita quanto vuoi, nessuno ti sentirà. »

Lei non aprì bocca. Chiusi la porta e legai il cavo telefonico stretto attorno alla maniglia. Aprii il più possibile la porta dell'ufficio e ne fissai l'altra estremità alla maniglia. Avrebbe potuto tirare la porta del bagno per tutto il fine settimana senza ottenere nulla: nessuno riesce a spezzare un filo telefonico tirandolo nel senso della lunghezza. Immaginai che avrebbe rinunciato dopo un'ora e se ne sarebbe stata tranquilla. Avrebbe bevuto acqua dal rubinetto, usato il water e cercato di far passare il tempo.

Mi sedetti alla sua scrivania. Un responsabile operativo doveva maneggiare carte interessanti, pensai, ma lei non ne aveva. Il documento più rilevante che trovai era una copia dell'ordine a Keast & Maden, la società di catering. *18 @ $ 55*. Qualcuno vi aveva scritto un appunto a matita. Era una grafia femminile, probabilmente della stessa Emily. *Agnello, non maiale!* si leggeva. Mi voltai con la sedia e guardai l'abito avvolto nella busta appeso all'appendiabiti. Mi voltai di nuovo e controllai l'orologio. I dieci minuti erano passati.

Scesi in garage con l'ascensore e uscii da una porta antincendio sul retro. La guardia non mi vide. Girai attorno all'isolato e arrivai alle spalle di Duffy e Villanueva. L'auto era parcheggiata all'angolo ed erano entrambi seduti davanti, intenti a fissare oltre il parabrezza. Immaginai sperassero di veder arrivare due persone lungo la strada, dirette verso di loro. Aprii la portiera e scivolai sul sedile posteriore, al che si voltarono di scatto e rimasero delusi. Scossi semplicemente la testa.

«Nessuno dei due», dissi.

«Qualcuno ha risposto al telefono», affermò Duffy.

«Una certa Emily Smith», spiegai. «La sua responsabile operativa. Non ha aperto bocca.»

«Che cosa ne hai fatto?»

«L'ho chiusa nel bagno. È fuori dei piedi fino a lunedì.»

«Avresti dovuto farle il terzo grado», disse Villanueva. «Strapparle le unghie.»

«Non è nel mio stile», replicai. «Ma potete accomodarvi, se volete. Non fatevi problemi. È sempre lassù. Non andrà da nessuna parte.»

Lui si limitò a scuotere il capo e a restare seduto.

«Allora che facciamo adesso?» chiese Duffy.

«Allora che facciamo adesso?» chiese Kohl.

Eravamo ancora nel furgoncino. Kohl, il pubblico ministero e io. Frasconi aveva portato via il siriano. Kohl e io stavamo riflettendo con attenzione e il pubblico ministero era sul punto di lavarsi le mani dell'intera faccenda.

«Io ero qui solo per osservare», disse. «Non vi posso fornire consigli legali, non sarebbe opportuno. E francamente non saprei che dirvi.»

Ci lanciò un'occhiata torva, uscì dal portello posteriore e se ne andò senza voltarsi. Immagino che quello fosse il rovescio della medaglia quando si sceglie un gran rompiscatole come osservatore. *La legge delle conseguenze impreviste.*

«Voglio dire, che cos'è successo?» domandò Kohl. «Che cosa abbiamo visto esattamente?»

«Ci sono solo due possibilità», risposi. «Primo, lo ha raggirato, senza mezzi termini, con la solita truffa: passi tutta una serie di informazioni irrilevanti e non fai la consegna finale. Oppure, secondo, sta operando legittimamente come ufficiale dell'intelligence in una missione autorizzata, per dimostrare che Gorowski non sa tenere la bocca chiusa e che i siriani sono disposti a pagare grosse cifre per mettere le mani su cose del genere.»

«Ha rapito la figlia di Gorowski», obiettò lei. «Non è assolutamente possibile che un atto simile sia stato approvato.»

Annuii. «Concordo con te. Li ha raggirati.»

«Cosa possiamo fare al riguardo?»

«Niente», risposi. «Perché se noi due andiamo avanti e lo accusiamo di averli truffati per profitto personale, dirà automaticamente che non è così: che non ha fatto niente del genere, che anzi stava gestendo un'operazione sotto copertura, e ci inviterà a dimostrare il contrario. Oltre a ricordarci con ben poco garbo di non mettere il becco negli affari dell'intelligence.»

Lei non disse nulla.

«E sai cosa?» proseguii. «Anche se li *avesse* truffati, non saprei di che cosa accusarlo. Il Codice militare ti impedisce di prendere soldi da stranieri idioti in cambio di valigette piene d'aria?»

«Non lo so.»

«Nemmeno io.»

«Ma in qualsiasi caso i siriani andranno in bestia», commentò Kohl. «Non credi? Gli hanno dato mezzo milione di dollari. Dovranno reagire in qualche modo, ne va del loro orgoglio. Anche se *avesse* agito legittimamente, avrebbe corso un bel rischio. Mezzo milione di bei rischi. Lo prenderebbero di mira e lui non potrebbe scomparire: dovrebbe rimanere dov'è. Sarebbe un facile bersaglio.»

Tacqui per un istante e la guardai. «Se non ha intenzione di scomparire, perché trasferire tutti i soldi?»

Lei non disse nulla. Guardai l'orologio e pensai: *non* questo, quello. O, forse, solo per una volta, questo *e* quello.

« Mezzo milione sono troppi soldi », affermai.

« Per cosa? »

« Perché gli siano stati pagati dai siriani. Non vale quella cifra, presto ci saranno un prototipo e un lotto pre-produzione. Tra qualche mese in fureria ci saranno un centinaio di armi finite: potrebbero comprarne una per diecimila dollari, probabilmente. Un caporale corrotto potrebbe venderla. Potrebbero addirittura rubarla e smontarla. »

« Bene, allora come uomini d'affari sono degli incapaci », osservò Kohl. « Ma abbiamo sentito Quinn su nastro. Ha messo mezzo milione di dollari in banca. »

Guardai di nuovo l'orologio. « Lo so, quello è un fatto certo. »

« E allora? »

« Sono sempre troppi soldi. I siriani non sono più ottusi di altri. Nessuno valuterebbe uno strano dardo mezzo milione di dollari. »

« Ma sappiamo che quello è il prezzo che hanno pagato. Hai appena detto che è un fatto certo. »

« No », replicai. « Sappiamo che Quinn ha mezzo milione in banca, questo è il fatto. Non prova però che i siriani gli abbiano dato mezzo milione: quella è una supposizione. »

« Cosa intendi? »

« Quinn è uno specialista del Medio Oriente. È un uomo intelligente e corrotto. Penso che tu abbia smesso di indagare troppo presto. »

« Di indagare su che? »

« Su di lui. Dove va, chi incontra. Quanti regimi dubbi ci sono in Medio Oriente? Quattro o cinque come minimo. E se gestisse i suoi traffici con due o tre contemporaneamente? O con tutti quanti? E se ognuno credesse d'essere il solo? Immagina se avesse ripetuto la stessa truffa tre o quattro volte.

Questo spiegherebbe perché ha mezzo milione in banca per qualcosa che non vale mezzo milione per nessuno.»

«E li avrebbe raggirati *tutti?*»

Controllai di nuovo l'orologio.

«Forse», risposi. «O forse con uno di loro fa sul serio. Forse è iniziata così: con il cliente preferito ha sempre avuto intenzione di fare sul serio, ma da lui non riusciva a ottenere la cifra che voleva, perciò ha deciso di moltiplicare il rendimento.»

«Avrei dovuto controllare più bar», osservò lei. «Non mi sarei dovuta fermare al siriano.»

«Probabilmente segue un itinerario fisso», dissi. «Più incontri separati, uno dopo l'altro, come un maledetto postino.»

Kohl guardò l'orologio.

«Bene», esclamò. «Quindi in questo momento sta portando a casa i soldi del siriano.»

Annuii. «Poi uscirà di nuovo per incontrare il secondo cliente. Perciò devi recuperare Frasconi e organizzare un'altra sorveglianza. Localizzare Quinn mentre torna in città e bloccare chiunque scambi con lui una valigetta. Forse ti ritroverai con un mucchio di valigette vuote, ma forse una non lo sarà, nel qual caso saremo di nuovo in gioco.»

Si guardò attorno nell'interno del furgoncino, poi abbassò lo sguardo sul registratore.

«Scordatelo», dissi. «Non c'è tempo per fare le cose ad arte. Dovrete cavarvela tu e Frasconi, là fuori, in strada.»

«Il magazzino», dissi. «Dobbiamo andare a controllarlo.»

«Ci servono rinforzi», fece notare Duffy. «Saranno tutti lì.»

«Me lo auguro.»

«È troppo pericoloso. Siamo solo in tre.»

« A dire il vero penso che stiano andando da un'altra parte. È possibile che siano già partiti. »

« Per dove? »

« Dopo », risposi. « Facciamo un passo alla volta. »

Villanueva si scostò dal marciapiede.

« Aspetta », dissi. « Alla prossima, svolta a destra. C'è un'altra cosa che voglio controllare, prima. »

Gli indicai di proseguire per due isolati e di percorrerne ancora uno: arrivammo così al garage pubblico dove avevo lasciato Angel Doll nel bagagliaio della sua auto. Villanueva attese davanti all'idrante e io scesi. Entrai dall'ingresso veicoli e lasciai che gli occhi si abituassero all'oscurità. Continuai fino a raggiungere il posto dove avevo parcheggiato: c'era una macchina, ma non era la Lincoln nera di Angel Doll, era una Subaru Legacy verde metallizzato, versione Outback con le barre sul tetto e gli pneumatici grossi. Sul finestrino posteriore aveva un adesivo con la bandiera americana. Era un guidatore patriottico, ma non abbastanza da comprare un'auto americana.

Controllai nei due corridoi adiacenti solo per esserne sicuro, anche se già lo ero. Non la SAAB, la Lincoln. Non gli appunti scomparsi della cameriera, ma il corpo scomparso di Angel Doll. *Adesso sa tutto di te.* Nessuno sa niente di nessuno, ma immaginavo che ora sapesse qualcosa di più sul mio conto di quello che mi faceva piacere sapesse. Ripercorsi la stessa strada, risalii la rampa e uscii alla luce del giorno. Era tutto grigio e nuvoloso, cupo e scuro per gli alti edifici, eppure mi sembrava di avere un riflettore puntato addosso. M'infilai nella Taurus e chiusi piano la portiera.

« Tutto a posto? » chiese Duffy.

Non risposi. Lei si girò sul sedile e mi guardò.

« Tutto a posto? » ripeté.

« Dobbiamo tirare fuori Eliot di lì », risposi.

« Perché? »

« Hanno trovato Angel Doll. »

«Chi?»

«Gli uomini di Quinn.»

«Come?»

«Non lo so.»

«Ne sei certo?» domandò. «Forse è stata la Polizia di Portland. Un veicolo sospetto, parcheggiato da tanto tempo?» Scossi la testa. «Avrebbero aperto il bagagliaio e ora l'intero garage sarebbe considerato la scena di un crimine. L'avrebbero isolato col nastro e ci sarebbero agenti dappertutto.» Lei non rispose.

«Ormai è del tutto fuori controllo», dissi. «Perciò chiama Eliot sul cellulare e ordinagli di uscire di lì. Digli di portare con sé i Beck e la cuoca, nella Cadillac. Digli di arrestarli tutti minacciandoli con la pistola, se necessario. Di trovare un altro motel e di nascondersi.»

Duffy frugò nella borsa in cerca del suo Nokia e premette un tasto di chiamata veloce. Attese. Calcolai mentalmente: uno squillo, due, tre. Quattro. Duffy mi guardò in ansia. Poi Eliot rispose. Lei emise un sospiro e gli diede le istruzioni, con tono forte, chiaro e urgente. Quindi riagganciò.

«Tutto bene?» chiesi.

Lei assentì. «Sembrava molto sollevato.»

Annuii in risposta. Certo che lo era: non era divertente starsene chini dietro una mitragliatrice con il mare alle spalle, a fissare un paesaggio grigio senza sapere che cosa ti avrebbe attaccato o quando.

«Allora andiamo», dissi. «Al magazzino.»

Di nuovo Villanueva si scostò dal marciapiede. Conosceva la strada. Aveva sorvegliato il magazzino con Eliot due volte, per due lunghi giorni. Si diresse a sud-est destreggiandosi nel traffico cittadino e si avvicinò al porto da nord-ovest. Restammo tutti in silenzio, nessuno aveva voglia di parlare. Cercai di valutare il danno. Era enorme, un vero disastro, ma anche una liberazione. Chiariva tutto, non c'era più bisogno di fingere. La messinscena era stata scoperta. Ora io ero il loro nemico, punto e basta. E loro, i miei nemici. Era un sollievo.

Villanueva era davvero in gamba. Fece ogni mossa nel modo giusto. Si avvicinò al magazzino girandoci attorno a tre isolati di distanza, coprendone tutti e quattro i lati. Riuscimmo a vedere solo brevi scorci dell'edificio, lungo i vicoli e negli spazi tra le altre costruzioni. Quattro passaggi, quattro occhiate. Non c'erano macchine e la serranda era ben chiusa. Le finestre non erano illuminate.

« Dove sono tutti? » chiese Duffy. « Doveva essere un fine settimana importante. »

« Lo è », confermai. « Penso sia molto importante e penso che quello che stanno facendo abbia perfettamente senso. »

« Che *stanno* facendo? »

« Dopo », risposi. « Andiamo a dare un'occhiata ai Persuader, vediamo che cosa ricevono in cambio. »

Villanueva parcheggiò due edifici più a nord-est, davanti a una porta con la targa BRIAN'S FINE IMPORTED TAXIDERMY. Chiuse la Taurus e ci dirigemmo a sud-ovest, per poi curvare e arrivare al magazzino di Beck dalla parte del punto cieco, dove non c'erano finestre. La porta del personale che dava accesso al magazzino era chiusa a chiave. Guardai dalla finestra dell'ufficio posteriore e non vidi nessuno. Girai l'angolo e guardai nella zona delle segretarie: nessuno. Arrivammo alla porta grigia non dipinta e ci fermammo. Era chiusa a chiave.

« Come facciamo a entrare? » chiese Villanueva.

« Con queste », risposi.

Presi le chiavi di Angel Doll, azionai la serratura e aprii la porta. L'allarme iniziò a suonare. Entrai e frugai tra le carte appese in bacheca. Trovai il codice e lo inserii. La luce rossa mutò in verde e il suono cessò. Nell'edificio calò il silenzio.

« Non sono qui », esclamò Duffy. « Non abbiamo tempo di fare un controllo, dobbiamo trovare Teresa. »

Sentivo già odore di olio per armi. Prevaleva su quello di lana grezza dei tappeti.

«Cinque minuti», dissi. «E poi l'ATF ti darà una medaglia.»

«Ti dovrebbero dare una medaglia», esclamò Kohl.
Mi stava chiamando da un telefono pubblico nel campus
della Georgetown University.
«Davvero?»
«Lo abbiamo incastrato. Possiamo inchiodarlo. Il nostro
uomo è assolutamente finito.»
«Allora di chi si trattava?»
«Degli iracheni», rispose. «Pensa un po'!»
«Ha senso», osservai. «Sono appena stati presi a calci in
culo e vogliono essere pronti per la prossima volta.»
«Alla faccia dell'impudenza.»
«Com'è andata?»
«Come in precedenza, ma hanno usato le Samsonite, non
le Halliburton. Da un libanese e da un iraniano abbiamo re-
cuperato valigette vuote. Poi abbiamo fatto centro con l'ira-
cheno: il progetto autentico.»
«Ne sei certa?»
«Assolutamente certa», rispose. «Ho chiamato Gorowski
e lui lo ha identificato dal numero del disegno nell'angolo in
fondo.»
«Chi ha assistito allo scambio?»
«Tutti e due, Frasconi e io, più alcuni studenti della fa-
coltà. È avvenuto in un bar dell'università.»
«In quale facoltà?»
«Abbiamo un docente di giurisprudenza.»
«Che cos'ha visto?»
«L'intera scena. Ma non può testimoniare sullo scambio
in sé. Sono stati molto abili, come nel gioco delle tre carte.
Le valigette erano identiche. Può bastare?»
Domande a cui avrei voluto rispondere diversamente. Era
possibile che Quinn sostenesse che l'iracheno avesse già il

progetto e se lo fosse procurato da fonti sconosciute. Forse avrebbe insinuato che amava portarselo dietro e negato che fosse avvenuto qualsiasi genere di scambio. Poi tuttavia pensai al siriano, al libanese e all'iraniano e a tutti i soldi che Quinn aveva in banca. Le vittime del raggiro si sarebbero volute vendicare e forse sarebbero state disposte a testimoniare a porte chiuse. Il dipartimento di Stato avrebbe offerto loro la possibilità di patteggiare. Inoltre, sulla valigetta in possesso dell'iracheno c'erano le impronte di Quinn: non aveva di certo indossato i guanti all'appuntamento, sarebbe stato troppo sospetto. Nel complesso, pensai che potesse bastare. Avevamo un modello evidente, la somma inspiegabile sul conto di Quinn, un progetto segreto dell'Esercito degli Stati Uniti in possesso di un agente iracheno, due poliziotti militari e un docente di giurisprudenza a testimoniare il fatto, e le impronte sul manico della valigetta.

« È molto », dissi. « Procedi con l'arresto. »

« Dove andiamo? » chiese Duffy.

« Ora ti mostro », risposi.

Superandola, entrai nell'open space, quindi nell'ufficio sul retro e infine nello stanzino del magazzino. Il computer di Angel Doll era ancora lì sul tavolo. Trovai l'interruttore giusto e accesi le luci del magazzino. Attraverso la parete di vetro vidi tutto. Le file di tappeti erano ancora lì, come pure l'elevatore a forca, ma nel centro del pavimento c'erano cinque pile di casse alte fino alla testa, divise in due gruppi: in quello più lontano dalla serranda c'erano tre pile di casse di legno rovinate, tutte stampinate con lettere di alfabeti stranieri sconosciuti, perlopiù in cirillico, sovrascritte con scarabocchi che andavano da destra a sinistra, in qualche lingua araba. Immaginai fossero le importazioni della Bizarre Bazaar. Accanto alla porta c'erano due pile di casse nuove stampate in inglese: MOSSBERG CONNECTICUT. L'ordine di consegna della Xavier Export Company. Import-export, il baratto nella sua forma più pura. «L'equo scambio non è una rapina», avrebbe forse detto Leon Garber.

«Non è molto, vero?» osservò Duffy. «Cinque pile di casse? Centoquarantamila dollari? Pensavo fosse un grosso affare.»

«Io penso sia grosso», replicai. «In termini di importanza, forse, più che di quantità.»

«Diamo un'occhiata», disse Villanueva.

Raggiungemmo il pavimento del magazzino. Insieme sollevammo la cassa in cima della Mossberg. Era pesante. Sentivo il braccio sinistro ancora un po' debole e il petto mi faceva ancora male nel centro; al confronto il dolore alla bocca mi pareva una sciocchezza.

Villanueva trovò un martello a granchio su un tavolo e lo usò per togliere i chiodi del coperchio. Lo sollevò e lo posò per terra. La cassa era piena di pallini di polistirolo. Vi infilai le mani ed estrassi un fucile a canna lunga avvolto in carta oleata. Stracciai la carta. Era un M500 Persuader modello Cruiser: niente calcio, solo un'impugnatura da pistola. Calibro dodici, canna da quarantasette centimetri, camera da sette centimetri e mezzo, sei colpi, metallo brunito, impugnatura anteriore di materiale plastico nero, niente mirino. Era un'arma da strada rozza e brutale. Azionai la ricarica a pompa, *crunch crunch*, che scivolò come seta sulla pelle. Premetti il grilletto. Cliccò come una Nikon.

«Vedi munizioni?» chiesi.

«Eccole», disse Villanueva. In mano teneva una scatola di Brenneke Magnum. Alle sue spalle c'era uno scatolone aperto pieno di confezioni identiche. Aprii due scatole, caricai sei palle, ne misi una nella camera e caricai la settima. Poi inserii la sicura perché le Brenneke non sono pallini da caccia: sono proiettili di rame massiccio da ventotto grammi che escono dal Persuader a più di diciassettemila chilometri all'ora. Nei muri di calcestruzzo creavano buchi tanto grandi che ci potevi passare attraverso. Posai l'arma sul tavolo e ne scartai un'altra. La caricai, misi la sicura e la lasciai accanto alla prima. Sorpresi Duffy intenta a guardarmi.

«È questo il loro scopo», dissi. «Un'arma scarica non serve a nessuno.»

Infilai le confezioni vuote di Brenneke nello scatolone e chiusi il coperchio. Villanueva stava osservando le casse della Bizarre Bazaar. In mano aveva alcune carte.

«Questi ti sembrano tappeti?» chiese.

«Per niente», risposi.

«La Dogana degli Stati Uniti pensa invece che lo siano. Un certo Taylor ha dichiarato che si tratta di tappeti tessuti a mano provenienti dalla Libia.»

«La cosa vi aiuterà», osservai. «Potete consegnare questo Taylor all'ATF. Verificheranno il suo conto in banca e forse acquisterete una maggiore popolarità.»

«Ma cosa c'è dentro veramente?» chiese Duffy. «Che cosa fanno in Libia?»

«Niente», risposi. «Coltivano datteri.»

«È tutta roba russa», affermò Villanueva. «È passata due volte da Odessa. Importata dalla Libia, girata lì ed esportata qui in cambio di duecento Persuader, solo perché qualcuno vuol fare il duro nelle strade di Tripoli.»

«In Russia fanno un bel po' di roba», osservò Duffy.

Annuii. «Vediamo esattamente cosa.»

C'erano nove casse disposte in tre pile. Sollevai la cassa in alto dalla pila più vicina e Villanueva si diede da fare con il suo martello a granchio. Tolse il coperchio e vidi un mucchio di AK-74 adagiati in un letto di trucioli di legno: fucili Kalashnikov standard da assalto, molto usati, privi di qualsiasi fascino, vendibili sulla piazza a circa duecento dollari l'uno, a seconda del posto. Non erano armi alla moda. Non pensavo che una banda che usava giubbotti North Face fosse disposta scambiare i suoi splendidi H&K neri opachi con quella roba.

La seconda cassa era più piccola, piena di trucioli di legno e di mitra AKSU-74, discendenti dagli AK-74, efficaci ma rozzi, anch'essi usati ma in buone condizioni. Niente di entusiasmante, comunque: cinque o sei mitra occidentali equivalenti bastavano a contrastarli. La NATO non aveva passato notti insonni preoccupandosi al riguardo.

La terza cassa era piena di pistole Makarov, in gran parte vecchie e graffiate. È un modello spartano e lento, copiato dall'antica Walther PP. I militari sovietici non hanno mai avuto una grande cultura della pistola, convinti che usare le armi da fianco fosse un po' come lanciare sassi.

« È tutta merda », dissi. « La cosa migliore da fare con questa roba sarebbe fonderla e usarla per fabbricare ancore. »

Passammo alla seconda pila e nella prima cassa trovammo qualcosa di molto più interessante: era piena di fucili VAL Silent Sniper, segreti fino al 1994, anno in cui il Pentagono mise le mani su un esemplare. Sono neri, tutti metallici, con calcio tattico e sparano proiettili speciali subsonici pesanti da nove millimetri. I test hanno dimostrato che perforano qualsiasi tipo di giubbotto antiproiettile in un raggio di cinquecento metri. Ricordo che all'epoca destarono un bel po' di sconcerto. Ce n'erano dodici. La cassa seguente ne conteneva altri dodici. Erano armi di qualità e sembravano ben conservate. Con i giubbotti North Face si abbinavano a meraviglia, soprattutto con quelli neri con le fodere argento.

« Sono costosi? » chiese Villanueva.

Mi strinsi nelle spalle. « Difficile a dirsi. Dipende da quanto si è disposti a pagare, suppongo. Ma negli Stati Uniti un Vaime o SIG equivalente nuovo costerebbe più di cinquemila dollari. »

« L'intero ammontare della fattura. »

Annuii. « Sono armi serie, ma non molto in uso a South Central Los Angeles, perciò sulla piazza il loro valore potrebbe essere molto minore. »

« Dovremmo andare », fece notare Duffy.

Arretrai di un passo per guardare oltre la finestra dell'ufficio posteriore. Era metà pomeriggio: fuori era livido, ma c'era ancora luce.

«Tra poco», risposi.

Villanueva aprì l'ultima cassa della seconda pila.

«Che diavolo è questo?» domandò.

Mi avvicinai. Vidi un letto di trucioli di legno e un tubo nero sottile con una piccola sezione di legno che serviva da appoggio per la spalla. Nella bocca era già stato inserito un missile bombato. Dovetti guardare due volte per esserne certo.

«È un RPG-7», dissi. «Un lanciarazzi anticarro. Un'arma da fanteria che viene azionata appoggiandola alla spalla.»

«RPG significa granata con propulsione a razzo», disse.

«In inglese», affermai. «In russo è *reaktivnyj protivotankovyj granatomet*, lanciagranate anticarro, ma usa un missile non una granata.»

«Come il 'penetratore long-rod'?»

«Più o meno», risposi. «Ma è esplosivo.»

«Fa saltare in aria i carri armati?»

«Quella è l'idea.»

«Chi lo potrebbe comprare da Beck?»

«Non lo so.»

«I trafficanti di droga?»

«Presumibilmente. Sarebbe molto efficace contro una casa o una limousine blindata. Se il tuo rivale si è comperato una BMW antiproiettile, hai bisogno di uno di questi.»

«Oppure i terroristi.»

Annuii. «O i miliziani fanatici.»

«È una faccenda molto seria.»

«Con quelli è difficile prendere la mira», dissi. «Il missile è grosso e lento. Nove volte su dieci basta un lieve vento di traverso per mancare il bersaglio, ma non è certo una consolazione per chi viene colpito per sbaglio.»

Villanueva scoperchiò la cassa seguente.

« Un altro », disse. « Uguale. »

« Dobbiamo chiamare l'ATF », affermò Duffy. « E anche l'FBI probabilmente. Subito. »

« Tra poco », risposi.

Villanueva aprì le ultime due casse. I chiodi gemettero e il legno si scheggiò.

Guardai dentro e vidi alcuni tubi metallici spessi, dipinti di giallo brillante, con dei moduli elettronici imbullonati sotto. Distolsi lo sguardo.

« Grail », dissi. « SA-7 Grail, missili russi terra-aria. »

« Termosensibili? »

« Esatto. »

« Per abbattere aerei? » chiese Duffy.

Annuii. « E sono molto efficaci anche contro gli elicotteri. »

« Che raggio hanno? » domandò Villanueva.

« Arrivano a tremila metri », risposi.

« Potrebbero abbattere un aereo di linea. »

Annuii.

« Nei pressi di un aeroporto. Poco dopo il decollo. Lo potresti usare da una barca sull'East River. Immagina di colpire un aereo decollato da La Guardia: si schianterebbe su Manhattan e sarebbe un nuovo 11 settembre. »

Duffy fissò i tubi gialli.

« Incredibile », commentò.

« Qui non si tratta solo di trafficanti di droga », dissi. « Hanno allargato il mercato. Qui si tratta di terrorismo, per forza. Quest'ordine basta ad armare un'intera cellula terroristica. Con queste armi potrebbero fare praticamente tutto. »

« Dobbiamo scoprire chi le compra e perché. »

Poi udii un rumore di piedi sul pavimento, sulla soglia, lo scatto di un colpo che s'inseriva nella camera di una pistola automatica e una voce.

« Non chiediamo perché le vogliano », rispose. « Non lo facciamo mai. Prendiamo solo i loro fottuti soldi. »

14

Era Harley. La sua bocca era un cratere devastato sopra il pizzetto. Vedevo i denti gialli. Sorrideva e nella destra impugnava una Para Ordnance P14, una copia canadese massiccia della Colt 1911, fin troppo pesante per lui. Aveva i polsi sottili e deboli. Sarebbe stata più adatta una Glock 19, come quella di Duffy.

«Ho visto le luci accese», disse. «Ho pensato di venire a controllare.»

Poi mi guardò dritto in faccia.

«Immagino che Paulie abbia combinato un casino», aggiunse. «E che tu abbia imitato la sua voce quando il signor Xavier ha telefonato.»

Guardai il suo dito sul grilletto. Era in posizione. Passai mezzo secondo a infuriarmi con me stesso per averlo lasciato entrare senza preavviso, poi cominciai a escogitare un modo per eliminarlo. Pensai: Villanueva andrà su tutte le furie se lo faccio fuori prima che gli chiediamo di Teresa.

«Mi presenti?» disse.

«Questo è Harley», affermai.

Nessuno parlò.

«Chi sono queste persone?» mi chiese lui.

Non risposi nulla.

«Agenti federali», affermò Duffy.

«Allora che fate tutti qui?» domandò Harley.

Lo chiese come se fosse sinceramente interessato. Indossava un abito diverso, nero lucido, e una cravatta color argento. Si era fatto la doccia e si era lavato i capelli. La coda era legata da un normale elastico marrone.

«Lavoriamo», rispose Duffy.

Lui assentì. «Reacher ha visto quello che facciamo alle donne del governo. Lo ha visto con i suoi occhi.»

«Dovresti abbandonare la nave, Harley», dissi. «Sta affondando.»

«Tu credi?»

«Lo so.»

«Sai, dai computer non abbiamo questa sensazione. La nostra comune amica nel sacco salma non aveva ancora riferito niente: stanno ancora aspettando il primo rapporto. Sembra proprio che si siano dimenticati di lei.»

«Noi non abbiamo niente a che fare con i computer.»

«Meglio ancora», replicò lui. «Siete freelance: nessuno sa che siete qui e io vi tengo tutti sotto tiro.»

«Paulie mi teneva sotto tiro», osservai.

«Con una pistola?»

«Con due.»

Per un istante il suo sguardo guizzò verso il basso, poi si sollevò di nuovo.

«Io sono più in gamba di Paulie», disse. «Mani sulla testa.»

Obbedimmo.

«Reacher ha una Beretta», affermò Harley. «Lo so con certezza e credo che nella stanza ci siano anche due Glock, molto probabilmente una 17 e una 19. Le voglio vedere tutte sul pavimento, lentamente, una alla volta.»

Nessuno si mosse. Harley orientò lievemente la P14 verso Duffy.

«Prima la donna», ordinò. «Tra indice e pollice.»

Duffy infilò la mano sinistra sotto la giacca, estrasse la Glock tenendola tra indice e pollice e la gettò sul pavimento. Io mossi il braccio e avvicinai la mano alla tasca.

«Aspetta», disse Harley. «Di te è meglio non fidarsi.»

Avanzò, si allungò e mi conficcò la bocca della P14 contro il labbro inferiore, nel punto esatto in cui Paulie mi aveva colpito. Poi abbassò la mano sinistra e me la infilò in tasca. Prese la Beretta e la gettò accanto alla Glock di Duffy.

«Tocca a te», disse a Villanueva tenendo la P14 dov'era. Era dura e fredda. Sentivo la pressione della bocca sui denti mobili. Villanueva buttò la sua Glock sul pavimento. Harley spinse tutte e tre le pistole dietro di sé con il piede e arretrò di qualche passo.

«Bene», disse. «Adesso tutti qui, contro il muro.»

Ci fece spostare fino a essere lui vicino alle casse e noi allineati contro il muro posteriore.

«C'è un altro collega», disse Villanueva. «Non è qui.»

Errore, pensai. Harley sorrise.

«Allora chiamalo», affermò. «Digli di venire.»

Villanueva non rispose. Era un vicolo cieco, ma un attimo dopo si trasformò in una trappola.

«Chiamalo», ripeté Harley. «Subito o comincio a sparare.»

Nessuno si mosse.

«Chiamalo o la donna si prende un proiettile nella coscia.»

«È lei che ha il telefono», rispose Villanueva.

«È in borsa», aggiunse Duffy.

«E dov'è la borsa?»

«In macchina.»

Ottima risposta, pensai.

«Dov'è la macchina?» chiese Harley.

«Qui vicino», rispose Duffy.

«La Taurus accanto al magazzino di animali impagliati?»

Duffy annuì e Harley esitò.

«Puoi usare il telefono dell'ufficio», osservò Harley. «Chiamalo.»

«Non so il numero», replicò lei.

Harley la guardò.

«È memorizzato», proseguì lei. «A mente non lo ricordo.»

«Dov'è Teresa Daniel?» chiesi.

Harley si limitò a sorridere. Botta e risposta, pensai.

«Sta bene?» domandò Villanueva. «Sarà meglio che sia così.»

«Sta bene», rispose Harley. «Fresca come una rosa.»

«Devo andare a prendere il telefono?» chiese Duffy.

«Andremo tutti», replicò lui. «Quando avrete rimesso a posto le casse. Avete combinato un casino, non avreste dovuto metterci le mani.»

Si avvicinò a Duffy e le puntò la pistola alla tempia.

«Io aspetterò qui», disse. «E la donna aspetterà con me. È una sorta di assicurazione personale sulla vita.»

Villanueva mi lanciò un'occhiata. Io mi strinsi nelle spalle. Immaginai fossimo chiamati a fare il lavoro dei furieri. Avanzai e raccolsi il martello dal pavimento. Villanueva prese il coperchio della prima cassa di Grail e mi lanciò una seconda occhiata. Scossi il capo quel tanto da permettergli di capire. Mi sarebbe piaciuto conficcare il martello nella testa o nella bocca di Harley: gli avrei risolto per sempre tutti i problemi dentali. Ma un martello non andava bene contro un uomo che teneva una pistola puntata alla testa di un ostaggio e comunque avevo un'idea migliore, che dipendeva però dalla nostra arrendevolezza. Perciò mi limitai a stringere il martello in mano e ad aspettare con educazione che Villanueva rimettesse il coperchio sul grosso lanciarazzi giallo. Lo premetti con le mani finché i chiodi entrarono nei fori originari, lo fissai con qualche colpo di martello, mi scostai e attesi.

Chiudemmo la seconda cassa di Grail nello stesso modo. La sollevai e la collocai sopra la prima. Passammo quindi agli RPG-7. Inchiodammo i coperchi e li impilammo così come li avevamo trovati. Poi fu la volta dei VAL Silent Sniper. Harley ci osservava con attenzione, ma si stava rilassando un po'. Eravamo accondiscendenti. Villanueva pareva aver colto il messaggio. Era stato svelto. Trovò il coperchio della cassa delle Makarov, lo chiuse a metà e si fermò.

«La gente compra questa roba?» chiese.

Grande, pensai. Aveva il tono di chi voleva fare due chiacchiere: sembrava persino un po' stupito oltre che interessato per ragioni professionali, proprio come un agente dell'ATF.

«Perché non dovrebbe comprarla?» domandò Harley.

«Perché fa schifo», risposi. «Ne hai mai provata una?»

Lui scosse la testa.

«Lascia che ti mostri una cosa», dissi. «D'accordo?»

Harley tenne la pistola ben premuta contro la tempia di Duffy. «Cosa?»

Infilai la mano nella cassa ed estrassi una delle pistole. Soffiai via i trucioli di legno e la sollevai. Era vecchia e graffiata. Molto usata.

«È un meccanismo molto rozzo», dissi. «Hanno semplificato il modello originario della Walther. A dire il vero, lo hanno rovinato. Scatto in doppia azione come l'originale, ma il meccanismo del grilletto fa paura.»

Puntai la pistola al soffitto, misi il dito sul grilletto e posai il pollice sulla parte posteriore del calcio per esagerare l'effetto. Strinsi la presa e premetti il grilletto. Il meccanismo grattò come una leva del cambio dura di una vecchia auto e la pistola mi sobbalzò visibilmente in mano.

«È un rottame», esclamai.

Lo rifeci, ascoltando il rumore e lasciando che l'arma sobbalzasse di nuovo tra pollice e indice.

«È da buttare», aggiunsi. «Non puoi sperare di colpire qualcosa a meno che non sia molto vicino.»

Gettai la pistola nella cassa e Villanueva chiuse il coperchio.

«Dovreste preoccuparvi, Harley», disse. «La vostra reputazione non varrà più un cazzo se mettete sulla piazza roba del genere.»

«Non è un mio problema», rispose lui. «Non è la mia reputazione. Io qui lavoro soltanto.»

Rimisi a posto i chiodi lentamente, come se fossi stanco.

Iniziammo quindi con la cassa degli AKSU-74, i vecchi mitra, quindi passammo agli AK-74.

«Potreste venderli a Hollywood», suggerì Villanueva.

«Per i film storici: possono servire solo a questo.»

Ribattei i chiodi e impilammo la cassa con le altre. Alla fine l'intero carico della Bizarre Bazaar tornò in ordine, così come l'avevamo trovato. Harley ci osservava sempre e aveva sempre la pistola puntata alla tempia di Duffy, ma il polso era stanco e il dito non premeva più il grilletto. Lo aveva spostato sotto la canna, per sostenere meglio il peso. Villanueva spinse la cassa dei Mossberg sul pavimento nella mia direzione e trovò il coperchio. Ne avevamo aperta una sola.

«Abbiamo quasi finito», annunciai.

Villanueva fece per applicare il coperchio.

«Aspetta», dissi. «Ne abbiamo lasciati due sul tavolo.»

Mi avvicinai, afferrai il primo Persuader e lo osservai.

«Vedi qui?» chiesi a Harley indicando la sicura. «Lo hanno spedito con la sicura inserita. Non è cosa da farsi. Può danneggiare il percussore.»

Tolsi la sicura, avvolsi il fucile nella sua carta oleata e lo immersi nei pallini di polistirolo, in profondità. Tornai indietro e presi il secondo.

«Pure questo», dissi.

«Voi ragazzi finirete sicuramente fuori dal mercato», commentò Villanueva. «Il vostro controllo qualità fa pena.»

Tolsi la sicura e mi avviai verso la cassa. Ruotai sul piede destro come una seconda base che si mette in posizione per un doppio gioco, premetti il grilletto e sparai nel ventre a Harley. La Brenneke partì con un boato, come una bomba, e tranciò letteralmente Harley in due. Un attimo prima era lì, un attimo dopo non c'era più. Era sul pavimento, tagliato in due grandi pezzi, e il magazzino era pieno di fumo acre. L'aria si riempì del puzzo caldo del sangue di Harley e del suo apparato digerente, e delle urla di Duffy, perché l'uomo che le stava accanto era appena esploso. Io avevo le orecchie che mi ronzavano. Duffy continuò a urlare e balzò via dalla pozza di sangue che si stava allargando ai suoi piedi. Villanueva l'afferrò e la tenne stretta mentre io facevo scorrere il carrello del Persuader e controllavo la porta, in caso ci attendessero altre sorprese. Ma non ce ne furono. La struttura del magazzino smise di riecheggiare e io recuperai l'udito. Poi non ci fu altro che silenzio e il respiro forte, affannoso di Duffy.

«Ero in piedi vicino a lui», disse.

«E adesso non lo sei più», risposi. «Questo è quanto.»

Villanueva la lasciò andare, scavalcò i resti e recuperò le nostre pistole là dove Harley le aveva gettate. Presi il secondo Persuader carico dalla cassa, tolsi la carta e rimisi la sicura.

«Mi piacciono proprio», commentai.

«Sembra che funzionino», disse Villanueva.

Tenni entrambi i fucili con una mano e misi la Beretta in tasca.

«Va' a prendere la macchina, Terry», esclamai. «In questo momento qualcuno starà probabilmente chiamando la polizia.»

Lui uscì dalla porta principale e io osservai il cielo dalla finestra: c'erano parecchie nubi, ma ancora molta luce.

«E adesso?» chiese Duffy.

«Adesso andiamo da qualche parte e aspettiamo.»

Aspettai più di un'ora seduto alla scrivania a fissare il telefono, in attesa che Kohl mi chiamasse. Aveva calcolato che avrebbe raggiunto Maclean in trentacinque minuti. Partendo dal campus della Georgetown University avrebbe forse impiegato cinque o dieci minuti in più, a seconda del traffico. Il sopralluogo alla casa di Quinn ne avrebbe richiesti altri dieci. Arrestarlo, meno di uno. Ammanettarlo e caricarlo in macchina, altri tre. Cinquantanove minuti, dall'inizio alla fine. Ma era passata un'ora intera e non aveva chiamato.

Dopo settanta minuti iniziai a essere preoccupato. Dopo

ottanta, molto preoccupato. Dopo novanta minuti esatti trovai un'auto di servizio e mi misi in viaggio.

Terry Villanueva parcheggiò la Taurus sullo spiazzo d'asfalto rovinato davanti alla porta dell'ufficio e lasciò il motore acceso.

«Chiamiamo Eliot», dissi. «Scopriamo dov'è andato. Aspetteremo con lui.»

«Aspettare cosa?» chiese Duffy.

«Il buio», risposi.

Lei si avviò verso la macchina che girava al minimo e prese la borsa. Tornò dentro, recuperò il cellulare e compose il numero. Calcolai mentalmente: uno squillo, due. Tre, quattro, cinque, sei.

«Non risponde», disse.

Poi s'illuminò in viso per abbuiarsi subito dopo.

«È scattata la segreteria telefonica», spiegò. «C'è qualcosa che non va.»

«Andiamo», esclamai.

«Dove?»

Guardai l'orologio. Poi guardai il cielo fuori della finestra. *Era troppo presto.*

«Alla costiera», dissi.

Lasciammo il magazzino con le luci spente e le porte chiuse a chiave. Conteneva merce troppo preziosa per lasciarlo aperto e accessibile a chiunque. Villanueva si mise alla guida. Duffy si sedette davanti, accanto a lui, e io mi sistemai dietro con i Persuader. Ci facemmo strada nell'area portuale, superammo lo spiazzo dove Beck parcheggiava i suoi furgoni blu e imboccammo l'interstatale. Passammo l'aeroporto e ci dirigemmo a sud allontanandoci dalla città.

Uscimmo dall'interstatale e puntammo a est sulla ben nota costiera. Non c'era nessuno. Il cielo era basso e grigio, il vento che soffiava dal mare era tanto forte da ululare attorno ai tergicristalli della Taurus. C'erano gocce d'acqua nell'aria, forse di pioggia, forse erano spruzzi dell'oceano portati sulla terraferma dal vento. Era ancora troppo chiaro. *Troppo presto.*

« Prova a richiamare Eliot », dissi.

Duffy estrasse il telefono, premette il tasto di chiamata rapida e accostò il cellulare all'orecchio. Udii sei deboli squilli e il sussurro del messaggio della segreteria telefonica. Lei scosse la testa e chiuse il telefono.

« D'accordo », affermai.

Duffy si girò sul sedile.

« Sei sicuro che siano tutti alla villa? » domandò.

« Hai notato il vestito di Harley? » dissi.

« Nero », rispose. « Di poco prezzo. »

« Era il vestito più simile a uno smoking che si potesse permettere, la sua idea di vestito da sera. Ed Emily Smith aveva un abito da cocktail pronto in ufficio. Si sarebbe cambiata. Portava già un paio di scarpe eleganti. Devono avere in programma una cena. »

« Keast and Maden », intervenne Villanueva. « La ditta di catering. »

« Esatto », feci. « Cibo per una cena: diciotto persone, cinquantacinque dollari a testa. Stasera. Emily Smith aveva scritto un appunto sull'ordine: agnello, non maiale. Chi mangia agnello e non maiale? »

« Chi segue le regole della cucina kosher. »

« E gli arabi », dissi. « I libici, forse. »

« I loro fornitori. »

« Esatto », ripetei. « Stanno per stringere un patto commerciale e tutta la merce russa nelle scatole è una sorta di ordine simbolico, di gesto dimostrativo. Lo stesso vale per i Persuader: entrambe le parti hanno provato d'essere in grado di mantenere gli impegni. Ora mangeranno lo stesso pane e inizieranno a fare affari sul serio.»

«Alla villa?»

Annuii. «È un posto di grande effetto: isolato, molto suggestivo. E hanno una tavola da pranzo enorme.»

Villanueva azionò i tergicristalli. Sul vetro comparvero strisce e chiazze d'acqua: erano schizzi salmastri e c'investivano orizzontali dall'Atlantico, pieni di sale.

«Un'altra cosa», aggiunsi.

«Cosa?»

«Penso che Teresa Daniel faccia parte del patto», dissi.

«Come?»

«La vendono insieme ai fucili. Una bella ragazza bionda americana: penso sia l'omaggio da diecimila dollari.»

Nessuno dei due parlò.

«Ricordate quello che Harley ha detto di lei? Fresca come una rosa.»

Silenzio.

«Secondo me l'hanno nutrita e tenuta in vita senza mai torcerle un capello.» *Paulie non avrebbe degnato Elizabeth Beck di alcuna attenzione se avesse potuto mettere le mani su Teresa. Con tutto il rispetto per Elizabeth.*

Ancora silenzio.

«In questo momento la staranno ripulendo», continuai.

Nessuna risposta.

«Penso la spediscano a Tripoli», aggiunsi. «Fa parte del patto. Una sorta di carota.»

Villanueva accelerò visibilmente. Il vento ululò più forte attorno ai tergicristalli e agli specchietti delle portiere. Due minuti dopo raggiungemmo il punto in cui avevamo teso l'imboscata alle guardie del corpo, al che rallentò di nuovo. Ci trovavamo a otto chilometri dalla villa e in teoria eravamo già visibili dalle finestre del piano superiore. Ci fermammo in mezzo alla strada e allungammo il collo per guardare a est.

Presi una Chevrolet verde oliva e arrivai a Maclean in ventinove minuti. Mi fermai in mezzo alla strada a duecento metri dalla casa di Quinn. Si trovava in una proprietà divisa in
lotti. L'intero posto era silenzioso, verde, bene irrigato e si
crogiolava pigramente al sole. Le villette sorgevano su lotti di
un acro ed erano seminascoste da folti sempreverdi piantati
lungo le fondamenta. I vialetti erano nero ebano. Udivo gli
uccellini cantare e un irrigatore lontano che ruotava lento e
spruzzava un marciapiede con i suoi sessanta gradi di rotazione. Nell'aria volavano grasse libellule.

Tolsi il piede dal freno e avanzai piano per un centinaio di
metri. La casa di Quinn era rivestita di assi di cedro scuro.
Aveva un sentiero d'accesso di pietra e muretti di sassi alti fino al ginocchio, che circondavano aiole piene di rododendri.
Aveva finestre piccole e per effetto dell'angolazione a cui le
grondaie del tetto incontravano i muri sembrava china, con
la schiena rivolta nella mia direzione.

L'auto di Frasconi era parcheggiata nel vialetto. Era una
Chevrolet verde oliva identica alla mia. Era vuota. Il paraurti
anteriore era a contatto con la porta del garage di Quinn, un
locale basso a tre posti. Era chiuso. Non si udiva alcun rumore tranne gli uccellini che cantavano, l'irrigatore lontano
e il ronzio degli insetti.

Parcheggiai dietro l'auto di Frasconi. I miei pneumatici
sembravano bagnati a contatto con l'asfalto caldo. Uscii ed
estrassi la Beretta dalla fondina, tolsi la sicura e mi avviai sul
sentiero di pietra. La porta d'ingresso era chiusa a chiave. La
casa era silenziosa. Sbirciai da una finestra del corridoio, ma
non vidi niente, se non i tipici mobili robusti e anonimi di
una bella casa in affitto.

Mi portai sul retro. Lì c'erano un patio lastricato con una
griglia, un tavolo di tek che stava ingrigendo per le intemperie con quattro sedie, un ombrellone di tela bianco sporco,
un prato con una moltitudine di sempreverdi bassi e uno

steccato di cedro dello stesso colore scuro del rivestimento della casa, che nascondeva la vista ai vicini.

Provai la porta della cucina. Era chiusa a chiave. Guardai dalla finestra e non vidi nulla. Proseguii lungo il perimetro posteriore, arrivai alla finestra seguente e non vidi nulla. Mi avvicinai a quella dopo ancora e vidi Frasconi steso di schiena. Era nel centro del pavimento del soggiorno. C'erano un divano e due poltrone rivestite di un tessuto resistente color fango. Il pavimento era coperto da una moquette e si intonava con il verde oliva della sua uniforme. Gli avevano sparato una volta in fronte con una nove millimetri. Un colpo fatale. Anche da dietro la finestra vedevo quell'unico foro tutto incrostato e l'avorio opaco del cranio sotto la pelle. Sotto la testa c'era un lago di sangue: aveva intriso la moquette e si stava già essiccando e scurendo.

Non volevo entrare al pianterreno. Se Quinn era ancora là dentro, era di certo al piano superiore dove godeva di un vantaggio tattico. Perciò accostai il tavolo del patio al retro del garage e lo usai per salire sul tetto. Usai il tetto per avvicinarmi a una finestra del piano superiore e un gomito per spaccare il vetro. Entrai in una camera per gli ospiti. Puzzava di muffa come le stanze da tempo inutilizzate. L'attraversai e arrivai a un corridoio. La casa sembrava completamente deserta. C'era un senso di morte, una totale assenza di rumore, di vibrazioni umane.

Però sentivo odore di sangue.

Attraversai il corridoio e trovai Dominique Kohl nella stanza da letto principale. Era stesa supina sul letto, completamente nuda. I vestiti le erano stati strappati di dosso. L'avevano colpita al volto fino a stordirla e poi massacrata. Le avevano asportato i seni con un grosso coltello. Lo vedevo, il coltello: glielo avevano conficcato nei tessuti delicati sotto il mento, attraverso il palato, fin nel cervello.

Nella mia vita avevo visto molte cose. Una volta mi ero svegliato dopo un attacco terroristico con la mandibola di un altro conficcata nel ventre. Avevo dovuto togliermi la sua carne dagli occhi per poter vedere e scappare. Avevo strisciato per una ventina di metri tra braccia e gambe amputate, puntando le ginocchia su teste mozzate mentre tenevo le mani premute sull'addome per evitare che l'intestino fuoriuscisse. Avevo visto omicidi, incidenti, uomini uccisi a mitragliate negli scontri, persone ridotte a brandelli da esplosioni e ad ammassi neri e contorti dal fuoco, ma non avevo mai visto niente di tanto spaventoso come il corpo massacrato di Dominique Kohl. Vomitai sul pavimento e poi per la prima volta in più di vent'anni piansi.

« Che facciamo ora? » chiese Villanueva dieci anni dopo.

« Vado da solo », dissi.

« Vengo con te. »

« Non discutiamo », replicai. « Portami solo un po' più vicino e guida molto piano. »

Era un'auto grigia in una giornata grigia e gli oggetti che si muovono lenti sono meno visibili di quelli che si muovono veloci. Lui tolse il piede dal freno, diede gas e avanzò a circa quindici chilometri all'ora. Controllai la Beretta e i caricatori di riserva. Quarantacinque colpi, meno i due sparati nel soffitto di Duke. Controllai i Persuader. Quattordici colpi, meno uno sparato nel ventre di Harley. In totale, cinquantasei colpi per meno di diciotto persone: non sapevo chi fossero gli invitati, ma di certo Emily Smith e Harley non si sarebbero presentati.

« È stupido andare da solo », commentò Villanueva.

« È stupido andarci insieme », replicai. « È un approccio suicida. »

Lui non rispose.

« È meglio che voi aspettiate qui fuori », proseguii.

Anche a quello non rispose. Voleva che tornassi e voleva anche Teresa, ma era abbastanza sveglio da capire che entrare in una casa isolata e fortificata quando non era ancora buio non sarebbe stato un gioco da ragazzi. Dopo un po' tolse il piede dall'acceleratore, mise il cambio in folle e lasciò che la macchina si fermasse. Nella caligine preferì evitare il bagliore delle luci dei freni. Eravamo forse a quattrocento metri dalla casa.

«Voi mi aspetterete qui», dissi. «Per l'intera durata dell'operazione.»

Villanueva distolse lo sguardo.

«Datemi un'ora», aggiunsi.

Attesi finché entrambi annuirono.

«Poi chiamate l'ATF», continuai. «Tra un'ora, se non torno.»

«Forse dovremmo farlo ora», suggerì Duffy.

«No», risposi. «Voglio prima avere un'ora.»

«L'ATF prenderà Quinn», affermò lei. «Non lasceranno che se ne vada come se niente fosse.»

Pensai a quello che avevo visto e scossi semplicemente la testa.

Infransi tutti i regolamenti e ignorai tutte le procedure del manuale. Mi allontanai dalla scena di un crimine e non lo denunciai. Ostacolai in pieno la giustizia. Lasciai Kohl nella stanza da letto e Frasconi in soggiorno. Abbandonai la loro auto nel vialetto, rientrai in ufficio, presi una Ruger Standard calibro 22 silenziata dall'armeria della compagnia e andai a cercare le scatole che contenevano il dossier di Quinn. L'istinto mi diceva che avrebbe fatto una tappa prima di partire per le Bahamas: da qualche parte doveva avere un nascondiglio in cui tenere documenti falsi, un po' di soldi, una borsa con dei vestiti o forse anche tutti e tre. Non però alla base o nella casa presa in affitto. Era troppo professionale per fare una cosa del genere, troppo cauto. Il nascondiglio si trovava in un posto sicuro e lontano: scommisi fosse la casa nella California settentrionale, quella ereditata dai genitori, dal padre dipendente delle ferrovie e dalla madre casalinga. Perciò mi serviva l'indirizzo.

La calligrafia di Kohl era chiara. Le due scatole erano piene dei suoi appunti: erano accurati, esaurienti e mi spezzarono il cuore. Trovai l'indirizzo della California in un profilo di otto pagine che Kohl aveva preparato: era un numero a cinque cifre di una strada nella zona dell'ufficio postale di Eureka, probabilmente un posto isolato, lontano dalla città. Andai al tavolo dell'impiegato della mia compagnia e mi firmai una serie di permessi di viaggio, misi la Beretta di servizio e la Ruger silenziata in una borsa di tela e andai all'aeroporto. Mi diedero varie carte da firmare prima di consentirmi di portare in cabina due armi cariche. Non avevo intenzione di spedirle come bagaglio. Pensavo ci fossero buone probabilità che Quinn prendesse lo stesso volo: se lo avessi visto al cancello o a bordo, probabilmente l'avrei fatto fuori all'istante.

Ma non lo vidi. Salii su un aereo per Sacramento e dopo il decollo percorsi l'intero corridoio scrutando ogni volto, ma lui non c'era, perciò per tutta la durata del volo me ne stetti tranquillo a guardar fuori. Le hostess si tennero a debita distanza.

All'aeroporto di Sacramento noleggiai un'auto. Mi diressi a nord, sull'Interstatale 5 e poi a nord-ovest sulla 299, una cosiddetta strada panoramica che correva serpeggiando tra i monti. Non guardai niente se non la riga gialla davanti a me. Avevo guadagnato tre ore perché avevo superato tre fusi orari, ma nonostante ciò quando arrivai al confine di Eureka stava calando il buio. Trovai la strada di Quinn, una striscia tortuosa che andava da nord a sud risalendo le colline al di sopra della 101. L'interstatale appariva lontana sotto di me. Vedevo la colonna di fari avanzare verso nord e le luci dei fanali dirigersi a sud. Immaginai che laggiù, da qualche parte, ci fosse anche una ferrovia, forse una stazione o uno scalo comodi per il padre di Quinn ai tempi in cui lavorava.

Trovai la casa e la superai senza rallentare. Era una costruzione grezza di legno a un piano e al posto della cassetta postale aveva una vecchia zangola. Il cortile anteriore era incolto da una decina di anni. Girai cinquecento metri più a sud e tornai indietro a fari spenti per duecento. Parcheggiai dietro un ristorante abbandonato con il tetto semidistrutto. Scesi dall'auto e risalii la collina per una trentina di metri, poi camminai verso nord per altri trecento e arrivai alla casa da dietro.

Nella luce del crepuscolo vidi uno stretto portico posteriore e un'area calpestata che probabilmente serviva da posteggio per la macchina. Era chiaramente un luogo dove per entrare usavi la porta sul retro, non quella anteriore. Dentro non c'erano luci accese. Vedevo le tendine impolverate e sbiadite dal sole semichiuse alle finestre. L'intera casa sembrava vuota, disabitata. Avevo una visuale di tre chilometri a nord e a sud e non c'erano auto sulla strada.

Scesi lentamente dalla collina. Girai attorno alla casa e mi fermai ad ascoltare a ogni finestra. All'interno non c'era nessuno. Supposi che Quinn parcheggiasse sul retro ed entrasse dalla porta posteriore, perciò passai da quella anteriore. La porta era vecchia e sottile: dovetti solo spingere con forza finché lo stipite interno cominciò a cedere, poi con il palmo della mano la colpii una volta al di sopra della serratura. Il legno si scheggiò e la porta si spalancò. Entrai, la richiusi e la fermai con una sedia. Dall'esterno sarebbe apparso tutto normale.

Dentro c'era puzza di muffa e una temperatura di una decina di gradi inferiore a quella esterna. Tutto era buio e cupo. Sentivo il rumore di un frigorifero in cucina e da ciò dedussi che c'era l'elettricità. Le pareti erano ricoperte di una vecchia carta da parati, gialla e sbiadita. C'erano solo quattro stanze: una cucina abitabile, un soggiorno e due camere da letto, una piccola e l'altra ancora più piccola. Supposi che quella più piccola fosse la stanza di Quinn da bambino. Tra le due camere c'era l'unico bagno della casa con i sanitari bianchi chiazzati di ruggine.

Quattro locali e un bagno: la perquisizione sarebbe stata più facile che mai. Trovai quello che cercavo quasi subito. Sollevai un tappeto logoro dal pavimento del soggiorno e trovai una botola quadrata ricavata nelle assi. Se fosse stata in corridoio, avrei pensato si trattasse di un accesso per ispezionare fili e condutture sotto il pavimento, ma era in soggiorno. Presi una forchetta in cucina e l'aprii. Sotto, fra i travetti del pavimento, c'era un ripiano basso di legno con sopra una scatola da scarpe avvolta in una plastica biancastra. Nella scatola c'erano tremila dollari e due chiavi. Immaginai fossero di qualche cassetta di sicurezza o di un deposito bagagli. Presi il denaro e lasciai le chiavi dov'erano. Rimisi a posto la botola e il tappeto, scelsi una poltrona e mi sedetti ad aspettare con la Beretta in tasca e la Ruger sulle ginocchia.

«Sta' attento», esclamò Duffy.

Annuii. «Certo.»

Villanueva non disse nulla. Uscii dalla Taurus con la Beretta in tasca e un Persuader per mano. Attraversai la strada in direzione del ciglio e scesi tra le rocce fin dove potei, poi piegai a est. Dietro le nubi c'era ancora la luce del sole, ma io ero vestito di nero, portavo armi nere e non camminavo lungo la strada, perciò pensai di avere una chance. Il vento m'investiva con forza e l'aria era piena di goccioline d'acqua. Davanti a me vedevo l'oceano: era in tempesta e la marea stava calando. Sentivo le onde lontane battere e il lungo risucchio della massa d'acqua sul fondo che trascinava sabbia e ghiaia.

Superai una piccola curva e vidi che le luci del muro erano accese: rilucevano bianco-azzurre contro il cielo cupo. Il contrasto tra le luci elettriche e l'oscurità del tardo pomeriggio significava che sarei stato sempre meno visibile a mano a mano che mi fossi avvicinato. Perciò risalii verso la strada e presi a correre. Mi avvicinai il più possibile, poi deviai di nuovo verso le rocce e continuai lungo la costa. L'oceano era proprio ai miei piedi. Sentivo odore di sale e di alghe. Gli scogli erano scivolosi, le onde s'infrangevano e la schiuma schizzava in aria colpendomi mentre l'acqua vorticava furiosa.

Rimasi immobile e inspirai, rendendomi conto che non avrei potuto superare il muro a nuoto, non quella volta. Sarebbe stata una follia: il mare era troppo agitato, non avrei avuto alcuna possibilità, nemmeno la più piccola. Mi avrebbe sbattuto di qua e di là come un pezzo di sughero scaraventato più volte sugli scogli fino a uccidermi. Questo, a meno che non fossi stato catturato dalle correnti sul fondo, che mi avrebbero inghiottito e trascinato in profondità facendomi morire annegato.

Non posso aggirarlo, non posso scavalcarlo. Devo passarci attraverso.

Risalii di nuovo gli scogli ed entrai nella striscia di luce il più lontano possibile dal cancello. Mi trovavo nel punto in cui le fondamenta si abbassavano in direzione dell'acqua. Mi tenni molto vicino al muro e lo seguii. Ero inondato di luce, ma nessuno a est mi poteva vedere proprio perché il muro stava tra me e la casa ed era più alto di me. Tutto ciò di cui dovevo preoccuparmi era di non calpestare uno dei sensori nascosti nel terreno. Camminai con il passo più leggero possibile e sperai che non li avessero nascosti tanto vicino.

Immaginai che così fosse perché arrivai sano e salvo alla guardiola del cancello. Azzardai un'occhiata all'interno, nella fessura fra le tende della finestra anteriore: vidi il soggiorno bene illuminato e il sostituto di Paulie seduto in posa rilassata sul divano sfondato. Non era una faccia nota. Era circa dell'età e della corporatura di Duke, forse sotto la quarantina e forse un po' più sottile di me. Passai qualche minuto a calcolarne l'altezza: era importante. Era probabilmente di cinque centimetri più basso. Indossava un paio di jeans, una maglietta bianca e un giubbotto di denim. Non era chiaramente invitato alla cena: era la Cenerentola della situazione, incaricato di sorvegliare il cancello mentre gli altri festeggiavano. Sperai fosse l'unico, che il personale fosse ridotto all'osso anche se non ci avrei scommesso. Se avessero usato anche la minima cautela, avrebbero messo un secondo uomo all'ingresso della villa e forse un terzo alla finestra di Duke, perché sapevano che Paulie non aveva portato a termine la missione. Sapevano che ero ancora in circolazione.

Non potevo permettermi di far rumore sparando al nuovo arrivato. Le onde emettevano un gran fragore e il vento ululava, ma non avrebbero mascherato il rumore della Beretta, e niente al mondo avrebbe mascherato quello di un Persuader che sparava una Brenneke Magnum. Perciò arretrai di un paio di metri, posai a terra i Persuader e mi tolsi cappotto e giacca. Mi tolsi anche la camicia e l'avvolsi stretta al polso sinistro. Mi appoggiai di schiena al muro e avanzai di lato fino al bordo della finestra. Con le unghie della destra tamburellai sull'angolo inferiore del vetro coperto dalle tende, piano, in modo intermittente, imitando un rullo di tamburo o lo zampettio di un topo in una stanza. Lo ripetei quattro volte e stavo per farlo la quinta quando con la coda dell'occhio vidi la luce della finestra oscurarsi all'improvviso. Ciò significava che il nuovo arrivato si era alzato dal divano e aveva premuto il viso contro il vetro per cercare di vedere quale minuscola creatura lo stesse infastidendo. A quel punto mi concentrai per azzeccare l'altezza, mi girai di centottanta gradi e con il pugno sinistro protetto dalla camicia tirai un poderoso gancio, che prima spaccò la finestra e un millisecondo dopo il naso dell'uomo. Questi si accasciò dietro il davanzale interno; io mi allungai nel buco che avevo creato, azionai la chiusura, spalancai la finestra ed entrai. L'uomo era seduto per terra: sanguinava dal naso e per i tagli che il vetro gli aveva fatto sul viso. Era stordito. Sul divano c'era una pistola. Ero a due metri e mezzo dall'arma e lui era a tre metri e mezzo dai telefoni. Scosse la testa per schiarirsi le idee e mi guardò.

«Tu sei Reacher», disse. Aveva sangue in bocca.

«Esatto», risposi.

«Non hai nessuna possibilità», aggiunse.

«Tu credi?»

«Sì, abbiamo l'ordine di sparare per uccidere.»

«A me?»

Annuì.

«Chi ce l'ha?»

«Tutti.»

«È un ordine di Xavier?»

Lui assentì ancora e portò il dorso della mano al naso.

«Obbediranno a quell'ordine?» chiesi.

«Sicuro.»

«E tu?»

«No.»

«Me lo prometti?»

«Sì.»

«Bene.»

Tacqui per un istante e pensai di fargli altre domande. Probabilmente si sarebbe dimostrato riluttante, ma strapazzandolo un po' avrei ottenuto tutte le risposte del caso. Alla fine però conclusi che non avesse molta importanza: non cambiava le cose sapere se nella villa ci fossero dieci, dodici o quindici nemici o di che armi disponessero. *Sparare per uccidere. Io o loro.* Perciò mi allontanai. Stavo decidendo che fare di quell'uomo quando lui decise per me rimangiandosi la promessa. Si sollevò dal pavimento e si buttò verso la pistola sul divano. Lo bloccai con un violento sinistro alla gola. Fu un colpo forte e fortunato, ma non per lui. Gli fracassò la laringe. Si accasciò di nuovo sul pavimento e soffocò. Fu ragionevolmente rapido: circa un minuto e mezzo. Non c'era niente che potessi fare per lui, non sono un dottore.

Rimasi perfettamente immobile per un minuto, poi mi rimisi la camicia, uscii dalla finestra, recuperai fucili, giacca e cappotto, rientrai e mi diressi alla finestra posteriore per osservare la casa.

«Merda», esclamai guardando fuori.

La Cadillac era parcheggiata sulla rotonda. Eliot non se n'era andato e nemmeno Elizabeth, Richard o la cuoca. Il che coinvolgeva tre innocenti nella mischia. La presenza di innocenti rendeva qualsiasi assalto cento volte più difficile, e quello lo era già abbastanza.

Guardai di nuovo. Vicino alla Cadillac c'erano una Lincoln Town Car nera e accanto a questa due Suburban blu scuro, ma nessun furgone di catering. Forse era dall'altra parte o forse sarebbe arrivato più tardi. O forse non sarebbe mai arrivato. Magari non c'era alcuna cena e io avevo preso una solenne cantonata, fraintendendo l'intera situazione.

Fissai l'oscurità attorno alla casa, oltre le luci intense del muro. Non vidi alcuna guardia all'ingresso; però era freddo e umido e chiunque avesse avuto un po' di sale in zucca si sarebbe appostato nell'atrio, dietro un vetro. Non vidi nessuno nemmeno alla finestra di Duke, ma era aperta, proprio come l'avevo lasciata. Presumibilmente la NSV era ancora appesa alla sua catena.

Guardai di nuovo le auto. La Town Car poteva aver portato quattro persone, i Suburban sette ciascuno. Diciotto persone al massimo, forse quindici o sedici ospiti e due o tre guardie. In alternativa, potevano essere arrivate solo tre persone. Forse mi stavo sbagliando completamente.

C'era un solo modo per scoprirlo.

E quella era la parte più difficile. Dovevo passare nella zona illuminata. Valutai se cercare l'interruttore e spegnere le luci, ma sarebbe equivalso a mettere subito in allarme chi si trovava in casa. Cinque secondi dopo si sarebbero attaccati al telefono per chiedere all'uomo del cancello che cosa fosse successo. E l'uomo del cancello non avrebbe potuto rispondere perché era morto. A quel punto quindici persone o più mi sarebbero piombate addosso nell'oscurità. Evitarle, sarebbe stato abbastanza facile. Il problema era però sapere chi evitare e chi prendere, perché ero più che certo che, se quella sera mi fossi lasciato sfuggire Quinn, non lo avrei mai più rivisto.

Perciò dovevo agire con le luci accese. C'erano due possibilità: la prima era correre dritto verso la casa. In quel modo avrei ridotto al minimo il tempo in cui mi avrebbero illuminato. La cosa però implicava muoversi rapidamente e quando ci si muove rapidamente si attira l'attenzione. La seconda era costeggiare il muro fino all'oceano: sessanta metri, da percorrere lentamente. Sarebbe stata un'agonia, ma con molta probabilità era l'alternativa migliore.

Perché, se le luci erano montate sul muro, puntavano lontano, cosa che creava una zona più scura tra il muro stesso e la parte posteriore del fascio luminoso. Una zona sottile, triangolare. Avrei potuto strisciare lento alla base del muro, attraversando il campo di fuoco della NSV.

Aprii cauto la porta posteriore. Sulla guardiola non c'erano luci. Queste iniziavano sei metri più in là alla mia destra, nel punto in cui il muro della guardiola si trasformava in muro perimetrale. Uscii sulla soglia e mi chinai. Mi voltai a novanta gradi verso destra e cercai il mio tunnel: eccolo. A livello del suolo era profondo meno di novanta centimetri. All'altezza della testa scompariva del tutto. Non era molto scuro. Sul terreno c'era un po' di dispersione e alcuni raggi erano male allineati; qualche lampada emetteva un bagliore anche da dietro. Il mio tunnel aveva dunque una gradazione media tra il buio pesto e la luce piena.

Avanzai sulle ginocchia, mi allungai all'indietro e chiusi la porta alle mie spalle. Con un Persuader per mano, mi buttai ventre a terra e premetti con forza la spalla destra contro il muro, poi attesi quel tanto da tranquillizzare chiunque avesse creduto di aver visto la porta muoversi. Poco dopo iniziai a strisciare, lentamente.

Percorsi all'incirca tre metri e mi fermai all'istante. Avevo sentito il rumore di un veicolo sulla strada: non era una berlina, era qualcosa di più grosso. Forse un altro Suburban. Invertii la rotta e spingendomi con le dita dei piedi tornai alla porta. Mi inginocchiai, l'aprii e sgattaiolai nella guardiola dove mi alzai in piedi. Misi i Persuader su una sedia ed estrassi la Beretta dalla tasca. Dall'altra parte del cancello sentivo un grosso V-8 girare al minimo.

Decisioni. Chiunque ci fosse là fuori si aspettava che la guardia andasse ad aprire. Avrei scommesso uno a dieci che sapesse che non ero la vera guardia. Conclusi quindi che avrei dovuto rinunciare all'idea di strisciare e che sarei stato costretto a fare rumore: avrei sparato, preso il mezzo e mi sarei diretto a gran velocità verso la villa prima che l'uomo con la NSV potesse prendere la mira. Avrei quindi tentato la sorte nel caos che ne sarebbe seguito.

Tornai alla porta posteriore, tolsi la sicura alla Beretta e inspirai. Avevo io il vantaggio iniziale: sapevo esattamente che cos'avrei fatto. L'altro, chiunque fosse, avrebbe prima dovuto reagire e per farlo avrebbe impiegato un secondo di troppo.

Poi mi ricordai della telecamera del cancello. Del monitor. Potevo vedere distintamente chi avevo di fronte. Potevo contare le persone. *Uomo avvisato, mezzo salvato.* Mi avvicinai per controllare. L'immagine era grigia, lattiginosa e mostrava un furgone bianco con una scritta sulla fiancata. KEAST & MADEN CATERING. Tirai un sospiro di sollievo: non c'era ragione che conoscessero l'uomo di guardia al cancello. Rimisi la Beretta in tasca, mi tolsi cappotto e giacca, presi il giubbotto di denim della guardia e me lo infilai. Era stretto e sporco di sangue, ma ero lo stesso abbastanza convincente. Uscii dalla porta anteriore dando le spalle alla casa e cercai di stare chino per sembrare più basso. Mi avvicinai al cancello, feci scorrere il chiavistello col pugno, come faceva Paulie, e lo aprii. Il furgone bianco mi si avvicinò. Il passeggero abbassò il finestrino. Indossava uno smoking, come pure il guidatore. Altri innocenti.

«Da che parte?» chiese il passeggero.

«Girate attorno alla casa, a destra», dissi. «La porta della cucina è sul retro.»

Il finestrino si richiuse e il furgone mi superò. Feci un cenno di saluto e richiusi il cancello. Tornai nella guardiola e osservai il furgone dalla finestra. Andò dritto alla villa e alla rotonda girò a destra illuminando con i fari la Cadillac, la Town Car e i due Suburban. Scorsi il bagliore dei freni, poi scomparve alla vista.

Aspettai un paio di minuti, sperando diventasse più buio. Poi mi rimisi giacca e cappotto, recuperai i Persuader dalla sedia, aprii piano la porta, strisciai fuori e mi buttai ventre a terra. Premetti la spalla contro la base del muro e iniziai di nuovo a strisciare lentamente. Tenni la faccia rivolta dalla parte opposta alla casa. Sotto di me c'era ghiaia e sentivo i sassolini acuminati pungermi gomiti e ginocchia, ma più che altro sentivo un formicolio alla schiena. Mi trovavo di fronte a un'arma in grado di sparare dodici proiettili da centotrenta millimetri al secondo, dietro la quale c'era probabilmente un energumeno pronto a colpire. Mi augurai mancasse la prima raffica. Forse sarebbe andata così: avrebbe sparato troppo in alto o troppo in basso, a quel punto mi sarei alzato e avrei iniziato a correre a zig zag nel buio prima che potesse correggere il tiro.

Avanzai lento, dieci metri, quindici, venti. Mi muovevo davvero con gran lentezza tenendo la faccia rivolta al muro, sperando d'essere un'ombra vaga, indistinta nella penombra. Era una cosa del tutto controintuitiva, tanto che reprimevo il forte istinto di scattare in piedi e correre via. Il cuore mi martellava nel petto e stavo sudando molto nonostante il freddo. Il vento mi sferzava: soffiava dal mare, colpiva il muro e scendeva giù con forza spingendomi verso la zona in cui le luci erano più intense.

Continuai. Arrivai quasi a metà strada. Avevo percorso circa trenta metri, ne restavano altri trenta. I gomiti mi facevano male. Tenevo i Persuader sollevati dal terreno e le braccia stavano accusando la fatica. Mi fermai a riposare, appiattendomi bene al suolo. Cercai di assomigliare a un sasso. Voltai la testa e azzardai un'occhiata alla villa. Era silenziosa. Guardai avanti, guardai dietro. *Il punto di non ritorno.* Continuai a strisciare e dovetti impormi di procedere lento. Quanto più avanzavo, tanto più aumentava il formicolio alla schiena. Respiravo affannosamente, ormai prossimo al panico. L'adrenalina mi scorreva a fiumi nelle vene e m'incitava: *Corri, corri.* Ansimai, sbuffai e mi sforzai di mantenere la coordinazione tra braccia e gambe, di continuare *lento.* Poi arrivai a dieci metri dalla fine e cominciai a credere di potercela fare. Mi fermai, respirai una, due volte, dopodiché ripresi. A un certo punto il terreno s'inclinò verso il basso e io lo seguii. Raggiunsi l'acqua. Sentii uno strato umido e viscido sotto di me. Onde piccole, ma forti correvano nella mia direzione e la schiuma m'investiva. Mi voltai di novanta gradi a sinistra e mi fermai. Ero al limite del campo visivo di chicchessia, ma dovevo percorrere ancora una decina di metri in piena luce. Rinunciai a muovermi lento. Tenendo la testa bassa, mi sollevai un po' e scattai.

Trascorsi all'incirca quattro secondi in una luce intensa come non mai: mi sembrarono un'eternità. Ero accecato. Un attimo dopo piombai di nuovo nel buio, mi accucciai e rimasi in ascolto. Non udii nulla se non il mare in tempesta. Non vidi nulla se non le macchioline purpuree nei miei occhi. Proseguii per altri dieci passi tra gli scogli e mi fermai. Mi voltai a guardare. *Ero dentro.* Sorrisi nell'oscurità. *Quinn, sto venendo a prenderti.*

15

Dieci anni prima lo avevo atteso diciotto ore. Non dubitai mai che non arrivasse. Rimasi semplicemente seduto nella sua poltrona con la Ruger sulle ginocchia e attesi. Non dormii, non battei quasi le palpebre. Rimasi soltanto seduto lì per tutta la notte, l'alba, la mattina seguente. Mezzogiorno venne e passò. Io continuai a restare seduto e ad aspettare. Arrivò alle due esatte del pomeriggio. Udii una macchina rallentare sulla strada, mi alzai e tenendomi lontano dalla finestra lo osservai svoltare. Aveva un'auto a noleggio simile alla mia, una Pontiac rossa. Lo vidi distintamente oltre il parabrezza. Era pulito e in ordine, ben pettinato, indossava una polo blu con il colletto aperto e sorrideva. L'auto si diresse verso il lato della casa e la sentii fermarsi tra lo scricchiolio della ghiaia nello spiazzo davanti alla cucina. Uscii in corridoio e mi appiattii contro la parete accanto alla porta di cucina.

Udii la chiave nella toppa e la porta aprirsi. I cardini cigolarono in segno di protesta. La lasciò aperta. Sentivo il motore dell'auto girare al minimo. Non lo aveva spento. Non aveva intenzione di fermarsi molto. Udii i suoi passi sul linoleum di cucina: passi svelti, leggeri, sicuri. Di un uomo che pensava di aver giocato e vinto. Varcò la soglia e io lo colpii alla tempia col gomito.

Cadde di schiena. Aprii la mano e lo inchiodai a terra per la gola. Posai la Ruger e lo perquisii. Era disarmato. Mollai la presa: lui sollevò la testa e io gliela sbattei giù premendogli il mento con la mano. Picchiò la nuca sul pavimento e roteò gli occhi. Entrai in cucina e chiusi la porta. Tornai indietro e lo trascinai in soggiorno per i polsi. Lo gettai a terra e gli diedi un paio di schiaffi. Gli puntai quindi la Ruger in piena faccia e attesi che riaprisse gli occhi.

Lui lo fece e mise a fuoco prima la pistola, poi me. Ero in uniforme, con tanto di grado e di nome dell'unità, perciò non impiegò molto a capire chi fossi e perché fossi lì.

«Aspetti», disse.

«Cosa?»

«Sta commettendo un errore.»

«Davvero?»

«Sì. Loro erano corrotti.»

«Loro chi?»

«Frasconi e Kohl.»

«Davvero?»

Lui annuì di nuovo. «E poi lui ha cercato di fregarla.»

«Come?»

«Posso sedermi?»

Scossi la testa e tenni la pistola dov'era.

«No», risposi.

«Stavo gestendo un'operazione sotto copertura», aggiunse. «Insieme al dipartimento di Stato. Contro le ambasciate nemiche. Ero a caccia di mele marce.»

«E della bambina di Gorowski che mi dice?»

Lui scosse la testa, impaziente. «Non è successo niente con quella dannata bambina. Gorowski doveva soltanto recitare una parte. Era una messinscena, in caso i nemici lo avessero controllato. Facciamo queste cose per bene. Ci deve essere un filo logico da seguire, semmai qualcuno s'insospettisca. Avevamo organizzato con cura le consegne e tutto quanto, nell'eventualità che ci pedinassero.»

«E Frasconi e Kohl?»

«Erano in gamba. Mi hanno individuato subito, pensavano fossi corrotto, il che mi ha lusingato: significava che stavo svolgendo bene il mio ruolo. Poi hanno preso una brutta strada. Sono venuti da me e mi hanno detto che, se li avessi pagati, avrebbero rallentato le indagini. Che mi avrebbero dato il tempo di uscire dal Paese. Credevano avessi in mente di farlo. Perciò io ho pensato: ehi, perché non assecondarli? Perché chi può mai sapere quali mele marce si trovano andando a caccia? Più sono, meglio è, giusto? Così li ho assecondati.»

Tacqui.

«L'indagine è stata lunga, vero?» osservò. «Lo deve aver notato. Settimane e settimane. È stata veramente lunga.»

Lunga come la fame.

«E poi ieri è successo», affermò. «Ho messo nel sacco i siriani, i libanesi e gli iraniani, e anche gli iracheni, che erano il pesce grosso. E ho pensato che fosse arrivato il momento di mettere nel sacco anche i suoi. Sono venuti per il pagamento finale, una bella cifra. Frasconi però lo voleva tutto per sé e mi ha colpito in testa. Quando sono rinvenuto, ho scoperto che aveva massacrato Kohl. Era un pazzo, mi creda, perciò ho preso una pistola da un cassetto e gli ho sparato.»

«Allora perché è scappato?»

«Perché ero terrorizzato. Io lavoro al Pentagono, prima non avevo mai visto del sangue e non sapevo con chi altri fossero d'accordo. Potevano essercene altri.»

Frasconi e Kohl.

«Lei è molto in gamba», disse. «È venuto direttamente qui.»

Annuii e pensai al profilo di otto pagine, scritto con la grafia immacolata di Kohl. *L'attività dei genitori, la casa dell'infanzia.*

«Di chi è stata l'idea?» chiesi.

«In origine?» disse. «Di Frasconi, naturalmente. Era superiore di grado.»

«Come si chiamava lei?»

Vidi un bagliore nei suoi occhi.

«Kohl», rispose.

Annuii di nuovo. Era andata ad arrestarlo con l'uniforme verde che sul petto, a destra, aveva una targhetta nera di acetato con il nome. KOHL. Una denominazione neutra. *Uniforme, donna: la targa del nome viene adattata in base alle differenze di corporatura e centrata orizzontalmente a destra, dai due centimetri e mezzo ai cinque centimetri al di sopra del primo bottone della giacca.* Lui l'aveva notata non appena Kohl aveva varcato la soglia.

« Nome proprio? »

Tacque.

« Non ricordo », disse.

« Il nome proprio di Frasconi? »

Uniforme, uomo: la targa è centrata sul risvolto della tasca destra del petto, equidistante tra l'orlo e il bottone.

« Non ricordo. »

« Si sforzi », insistetti.

« Non ci riesco », rispose. « È solo un dettaglio. »

« Tre su dieci », osservai. « Diciamo che è un cinque. »

« Cosa? »

« La sua prova », spiegai. « Il voto è insufficiente. »

« Cosa? »

« Suo padre lavorava alle ferrovie », proseguii. « Sua madre era casalinga. Il suo nome intero è Francis Xavier Quinn. »

« E allora? »

« Le indagini sono così », dissi. « Se vuoi mettere qualcuno nel sacco, scopri tutto sul suo conto. Lei stava cercando di incastrare quei due e non ha mai scoperto i loro nomi propri? Non ha mai preso appunti? Non ha mai aperto un dossier? »

Non disse nulla.

« E Frasconi non ha mai avuto un'idea in vita sua », aggiunsi. « Non andava neanche al cesso se qualcuno non glielo diceva. Nessuno che li conoscesse avrebbe mai detto *Frasconi e Kohl*, ma *Kohl e Frasconi*. Lei è corrotto fino al midollo e non aveva mai visto i miei uomini in vita sua se non nel momento stesso in cui si sono presentati a casa sua per arrestarla. E li ha uccisi entrambi. »

Mi dimostrò che avevo ragione cercando di reagire, ma io ero pronto. Fece per rialzarsi e io lo sbattei a terra con più forza del necessario. Era ancora in stato di incoscienza quando lo misi nel baule della macchina e quando lo trasferii nella mia, dietro il ristorante abbandonato. Andai a sud per un po' sulla 101, quindi svoltai a destra in direzione del Pacifico. Mi fermai in una piazzola di ghiaia. C'era una vista straordinaria. Erano le tre del pomeriggio, il sole splendeva e l'oceano era blu. La piazzola aveva una protezione metallica alta fino al ginocchio, oltre la quale c'erano mezzo metro ancora di ghiaia e poi una lunga parete verticale a picco sulle onde. Il traffico era molto scarso, forse un'auto ogni due minuti. Quella strada costituiva solo una deviazione arbitraria dall'interstatale.

Aprii il bagagliaio e lo richiusi con forza, in caso fosse stato sveglio e avesse progettato di aggredirmi, ma non lo era: gli mancava l'aria ed era quasi incosciente. Lo trascinai fuori, lo misi in piedi sulle gambe molli e lo feci camminare. Lasciai che guardasse l'oceano per qualche istante mentre controllavo che non vi fossero testimoni. Non c'era nessuno perciò lo girai e mi allontanai di cinque passi.

«Si chiamava Dominique», dissi.

Poi gli sparai, due volte alla testa e una al petto. Mi aspettavo che crollasse subito nella ghiaia, nel qual caso mi sarei avvicinato e gli avrei piantato un quarto proiettile nell'orbita prima di buttarlo nell'oceano, ma non lo fece. Barcollò all'indietro, inciampò nella ringhiera, cadde al di là e, dopo aver colpito l'ultimo metro di America con la spalla, rotolò dritto giù dal precipizio. Mi tenni al parapetto con una mano, mi sporsi e guardai in basso. Lo vidi colpire gli scogli, poi i frangenti lo inghiottirono. Non lo rividi più. Rimasi lì per un minuto intero a pensare. Due alla testa, uno al petto, una caduta da più di trentacinque metri nell'oceano, non c'è modo di sopravvivere.

428

Raccolsi i bossoli. Dieci-diciotto, Dom, dissi tra me e tornai alla macchina.

Dieci anni dopo l'oscurità stava calando rapida e io mi stavo facendo strada tra gli scogli dietro il garage. Il mare si gonfiava e s'infrangeva alla mia destra e il vento mi soffiava in faccia. Non mi aspettavo di trovare nessuno in giro, soprattutto ai lati o sul retro della casa. Perciò mi muovevo rapido, vigile, attento, con un Persuader in ogni mano. *Quinn, sto venendo a prenderti.*

Quando superai il retro del garage, vidi il furgone della ditta di catering parcheggiato davanti all'angolo posteriore dell'edificio, proprio nello stesso punto in cui Harley aveva lasciato la Lincoln per scaricare il corpo della cameriera dal bagagliaio. Le porte posteriori del furgone erano aperte e guidatore e passeggero stavano andando avanti e indietro per scaricarlo. Il metal detector dell'ingresso della cucina bippava a ogni contenitore di stagnola che passava. Avevo fame. Sentivo l'odore del cibo caldo portato dal vento. Gli uomini indossavano entrambi lo smoking e tenevano la testa china per il maltempo. Non prestavano attenzione a nulla tranne che al loro lavoro, ma mi tenni ugualmente alla larga. Restai sul margine degli scogli e avanzai seguendo una traiettoria curva. Saltai la spaccatura di Harley e continuai.

Quando fui il più possibile lontano dai due, tagliai e mi diressi all'angolo opposto della casa. Mi sentivo molto bene, silenzioso e invisibile, una specie di forza primordiale che arrivava possente dal mare. Mi fermai e cercai di capire quali fossero le finestre della sala da pranzo. Le trovai: la sala era tutta illuminata. Mi avvicinai di più e azzardai un'occhiata oltre il vetro.

La prima persona che vidi fu Quinn. Se ne stava dritto in piedi, con un abito scuro addosso e un drink in mano. Aveva i capelli completamente grigi e le cicatrici sulla fronte erano piccole, rosate e lucide. Era lievemente curvo e un po' più pesante rispetto a un tempo. Aveva dieci anni di più.

Accanto a lui c'era Beck, anche lui in abito scuro e con un drink in mano. Era spalla a spalla con il suo capo. Di fronte avevano tre arabi piccoli dai capelli neri brillantinati. Erano vestiti all'europea, con completi di color grigio o azzurro chiaro, e anche loro avevano un drink in mano.

Alle loro spalle Richard ed Elizabeth erano in piedi, vicini, assorti in una conversazione. Sembrava fosse in corso un party intorno al gigantesco tavolo. Questo era apparecchiato con diciotto coperti, in modo molto formale: ogni posto aveva tre bicchieri e piatti e posate sufficienti per una settimana. La cuoca girava per la sala con un vassoio di drink. Vidi flûte di champagne e bicchieri da whisky. La donna indossava una gonna nera e una camicetta bianca: era stata relegata al ruolo di cameriera. Forse la cucina mediorientale esulava dalle sue competenze.

Non vedevo Teresa Daniel: magari avevano in programma di farla balzar fuori da una torta più tardi. Gli altri presenti erano tutti uomini. Erano tre, i ragazzi più fidati di Quinn, suppongo. Un trio eterogeneo, assortito a caso, personaggi dal volto duro, ma forse non più pericolosi di Angel Doll o Harley.

Quindi, diciotto coperti, ma solo dieci invitati. Otto assenti: Duke, Angel Doll, Harley ed Emily Smith erano quattro. L'uomo che avevano messo alla guardiola al posto di Paulie era forse il quinto. Gli altri tre restavano misteriosi. Probabilmente uno era alla porta d'ingresso, uno alla finestra di Duke e uno con Teresa Daniel.

Rimasi all'esterno a guardare. Ero stato tante volte a cocktail party e cene formali: a seconda di dove prestavi servizio, potevano rappresentare una parte importante della vita della base. Immaginai che quelle persone sarebbero rimaste là dentro per almeno quattro ore: non sarebbero uscite se non per andare in bagno. Quinn stava parlando e mantenendo attentamente il contatto visivo con i tre arabi. Arringava la folla: sorrideva, gesticolava, rideva. Aveva l'aria di chi stava giocando e vincendo, ma non era così. I suoi piani erano andati storti. Una cena per diciotto persone si era trasformata in una cena per dieci perché io ero ancora in giro.

Mi chinai sotto la finestra e strisciai verso la cucina. Restando in ginocchio, mi sfilai il cappotto e vi avvolsi i Persuader, lasciandoli in un punto dove avrei potuto ritrovarli. Mi alzai ed entrai in cucina. Il metal detector suonò per la Beretta che avevo in tasca. Gli addetti al catering erano lì: stavano armeggiando con la stagnola. Feci loro un cenno come se vivessi nella casa e uscii deciso in corridoio. Avanzai silenzioso grazie agli spessi tappeti, sentendo il forte brusio della conversazione che proveniva dalla sala da pranzo. Vidi un uomo all'ingresso. Era rivolto di schiena e guardava fuori della finestra. Con la spalla era appoggiato al bordo del vano. I suoi capelli avevano un alone azzurro a causa delle luci del muro, in lontananza. *Sparare per uccidere. Io o loro.* Mi fermai per un istante. Poi mi avvicinai e gli misi la mano destra sotto il mento e le nocche della sinistra contro la nuca. Con la destra tirai bruscamente in alto e all'indietro, con la sinistra spinsi in basso e in avanti e gli spezzai il collo all'altezza della quarta vertebra. Mi crollò addosso, al che lo presi sotto le braccia e lo trascinai nel salotto di Elizabeth Beck, scaricandolo sul divano. Il *Dottor Živago* era ancora lì, su un tavolino.

Via uno.

Chiusi la porta del salottino e mi diressi verso le scale. Salii, rapido e silenzioso e mi fermai davanti alla stanza di Duke. Eliot giaceva scomposto per terra poco oltre la soglia. Morto. Supino. Aveva la giacca aperta e la camicia rigida per il sangue, tutta sforacchiata. I tappeti sotto di lui erano incrostati. Lo scavalcai e, restando nascosto dietro la porta, lanciai un'occhiata nella stanza. Capii perché era morto. La NSV si era inceppata. Aveva ricevuto la chiamata di Duffy e, sul punto di uscire, aveva alzato lo sguardo e visto un convoglio dirigersi verso di lui sulla strada. Era balzato dietro la grossa mitragliatrice, aveva premuto il grilletto e lo aveva sentito incepparsi. Quell'arma era un rottame. Il meccanico l'aveva smontata sul pavimento e ora, chino su di essa, stava cercando di riparare il meccanismo di alimentazione a nastro. Era assorto nel suo lavoro e non mi vide né mi sentì.

Sparare per uccidere. Io o loro.

Via due.

Lo lasciai steso sulla mitragliatrice. La canna sporgeva da sotto il suo corpo a mo' di terzo braccio. Controllai dalla finestra. Ero esattamente a metà dell'ora di cui disponevo.

Tornai di sotto, percorsi il corridoio come un fantasma e raggiunsi la porta del seminterrato. Lì le luci erano accese. Scesi le scale, superai la palestra e la lavatrice, quindi estrassi la Beretta dalla tasca togliendo la sicura. La tenni davanti a me e svoltai l'angolo, puntando direttamente alle due stanze chiuse a chiave. Una era vuota con la porta spalancata, l'altra era chiusa con un giovane magro davanti: era seduto su una sedia e la teneva inclinata contro la porta. L'uomo mi guardò in faccia e sgranò tanto d'occhi. Aprì la bocca, ma non emise alcun suono. Non sembrava molto pericoloso. Portava una maglietta con la scritta DELL: forse era Troy, il genio del computer.

«Sta' zitto se ci tieni a vivere», dissi.

Lui obbedì.

«Tu sei Troy?»

Rimase sempre zitto e con un cenno rispose di sì.

«Bene, Troy», affermai.

Calcolai che ci trovassimo esattamente sotto la sala da pranzo. Non potevo rischiare di sparare in una cantina di pietra sotto i piedi di tutti quanti. Perciò rimisi la Beretta in tasca, lo presi per il collo e gli sbattei la testa contro il muro due volte, facendogli perdere i sensi. Forse gli fracassai il cranio, forse no, a dire il vero non m'importava. Con le sue indagini informatiche aveva ucciso la cameriera.

Via tre.

Trovai la chiave in una delle sue tasche, la infilai nella toppa, spalancai la porta e vidi Teresa Daniel seduta sul materasso. Lei si voltò e mi guardò in faccia. Era proprio come nelle foto che Duffy mi aveva mostrato nella stanza del motel, la mattina presto dell'undicesimo giorno. Sembrava in perfetta salute. Aveva i capelli lavati e pettinati e indossava un abito bianco verginale, collant bianchi e scarpe bianche. La pelle era pallida e gli occhi azzurri. Sembrava una vittima sacrificale.

Mi fermai per un istante, incerto sul da farsi. Non potevo prevedere la sua reazione. Aveva probabilmente capito quello che volevano da lei e non mi conosceva. Per quanto ne sapesse, ero uno di loro, pronto a condurla sull'altare. Ed era un'agente federale addestrata. Se le avessi chiesto di venire con me, avrebbe potuto aggredirmi. Forse aveva risparmiato le forze per la sua ultima chance e io non volevo fare chiasso, non ancora.

Poi però la guardai di nuovo negli occhi. Una pupilla era enorme, l'altra minuscola. Era perfettamente immobile, silenziosa. Inerte e stordita. L'avevano drogata, forse con qualche sostanza strana. Come si chiamava? La droga degli stupri? Roipnol? Ropinol? Non ricordavo il nome, non era il mio ambito di competenza. Eliot lo avrebbe saputo, Duffy e Villanueva lo sapevano. Rendeva passivi, obbedienti e accondiscendenti. Ti induceva a rilassarti e subire qualsiasi cosa.

« Teresa? » sussurrai.

Lei non rispose.

« Tutto a posto? » sussurrai ancora.

« Sto bene. »

« Puoi camminare? »

« Sì », disse.

« Allora cammina insieme a me. »

Lei si alzò. Era incerta sulle gambe: debolezza muscolare, pensai. Era rimasta chiusa per nove settimane.

«Da questa parte», mormorai.

Lei non si mosse, rimase semplicemente dov'era. Tesi la mano: lei si allungò e la prese. Aveva la pelle calda e secca.

«Andiamo», dissi. «Non guardare l'uomo per terra.»

La bloccai subito dopo la porta. Lasciai andare la sua mano, trascinai Troy nella stanza, chiusi la porta e girai la chiave. Poi la presi di nuovo per mano e la condussi via. Era molto suggestionabile, molto obbediente. Teneva lo sguardo fisso davanti a sé e camminava insieme a me. Svoltammo l'angolo e superammo la lavatrice. Attraversammo la palestra. Il suo vestito era morbido come seta e ornato di pizzi. Mi teneva per mano come se fossimo fidanzati. Avevo quasi la sensazione di andare al ballo del college. Salimmo le scale fianco a fianco e giungemmo in cima.

«Aspetta qui», le dissi. «Non andare da nessuna parte senza di me, intesi?»

«Intesi», mormorò in risposta.

«Non fare rumore, intesi?»

«Va bene.»

Chiusi la porta e la lasciai sul primo gradino con la mano appoggiata alla ringhiera e una lampadina accesa alle sue spalle. Controllai con attenzione il corridoio e tornai in cucina. Gli addetti al catering erano ancora affaccendati.

«Siete Keast e Maden?» domandai.

Quello più vicino a me annuì.

«Paul Keast», disse.

«Chris Maden», rispose il socio.

«Devo spostare il furgone», dissi.

«Perché?»

«Perché ingombra.»

L'uomo mi guardò. «Mi ha detto lei di metterlo lì.»

«Ma non di lasciarcelo.»

L'uomo si strinse nelle spalle, frugò su un bancone e trovò le chiavi.

« Come vuole », rispose.

Presi le chiavi, uscii e controllai il retro del furgone: era dotato di rastrelliere per i vassoi da entrambi i lati. In mezzo c'era uno stretto corridoio. Niente finestrini: andava bene. Lasciai le porte posteriori aperte, salii al posto di guida e lo accesi. Feci retromarcia fino alla rotonda, lo girai e feci di nuovo retromarcia fino alla porta della cucina. Adesso era rivolto nella giusta direzione. Spensi il motore, ma lasciai le chiavi inserite. Tornai in cucina e il metal detector bippò.

« Che cosa mangeranno? » domandai.

« Kebab di agnello », rispose Maden. « Con riso, cuscus e hummus. Involtini di foglie di vite per antipasto e baklava per dessert. Con il caffè. »

« È cucina libica? »

« Internazionale », rispose. « La si mangia dappertutto. »

« Io per queste cose pagavo un dollaro », dissi. « Voi le mettete a cinquantacinque. »

« Dove? A Portland? »

« A Beirut », risposi.

Uscii e controllai il corridoio. Tutto era silenzioso. Aprii la porta del seminterrato. Teresa Daniel mi stava aspettando lì dietro, come un automa. Le tesi la mano.

« Andiamo », dissi.

Lei uscì. Chiusi la porta alle sue spalle e la portai in cucina. Keast e Maden la fissarono. Li ignorai e le feci attraversare la cucina fino a condurla fuori della porta, al furgone. Tremava dal freddo. L'aiutai a salire dietro.

« Adesso aspettami qui. Senza fare il minimo rumore, d'accordo? »

Lei annuì e non disse nulla.

« Adesso chiudo le porte », spiegai.

Lei annuì di nuovo.

« Tra poco ti porterò fuori di qui. »

«Grazie», rispose.

Chiusi le porte e tornai in cucina dove mi fermai ad ascoltare. Sentivo conversare in sala da pranzo.

«Quando cenano?» chiesi.

«Tra venti minuti», rispose Maden. «Quando avranno finito i drink. Sa, nei cinquantacinque dollari è compreso anche lo champagne.»

«Bene», dissi. «Non se la prenda.»

Guardai l'orologio. Erano passati quarantacinque minuti. Me ne restavano quindici.

Era ora di iniziare lo show.

Tornai fuori nel freddo, m'infilai nel furgone del catering e lo accesi. Avanzai piano, girando lentamente l'angolo della villa, percorsi la rotonda a passo d'uomo e a passo d'uomo imboccai il viale. Mi allontanai dalla casa e superai il cancello. Raggiunsi la strada e lì diedi gas. Feci le curve in velocità e inchiodai all'altezza della Taurus di Villanueva. Saltai giù. Villanueva e Duffy erano già fuori, pronti a venirmi incontro.

«Teresa è dietro», dissi. «Sta bene, ma l'hanno drogata.»

Duffy alzò i pugni in aria, spiccò un balzo e mi abbracciò forte mentre Villanueva spalancava le porte. Teresa gli cadde tra le braccia. Lui la sollevò come se fosse una bambina e Duffy la condusse via. A quel punto toccò a lui abbracciarmi.

«Dovreste portarla in ospedale», suggerii.

«La porteremo al motel», rispose Duffy. «Siamo sempre in una missione non autorizzata.»

«Ne sei sicura?»

«Si rimetterà», disse Villanueva. «Devono averle dato del Roipnol, probabilmente dei loro amici trafficanti, ma l'effetto non dura a lungo. Lo elimini presto.»

Duffy stava abbracciando Teresa come una sorella e Villanueva stava ancora abbracciando me.

«Eliot è morto», dissi.

La notizia depresse fortemente l'umore generale.

« Chiamate l'ATF dal motel », dissi. « Se prima non vi chiamerò io. »

Mi fissarono.

« Torno là dentro », aggiunsi.

Girai il furgone e tornai indietro. Vedevo la casa davanti a me. Le finestre erano illuminate di giallo e le luci del muro apparivano azzurre nella nebbiolina. Il furgone avanzava a fatica nel vento. Piano B, decisi. Quinn era mio, gli altri sarebbero stati un grattacapo dell'ATF.

Mi fermai sul lato esterno della rotonda e feci retromarcia lungo il lato della casa fino alla cucina. Scesi e andai sul retro dove ritrovai il cappotto. Lo srotolai, mettendo da parte i Persuader, e me lo infilai. Mi serviva: era una notte fredda e di lì a cinque minuti sarei stato di nuovo per strada.

Mi avvicinai alle finestre della sala da pranzo per guardare dentro. Avevano chiuso le tende. Ha senso, pensai. Era una notte turbolenta e tempestosa. La sala da pranzo sarebbe stata più bella con le tende tirate, più accogliente: tappeti orientali sul pavimento, pannellatura di legno, argenteria e tovaglia di lino.

Recuperai i Persuader e tornai in cucina. Il metal detector stridette. I due addetti al catering avevano allineato dieci piatti di involtini di foglie di vite su un banco. Le foglie apparivano scure, unte, coriacee. Avevo fame, ma non avrei potuto mangiarne neanche una: lo stato dei miei denti me lo impediva. Pensai che grazie a Paulie sarei stato costretto a mangiare gelato per una settimana.

« Aspettate cinque minuti a servire, d'accordo? » dissi.

Keast e Maden fissarono i fucili.

« Le vostre chiavi », affermai.

Le lasciai cadere accanto alle foglie di vite. Non mi servivano più. Avevo le chiavi che Beck mi aveva dato. Pensavo di uscire dalla porta principale e di usare la Cadillac, più veloce e confortevole. Presi un coltello dal portacoltelli di legno e praticai un piccolo taglio nella parte interna della tasca del cappotto, in modo da far passare la canna di un Persuader nella fodera. Presi il fucile con cui avevo ucciso Harley e lo infilai nel cappotto. Tenni l'altro con due mani e feci un bel respiro. Uscii in corridoio. Keast e Maden mi seguirono con lo sguardo. La prima cosa che feci fu controllare il bagno: non aveva senso preparare una scena a effetto se Quinn non si trovava nemmeno in sala da pranzo. Il bagno era vuoto. Nessuno ne aveva avuto bisogno.

La porta della sala da pranzo era chiusa. Feci un altro bel respiro, poi un altro ancora. L'aprii con un calcio, entrai e sparai due Brenneke nel soffitto. Ebbero l'effetto di granate stordenti. Le due esplosioni gemelle furono colossali e scatenarono una pioggia di intonaco e legno. Polvere e fumo riempirono l'aria. Tutti restarono impietriti come statue. Abbassai il fucile all'altezza del petto di Quinn in attesa che gli echi svanissero.

«Ti ricordi di me?» chiesi.

Elizabeth Beck urlò nell'improvviso silenzio.

Avanzai di un altro passo e tenni la bocca del fucile puntata su Quinn.

«Ti ricordi di me?» ripetei.

Un secondo, due. La sua bocca prese a muoversi.

«Ti ho visto a Boston», rispose. «Per strada. Un sabato sera. Forse un paio di settimane fa.»

«Riprova», esclamai.

Il suo volto era completamente inespressivo. Non si ricordava di me. «Gli hanno diagnosticato una forma di amnesia, causata dal trauma», mi aveva spiegato Duffy. «È abbastanza comune. Probabilmente si è completamente dimenticato dell'episodio e dei giorni precedenti a esso.»

«Sono Reacher», dissi. «Ho bisogno che ricordi.»

Lui guardò impotente Beck.

«Si chiamava Dominique», affermai.

Quinn si girò e mi fissò con gli occhi sgranati. Adesso sapeva chi fossi. Il suo viso mutò: impallidì e fu pervaso da un sentimento di furia e di paura. Le cicatrici della calibro .22 divennero di un bianco puro. Pensai di spargli in mezzo, ma sarebbe stato un tiro difficile.

«Credevi davvero che non ti avrei mai trovato?» domandai.

«Possiamo parlare?» Sembrava avesse la bocca secca.

«No», risposi. «Hai già parlato per dieci anni di troppo.»

«Siamo tutti armati», intervenne Beck con tono spaventato. I tre arabi mi fissavano. La polvere d'intonaco si era appiccicata alla brillantina dei loro capelli.

«Allora dica a tutti di non sparare», replicai. «Non c'è ragione di fare più di una vittima.»

La gente si allontanò da me. La polvere si depositò sul tavolo. Un pezzo del soffitto aveva rotto un bicchiere. Mi spostai con il gruppo, mi voltai e studiai la geometria per tenere i criminali sotto tiro in un angolo della stanza. Nello stesso tempo cercai di spingere Elizabeth, Richard e la cuoca nell'altro, accanto alla finestra, dove sarebbero stati al sicuro. Puro linguaggio del corpo. Girai la spalla, avanzai di poco e, anche se tra me e gran parte di loro c'era il tavolo, andarono dove volevo: il gruppetto si divise obbediente, otto da una parte e tre dall'altra.

«Ora allontanatevi tutti dal signor Xavier», dissi.

Tutti si scostarono tranne Beck, che rimase attaccato alla sua spalla. Lo fissai, poi mi resi conto che Quinn gli teneva una mano sul braccio. Lo stringeva poco al di sopra del gomito, anzi lo tirava con forza alla ricerca di uno scudo umano.

«Le palle hanno un diametro di due centimetri e mezzo», affermai. «Non ti servirà a niente fintantoché vedrò due centimetri e mezzo del tuo corpo.»

Lui non replicò, continuò solo a tirare mentre Beck opponeva resistenza. Nei suoi occhi scorsi paura. Era in corso una piccola gara al rallentatore, ma supposi che Quinn la stesse vincendo: in dieci secondi Beck gli copriva metà corpo. La spalla sinistra di Beck copriva quella destra di Quinn. Entrambi tremavano per lo sforzo. Anche se il Persuader aveva un'impugnatura da pistola al posto del calcio, lo portai alla spalla e mirai con attenzione seguendo la canna.

«Ti vedo ancora», dissi.

«Non sparare», esclamò Richard Beck alle mie spalle.

C'era qualcosa nella sua voce.

Gli lanciai un'occhiata. Mossi brevemente la testa, solo per un istante: la voltai e la girai di nuovo. In mano stringeva una Beretta, identica a quella che avevo in tasca, e la teneva puntata alla mia testa. La luce elettrica vi si rifletteva, aspra, mettendola in risalto. Anche se l'avevo guardata per una frazione di secondo soltanto, avevo visto l'elegante incisione sul lato, PIETRO BERETTA, la patina di olio nuovo e il puntino rosso che appare quando la sicura è tolta.

«Mettila via, Richard», dissi.

«Non se mio padre è lì», rispose.

«Lascialo andare, Quinn», ordinai.

«Non sparare, Reacher», ripeté Richard. «O ti sparo io per primo.»

A quel punto Beck copriva quasi completamente Quinn.

«Non sparare», insistette Richard.

«Mettila giù, Richard», ripetei.

«No.»

«Mettila giù.»

Ascoltai con attenzione la sua voce: non si sarebbe mosso, sarebbe rimasto fermo dov'era. Sapevo esattamente dove si trovasse e sapevo a quale angolazione girarmi. Provai la sequenza mentalmente: *Girati, spara, carica, girati, spara.* Li avrei potuti colpire entrambi in un secondo e un quarto. Quinn non avrebbe fatto a tempo a reagire. Respirai.

Poi vidi mentalmente Richard: i capelli scompigliati, l'orecchio mancante, le dita lunghe. Immaginai la grossa Brenneke che lo devastava, schiacciando e lacerando i tessuti, e la poderosa energia cinetica che lo disintegrava. Non potevo farlo.

« Mettila via », dissi.

« No. »

« Per favore. »

« No. »

« Così li aiuti. »

« Così aiuto mio padre. »

« Non colpirò tuo padre. »

« Non posso correre il rischio. È il mio papà. »

« Elizabeth, glielo dica lei. »

« No », rispose lei. « È mio marito. »

Ero in stallo.

Anzi, peggio che in stallo perché non c'era assolutamente niente che potessi fare. Non potevo sparare a Richard perché non me lo sarei mai perdonato, perciò non potevo sparare a Quinn e non potevo dire che non avrei sparato a Quinn perché otto uomini mi avrebbero immediatamente puntato contro un'arma. Ne avrei colpiti alcuni, ma prima o poi uno avrebbe colpito me. Non potevo nemmeno separare Quinn da Beck: mai e poi mai lo avrebbe lasciato e sarebbe uscito dalla stanza con me.

Ero in stallo.

Piano C.

« Mettila via, Richard », dissi.

Ascolta.

« No. »

Non si era mosso. Riprovai mentalmente la sequenza. *Girati. Spara.* Respirai, mi voltai e sparai trenta centimetri più a destra di Richard, alla finestra. La palla squarciò le tende, colpì il telaio e lo divelse. Feci tre passi di corsa e mi gettai a capofitto nel buco. Rotolai due volte avvolto nella tenda di velluto strappata, mi rimisi in piedi e scappai dritto verso gli scogli.

Dopo una ventina di metri mi voltai e rimasi immobile.

La tenda rimasta si era gonfiata al vento e ondeggiava dentro e fuori del foro. Sentivo la stoffa sbattere e schioccare. Dietro brillava una luce gialla. Vedevo alcune ombre che si stavano radunando davanti al vetro infranto. Tutto si muoveva: la tenda, la gente. A seconda dei movimenti della tenda, la luce si attenuava o s'intensificava. Arrivarono i primi proiettili. Stavano sparando con le pistole: prima due, poi quattro, cinque, poi altre ancora. Le pallottole mi sfrecciavano accanto, colpivano gli scogli emettendo scintille e rimbalzando di qua e di là. Gli spari sembravano lievi, simili a scoppi attutiti, insignificanti, tanto che si perdevano nell'ululato del vento e nel fragore delle onde. Mi gettai in ginocchio e sollevai il Persuader, dopodiché gli spari cessarono. Aspettai a rispondere. La tenda scomparve: qualcuno l'aveva strappata. La luce m'investì. Vidi Richard ed Elizabeth spinti in prima fila alla finestra. Avevano le braccia piegate dietro la schiena. E vidi il volto di Quinn alle spalle di Richard. Teneva una pistola puntata verso di me.

«Sparami, adesso», gridò.

La sua voce si perse quasi del tutto nel vento. Udii la settima onda infrangersi alle mie spalle. Gli spruzzi si levarono in aria, portati dal vento, e mi colpirono con forza alla nuca. Dietro Elizabeth vidi uno degli uomini di Quinn. La donna aveva il viso piegato in una smorfia di dolore. L'uomo teneva il polso destro appoggiato sulla sua spalla e la testa dietro quella di lei. In mano stringeva una pistola. Vidi il calcio di un'altra arma eliminare i frammenti di vetro rimasti sul telaio e ripulirlo completamente. Un attimo dopo Richard fu spinto in avanti: mise un ginocchio sul davanzale e Quinn lo gettò fuori, seguendolo subito dopo e tenendolo vicino a sé.

«Sparami, adesso», urlò di nuovo.

Alle sue spalle Elizabeth fu sollevata e portata fuori della finestra. Un braccio robusto la cingeva alla vita. Scalciò disperata, ma fu posata a terra e strattonata indietro per coprire l'uomo che la teneva. Vedevo il suo volto pallido nell'oscurità, contorto dal dolore. Arretrai di qualche passo. Altre persone uscirono, una dopo l'altra e si misero in formazione. Crearono un cuneo con Richard ed Elizabeth in testa, fianco a fianco. Poi il cuneo prese ad avanzare nella mia direzione rapido ma scoordinato. Vidi cinque pistole. Arretrai ancora. Il cuneo continuava ad avanzare e le pistole ripresero a sparare.

Non intendevano colpirmi, ma mettermi con le spalle al muro. Arretrai e contai i colpi. Cinque pistole con il caricatore pieno, avevano almeno settantacinque proiettili in totale, forse anche più, e ne avevano sparati una ventina. Erano tutt'altro che scariche e sparavano in modo controllato, non a caso: miravano alla mia destra e alla mia sinistra verso gli scogli, a intervalli regolari di qualche secondo. Il cuneo avanzava come una macchina, come un carro armato umano. Mi alzai e arretrai, e loro continuarono a venirmi addosso.

Richard era a destra, Elizabeth a sinistra. Scelsi un uomo dietro il ragazzo e presi la mira, ma lui mi vide e si nascose nella folla. Il cuneo si compattò fino a trasformarsi in una stretta colonna che avanzava costante. Non avevo il campo libero. Camminai all'indietro, passo dopo passo.

Col tallone sinistro toccai il bordo della spaccatura di Harley.

L'acqua ribollì e mi sommerse la scarpa. Ascoltai le onde. La ghiaia rotolava trascinata dal risucchio. Allineai il piede destro al sinistro e mi tenni in equilibrio sull'orlo. Vidi Quinn che mi sorrideva: scorsi solo un bagliore di denti nel buio.

« Dacci la buonanotte, ora », urlò.

Resta vivo. Vedi quello che succede in seguito.

Dalla colonna spuntarono delle braccia, sei o sette in tutto. Si protesero e puntarono le armi. Presero la mira, in attesa di un ordine. Udii la settima onda infrangersi ai miei piedi: mi bagnò le caviglie e sommerse tre metri di scogli davanti a me. Rimase ferma per un istante e quindi si ritirò, indifferente, come un metronomo. Guardai Elizabeth e Richard, i loro volti. Respirai profondamente e pensai: io o loro. Gettai i Persuader e mi buttai all'indietro in acqua.

Prima sentii lo shock del freddo, poi fu come precipitare da un edificio, ma non in caduta libera: mi sembrò d'essere finito in un tubo gelido, lubrificato, che mi risucchiava mantenendomi a una pendenza notevole, ma controllata. La velocità però aumentava. Ero capovolto, con la testa all'ingiù. Ero atterrato di schiena e per una frazione di secondo non avevo sentito nulla tranne l'acqua gelida nelle orecchie, negli occhi e nel naso. E il labbro che mi pungeva. Ero a una trentina di centimetri dalla superficie ed ero fermo. Temevo di tornare a galla. Sarei riemerso proprio davanti a loro. Di certo si erano ammassati sui bordi della spaccatura con le armi puntate verso l'acqua.

Un attimo dopo tuttavia avevo sentito i capelli rizzarsi: era una sensazione dolce, come se qualcuno me li pettinasse tirandoli con delicatezza. Poi mi ero sentito afferrare per la testa. Mi era parso che un omone dalle mani grosse mi avesse preso la faccia tra i palmi e me la stesse tirando, dapprima piano, quindi con sempre maggior forza. Percepivo la trazione al collo, come se mi stessi allungando, poi al petto e alle spalle. Le braccia galleggiavano libere, ma a un tratto si erano sollevate sopra la mia testa e avevo iniziato a cadere. Era come effettuare un perfetto tuffo di testa all'indietro. Cadevo verso il basso con la schiena inarcata, accelerando via via, molto più veloce di quanto non avrei fatto nell'aria. Era come essere tirato da un gigantesco elastico.

Non vedevo niente e non sapevo se avessi gli occhi aperti o chiusi. Il freddo mi stordiva e la pressione sul corpo era tanto uniforme che non provavo quasi sensazioni fisiche. Non avvertivo nessuna forza, tutto era fluido, come nel teletrasporto dei film di fantascienza, come se un raggio mi risucchiasse verso il basso, come se fossi diventato all'improvviso alto nove metri e stretto un paio di centimetri. C'erano buio e freddo dappertutto. Trattenni il fiato. Ogni tensione abbandonò il mio corpo e reclinai il capo per sentire l'acqua tra i capelli. Allungai le dita dei piedi, inarcai la schiena e tesi il più possibile le braccia sopra la testa. Aprii le dita delle mani per sentire l'acqua che vi fluiva in mezzo. C'era una grande pace. Ero un proiettile e la cosa mi piaceva.

Poi avvertii un tonfo d'allarme al petto e capii che stavo annegando, perciò iniziai a lottare. Mi girai e il cappotto mi venne in testa. Me lo strappai di dosso, rigirandomi e capovolgendomi nel gelido tubo d'acqua. Il cappotto mi colpì al volto e volò via. Mi liberai anche della giacca, che scomparve nel nulla. D'un tratto sentii un freddo pungente. Stavo ancora precipitando rapido e sentivo una forte pressione alle orecchie che mi sibilavano. Stavo ruzzolando al rallentatore, precipitando sempre più giù, più veloce di quanto non mi fosse mai capitato, girandomi e rigirandomi come se fossi intrappolato in una ragnatela.

Quant'era grande il tubo? Non lo sapevo. Scalciai disperato e cercai di far presa sull'acqua circostante. Era come essere nelle sabbie mobili. Non nuotare verso il basso. Scalciai e mi dimenai cercando di trovare il limite della corrente. Contrattai con me stesso. Concentrati, trova il limite, fa' qualche progresso, stai calmo, lascia che ti porti giù di quindici metri per ogni cinquanta centimetri che guadagni in direzione laterale. Mi fermai per un secondo, mi organizzai e cominciai a nuotare in modo adeguato, con forza, come se il tubo fosse la superficie piana di una piscina e io stessi facendo una gara, come se per il vincitore ci fossero in premio una ragazza, un drink e una sdraio sul patio.

Da quanto ero sott'acqua? Non lo sapevo, probabilmente da quindici secondi. Potevo trattenere il respiro forse per un minuto. Perciò rilassati, nuota con forza e trova il limite. Ci doveva essere un limite, tutto l'oceano non si muoveva in quel modo, non era possibile, altrimenti il Portogallo sarebbe stato sommerso come pure metà della Spagna. Le orecchie mi ronzavano per la pressione.

Da che parte stavo andando? Non importava. Dovevo solo uscire dalla corrente. Continuai a nuotare e sentii la corrente che mi contrastava. Era incredibilmente forte. All'inizio delicata, ora mi stava strattonando come se non gradisse la mia reazione. Strinsi i denti e proseguii. Mi sembrava di strisciare su un pavimento con tonnellate di mattoni sulla schiena. I polmoni erano gonfi e mi bruciavano. Lasciavo uscire un po' d'aria tra i denti e nuotavo, facendo forza con le braccia.

Trenta secondi. Stavo annegando, lo sapevo. Stavo perdendo le forze. I polmoni erano vuoti e avvertivo un'oppressione al petto. Sopra di me c'erano tonnellate d'acqua e percepivo la faccia torcersi dal male. Le orecchie mi ronzavano e avevo lo stomaco contratto. La spalla sinistra mi bruciava là dove Paulie mi aveva colpito. Sentii la voce di Harley nella mia mente: *non ne è mai tornato indietro uno.* Continuai a nuotare.

Quaranta secondi. Non stavo facendo progressi, venivo solo trascinato giù negli abissi. Avrei raggiunto il fondale. Nuotai ancora, cercando di vincere la corrente. Cinquanta secondi. Le orecchie mi fischiavano e la testa stava per scoppiarmi. Digrignavo i denti. Ero molto arrabbiato: Quinn si era salvato dall'oceano. Perché io non ci riuscivo?

Nuotai disperato. Un minuto intero. Avevo le dita congelate, in preda ai crampi, e gli occhi che mi bruciavano. Più di un minuto. Mi agitavo e mi dimenavo facendomi strada nell'acqua. Scalciavo e combattevo. Poi sentii la corrente cambiare. Avevo trovato il limite. Fu come afferrarmi a un palo del telegrafo saltando da un treno in corsa. Mi buttai al di là di esso e un'altra corrente mi afferrò le mani e mi colpì alla testa. Il vorticare dell'acqua mi sbatté di qua e di là e all'improvviso mi ritrovai a ruzzolare e a galleggiare in un'acqua che sembrava immobile, trasparente e fredda.

Adesso pensa: da che parte è la superficie? Mi appellai a tutto il mio autocontrollo e smisi di lottare: rimasi lì a galleggiare e cercai di stabilire la direzione. Non mi mossi. Avevo i polmoni vuoti. Le mie labbra erano strette. Non potevo respirare. Ero in assetto neutro, fermo, immobile nell'acqua, in un metro cubo di oceano nero. Aprii gli occhi e mi guardai attorno. Guardai sopra, sotto, di lato. Mi girai e rigirai, ma non vidi nulla. Era come essere nello spazio profondo: tutto era buio pesto. Non c'era neanche una luce. *Non ne è mai tornato indietro uno.*

Poi avvertii una lieve pressione al petto e una minore alla schiena. Ero a faccia all'ingiù nell'acqua, sospeso. Stavo salendo verso l'alto molto lentamente, di schiena. Mi concentrai e memorizzai bene la sensazione. Memorizzai la posizione. Inarcai la schiena, annaspai con le mani e spinsi le gambe verso il basso. Poi allungai le braccia verso la superficie. Ora va'. Non respirare.

Spinsi furiosamente con i piedi e diedi grandi bracciate, stringendo le labbra. Non avevo più aria in corpo. Tenni la faccia rivolta verso l'alto in modo che la prima parte del corpo a riemergere fosse la bocca. Quanto manca? Sopra di me era tutto nero. Lassù non c'era niente. Ero a chilometri dalla superficie. Sarei morto. Aprii le labbra e l'acqua mi entrò in bocca. Sputai e deglutii, continuando a spingere con i piedi. Vedevo macchie rosse negli occhi e la testa mi ronzava. Mi sembrava di avere la febbre, di stare bruciando, di stare congelando, di essere avvolto in un grosso piumino. Era bello morbido. Non sentivo niente.

A quel punto smisi di spingere perché ero sicuro che sarei morto. Aprii la bocca per respirare e ingurgitai acqua salata. Il mio petto ebbe uno spasmo e la sputò. L'acqua entrò e uscì, due volte. Stavo respirando acqua pura. Spinsi ancora una volta: era tutto ciò che potevo fare. Un'ultima spinta, molto energica. Poi chiusi gli occhi, mi lasciai andare e respirai acqua fredda.

Mezzo secondo dopo raggiunsi la superficie. Sentii l'aria sul viso: era la carezza di un'amante. Aprii la bocca. Il mio petto si sollevò e sputai un bel getto d'acqua. Inspirai di nuovo, affannosamente, prima ancora che il getto mi ricadesse addosso. Poi lottai come un matto per tenere il viso rivolto verso l'alto, verso il freddo e dolce ossigeno. Spinsi con le gambe, ansimando e respirando, inspirando e soffiando, tossendo e vomitando.

Aprii bene le braccia e lasciai che le gambe toccassero la superficie, quindi reclinai la testa tenendo la bocca aperta. Guardai il petto sollevarsi e abbassarsi, riempirsi e svuotarsi. Si muoveva a una velocità incredibile. Mi sentivo stanco e in pace, come indistinto. Non avevo ossigeno nel cervello. Mi dimenai nell'acqua per un buon minuto pensando solo a respirare. La vista mi si schiarì. Vidi una nube scura sopra di me. La testa mi si schiarì. Respirai ancora. Inspira, espira, inspira, espira, con le labbra increspate, come un mantice. La testa prese a farmi male. Mi tenni a galla in verticale e cercai l'orizzonte, ma non lo trovai. Salivo e scendevo di un metro, un metro e mezzo alla volta, portato da onde rapide, insistenti, su e giù, su e giù. Spinsi lievemente con i piedi quando l'onda successiva mi portò in alto e guardai davanti a me. Non vidi nulla prima di ricadere nel suo ventre.

Non avevo idea di dove fossi. Mi girai di novanta gradi, aspettai l'onda seguente e guardai a destra. Forse là fuori c'era una barca. Niente. Non c'era niente. Ero solo in mezzo all'Atlantico, alla deriva. *Non ne è mai tornato indietro uno.*

Mi girai di centottanta gradi, aspettai un'altra onda e guardai a sinistra. Niente. Ricaddi nel ventre e attesi ancora un'onda. Guardai dietro di me.

Ero a un centinaio di metri dalla costa.

Vedevo la casa, le finestre illuminate, il muro, l'alone azzurro delle luci. Mi sfilai la camicia dalla testa: era fradicia e pesante. Inspirai, mi girai sul ventre e cominciai a nuotare.

Cento metri. Qualsiasi nuotatore degno di partecipare alle Olimpiadi li coprirebbe in quarantacinque secondi, qualsiasi nuotatore degno di partecipare a una gara scolastica, in meno di un minuto. Io impiegai quasi quindici minuti. La marea stava calando e avevo l'impressione di essere trascinato indietro, di stare ancora annegando. Alla fine tuttavia raggiunsi la costa e mi buttai su uno scoglio liscio ricoperto di una patina viscida e gelida, tenendomi ben stretto. Il mare era ancora molto agitato. Grosse onde m'investivano e mi sbattevano la guancia contro il granito con la regolarità di un orologio, ma non m'importava: amavo l'impatto, ogni volta. Amavo quello scoglio.

Rimasi lì aggrappato a riposare per un altro minuto, poi mi mossi. Restai dietro il garage camminando chino, un po' dentro e un po' fuori dell'acqua. A un certo punto mi misi carponi, mi girai sul dorso e fissai il cielo. *Uno è tornato, Harley.*

Le onde arrivavano a lambirmi la vita. Mi spostai di schiena finché raggiunsero solo le ginocchia. Poi mi rigirai sul ventre e rimasi con il volto premuto sugli scogli. Mi sentivo gonfio e avevo freddo. Ero congelato fino alle ossa. Non avevo più il cappotto né la giacca. I Persuader erano andati, e anche la Beretta.

Mi alzai e l'acqua mi gocciolò di dosso. Feci alcuni passi barcollando e sentii la voce di Leon Garber nella mia testa: *Quello che non ti uccide ti rende più forte.* Era convinto che fosse una frase di JFK. Per me l'aveva detta Friedrich Nietzsche e il verbo era *distruggere*, non *uccidere*. *Quello che non ci distrugge ci rende più forti.* Barcollai ancora per un breve tratto e mi appoggiai al muro del cortile, rigettando litri d'acqua salmastra, il che mi fece stare meglio. Agitai le braccia e mossi alternatamente le gambe per stimolare la circolazione e scrollarmi un po' d'acqua di dosso. Poi mi ravviai i capelli e feci un paio di respiri profondi. Temevo gli attacchi di tosse: avevo la gola in fiamme per il freddo e il sale.

Mi avviai lungo il muro posteriore e girai l'angolo. Trovai la mia buca e presi il fagotto per l'ultima volta. *Quinn, sto venendo a prenderti.*

L'orologio funzionava ancora e indicava che l'ora a mia disposizione era da tempo scaduta. Duffy aveva chiamato l'ATF da venti minuti. La risposta però sarebbe stata lenta: dubitavo che avessero un ufficio operativo a Portland. Boston era probabilmente la sede più vicina, quella da cui avevano inviato la cameriera, perciò avevo ancora tempo a sufficienza.

Il furgone del catering era scomparso, evidentemente la cena era stata annullata. Gli altri veicoli tuttavia erano ancora lì: la Cadillac, la Town Car, i due Suburban. Otto nemici ancora nella villa, più Elizabeth e la cuoca. Non sapevo in quale categoria inserire Richard.

Mi tenni aderente al muro della casa e guardai in ogni finestra. La cuoca era in cucina, intenta a pulire. Keast e Maden avevano lasciato tutta la roba lì. Mi abbassai sotto il davanzale e proseguii. La sala da pranzo era un disastro: l'aria che entrava dalla finestra rotta aveva sollevato la tovaglia di lino gettando piatti e bicchieri dappertutto. Negli angoli il vento aveva formato piccole dune di polvere d'intonaco. Nel soffitto c'erano due grossi fori, come del resto nel soffitto della camera sovrastante e in quello della stanza sopra ancora. Le Brenneke erano probabilmente arrivate fino al tetto, come missili.

Nella stanza quadrata dove avevo giocato alla roulette russa c'erano i tre libici e i tre uomini di Quinn. Sedevano tutti attorno al tavolo di quercia senza far nulla, con aria inespressiva, sotto shock. Parevano fuori combattimento. Non si sarebbero mossi. Mi abbassai sotto il davanzale e proseguii ancora. Arrivai al salotto di Elizabeth Beck. Lei era lì con Richard. Qualcuno aveva portato via il morto. Era seduta sul divano e stava parlando concitata. Non sentivo quello che diceva, ma Richard la stava ascoltando con attenzione. Mi abbassai di nuovo e avanzai.

Beck e Quinn erano nel piccolo studio. Quinn sedeva nella poltrona rossa, Beck era in piedi davanti alla vetrina con i mitra. Aveva un'aria pallida, cupa, ostile, mentre Quinn sembrava pieno di sé. In mano teneva un grosso sigaro spento. Lo stava girando tra le dita e stava avvicinando un tagliasigari d'argento all'estremità.

Completato il giro, tornai alla cucina ed entrai. Non feci alcun rumore. Il metal detector tacque e la cuoca non mi sentì arrivare. La presi alle spalle, le misi una mano sulla bocca e la trascinai vicino a un banco. Dopo quello che mi aveva fatto Richard non avrei più corso rischi. Trovai uno strofinaccio di lino e lo usai per imbavagliarla. Ne trovai un altro per legarle i polsi e un altro ancora per legarle le caviglie. La lasciai seduta scomoda per terra accanto al lavandino. Trovai un quarto strofinaccio e me lo misi in tasca, poi uscii in corridoio.

Tutto era silenzioso. Sentivo vagamente la voce di Elizabeth Beck. La porta del salotto era aperta. Non sentivo altro però. Andai dritto verso la porta dello studio di Beck. L'aprii, entrai e la richiusi.

Fui accolto da una nube di fumo di sigaro. Quinn se lo era acceso da poco. Ebbi la sensazione che avesse finito di ridere per qualcosa. Adesso però era pietrificato dallo shock. Anche Beck era rimasto di sasso: pallido e immobile. Mi fissarono entrambi.

«Sono tornato», dissi.

Beck aveva la bocca aperta. Lo colpii con un pugno. La bocca gli si richiuse violentemente e la testa si spostò all'indietro. Roteò gli occhi e si accasciò all'istante sul triplo strato di tappeti. Era un discreto pugno, ma non il migliore. Il figlio gli aveva salvato la vita, dopotutto. Se non fossi stato tanto stanco per la nuotata, un pugno migliore lo avrebbe ucciso.

Quinn mi si lanciò contro dalla poltrona. Buttò il sigaro e

mise la mano in tasca. Lo colpii allo stomaco. L'aria gli uscì dai polmoni e lui si piegò in avanti, cadendo in ginocchio. Lo colpii alla testa e lo spinsi giù, ventre a terra. Mi inginocchiai sulla sua schiena, tenendo le ginocchia ben puntate tra le scapole.

«No», disse. Non aveva più aria. «Per favore.»

Gli posai una mano sulla nuca, presi lo scalpello dalla scarpa e glielo infilai dietro l'orecchio fin su nel cervello, lentamente, centimetro dopo centimetro. Morì prima che arrivasse a metà, ma lo infilai tutto sino al manico e lo lasciai lì. Pulii l'impugnatura con lo strofinaccio che avevo in tasca, gli stesi quest'ultimo sul volto e mi rialzai a fatica.

Dieci-diciotto, Dom, dissi tra me.

Calpestai il sigaro acceso di Quinn. Presi le chiavi di Beck dalla tasca e sgattaiolai in corridoio. Entrai in cucina. La cuoca mi seguì con lo sguardo. Barcollando, arrivai alla parte anteriore della casa, m'infilai nella Cadillac, l'accesi e partii verso ovest.

Impiegai trenta minuti a raggiungere il motel di Duffy. Lei e Villanueva erano nella stanza di Terry con Teresa Justice. Non era più Teresa Daniel e non era più vestita come una bambola. Le avevano dato un accappatoio del motel. Si era fatta una doccia e si stava riprendendo velocemente. Sembrava debole e pallida, ma aveva l'aspetto di una persona umana, di un'agente federale. Mi fissò inorridita. All'inizio pensai che non sapesse chi fossi: mi aveva visto nella cantina, forse credeva fossi uno di loro.

Poi mi vidi riflesso nello specchio dell'armadio e capii. Ero bagnato dalla testa ai piedi, tremavo tutto e avevo la pelle bianca come un lenzuolo. Il taglio sul labbro si era aperto e i margini erano diventati blu. Avevo nuovi lividi là dove le onde mi avevano sbattuto contro lo scoglio, alghe tra i capelli e fanghiglia sui pantaloni.

« Sono caduto in mare », spiegai.

Nessuno parlò.

« Mi faccio una doccia », dissi. « Rapida. Avete chiamato l'ATF? »

« Sì, stanno arrivando. La Polizia di Portland ha già isolato il magazzino. Chiuderanno anche la costiera. Te ne sei andato appena in tempo », rispose Duffy.

« Sono mai stato là? »

Villanueva scosse la testa. « Tu non esisti e noi non ti abbiamo mai incontrato. »

« Grazie », risposi.

« Vecchia guardia », esclamò lui.

Dopo la doccia il mio spirito migliorò e anche il mio aspetto, ma non avevo vestiti. Villanueva mi prestò i suoi. Erano un po' larghi e corti e li nascosi con il suo impermeabile. Me lo strinsi bene addosso perché avevo ancora freddo. Ci facemmo portare quattro pizze: morivamo tutti di fame. Mangiammo e bevemmo. Non riuscii a mordere la pasta della pizza, succhiai solo la guarnizione. Dopo un'ora Teresa Justice andò a letto. Mi strinse la mano e con grande educazione mi augurò buonanotte. Non aveva idea di chi fossi.

« Il Roipnol cancella la memoria a breve termine », mi spiegò Villanueva.

Poi parlammo di lavoro. Duffy era molto giù. Stava vivendo un incubo: aveva perso tre agenti in un'operazione illegale e il fatto di aver recuperato Teresa non l'avrebbe aiutata in alcun modo, perché Teresa non sarebbe mai dovuta essere lì.

« Allora molla », dissi. « Passa all'ATF. Hai appena presentato loro un grande risultato su un piatto d'argento. Sarai la celebrità del mese. »

« Io andrò in pensione », affermò Villanueva. « Sono vecchio abbastanza e ne ho abbastanza. »

« Io non posso andare in pensione », replicò Duffy.

La sera prima dell'arresto, al ristorante, Dominique Kohl mi chiese: «Perché lo fai?»

Non capii che cosa intendesse. «Cenare con te?»

«No, fare il poliziotto militare. Potevi fare qualsiasi cosa: entrare nelle forze speciali, nell'intelligence, nella cavalleria aerea, nei corpi corazzati, ovunque avessi voluto.»

«Anche tu.»

«Lo so. E so perché *faccio* quello che faccio. Voglio sapere perché tu lo fai.»

Era la prima volta che qualcuno me lo chiedeva.

«Perché ho sempre voluto fare il poliziotto», risposi. «Ma ero predestinato a finire tra i militari, per via del background familiare. Non avevo scelta. Perciò sono diventato poliziotto militare.»

«Questa non è propriamente una risposta. Perché volevi fare il poliziotto?»

Mi strinsi nelle spalle. «Sono fatto così. I poliziotti sistemano le cose.»

«Quali cose?»

«Si prendono cura della gente, tutelano i piccoli.»

«È per questo? Per i piccoli?»

Scossi la testa.

«No», risposi. «Non esattamente. I piccoli non mi interessano. È che detesto i grandi: i grandi pieni di sé che pensano di farla sempre franca.»

«Allora ottieni i giusti risultati per le ragioni sbagliate.»

«Esattamente, ma cerco di fare la cosa giusta. Penso che in fondo le ragioni non contino. Comunque sia, a me piace che si faccia la cosa giusta.»

«Anche a me», disse lei. «Cerco di fare la cosa giusta, anche se tutti ci odiano e nessuno ci aiuta o ci ringrazia, dopo. Penso che fare la cosa giusta sia di per sé un fine. Deve esserlo, no?»

« Hai fatto la cosa giusta? » chiesi dieci anni dopo.

« Sì », rispose Duffy.

« Nessun dubbio? »

« No. »

« Ne sei certa? »

« Assolutamente sì. »

« Allora rilassati », affermai. « È la miglior cosa a cui tu possa ambire. Nessuno ti aiuta e nessuno ti dice grazie, dopo. »

Lei tacque per un po'.

« *Tu* hai fatto la cosa giusta? » domandò lei.

« Sicuro. »

Poi non ne parlammo più. Duffy aveva sistemato Teresa Justice nella vecchia stanza di Eliot, il che significava che Villanueva avrebbe dormito nella sua e Duffy e io in quella di lei. Sembrava un po' imbarazzata per quello che aveva detto in precedenza, a proposito della mancanza di professionalità. Non sapevo se avrebbe ribadito l'idea o cercato di ritrattare.

« Non temere », dissi. « Sono fin troppo stanco. »

E stavolta glielo dimostrai, ma non per mancanza d'iniziativa. Cominciammo. Lei chiarì che aveva intenzione di ritrattare, che dire di sì era meglio che dire di no. Ne fui molto contento perché mi piaceva parecchio. Perciò cominciammo. Ci spogliammo e andammo a letto insieme. Ricordo che la baciai con tanta passione da farmi male alla bocca, ma questo è tutto quello che ricordo. Poi mi addormentai e dormii il sonno del giusto per undici ore di fila. Quando mi svegliai, se n'erano andati, pronti ad affrontare quello che il futuro aveva in serbo per loro. Ero solo nella stanza con una collezione di ricordi. Il sole filtrava dalle tende e nell'aria volteggiavano granelli di polvere. I vestiti di Villanueva erano scomparsi dallo schienale della sedia e al loro posto c'era un sacchetto pieno di abiti a buon mercato. Sembravano della giusta misura. Susan Duffy aveva occhio per le taglie. Ce n'erano due serie: una per i climi freddi, l'altra per i climi caldi. Non sapeva dove sarei andato, perciò aveva considerato tutte e due le possibilità. Era una donna molto pratica. Pensai che mi sarebbe mancata, almeno per un po'. Indossai i vestiti per i climi caldi lasciando gli altri nella stanza. Avrei potuto usare la Cadillac di Beck per raggiungere l'Interstatale 95 e la stazione di servizio di Kennebunk. Lì avrei potuto abbandonarla e trovare senza problemi un passaggio verso sud. L'Interstatale 95 ti porta dappertutto, anche fino a Miami.

Lee Child
Non sfidarmi
Un'avventura di Jack Reacher

È il 1996, Jack Reacher ha 35 anni e non ha ancora abbandonato l'esercito. È infatti appena rientrato da una missione che ha portato a termine con successo e viene insignito quella stessa mattina di una medaglia al merito. Ma poco dopo la cerimonia, Reacher riceve nuovi ordini: dovrà seguire un corso di studio serale. Quella sera, arrivato in aula per il corso, incontra due nuovi « studenti »: un agente dell'FBI e un analista della CIA, entrambi, come Reacher, reduci da missioni di successo. I tre si chiedono quale sia il vero motivo della loro presenza in quella scuola, ma i loro dubbi vengono presto fugati. Una cellula dormiente jihadista ad Amburgo ha ricevuto una visita inaspettata, un corriere saudita in cerca di asilo che attende di concludere un affare sospetto.
Un agente della CIA infiltrato nella cellula è riuscito a origliare una conversazione con il corriere e riporta un messaggio inquietante: « L'Americano vuole cento milioni di dollari. »
A che scopo? Chi si nasconde dietro il nome in codice l'Americano? Se non riusciranno a fermare l'Americano, nulla potrà impedire l'attuazione di un colpo terroristico di proporzioni catastrofiche...

LONGANESI

Lee Child
La prova decisiva
Un'avventura di Jack Reacher

Sei spari esplodono improvvisi in una cittadina di provincia
dell'Indiana. Sei colpi di fucile su una folla inerme, in una piazza
del centro. A terra cinque corpi senza vita. Poche ore dopo,
viene arrestato un ex cecchino dell'esercito, James Barr.
Le prove contro di lui sono schiaccianti, eppure lui sostiene
che abbiano preso la persona sbagliata, e chiede una sola cosa:
«Trovatemi Jack Reacher». Ma Jack Reacher è un uomo molto
difficile da trovare. All'insaputa di tutti, però, dalle spiagge
di Miami è già partito per l'Indiana…

www.tealibri.it

Visitando il sito internet della TEA potrai:
- **Scoprire subito le novità dei tuoi autori e dei tuoi generi preferiti**
- **Esplorare il catalogo on-line trovando descrizioni complete per ogni titolo**
- **Fare ricerche nel catalogo per argomento, genere, ambientazione, personaggi... e trovare il libro che fa per te**
- **Conoscere i tuoi prossimi autori preferiti**
- **Votare i libri che ti sono piaciuti di più**
- **Segnalare agli amici i libri che ti hanno colpito**
- **E molto altro ancora...**

www.illibraio.it

Il sito di chi ama leggere

Ti è piaciuto questo libro?
Vuoi scoprire nuovi autori?

Vieni a trovarci su **IlLibraio.it**, dove potrai:

- scoprire le **novità editoriali** e sfogliare le prime pagine **in anteprima**
- seguire i **generi letterari** che preferisci
- accedere a **contenuti gratuiti**: racconti, articoli, interviste e approfondimenti
- **leggere** la trama dei libri, **conoscere** i dietro le quinte dei casi editoriali, **guardare** i booktrailer
- iscriverti alla nostra **newsletter settimanale**
- unirti a **migliaia di appassionati** lettori sui nostri account **facebook**, **twitter**, **google+**

« La vita di un libro non finisce con l'ultima pagina. »

Finito di stampare nel mese di novembre 2018
per conto della TEA S.r.l.
da Rotolito S.p.A. - Seggiano di Pioltello (MI)
Printed in Italy